Visual
Basic 6

Visual Basic 6

Peter WRIGHT

Traduction de l'anglais par
Marie SAVEV, Servane HEUDIARD, Serge ANSAR
avec la collaboration de Christine LIABEUF *et Dominic* LOWE

Relecture et validation techniques par Alain DORSEUIL

ÉDITIONS EYROLLES
61, Bld Saint-Germain
75240 Paris Cedex 05
www.eyrolles.com

WROX PRESS
30 Lincoln Road
Birmingham, B27 6PA
Royaume Uni
www.wrox.com

L'édition originale de ce livre a été publiée en langue anglaise
par Wrox Press sous le titre : *Beginning Visual Basic 6*
ISBN 1-861001-05-3

Table des matières

Visual Basic 6

Introduction

A qui s'adresse ce manuel ?

Ce manuel a été conçu pour que vous appreniez le plus vite possible à écrire des programmes avec Visual Basic 6. Il existe deux types de débutants pour lesquels ce manuel représente l'ouvrage idéal :

❑ Vous **débutez en programmation,** et vous avez choisi Visual Basic pour démarrer. Très bon choix ! Visual Basic est facile, plaisant à utiliser et très puissant. Ce manuel vous guidera tout au long de votre apprentissage.

❑ Vous savez programmer dans un autre langage, mais vous **débutez en programmation Windows**. Encore une fois, très bon choix ! Quittez le monde froid du langage C ! Ce manuel vous expliquera le fonctionnement de Visual Basic en termes faciles à comprendre. Chemin faisant, je vous donnerai également toutes les informations dont vous aurez besoin en programmation Windows pour vous aider à développer des applications vraiment professionnelles.

De quoi traite ce manuel ?

Dans cet ouvrage vous trouverez tout ce qui concerne **l'édition Initiation** de Visual Basic. Les utilisateurs possédant les éditions Professionnelle et Entreprise peuvent également en tirer profit, mais ils ne trouveront pas dans ce manuel d'explication spécifique concernant les caractéristiques de ces deux versions.

Visual Basic est un gros morceau et nous n'allons *pas* tenter de regarder dans chacun de ses coins et recoins. En revanche, ce que nous *allons* faire c'est déblayer le terrain de manière à pouvoir écrire nos propres programmes.

Ce manuel est en fait un guide touristique de Visual Basic. Vous n'êtes dans ce pays que pour une courte période et, tout comme les vrais vacances, cela ne dure jamais assez longtemps ! Mais vous ne voulez *pas* visiter chaque rue de la capitale. Ce que vous *voulez* en revanche, c'est que l'on vous donne un aperçu global et assez de renseignements sur les coutumes locales pour que vous puissiez trouver votre chemin sans vous retrouver dans des situations périlleuses. Bien sûr, nous examinerons ensemble certains points plus précis, mais cela ne sera jamais qu'un aperçu.

Qu'allez-vous donc voir ? Certains éléments qu'il faut connaître, la manière dont les programmes Visual Basic s'articulent et la nature des principaux composants. Toutes ces « briques » fondamentales seront examinées en détail. Nous étudierons ensuite ce que vous pouvez effectivement faire avec Visual Basic. Mais nous n'avons traité dans ce manuel que ce qui a un but pratique. Ce qui signifie que ce n'est pas parce que c'est dans Visual Basic que cela sera dans cet ouvrage.

Qu'est-ce qui n'est pas traité dans ce manuel ?

Vous ne trouverez ni d'innombrables définitions ni d'interminables listes d'options même si Visual Basic est un langage riche et que chaque commande possède un nombre incalculable d'options. Je vous dirai ce dont vous avez besoin et au moment voulu. Il existe de très bonnes sources de référence, comme les manuels d'utilisateurs Visual Basic et les écrans d'aide qui vous donneront tous les détails voulus en moins de temps qu'il ne faut pour le dire. Vous pouvez également jeter un coup d'œil à l'Annexe A qui vous oriente vers quelques newsgroups très utiles, et vous donne également d'autres excellentes sources d'aide et d'informations.

Je ne vais également pas vous dire comme utiliser Windows. Tout au long de ce manuel, je suppose que vous connaissez déjà les bases d'utilisation d'un programme Windows, telles que la façon de sélectionner un élément de menu ou de double-cliquer sur un élément, etc.

De quoi avez-vous besoin pour utiliser ce manuel ?

A part votre désir d'apprendre, vous devez avoir accès à un PC sous Windows 95 (ou Windows 98) muni de l'édition Initiation de Visual Basic 6.

Vous trouverez dans ce manuel tout le code source des exemples. Vous aurez également besoin de fichiers supplémentaires pour créer les programmes dont nous parlons. Mais si vous voulez éviter de vous fatiguer les doigts en tapant trop de code, vous pouvez télécharger les exemples à partir du site Web de Wrox.

```
http://www.wrox.com/fr/
```

Conventions

Dans cet ouvrage, nous avons utilisé différents styles de texte et différentes mises en page pour vous aider à différencier les types d'informations. Voici quelques exemples des styles que nous utilisons et leur signification :

Passons à la pratique ! Comment cela fonctionne-t-il ?

1 Chaque étape est numérotée.

2 Suivez l'ordre des étapes.

3 Puis lisez la rubrique Fonctionnement pour comprendre ce qui se passe.

Les conseils, les trucs ou toute autre information sont en italique.

❑ **Les mots importants** sont en gras.

❑ Pour les mots qui apparaissent à l'écran comme dans les menus Fichier ou Fenêtre, nous avons utilisé les mêmes polices que celles que vous voyez à l'écran.

❑ Les touches que vous pressez sur votre clavier, comme *Ctrl* ou *Entrée*, sont en italique.

❑ Le code Visual Basic se présente sous deux aspects. Si nous parlons d'un mot dans le texte, par exemple, lorsque nous examinons la boucle For...Next, il apparaît sur un fond blanc. Si c'est un bloc de code que vous pouvez taper comme dans un programme pour l'exécuter, il apparaît sur un fond grisé :

```
Private Sub cmdQuit_Click()
    End
End Sub
```

❑ Quelquefois, vous verrez les deux styles mélangés, comme cela :

```
Private Sub cmdQuit_Click()
    End
End Sub
```

❑ Il y a deux raisons à cela. Dans les deux cas, nous voulons que vous examiniez le code sur fond grisé. Celui sur fond blanc est soit du code que nous avons déjà étudié et qui ne nécessite donc plus notre attention, soit un type de code généré automatiquement par Visual Basic et que vous n'avez donc pas besoin de taper.

❑ Lorsqu'une ligne de code trop longue se trouve sur deux lignes, la continuité est marquée par une ✎.

Notez que VB6 possède son propre caractère de continuité de ligne. C'est un espace suivi d'un tiret (_). Je ne pense pas que cela apparaisse clairement à l'impression, et nous nous en sommes donc tenus à cette flèche recourbée.

Tous ces styles ont été conçus pour que vous puissiez aisément différencier les éléments que vous êtes en train de lire. J'espère qu'ils vous faciliteront la vie.

Comment profiter au maximum de ce manuel

Ce manuel a été écrit dans un but essentiellement pratique. Cela signifie que vous allez devoir utiliser le clavier aussi souvent que possible. Tout au long de cet ouvrage, vous rencontrerez des rubriques intitulées « Passons à la pratique ! » ; vous y trouverez des instructions pas à pas pour créer et exécuter des programmes Visual Basic qui illustrent le concept expliqué dans le chapitre. Vous pouvez également aller sur le site de Microsoft pour obtenir des informations complémentaires (http://www.microsoft.com/vbasic).

Les « Passons à la pratique ! » servent également à vous enseigner de nouveaux concepts qu'il est préférable de voir d'abord en action, plutôt que de les enfouir dans le texte. Après chacune de ces rubriques, se trouve une autre section intitulée « Fonctionnement » qui explique ce qui se passe. Et au fur et à mesure que vous avancez dans le livre et que les programmes s'allongent, les sections « Fonctionnement » s'allongent également. Mais continuez à les lire attentivement.

Vous trouverez également dans ce manuel ce que les rédacteurs techniques appellent des références par anticipation. C'est à ce moment que je dis « Ce concept a l'air compliqué, mais ne vous inquiétez pas : de toute façon, je l'expliquerai au cours du chapitre ». Ce type d'attitude imprudente va m'interdire à tout jamais l'entrée du Panthéon des Écrivains logiques, mais peu m'importe. Ce qui en revanche m'importe réellement, c'est que ce manuel vous permette de disposer de programmes passionnants et intéressants que vous puissiez utiliser le plus tôt possible, et pour ce faire, je devrais quelquefois vous demander de me croire sur parole. Lorsque j'utilise des éléments du langage de Visual Basic qui n'ont pas encore été traités, je vous le dirais. Et croyez-moi, je tiendrais ma promesse.

A la fin de chaque chapitre se trouvent quelques suggestions sous forme d'exercices qui permettent de mettre en pratique les concepts que vous venez juste d'apprendre. Je pense que le meilleur moyen d'apprendre est de s'y mettre tout seul, d'améliorer vos projets en cours, tout en en créant de nouveaux. Ces suggestions ne sont que ce qu'elles sont, donc utilisez-les si cela vous chante ! Vous trouverez les solutions dans l'Annexe B.

Lorsque vous aurez terminé ce manuel, la seule chose dont vous serez sûr, c'est que vous en voudrez encore. Vous aurez d'excellentes bases en Visual Basic et le monde du développement Visual Basic sera vos pieds. Mais tout cela n'est qu'un début. Pour vous aider à décider quoi faire ensuite, je vous donne quelques conseils personnels et donc peu objectifs dans l'Annexe A. Vous y trouverez quelques références en vue de lectures plus approfondies, si vous voulez en savoir plus !

Votre avis nous intéresse

Nous avons travaillé très dur sur ce manuel pour qu'il vous soit utile. Nous avons fait en sorte que vous en ayez pour votre argent et que cet ouvrage soit à la hauteur de vos espérances.

Dites-nous ce que vous pensez de ce livre, ce qui va, et ce qui ne va pas. Et soyez-en sûr : nous vérifions vraiment notre courrier électronique pour connaître vos opinions. Si vous êtes dubitatif, envoyez-nous un message. Nous vous répondrons, et prendrons en compte toutes vos remarques dans nos prochaines éditions. Vous pouvez facilement nous joindre à l'adresse suivante :

feedback@wrox.com

Qui est Wrox Press ?

Sans doute avez-vous remarqué sur la couverture de ce livre et dans les lignes qui précèdent la présence du nom de Wrox, et peut-être souhaitez-vous en savoir plus ? Créé en 1992, Wrox Press est un éditeur de livres d'informatique dont le siège et le pôle éditorial sont situés à Birmingham en Grande-Bretagne, et dont toute l'activité commerciale est gérée à Chicago aux États-Unis. Wrox s'est très vite spécialisée dans les ouvrages destinés aux programmeurs utilisant les produits ou les technologies Microsoft : Visual Basic, Visual C++, ActiveX, Dynamic HTML, ASP, COM/DCOM, MTS, etc.

Devant le succès de ses ouvrages sur le marché américain, Wrox Press a décidé de s'associer aux Éditions Eyrolles pour adapter et diffuser en langue française ses meilleurs titres. Le livre que vous avez entre les mains est le premier d'une longue série. Pour en savoir plus sur cette collection ou sur les ouvrages publiés en anglais par Wrox Press, visitez notre site Web à l'adresse *www.wrox.com/fr/* ou *www.eyrolles.com/wrox/*. Vous y trouverez un descriptif de chaque ouvrage, sa table des matières, ainsi que le code source des programmes que vous pouvez télécharger gratuitement.

Vous pouvez commander les ouvrages Wrox Press, qu'il s'agisse de titres français ou anglais, directement sur le site des Éditions Eyrolles (*www.eyrolles.com/wrox/*). Vous y trouverez également la liste de tous les libraires français auprès desquels vous pourrez vous procurer ces ouvrages.

Service clientèle

Si vous trouvez une erreur dans ce manuel, reportez-vous d'abord à sa page d'errata sur notre site Web. Son adresse complète est la suivante :

```
http://www.wrox.com/Scripts/Errata.idc?Code=0391
```

Si vous n'arrivez pas à y trouver de solutions, informez-nous du problème et nous ferons de notre mieux pour y répondre rapidement !

Envoyez-nous un message à support@wrox.com.

Vous aurez affaire directement aux traducteurs de l'ouvrage, qui travaillent au sein d'une équipe éditoriale anglaise essentiellement composée de programmeurs et qui pourrons donc apporter des questions précises à vos questions, en français.

Bienvenue dans Visual Basic 6

Avec Visual Basic, Microsoft a toujours voulu créer un environnement de développement qui vous permettrait à vous, programmeur, de vous concentrer sur un problème immédiat plutôt que de vous débattre avec les subtilités techniques de la programmation dans un environnement Windows. Ce but a, semble-t-il, été atteint au fil des ans puisqu'à chaque nouvelle version, ce produit innove un peu plus pour faciliter notre travail.

Visual Basic 6 ne fait pas exception à la règle puisque c'est l'outil de développement Windows le plus performant du marché ! Et même si vous venez de vous habituer à Visual Basic 5, vous aurez une légère impression de déjà-vu en démarrant pour la première fois Visual Basic 6, car les deux systèmes se ressemblent beaucoup. Pourtant, si vous allez plus loin dans votre exploration, vous aurez tôt fait de découvrir de nouvelles fonctionnalités. Il existe par exemple de nouveaux assistants qui vous aident à exporter vos applications sur l'Internet, ainsi que de nouveaux outils qui vous permettent de vous connecter à n'importe quelle source de données. Le langage de programmation lui-même a quelque peu changé et il est maintenant plus facile à utiliser et plus intuitif. Ce qui n'avait l'air que d'une petite amélioration constitue en fait, un tournant radical vers de toutes nouvelles technologies.

Et pourtant, au fond, Microsoft est restée fidèle à son objectif initial : simplifier l'utilisation de Visual Basic, à la fois pour l'utilisateur final et pour le programmeur et c'est exactement ce que nous allons voir dans ce chapitre. Vous allez découvrir à quoi ressemble VB6 et en quoi il facilite nos vies de programmeurs. Vous allez apprendre à démarrer un projet Visual Basic, à enregistrer tous les composants de votre programme dans un projet et à utiliser l'aide. Chemin faisant, nous examinerons également certaines des fonctions propres à VB qui font tout l'intérêt de ce logiciel.

Dans ce chapitre, nous aborderons les points suivants :

- ❑ Le bureau Visual Basic
- ❑ La création d'un programme
- ❑ La sauvegarde et l'impression d'un programme
- ❑ L'utilisation de l'aide

Visite rapide de Visual Basic

Si vous avez déjà utilisé une version antérieure de Visual Basic, vous allez vous régaler ! VB6 ressemble par de nombreux aspects à ses prédécesseurs et est en apparence presque identique à Visual Basic 5. Dans le cas contraire, détendez-vous ! VB est l'un des outils de développement d'applications les plus simples à utiliser. Lisez ce chapitre et vous comprendrez ce que je veux dire par là.

Attachez votre ceinture et en route pour une visite éclair de Visual Basic !

L'écran de démarrage de Visual Basic

Lorsque vous cliquez sur l'option Visual Basic du menu **Démarrer**, toute une kyrielle de fenêtres, d'icônes et de barres de défilement apparaissent sur le bureau de Windows. La première boîte de dialogue intitulée **Nouveau Projet** affiche les différents types de projets que nous allons pouvoir construire avec Visual Basic 6 :

Ne vous inquiétez pas si votre boîte de dialogue de démarrage ne ressemble pas tout à fait à la mienne ! En fait, Microsoft Visual Basic existe en trois versions (l'édition Initiation, l'édition Professionnelle et l'édition Entreprise), chacune étant destinée à un type spécifique de développeur Visual Basic. Les options affichées au démarrage indiquent l'édition de Visual Basic dont vous disposez, dans mon cas, l'édition Entreprise.

Sélectionnez l'option **Exe standard**. Le contenu de l'écran se réorganise car Visual Basic va s'installer avec toutes les fenêtres et les options dont vous avez besoin pour commencer à travailler. Voici à quoi devrait maintenant ressembler votre bureau :

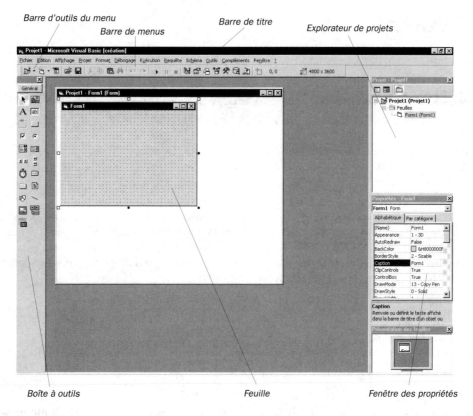

Ne paniquez pas si votre écran est différent de celui représenté ci-dessus. Visual Basic mémorise la dernière disposition des fenêtres et des barres d'outils et la réutilise automatiquement à chaque fois que vous lancez le logiciel.

Comme vous le découvrirez dans ce chapitre, vous pouvez personnaliser l'environnement de Visual Basic en modifiant un certain nombre de paramètres.

Par rapport aux versions précédentes de Visual Basic (1, 2, 3 ou 4), vous remarquerez certaines innovations. Tout d'abord, une seule fenêtre d'arrière-plan englobe la plupart des autres fenêtres. C'est ce qu'on appelle une interface de type MDI (Multiple Document Interface) et c'est ce qui s'affiche par défaut dans VB6. Dans les versions précédentes de VB, chaque fenêtre était visible et le bureau apparaissait entre elles : c'était une interface de type SDI (Single Document Interface). Si vous préférez travailler en mode SDI, sélectionnez **Options** dans le menu **Outils** et cochez l'onglet **Étendues** de la fenêtre **Options**. Vous pouvez également choisir d'ancrer certaines fenêtres (c'est-à-dire de les attacher aux coins de la fenêtre principale), grâce à l'onglet **Ancrage** de la boîte de dialogue **Options**.

Nous venons donc de voir à quoi ressemble l'environnement de programmation de Visual Basic (son interface apparaît à présent sur votre écran). Voyons maintenant ce que signifient ces fenêtres et ces boutons.

Les menus Visual Basic

En haut de l'écran, comme dans n'importe quel programme Windows, se trouvent la barre de titre et les menus :

Si, cette fois encore, votre barre de titre n'est pas identique à la mienne, ne vous inquiétez pas : les différentes éditions de Visual Basic proposent des options de menus légèrement différentes et voilà tout !

Cette barre de titre vous montre que vous êtes actuellement dans Microsoft Visual Basic et vous pouvez y lire ce que vous êtes en train de faire. Dans la barre de titre de mon écran et je l'espère du vôtre, est affiché : Projet 1—Microsoft Visual Basic [création]. Cela signifie que Visual Basic se trouve actuellement en **mode création**, c'est-à-dire qu'il attend patiemment que vous commenciez à créer et à construire votre nouvelle application.

Puisque Visual Basic a été conçu par Microsoft, c'est un programme Windows standard. Le menu Fichier vous permet de charger et d'enregistrer votre travail, le menu Edition vous propose les options habituelles permettant de couper et de coller des sections de texte etc. En fait, Exécution, Requête et Compléments sont probablement les seuls titres de menu que vous ne connaissez probablement pas.

Nous traiterons des menus plus tard. En revanche, nous pouvons déjà parler de Compléments qui est particulièrement intéressant puisqu'il illustre la puissance de Visual Basic. Si vous connaissez Microsoft Access, vous savez ce qu'est ce complément : c'est un programme complémentaire qui peut prendre le contrôle de certains aspects du programme que vous êtes en train d'utiliser. Dans notre cas, un complément est une application qui peut se greffer sur Visual Basic et qui enrichit ainsi ses fonctions. Il faut noter ici que Visual Basic est non seulement un outil de développement puissant et extensible, mais que les programmes complémentaires livrés avec Visual Basic ont été eux-mêmes écrits en Visual Basic. On ne pouvait rêver mieux !

Tous les menus fonctionnent de manière classique. Par exemple, si vous placez votre pointeur dans le menu Fichier et que vous cliquez une fois du bouton gauche, vous obtenez une liste d'options relatives aux fichiers :

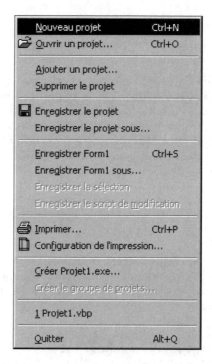

Ne vous préoccupez pas trop pour le moment de savoir ce que signifient tous les titres de menus et d'options : le meilleur moyen de découvrir Visual Basic, c'est de le pratiquer. Et c'est exactement ce que nous allons faire.

La barre d'outils

Comme dans n'importe quelle application Windows, la barre d'outils constitue votre interface essentielle avec Visual Basic. Elle permet d'accéder rapidement et en un seul clic de souris aux éléments de menus les plus courants sans que vous ayez à dérouler un menu, y sélectionner un élément, cliquer dessus etc. Si vous avez utilisé n'importe quelle autre application Microsoft, vous ne devriez pas avoir trop de problème, même si certains symboles peuvent vous sembler un peu bizarres :

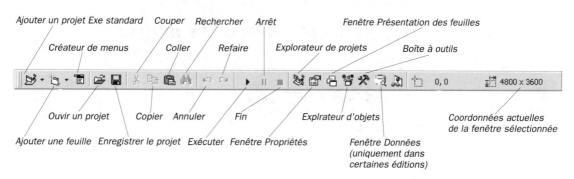

Certains de ces symboles peuvent ne pas se trouver sur votre barre d'outils : ne vous inquiétez pas, cette différence est due encore une fois aux différentes éditions de Visual Basic. Mais croyez-moi : tous les symboles que vous verrez sur votre barre d'outils feront très bien l'affaire !

Les icônes de la barre d'outils vous permettent d'effectuer des opérations courantes sans avoir à lire les menus. L'icône la plus à gauche par exemple, équivaut à l'option Ajouter un projet du menu Fichier. Là encore, ne vous préoccupez pas trop de savoir ce que signifient tous les boutons ; vous comprendrez facilement lorsque nous écrirons un programme simple. Pour le moment, vous pouvez obtenir une explication simple correspondant à chaque bouton en y maintenant simplement votre curseur pendant quelques secondes : une info-bulle Windows apparaît et vous donne la fonction du bouton. Remarquez aussi les deux barres verticales situées sur le côté gauche de la barre d'outils. Si vous cliquez dessus, que vous maintenez votre doigt sur le bouton de la souris et que vous les faites glisser, vous verrez que vous pourrez faire glisser et déposer la barre d'outils n'importe où dans l'environnement Visual Basic. Vous verrez que ce n'est qu'une des nombreuses manières de personnaliser votre environnement de travail VB.

Mais attention : ce n'est pas la seule barre d'outils que Visual Basic vous propose ! Si vous jetez un coup d'œil au menu Affichage, vous y verrez un élément appelé Barres d'outils (bizarre, non ?). Cliquez dessus pour faire apparaître un sous-menu qui contient la liste de toutes les barres d'outils disponibles dans Visual Basic :

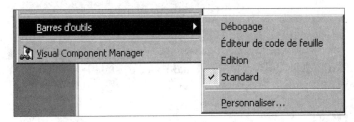

Si vous sélectionnez tous les éléments de ce sous-menu, à l'exception de Personnaliser, vous afficherez alors trois nouvelles fenêtres flottantes sur votre bureau, chacune contenant une barre d'outils :

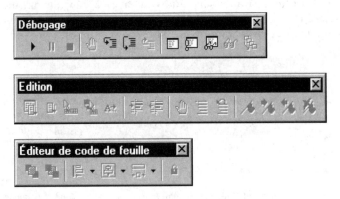

Et vous pouvez également faire glisser et placer toutes ces barres d'outils là où vous le désirez. Si vous en placez une près d'un coin de la fenêtre principale de Visual Basic par exemple, elle se verrouillera d'elle-même à cet endroit précis. C'est ce qu'on appelle "ancrer une barre d'outils". En fait, si vous avez une résolution d'écran supérieure à la mienne, vous pouvez aller encore plus loin et faire glisser toutes les barres d'outils vers le haut de l'écran de Visual Basic pour obtenir une seule barre d'outils géante, comme celle-ci :

Alors faites-vous plaisir : faites glisser et déplacez les barres d'outils. Vous comprendrez bien mieux en le faisant vous-même que si j'essaie de vous l'expliquer. Amusez-vous bien et je vous retrouve au paragraphe suivant.

Les feuilles

Au centre de l'écran se trouve une fenêtre vierge appelée Form1 :

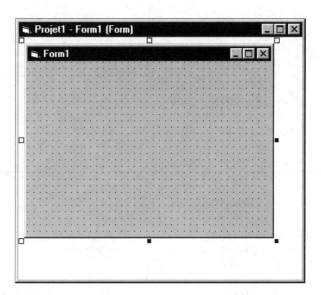

Les feuilles sont un élément essentiel de Visual Basic. Pour l'utilisateur de votre programme, ce sont des fenêtres normales dans lesquelles il sélectionne des options de menus, clique sur les icônes que vous avez conçues ou saisit des données dans les zones de texte que vous avez disposées.

La fenêtre dans laquelle cette application type fonctionne provient d'une feuille. C'est à vous, en tant que programmeur Visual Basic de concevoir ce type de détail à partir de la feuille vierge que vous voyez sur votre écran.

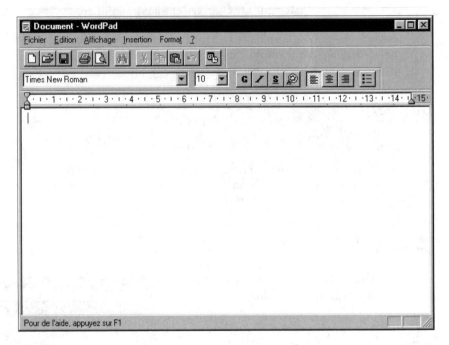

Nous pouvons comparer le processus d'écriture d'un programme Visual Basic à celui de l'élaboration d'une peinture. Le peintre commence avec une toile vierge. Dans notre cas, c'est la feuille. Le peintre, muni d'une palette de différentes couleurs et de pinceaux, commence à dessiner sur sa toile. De la même manière, les programmeurs Visual Basic dessinent des **contrôles**, tels que des boutons de commande, des zones de texte, etc., sur leur "toile", la feuille. Lorsqu'il a terminé, le peintre montre son chef-d'œuvre au public qui y voit non seulement une toile, mais une peinture. Lorsque les programmes Visual Basic sont terminés, ils sont livrés à l'utilisateur qui voit les éléments d'une application Windows et non pas des feuilles Visual Basic vides et confuses.

Vous l'avez compris : écrire des programmes dans Visual Basic est peut-être pénible mais somme toute agréable, puisque nous devons créer nos feuilles pour qu'elles soient à la fois pratiques et visuellement attrayantes.

Si vous voulez en savoir plus sur la création de feuilles dans Visual Basic, nous allons en construire plusieurs dans ce manuel : vous aurez donc l'occasion de pratiquer ! Mais pour en savoir plus sur ce sujet, reportez-vous au manuel de Wrox Press, "GUI for Visual Basic".

Le code de programme Visual Basic

Les feuilles se présentent sous deux aspects : ce qui apparaît dans la fenêtre **Form** et ce qui n'y apparaît pas ! Votre utilisateur voit et interagit uniquement avec l'aspect visible. Le **code** constitue l'aspect invisible. C'est un texte de programme que vous entrez pour dire à l'ordinateur ce que vous voulez exactement que le programme fasse.

Si vous n'avez jamais écrit de programme informatique, le code est un ensemble de commandes en anglais qui dit à l'ordinateur ce qu'il faut faire, étapes par étapes. Il n'y a pas si longtemps, les programmeurs passaient des heures à entrer des pages et des pages de code avant d'en voir le résultat sur l'écran. Heureusement, les temps ont changé et le volume de code traditionnel nécessaire pour écrire un programme en Visual Basic a beaucoup diminué.

Si vous connaissez d'autres langages de programmation, comme le langage C, le Pascal ou même les premières versions du BASIC, vous ne devriez avoir aucun problème puisque le langage Visual Basic est en fait un croisement de tous ces langages : il est constitué de la plupart de leurs meilleures caractéristiques, ainsi que d'autres fonctions de langages plus anciens comme Algol et Fortran. Mais le langage de programmation qui a le plus influencé Visual Basic est, comme son nom le suggère, le BASIC. Si vous connaissez déjà ce langage, la structure des programmes que nous écrirons ultérieurement vous paraîtra très familière, même si les commandes sont nouvelles.

Passons à la pratique ! Afficher la fenêtre Code

Lorsque vous avez lancé pour la première fois Visual Basic, la fenêtre **Code** n'apparaissait pas sur votre écran par défaut. Et c'est normal. Il existe quatre méthodes qui vous permettent de faire apparaître la fenêtre **Code** et il est utile de toutes les connaître. C'est pourquoi nous allons les essayer l'une après l'autre.

1   Déroulez le menu **Affichage** et sélectionnez l'option **Code**, située en haut de ce menu. La fenêtre Code va maintenant apparaître sur le bureau avec un curseur clignotant qui indique qu'il attend que vous saisissiez du code. Une fois que vous l'avez examinée, fermez la fenêtre en cliquant sur le bouton le plus à droite de la barre de titre.

La fenêtre Code apparaîtra quels que soient le contrôle ou la feuille que vous ayez sélectionnés, dans le cas présent, c'est votre feuille Form1.

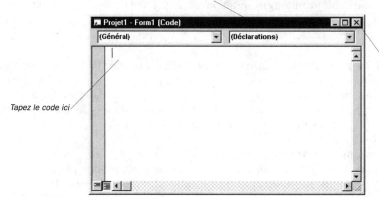

Fermez la fenêtre en cliquant sur le bouton Fermer situé dans le coin supérieur droit dans la fenêtre

Tapez le code ici

2   Vous pouvez également utiliser l'Explorateur de projets pour faire apparaître la fenêtre **Code** : s'il n'est pas visible, sélectionnez-le dans le menu **Affichage**. (La lettre 'I' est le raccourci clavier correspondant à cette option). Lorsque la feuille apparaît, cliquez une fois sur son nom, puis sur le bouton **Code** : la fenêtre **Code** réapparaît. Refermez-la lorsque vous avez terminé.

Bouton Code

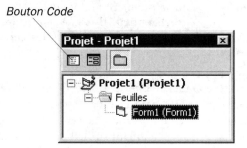

3   La méthode la plus courante consiste à déplacer la souris sur la feuille et à double-cliquer du bouton gauche. La fenêtre **Code** réapparaît, mais cette fois, elle est quelque peu différente. Ne vous préoccupez pas de ce texte étrange : tout est normal. Nous en parlerons en temps voulu.

Remarquez la barre de titre affiche le nom de la feuille pour laquelle vous êtes en train d'écrire du code.

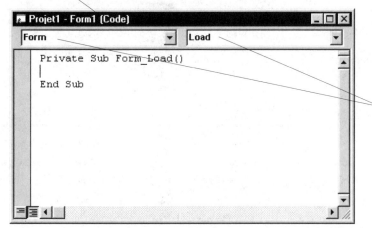

Juste en dessous de la barre de titre, se trouvent deux zones de liste qui montrent plus particulièrement à quelle partie de la feuille cette fraction de code se rapporte.

4   Vous pouvez également utiliser les touches de fonction pour ouvrir et fermer la fenêtre **Code**. Refermez la fenêtre **Code** et déplacez la souris sur le contrôle ou sur la feuille dont vous désirez voir la fenêtre **Code**. Cliquez une fois sur le bouton gauche de la souris et appuyez sur *F7*.

Il y aurait encore beaucoup à dire sur la fenêtre **Code**. Au tout début de Visual Basic, les programmeurs tapaient du texte dans la fenêtre **Code** et avaient probablement le fichier d'aide Visual Basic ouvert en arrière-plan, de manière à pouvoir vérifier la syntaxe des commandes qu'ils tapaient et les différentes manières de les utiliser.

Nombre d'entre eux ont déclaré qu'à moins d'apprendre par cœur chaque commande et chaque nuance de Visual Basic, cette manière de travailler les ralentissait énormément : Microsoft pouvait-il remédier à cela ? La solution consista à ajouter un certain nombre de **fenêtres pop up** à la fenêtre **Code**. Maintenant, lorsque vous tapez du code, VB fait apparaître des fenêtres qui vous donnent l'utilisation correcte des commandes que vous êtes en train de taper et qui finissent même leur saisie à votre place. Cela peut effectivement vous aider, même si la réaction initiale de beaucoup de gens (y compris la mienne), est de désélectionner cette option !

Nous reviendrons là-dessus plus tard : n'oubliez pas que nous sommes en visite éclair !

Les contrôles et la boîte à outils

La boîte à outils est notre prochain arrêt.

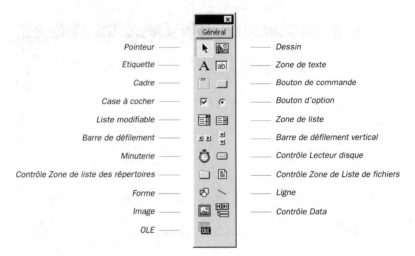

La boîte à outils contient des icônes correspondant à chaque contrôle que vous pouvez dessiner sur votre feuille : c'est la touche « visuelle » de Visual Basic. Vous utiliserez ces contrôles de manière permanente : lorsque vous saisirez du texte dans des zones de texte, lorsque vous cliquerez sur des boutons d'options etc. En fait, presque tout élément fonctionnel d'un programme Windows est un contrôle.

Chaque contrôle, tel qu'une zone de texte ou un bouton de commande peut être vu sous quatre aspects différents :

❑ Sa représentation graphique : c'est ce que vous voyez lorsque vous cliquez sur une icône de la boîte à outils et que vous placez ensuite le contrôle sur votre feuille.

❑ Ses propriétés : c'est ce qui régit l'apparence et le comportement du contrôle, en déterminant par exemple sa couleur, sa forme, sa taille, le texte qui apparaît en légende, etc.

❑ Ses méthodes : ce sont des routines de code dissimulées à l'intérieur du contrôle et qui le font agir, par exemple « Add » constitue une méthode permettant d'ajouter des objets dans une zone de liste.

❑ Les événements auxquels il réagit : ce sont des routines Visual Basic dans lesquelles vous saisissez du code pour dire à un contrôle ce qu'il doit faire lorsque l'utilisateur clique dessus, le déplace ou l'étire.

Ajouter des contrôles pour augmenter la puissance

Si vous disposez des éditions Professionnelle ou Entreprise de Visual Basic, vous constaterez peut-être qu'il y a beaucoup plus d'icônes dans votre palette d'outils que dans l'écran ci-dessus : certains contrôles seront en 3D, il y aura des contrôles Dessin, Sons, Communications, Animation et beaucoup d'autres encore. Nous n'en utiliserons aucun dans ce manuel : il n'est donc pas nécessaire que vous les ayez.

Mais la présence de ces contrôles ne reste qu'une éventualité, car comme beaucoup d'autres éléments de Visual Basic, la boîte à outils est entièrement personnalisable et nous en reparlerons tout au long de ce manuel.

L'une des caractéristiques les plus intéressantes de Visual Basic est que vous pouvez accroître ses capacités en ajoutant des contrôles plus puissants. Les contrôles que vous ajoutez à la boîte à outils standard sont appelés **contrôles personnalisés** ou contrôles ActiveX. Dans les versions précédentes de Visual Basic, les contrôles d'extension étaient appelés VBXs mais ils ne supportaient que des environnements de développement 16 bits. Lorsque Microsoft a sorti une version 32 bits de Visual Basic (VB4), le standard OCX est apparu. Mais pour des raisons de politique interne à Microsoft, les OCXs ont depuis été rebaptisés contrôles ActiveX.

Beaucoup d'entreprises fournissent des contrôles personnalisés qui améliorent beaucoup Visual Basic. Ce sont des contrôles **prêts à l'emploi** qui peuvent effectuer n'importe quel type de tâche ou presque : de l'affichage des graphiques à la gestion des messages électroniques et des pages Web. Lorsque vous aurez maîtrisé la programmation VB, vous pourrez même écrire vos propres contrôles ! Mais en ajoutant ceux-ci à votre projet, des icônes supplémentaires apparaîtront dans votre boîte à outils. La gamme de contrôles disponibles est très étendue, car les entreprises fournissent des contrôles ActiveX pour tout faire : améliorer un support de bases de données, imprimer des codes barres ou afficher le type le plus récent de fichier graphique. Jetez un coup d'œil sur la boîte à outils ci-dessous. Elle est dotée d'un certain nombre de contrôles qui ne se trouvent ni dans l'Édition Initiation, ni dans l'Édition Professionnelle de Visual Basic.

Cet écran représente l'ensemble des contrôles et des objets inclus dans l'Édition d'Entreprise de Visual Basic, ainsi que quelques autres supplémentaires. Cette palette peut contenir non seulement des contrôles ActiveX, mais également des objets provenant d'autres programmes.

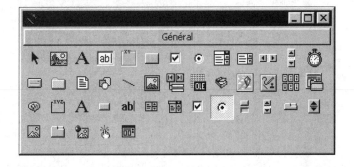

Attention ! Plus vous ajouterez de contrôles sur votre palette, plus vous risquez de vous retrouver, tôt ou tard, dans la pagaïe la plus complète et vous ne saurez plus où donner de la tête !

Heureusement, Microsoft a tout prévu. Cliquez du bouton droit au-dessus de la palette, un **menu pop up** apparaît. Il vous permet d'ajouter de nouveaux onglets en haut de la palette et de commencer à ranger vos composants. Jetez un coup d'œil sur cette capture :

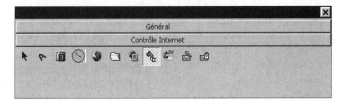

Tout au long de ce manuel, nous rencontrerons des cas où les contrôles standards que Visual Basic a placés dans votre palette ne conviennent absolument pas. Vous en apprendrez alors un peu sur la manière d'ajouter des onglets, des contrôles et des objets sur la palette à partir de cette sélection qui n'apparaît dans aucune édition de Visual Basic...

Nous allons également faire plus étroitement connaissance avec ces objets qui se trouvent dans votre palette. Si vous désirez en savoir plus sur la construction de vos propres objets de contrôle, vous pouvez vous reporter à la suite de ce livre, "Beginning Objects", dont je suis également l'auteur et qui vous guidera de manière plus détaillée dans tout ce processus.

L'Explorateur de projets

Pour saisir toute l'utilité de l'**Explorateur de projets**, vous devez d'abord comprendre de quoi est constitué un projet dans Visual Basic. En voici un exemple :

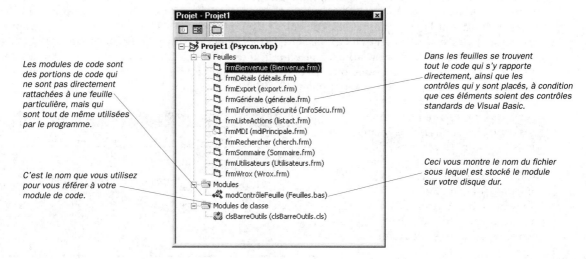

Les modules de code sont des portions de code qui ne sont pas directement rattachées à une feuille particulière, mais qui sont tout de même utilisées par le programme.

C'est le nom que vous utilisez pour vous référer à votre module de code.

Dans les feuilles se trouvent tout le code qui s'y rapporte directement, ainsi que les contrôles qui y sont placés, à condition que ces éléments soient des contrôles standards de Visual Basic.

Ceci vous montre le nom du fichier sous lequel est stocké le module sur votre disque dur.

Un projet est un ensemble de feuilles, de modules de code et **de modules de classe (ou classes)**. Nous avons déjà un peu parlé des feuilles et des modules de code, mais que dire des modules de classe ?

Les modules de classe constituent l'une des caractéristiques les plus importantes de Visual Basic. Ils sont apparus dans la version 4 et devaient faire entrer Visual Basic dans l'ère merveilleuse du développement orienté objet. Nous traiterons cet aspect plus en détail dans le chapitre 8, mais pour le moment, considérez une classe comme un patron ou un modèle – un stencil si vous préférez. Ou même comme une recette, qui permettrait aux utilisateurs de faire et refaire à l'infini le même gâteau au chocolat.

Je sais que tout cela a l'air assez complexe mais comme vous le verrez, les modules de classe peuvent être d'une grande aide pour simplifier votre code et les problèmes que celui-ci est censé résoudre.

Chaque feuille, module de code ou de classe est stocké sur votre disque dur dans un fichier séparé avec son propre nom. De plus, une classe et une feuille peuvent porter un nom différent que vous allez utiliser dans votre code de programmation. C'est ce que représente notre écran de l'Explorateur de projets ci-dessus. Dans la ligne mise en surbrillance, se trouve le fichier de projet lui-même, Psycon.vbp. N'oubliez pas que tout, feuilles, modules et le projet lui-même, est considéré comme un objet dans Visual Basic, de la même manière que vous pouvez considérer un bouton ou une zone de liste comme un objet...un peu perturbant, non ?

L'Explorateur de projets vous donne tout simplement une liste de tous les fichiers de votre projet. En double-cliquant sur le nom d'une feuille dans l'Explorateur de projets, cette dernière apparaît à l'écran. En y sélectionnant une feuille et en cliquant sur le bouton en haut à gauche (le bouton **Code**) le code de la feuille apparaît.

En conservant le standard Windows 95, vous pouvez également sélectionner un fichier dans l'Explorateur de projets et cliquer du bouton droit pour faire apparaître un menu et toute une gamme d'options. Vous pouvez alors choisir ce que vous voulez voir, que vous vouliez ou non enregistrer le fichier, le supprimer du projet, etc. Essayez et vous comprendrez ce que je veux dire.

Ces options se rapportent au fichier mis en surbrillance dans la fenêtre **Projet**.

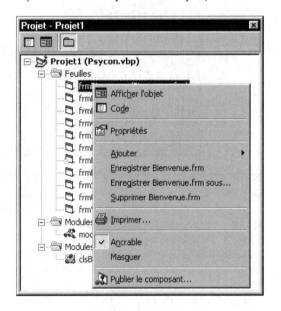

Le fichier Project VBP

L'Explorateur de projets vous permet de visionner un fichier portant l'extension VBP. C'est le fichier **Project** de Visual Basic et il informe le logiciel que des feuilles, des modules, etc. sont utilisés dans votre projet. Vous pouvez nommer votre fichier de projet comme vous le souhaitez, mais il se termine normalement par les lettres .vbp. Cela fonctionne aussi avec une autre extension, mais pourquoi se compliquer la vie ?

C'est un fichier texte tout simple qui contient les paramètres de toutes les variables d'environnement et des noms de fichiers pour tout le projet, bien que vous n'ayez pas besoin de le modifier car VB s'en occupe lui-même. Il ne contient pas les vrais fichiers du projet comme c'est par exemple le cas avec un fichier **MDB** sous Access. Vous pouvez donc ouvrir un fichier **VBP** dans Notepad et le regarder. Mais attention, lorsque vous faites cela, il vaut mieux ne changer aucun paramètre sauf si vous savez ce que vous êtes en train de faire !

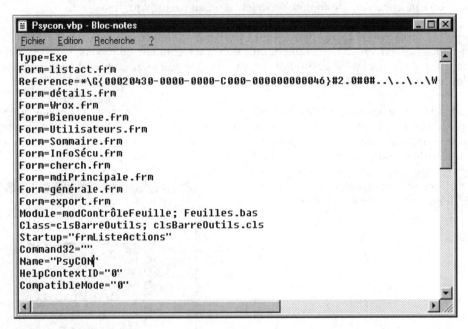

Si vous regardez rapidement ce fichier, sa majeure partie est complètement incompréhensible. Il faut tout de même noter que Type=Exe dans la première ligne indique que ce projet est un Exe standard, comme ceux que nous avons déjà sélectionnés dans la boîte de dialogue **Nouveau Projet**. Si nous parcourons les autres lignes du fichier **Psycon.vbp** (ignorons la plupart d'entre elles pour le moment), remarquons juste que beaucoup d'instructions Form= s'y trouvent : elles indiquent simplement quelles feuilles de Visual Basic font partie du projet Psycon ... onze feuilles en tout. Gardons le reste pour une autre fois ; je voulais juste que vous réalisiez à ce stade, que ces fichiers Project **VBP** existent et qu'ils définissent les éléments d'un projet Visual Basic. Visual Basic gère automatiquement ces fichiers **VBP**, ce qui est assez agréable pour nous, mais ne soyez pas surpris de voir des fichiers **VBP** apparaître dans vos répertoires Visual Basic !

Exécuter vos programmes

Après cette petite visite, il est temps de voir avec quelle facilité il est possible de produire des programmes Windows en utilisant Visual Basic. En fait, nous avons déjà écrit un programme de travail sans faire quoi que ce soit. Voir comment nous pouvons le faire fonctionner est une excellente introduction aux chapitres suivants, lorsque nous écrirons de vrais programmes Visual Basic.

Les feuilles que nous utilisons dans nos programmes ne sont pas les toiles de fonds passives que notre précédente analogie artistique suggérait. Ce sont les fondations de notre programme puisqu'elles permettent de manipuler une multitude de propriétés différentes et de créer un certain nombre d'événements. Le chapitre suivant nous donnera un aperçu de ce que les feuilles peuvent faire. Pour l'instant, nous allons juste voir à quoi ressemble la feuille par défaut.

Passons à la pratique ! Personnaliser vos feuilles

1   Lancez Visual Basic en le sélectionnant dans le menu **Démarrer** de Windows 95 et choisissez le projet Exe standard dans la fenêtre **Nouveau Projet**. Votre écran va alors ressembler à ça :

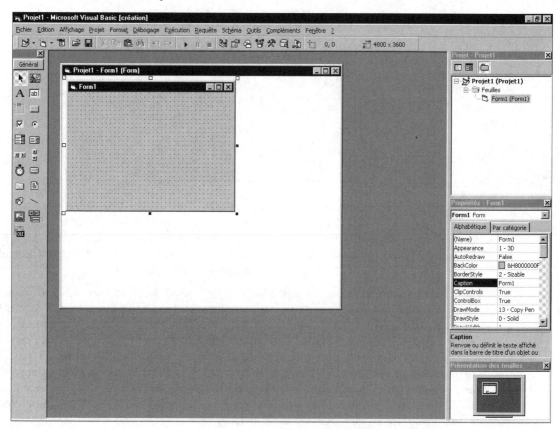

2 Même si la feuille avec laquelle vous travaillez dans Visual Basic en mode création est censée ressembler à la feuille du programme final, la réalité est quelque peu différente. Pour vous en rendre compte, faites le projet à l'aide d'une des opérations suivantes :

❑ Pressez *F5*

❑ Ou : Cliquez sur le bouton Exécuter de la barre d'outils

❑ Ou : Sélectionnez Exécuter dans le menu Exécution.

❑ Le programme démarre et la feuille principale s'affiche :

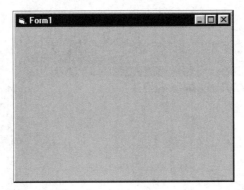

A ce stade, vous pouvez remarquer trois choses. Tout d'abord, la fenêtre ressemble exactement à celle en mode création, sauf que les points ainsi que la bordure qui entoure normalement la fenêtre en mode création ont disparu. D'autre part, la barre de titre de Visual Basic est différente et affiche maintenant Projet 1 - Microsoft Visual Basic [exécution] ce qui indique que le programme est actif.

La troisième différence est un peu plus subtile : même si nous n'avons écrit aucun code ni placé aucun élément fonctionnel dans la feuille, le programme contient pourtant une quantité impressionnante de fonctionnalités. Vous pouvez déplacer et redimensionner la feuille comme dans n'importe quel autre programme. Vous pouvez également utiliser les boutons situés dans le coin supérieur droit de la feuille ce qui permet de l'agrandir ou de la mettre en icône dans la barre des tâches. Vous pouvez aussi cliquer sur la boîte contrôle située dans le coin supérieur gauche ce qui amène le menu de contrôles standard de Windows et vous permet de quitter l'application, d'en ouvrir une autre ou de redimensionner la fenêtre.

L'écriture d'un programme équivalent dans un langage comme le langage C nécessiterait 150 lignes de code !

3 Pour arrêter un programme :

❑ Cliquez sur l'icône Fin de la barre d'outils Visual Basic.

❑ Ou :   Fermez la fenêtre en cliquant sur le bouton de fermeture situé
dans le coin supérieur gauche.

❑ Ou :   Pressez *Alt-F4*.

❑ Ou :   Sélectionnez F̲in dans le menu Ex̲écution.

Bien que le programme ne semble pas en valoir la peine à ce stade, vous venez de faire ce qui aurait pris des centaines de lignes de code à un programmeur sous C qui aurait dû lire des pages et des pages de documentation extrêmement technique. Mais, si c'était un gros projet, par exemple un programme de gestion de base de données ou un jeu, futur best-seller Windows, vous voudriez probablement enregistrer votre travail sur votre disque dur avant qu'il ne lui arrive malheur. Voyons comment faire.

Enregistrer votre travail

Nous avons déjà examiné les projets et vu qu'ils contiennent les noms des fichiers et des modules qui composent votre application. Comment sont attribués ces noms et comment donner un nom à votre projet ?

Enregistrer vos projets

Comme la plupart des autres programmes Windows, Visual Basic possède un menu F̲ichier qui vous permet d'ouvrir les fichiers et de les enregistrer. Il existe également ur bouton Enr̲egistrer le projet dans la barre d'outils :

Ceci vous permet d'enregistrer votre travail rapidement à n'importe quel moment sans avoir à fouiller dans les menus. Examinons ce menu F̲ichier :

25

Vous remarquerez la quantité d'options qui existent pour charger, ouvrir ou enregistrer un fichier. En principe, vous ne devriez utiliser l'option Enregistrer le projet que pour enregistrer toutes vos feuilles et leurs propriétés comme leur emplacement, leur taille, leur couleur, etc., ainsi que votre code de programme.

Passons à la pratique ! Enregistrer votre projet

Nous allons maintenant enregistrer le projet que Visual Basic a créé pour nous par défaut, bien qu'il soit peu probable que nous ayons à l'utiliser ultérieurement ! Mais ainsi vous pouvez voir comment on peut enregistrer ces projets.

1   Ouvrez le menu Fichier et cliquez sur l'option Enregistrer le projet : une boîte de dialogue apparaît et vous devez y entrer le nom de votre feuille :

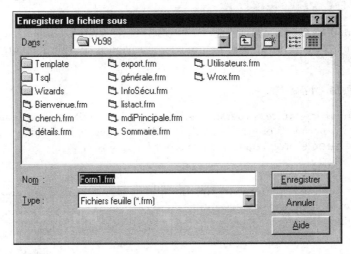

Si vous avez plusieurs feuilles ou plusieurs modules de code dans un projet, Visual Basic fera apparaître une boîte de dialogue pour chaque élément et affichera le nom qu'elle considère approprié. Si vous voulez le modifier, cliquez dans la zone de texte Nom et renommez-le.

2   Modifiez le nom de votre feuille. Cliquez dans la zone de texte Nom et tapez FirstFrm. Ce n'est pas la peine de taper .frm après le nom, car Visual Basic le fera pour vous :

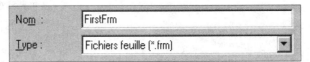

3 Lorsque vous êtes satisfait du nom de fichier que vous avez donné à votre feuille et du répertoire dans lequel elle va se trouver, cliquez sur le bouton **Enregistrer**. Visual Basic va maintenant afficher une boîte de dialogue pour votre projet. Elle vous permettra de donner un nom à tout le projet sur lequel vous êtes en train de travailler (et qui contient d'ailleurs la feuille que nous venons juste d'enregistrer) :

4 Visual Basic lie les noms de fichiers de vos feuilles dans votre projet, de manière que lorsque vous chargez un projet, il connaît automatiquement le nom de vos feuilles et de vos modules et l'endroit où ils se trouvent sur votre ordinateur. Une fois qu'un projet a été défini, vous pouvez charger et enregistrer tous les composants de votre programme en une seule fois. Mais pour le moment, tapez juste FirstPrg comme nom du projet :

Nom :	FirstPrg
Type :	Fichiers projet (*.vbp)

Comme pour la feuille, Visual Basic ajoutera automatiquement l'extension .vbp au nom. Cliquez sur le bouton **Enregistrer** pour continuer et enregistrer le projet.

5 Retournez voir votre menu **Fichier** : le nom de votre projet se trouve maintenant en haut de ce menu. Vous pouvez donc rapidement et facilement recharger votre travail chaque fois que vous revenez dans Visual Basic puisque Visual Basic affichera automatiquement les noms des quatre derniers projets sur lesquels vous avez travaillé :

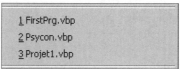

Une fois que vous avez nommé toutes les feuilles et les modules de code de votre projet, l'enregistrement de votre travail devient beaucoup plus simple.

6 Essayez de déplacer la feuille n'importe où à l'écran, puis resélectionnez l'option **Enregistrer le projet**. Le voyant du lecteur de disquette devrait s'allumer quelques secondes, mais cette fois, aucune boîte de dialogue n'apparaîtra. La raison en est simple : en ce qui concerne Visual Basic, vous avez déjà nommé vos fichiers constitutifs, il peut donc continuer et les réenregistrer sous les noms que vous avez déjà fixés.

L'option suivante du menu est **Enregistrer le projet sous...**. *Si vous aviez déjà enregistré votre projet, ceci vous permet de le renommer. Mais faites attention : vous ne renommez que le projet lui-même (c'est-à-dire le fichier* .vbp *que Visual Basic charge, qui contient une liste de toutes vos feuilles et de vos modules de code). Vous ne renommez ni les feuilles ni les modules de code. Personnellement, je n'ai jamais considéré que cette option était particulièrement utile, mais d'autres utilisateurs seront probablement d'un avis contraire.*

Projets tout faits

Jusqu'à Visual Basic 5, nous étions coincés avec un produit qui manquait sérieusement d'Assistants par rapport aux autres produits Microsoft. Les programmeurs Visual C++ par exemple, ont des Assistants de Création d'applications et de classe. Les développeurs Access ont des Assistants Formulaires, Tables et Requêtes. Et il y en a toute une ribambelle dans Word.

Heureusement, VB5 s'est mis à la page et toute une kyrielle d'assistants est apparue. Et il y en a encore plus dans VB6. Mais au juste, qu'est-ce qu'un Assistant ? En fait, c'est tout bêtement, une aide électronique à laquelle vous dites simplement ce que vous voulez obtenir et qui ira le faire à votre place. Ce qui vous permettra de devenir une diva de la programmation !

> Internet Explorer doit être installé sur votre ordinateur pour que la plupart de vos Assistants Visual Basic fonctionnent.

Passons à la pratique ! Utiliser l'Assistant Création d'applications

C'est de loin, le meilleur assistant (et le plus important) de VB6 (nous parlerons de quelques autres dans ce manuel, ne vous inquiétez pas). Voyons ce qu'il est capable de faire.

1 Dans le menu **Fichier**, sélectionnez **Nouveau Projet**. Lorsque la boîte de dialogue apparaît, au lieu de sélectionner Exe standard, nous allons être audacieux. Cliquez sur l'Assistant Création d'applications :

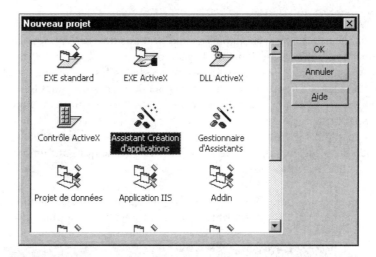

Selon la version de Visual Basic 6 dont vous disposez (édition Initiation, Entreprise ou Professionnelle), vous aurez plus ou moins d'options par rapport à ce que vous voyez dans cette boîte de dialogue Nouveau Projet, donc ne vous inquiétez pas si certaines n'ont pas l'air d'exister dans votre boîte de dialogue.

2   Sélectionnez l'Assistant Création d'applications et cliquez sur le bouton OK pour le lancer. La boîte de dialogue Profil apparaît, comme dans l'écran ci-dessous (mais le vôtre devrait être en couleurs...) :

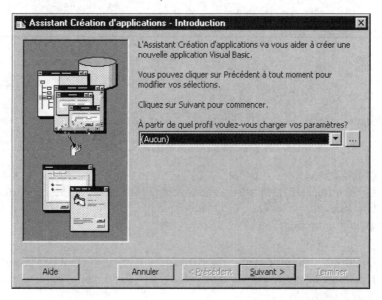

L'Assistant Création d'applications vous emmènera de boîtes de dialogue en boîtes de dialogue tout à fait semblables à celle-là. Vous devrez répondre à toutes sortes de questions, ce qui implique qu'il existe des centaines d'applications différentes que l'Assistant pourrait vous proposer en résultat. C'est pour cela que vous pourrez ultérieurement enregistrer tous vos choix dans ce que Visual Basic appelle un Profil. Et la prochaine fois que vous lancerez l'Assistant et que cette page d'options apparaîtra, vous pourrez charger ce profil ce qui vous évitera de tout recommencer depuis le début. Mais dans ce cas précis, il vous suffit juste de cliquer sur le bouton Suivant situé en bas de cette boîte de dialogue, ce qui vous emmènera à l'étape suivante de ce processus.

3 La page qui apparaît ensuite vous permet de choisir exactement le style d'interface utilisateur que vous voulez attribuer à votre nouvelle application :

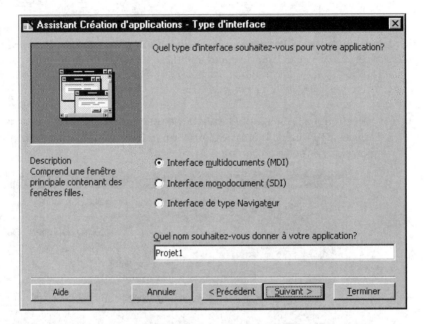

Comme vous pouvez le voir, vous avez en fait trois possibilités : Interface multi-documents (MDI), Interface mono-document (SDI) et Interface de type Navigateur. Laquelle allez vous choisir ? Laissez-moi d'abord vous expliquer brièvement ce qu'elles signifient.

L'Interface multi-documents (MDI) est typique de Visual Basic. Vous obtiendrez une fenêtre principale dans laquelle cohabitent plusieurs petites fenêtres, les fenêtres filles.

Une **Interface mono-document (SDI)** ressemble beaucoup au Bloc-Notes de Windows. Vous n'avez qu'une fenêtre principale ouverte en permanence et qui ne peut traiter qu'un seul document à la fois. Vous pouvez avoir d'autres boîtes de dialogue qui apparaissent de temps en temps (de la même manière que le Bloc-Notes utilise une boîte de dialogue pour rechercher du texte) mais, globalement, tout ce que vous ferez se trouvera dans cette fenêtre principale.

Et enfin, l'**Interface de type Navigateur** est le futur standard que Microsoft est en train d'imposer. Il n'y a qu'une seule fenêtre, comme dans une application SDI, mais elle est divisée en deux parties. A gauche, vous sélectionnez une zone spécifique de fonctionnalité ; les données de l'application apparaissent à droite et c'est dans cette partie que vous travaillez. Si vous avez déjà utilisé Outlook Express pour votre courrier électronique, ou l'Explorateur sous Windows, vous n'aurez probablement aucun problème à utiliser cette interface.

Sélectionnez ensuite cette interface, puis cliquez sur Suivant. Mais avant, vous aimeriez peut-être vous amuser à sélectionner les différents styles d'interface de cette boîte de dialogue. A chaque fois, Visual Basic va vous montrer un aperçu du style d'interface que vous aurez sélectionné.

4 La page suivante est celle qui vous permet de sélectionner les menus. L'**Assistant Création d'applications** peut même donner à votre application une structure de menu prête à l'emploi, à laquelle vous n'aurez plus qu'à ajouter un peu de code. Cette page vous permet de choisir les menus que vous voudriez voir dans votre application :

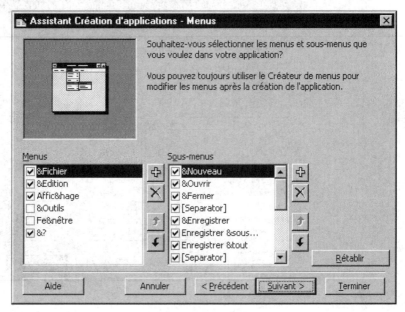

La zone de liste à gauche dans la boîte de dialogue vous permet de sélectionner les titres de menus que vous voulez inclure dans votre application. Si par exemple, vous voulez avoir un menu Outils dans votre application, vous n'avez qu'à cliquer sur la case à cocher située près de l'option &Outils. (ce signe &, signifie que la lettre qui suit sera soulignée lorsque votre application fonctionnera. Par exemple &Outils = Outils.)

Lorsque vous aurez sélectionné les titres de menus dans cette zone de liste, vous pourrez alors utiliser la partie droite pour choisir les options que vous voudrez voir apparaître sous chaque titre. Si, par exemple, vous voulez une option Ouvrir dans le menu Fichier, sélectionnez l'option Fichier dans la liste de gauche et l'option Ouvrir dans celle de droite. Au fait, assurez-vous que lorsque vous sélectionnez une option dans la liste de gauche, vous avez validé la case en regard : cliquez sur le petit carré pour cocher ou décocher la case.

Évidemment, nous faisons tous des erreurs de temps en temps et nous finissons par tout mélanger. Lorsque cela se produit, cliquez sur le bouton Rétablir en bas à droite de la boîte de dialogue pour ramener les menus à leurs paramètres par défaut.

Pour notre exemple, sélectionnez simplement chaque option de la liste de gauche, puis cliquez sur le bouton Suivant, pour passer à l'étape suivante de l'Assistant.

5   La page suivante de la boîte de dialogue vous permet de fixer les barres d'outils de l'application. Comme avec les menus, l'Assistant Création d'applications vous laisse choisir les options que vous voulez voir apparaître dans la barre d'outils :

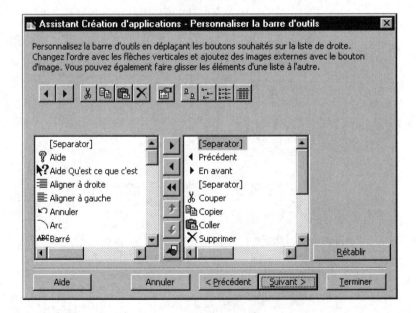

La liste à gauche vous montre les icônes disponibles pour votre barre d'outils, alors que celle de droite affiche les icônes qui vont effectivement aller sur votre barre d'outils. Pour ajouter des icônes à la barre d'outils, sélectionnez-les tout simplement dans la liste de gauche, puis cliquez sur la flèche vers la droite ou glissez et déplacez-les d'une liste à une autre. Pour supprimer des icônes, faites juste le contraire : sélectionnez l'icône que vous voulez retirer et faites la glisser de droite à gauche ou cliquez sur le bouton avec la flèche à gauche. Vous remarquerez également que l'**Assistant Création d'applications** vous donnera toujours en haut de la page un aperçu de la future apparence de votre barre d'outils.

Mais pour le moment, acceptez juste la barre d'outils par défaut et cliquez sur le bouton **Suivant** en bas de la page.

6 La page suivante vous permet de choisir d'utiliser un fichier de ressources dans votre application.

Les fichiers de ressources sont un sujet compliqué que nous ne traiterons pas vraiment dans ce manuel. Si cette option ne vous préoccupe pas trop, continuez avec nos exemples en cliquant sur **Suivant**.

Mais si vous êtes curieux, voilà une courte description des fichiers de ressources, pour que vous puissiez décider seul si vous voulez ou non lire la documentation en-ligne.

L'étape suivante est optionnelle : vous pouvez donc directement aller à l'étape 7 et je vous y retrouve.

Si vous développez une application destinée à des pays dont l'anglais n'est pas la langue principale, vous allez être confronté au problème de la traduction du texte qui apparaîtra dans l'application. C'est là qu'interviennent les fichiers d'aide. Dans VB, vous pouvez taper du texte dans votre application comme vous voudriez le voir apparaître à l'écran. Mais vous pouvez également stocker n'importe quel texte dans un fichier spécial, le fichier de ressources et faire en sorte que votre application l'utilise comme référence. Vous pouvez donc simplement avoir le fichier de ressources traduit en plusieurs langues et disposer instantanément d'une application adaptée à tous les marchés, sans effort de programmation supplémentaire de votre part !

Mais la partie la plus difficile est en fait de constituer le fichier de ressource et également d'apprendre à le référencer dans votre application, ce qui est bien trop compliqué à ce stade du manuel. Si à la fin du manuel, vous décidez que vous voulez toujours en savoir plus sur ces fichiers, alors allez voir la documentation en-ligne qui accompagne Visual Basic. Vous y trouverez plein d'informations sur les fichiers de ressources ce qui contentera les curieux. Mais en ce qui concerne notre application, cliquez simplement sur **Suivant**.

7   La page suivante vous permet d'ajouter à votre application un navigateur Web du style Internet Explorer. Cliquez sur la case d'option Oui :

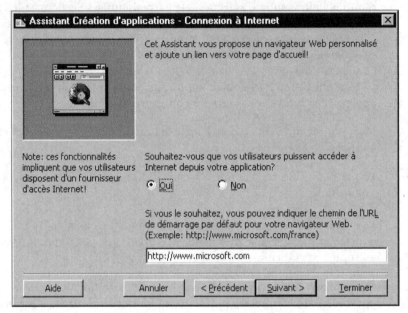

Remarquez qu'en bas de la page se trouve un espace pour saisir une adresse Internet. Vous pouvez l'employer pour saisir une adresse Web qu'Internet Explorer chargera automatiquement. Vous pouvez conserver le lien proposé à moins que vous ne préfériez un site plus cool (comme le mien : http://www.dapad.force9.co.uk) ; cliquez juste sur Suivant.

8   Nous y sommes presque. C'est un processus qui prend du temps, mais c'est toujours plus rapide que d'écrire soi-même l'application. La page suivante vous permet d'ajouter des feuilles terminées (fenêtres) à votre application. Évidemment, lorsque nous en saurons un peu plus sur le code, vous devrez les modifier un peu pour les faire fonctionner comme vous le voulez :

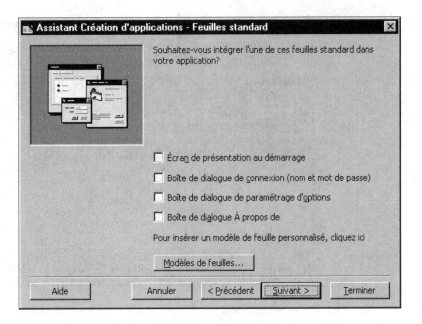

Comme vous le voyez, l'Assistant Création d'applications nous fournit quatre feuilles standards : un Ecran de Présentation qui apparaît au démarrage de l'application ; une boîte de dialogue de connexion pour que l'utilisateur saisisse son nom d'utilisateur et son mot de passe ; une boîte de dialogue de paramétrage d'options pour modifier le fonctionnement du programme ; et évidemment, l'omniprésente boîte de dialogue A propos de, qui informe les utilisateurs sur votre programme et sur la personne qui l'a écrit (très important).

Lorsque vous disposez de vos propres modèles de feuilles, vous pouvez également cliquer sur le bouton Modèles de feuilles au bas de la boîte de dialogue pour les ajouter au projet.

Cliquez simplement sur les quatre feuilles que l'Assistant Création d'applications vous fournit par défaut et, vous l'avez deviné, cliquez encore une fois sur Suivant.

9 Encore deux boîtes de dialogue. Visual Basic, comme vous l'avez peut-être entendu dire, est connu pour ses facilités d'accès aux données. La boîte de dialogue que vous voyez vous permet de mettre rapidement au point une page qui vous permettra de voir le contenu d'une base de données.

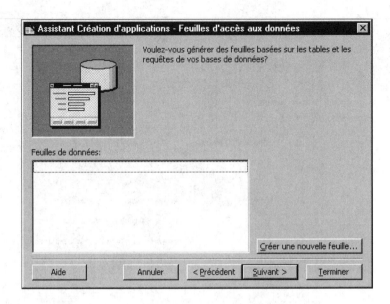

Ne vous inquiétez pas ! Vous verrez l'Assistant Feuilles de données en action dans le chapitre sur la base de données plus loin dans ce manuel. Cliquez sur Suivant.

10 Ah, la dernière page ! A ce moment, Visual Basic est prêt à créer votre application. Avec cette boîte de dialogue, vous pouvez enregistrer les choix que vous avez fait jusqu'ici comme profil à réutiliser et vous pouvez aussi cliquer sur le bouton Afficher le rapport pour avoir une description textuelle de ce que l'Assistant a considéré utile pour votre application. Cliquez sur le bouton Terminer pour laisser l'Assistant faire son travail. Cela peut prendre un petit moment mais ne vous inquiétez pas : il va le faire !

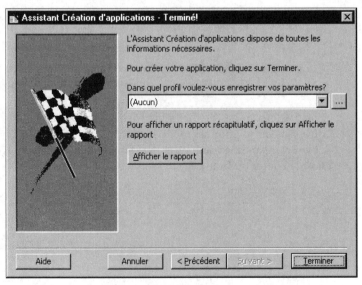

Lorsqu'il en a terminé, l'Assistant va faire apparaître une boîte de dialogue indiquant qu'il a créé l'application du mieux qu'il a pu. Cliquez sur **OK** pour fermer l'Assistant et examinez votre nouveau programme.

Voir ce que l'Assistant a fait

Lorsque tout est terminé, vous vous retrouvez face à un programme qui ne fonctionne qu'à moitié. Il ne vous reste plus qu'à écrire le code et concevoir le reste des feuilles. C'est ce que vous apprendrez dans le prochain chapitre, mais en attendant, jouons avec ce que nous avons créé pour voir ce que l'Assistant a fait.

L'écran va probablement sembler un peu désordonné, mais lancez simplement l'application exemple en cliquant sur le bouton **Exécution** de la barre d'outils ou en sélectionnant **Exécuter** dans le menu **Exécution**. Visual Basic vous donnera probablement l'occasion d'enregistrer votre nouveau projet avant de lancer l'application, sage précaution, donc, suivez la boîte de dialogue jusqu'au bout.

La première chose que vous voyez lorsque votre programme fonctionne est la fenêtre de connexion. Vous n'avez pas besoin d'un mot de passe pour rentrer dans l'application à ce stade : cliquez juste sur **OK**.

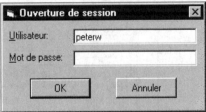

Dès que vous cliquez sur le bouton **OK**, la boîte de dialogue de connexion disparaîtra et l'écran clignotera, puis la fenêtre principale de l'application apparaîtra avec l'interface que vous avez sélectionnée avec l'Assistant :

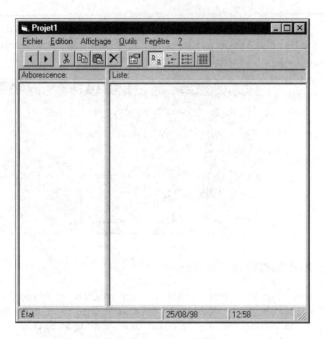

Pour le moment, les deux parties principales de la fenêtre ne font rien. Vous devez écrire du code en Visual Basic pour les faire revivre et c'est pour cela que vous êtes en train de lire ce manuel. Et pourtant, il existe une quantité impressionnante de fonctionnalités dans cette application. Déroulez le menu A̲ffichage par exemple et choisissez Navigateur W̲eb : le navigateur Web par défaut de VB apparaîtra, exactement comme vous l'avez choisi dans l'Assistant Création d'applications :

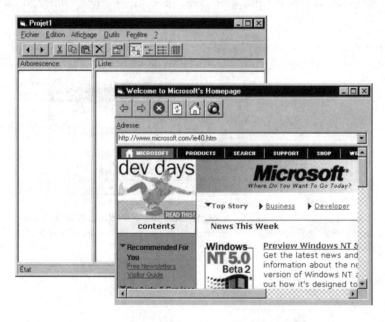

Vous pouvez également sélectionner Options dans le menu Affichage pour faire apparaître une boîte de dialogue d'options vierge. C'est à vous de la remplir, de lui attribuer une interface utilisateur et du code pour lui donner vie.

Explorez votre programme un peu tout seul pour bien comprendre toutes les fonctionnalités que l'Assistant Création d'applications y a mis pour vous.

Travailler avec des fichiers de projet individuels

Jusqu'à maintenant, tout ce que vous avez vu d'une application Visual Basic n'est que ce que l'Assistant Création d'applications vous a donné et ce n'est guère plus qu'un ensemble de feuilles ou de fenêtres. Et pourtant, vous pouvez ajouter à un projet beaucoup plus que des feuilles. Regardez un peu le menu Projet :

Dans ce menu, se trouvent un grand nombre de nouveaux objets qui vous permettent d'améliorer vos projets en y ajoutant de nouvelles options. Mais, à ce stade, nous nous intéressons uniquement aux quatre premières options (Ajouter une feuille, Ajouter une feuille MDI, Ajouter un module et Ajouter un module de classe), ainsi qu'à Ajouter un fichier.

Les deux premières options de la liste vous permettent d'ajouter de nouvelles feuilles au projet sur lequel vous travaillez. La première est une feuille standard courante. La deuxième est une sorte de « super feuille », qui en contient d'autres. Nous nous pencherons sur les applications MDI ultérieurement dans ce manuel.

La troisième et la quatrième option permettent d'ajouter au projet des modules ne contenant que du code. Mais nous y reviendrons.

Ajouter un fichier est l'option la plus utile. Dans Visual Basic, il est très facile de diviser votre application en un ensemble de composants totalement indépendants. Une application type pourrait par exemple être composée d'une feuille de connexion, d'une feuille de sélection de client, d'une feuille de facture, d'une feuille d'adresses, etc. Chacune d'entre elles, si elles sont bien conçues, peut être facilement réutilisée dans d'autres applications.

En enregistrant tout ça sur votre disque dur et en utilisant l'option Ajouter un fichier dans le menu Projet, vous pouvez facilement ajouter l'un de ces fichiers au projet en cours.

Vous pouvez également supprimer des fichiers d'un projet ce qui est très utile. Par exemple, vous avez placé dans votre projet quelques feuilles comme feuilles d'essai et vous voulez les supprimer. Deux possibilités : soit vous sélectionnez les fichiers que vous voulez supprimer et vous choisissez Supprimer dans le menu Projet ; soit vous utilisez l'Explorateur de projets.

Dans ce cas, sélectionnez simplement un fichier, puis cliquez du bouton droit pour faire apparaître un menu à partir duquel vous pouvez ajouter un fichier au projet, enregistrer les fichiers dans le projet ou les supprimer :

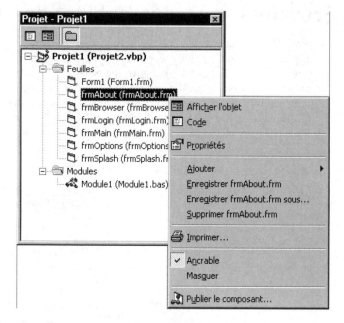

Je pense que c'est la meilleure manière de faire, mais je vous laisse choisir la méthode la mieux adaptée à vos projets.

Imprimer un projet

Bien que nous soyons censés aller de plus en plus vers « le bureau sans papier », lorsqu'il faut impressionner votre chef de service ou simplement traquer un bogue, rien ne remplace à mon avis une version papier de votre programme. Visual Basic vous permet d'imprimer vos projets et c'est assez pratique. Penchons-nous encore une fois sur ce menu Fichier :

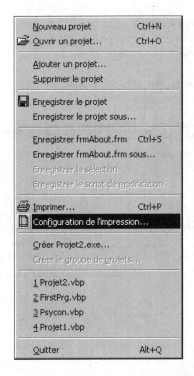

Arrêtons-nous d'abord sur l'option Configuration de l'impression. Si vous connaissez les applications Windows, vous saurez probablement à quoi vous attendre lorsque vous cliquez sur cette option.

Windows comprend un certain nombre de boîtes de dialogue que nous pouvons utiliser à partir de nos propres applications VB et que Visual Basic lui-même utilise. La boîte de dialogue Configuration de l'impression en fait partie et elle apparaît lorsque vous sélectionnez l'option correspondante dans le menu Fichier :

Grâce à cette boîte de dialogue, vous pouvez choisir quelle imprimante vous allez utiliser (si vous avez la chance d'en avoir plusieurs) et également spécifier les différentes options qui contrôlent la qualité de l'impression et le style. Pour plus d'informations sur cette boîte de dialogue, reportez-vous aux manuels Windows.

Lorsque vous avez sélectionné une imprimante disponible, vous pouvez utiliser l'option Imprimer du menu Fichier :

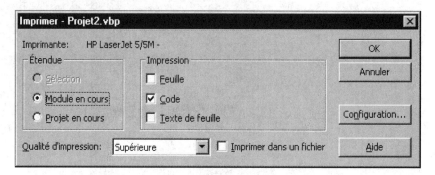

C'est ici que vous choisissez les parties de l'application que vous allez imprimer. Vous pouvez spécifier l'impression de parties sélectionnées de code, du module actuellement sélectionné ou du projet entier. En plus de tout ça, l'option Imprimer vous permet d'indiquer à Visual Basic si l'impression doit être une image graphique des feuilles de votre application, le code de l'application ou un résumé de toutes les propriétés de la feuille et du module. La dernière option, Texte de feuille, comprend toutes les propriétés des contrôles des feuilles. Le bouton Configuration vous ramène à la boîte de dialogue Configuration de l'impression.

Et voilà !

Utiliser l'aide

Visual Basic est un logiciel complexe. Vous devez non seulement maîtriser l'écriture des programmes en langage Visual Basic, mais vous devez également maîtriser l'environnement Visual Basic, ainsi que la lecture des messages parfois obscurs qu'il vous envoie. Heureusement, Microsoft vous fournit l'un des meilleurs systèmes d'aide de tous les outils de développement.

Vous allez peut-être penser qu'il est un peu étrange qu'un auteur vous conseille d'utiliser le plus possible ce système d'aide. Vous avez acheté ce manuel pour apprendre à maîtriser Visual Basic et vous ne vous attendiez pas à ce qu'on vous dise d'aller voir un écran d'aide. Mais ce que vous attendez réellement de moi est que je vous indique la meilleure manière d'obtenir des résultats. Vous atteindrez ce but en combinant la lecture de ce manuel (pour apprendre les techniques et avoir une vue d'ensemble du logiciel) et des écrans d'aide (pour tous ces petits rappels dont on ne se souvient jamais).

L'aide contextuelle

A tout moment lorsque vous êtes en train d'utiliser Visual Basic, vous pouvez presser *F1*, votre touche de secours. Elle activera le système d'aide Visual Basic de Microsoft, dans lequel vous pouvez obtenir aide et conseils, ainsi que des exemples de code de programme pour tous les cas que vous pourrez rencontrer pendant votre utilisation de Visual Basic.

A vous de jouer maintenant. Faites apparaître la fenêtre des propriétés de la feuille, trouvez la propriété (**Name**) et cliquez dessus. Maintenant pressez *F1*. Visual Basic va vous afficher une page de texte qui décrit ce qu'est exactement cette propriété et sa fonction :

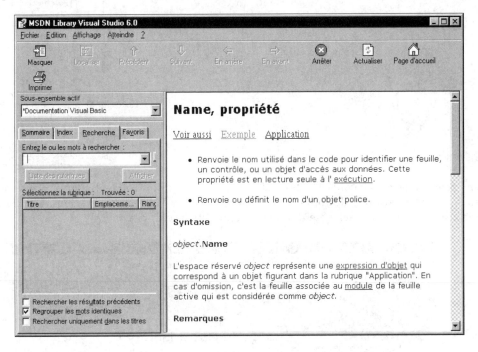

Ne vous inquiétez pas trop si vos fichiers d'aide ne correspondent pas exactement aux miens.
J'ai installé VB6 à partir de Visual Studio et je dispose donc de parties supplémentaires.

Si vous utilisez régulièrement Windows, vous avez probablement déjà rencontré l'aide contextuelle. Mais celle-là est probablement un peu différente de celle à laquelle vous avez été habitué. Ce système d'aide est en fait le système de bibliothèque MSDN de Microsoft et est utilisé dans la plupart des outils de développement Microsoft pour permettre d'accéder aux manuels en-ligne du produit.

Dans la zone de droite est affichée la page d'aide que vous cherchiez, alors qu'à gauche, vous pouvez sélectionner n'importe quel onglet affiché, pour rechercher, visualiser vos pages favorites, le sommaire et les pages d'index. Sachez également que si vous avez installé Visual Basic à partir de Visual Studio, vous pouvez aussi avoir accès à la documentation relative aux autres produits de la suite Visual Studio.

Mais alors que l'ancien système d'aide était assez facile à utiliser et à comprendre, la visionneuse MSDN peut devenir relativement complexe et c'est là son gros défaut. Je m'y suis perdu moi-même plusieurs fois. Cela vaut donc la peine de se reporter à la documentation relative à MSDN pour savoir l'utiliser.

Cliquez sur l'onglet Sommaire du panneau gauche pour afficher la liste complète de toute la documentation à laquelle vous avez accès :

Remarquez le texte Welcome to the MSDN Library en haut. Double-cliquez sur cette option. Cette liste s'agrandira et l'une des options qui s'affichera sera MSDN Library Help. Double-cliquez sur cette option et vous devriez obtenir un écran similaire à celui-ci :

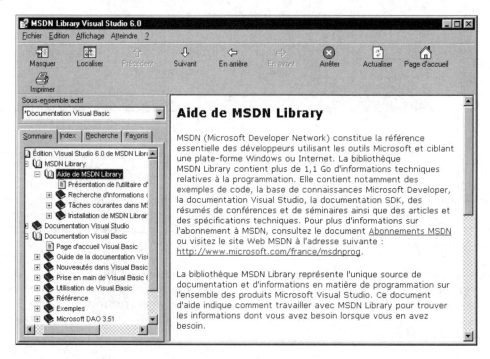

Vous êtes en train de regarder la page d'aide de MSDN. Cela vaut la peine d'y passer quelque temps pour s'habituer au fonctionnement du navigateur MSDN. Le fait est que Visual Basic et Visual Studio sont tous deux de gros morceaux. Ce n'est pas très difficile d'apprendre à les utiliser, mais même le programmeur le plus doué aura du mal à se rappeler chaque détail. Si vous me mettez devant un ordinateur sur lequel est installé VB mais sans aucun système d'aide, je m'y perdrais très rapidement.

Le secret d'un bon programmeur, ce n'est pas de connaître tout ce qu'il y a à connaître, mais plutôt de savoir où rechercher les informations nécessaires pour résoudre rapidement les problèmes ! Pendant toute votre carrière VB et tout particulièrement après avoir lu ce manuel, vous vous trouverez en train de passer un petit bout de temps dans le navigateur MSDN. Faites connaissance dès maintenant pour gagner du temps dans le futur.

Résumé

Dans ce premier chapitre, nous avons traité très rapidement beaucoup de sujets. Voici une brève récapitulation des opérations effectuées :

- ❑ Exploration de l'environnement Visual Basic
- ❑ Lancement et arrêt d'un programme Visual Basic
- ❑ Création d'un nouveau projet avec l'Assistant Création d'applications
- ❑ Utilisation du système d'aide Visual Basic
- ❑ Découverte de la page d'aide MSDN

Dans le chapitre suivant, nous allons explorer un peu plus la feuille et nous ajouterons du code pour que cela ressemble plus à un programme. Mais n'en attendez pas trop pour le moment, nous sommes en train de découvrir et nous ne faisons que nous familiariser avec ce nouvel environnement VB6. Rendez-vous au chapitre 2.

Que diriez-vous d'essayer ?

1 La première fois que vous démarrez Visual Basic, vous commencez à travailler dans un environnement en mode MDI (Multiple Document Interface, Interface multidocument) avec une seule fenêtre qui constitue l'arrière-plan et contient la plupart des autres fenêtres (Propriétés ou Explorateur de projets, par exemple). Vous pouvez néanmoins opérer en mode SDI (Single Document Interface) : toutes les fenêtres sont alors indépendantes les unes des autres. Comment obtenir un tel environnement ?

2 Recourez à l'aide en ligne pour afficher les touches de fonction intégrées à l'environnement de développement Visual Basic. Quelles sont-elles ?

3 Vous avez vu toutes les méthodes possibles pour ouvrir la fenêtre de code. Combien permettent d'afficher la feuille ?

4 Dans le menu principal, sélectionnez Outils | Options | Général et changez les unités Hauteur et Largeur de la grille. Quelles sont les répercussions de cette modification ?

5 Quelles sont les unités Hauteur et Largeur par défaut de la grille ? Les faire passer toutes deux à 300 éloignera-t-il ou rapprochera-t-il les points ? Enregistrez votre projet et ouvrez-en un nouveau. Les unités Hauteur et Largeur sont-elles toujours respectées ?

À l'intérieur d'un programme Visual Basic

Dans le chapitre précédent, nous avons présenté rapidement l'environnement de Visual Basic 6, ce qui nous a permis de voir comment gérer des projets et des fichiers lors de la conception d'une application. Nous avons également utilisé l'Assistant Création d'applications pour créer un programme relativement fonctionnel, dont les performances vous ont vraisemblablement étonné.

Pour élaborer vous-même de fantastiques programmes, il est toutefois indispensable de comprendre le mode de fonctionnement de VB. Désolé de briser vos illusions, mais vous ne trouverez en effet aucun Assistant Devenir millionnaire qui permette de créer automatiquement votre prochaine application à succès. Vous devrez le faire vous-même !

Dans ce chapitre, nous commencerons donc par aborder le mode de fonctionnement général des programmes VB, puis nous nous intéresserons aux **feuilles**, éléments centraux de toute application Visual Basic. Nous verrons comment personnaliser vos feuilles en en changeant des caractéristiques telles que la couleur d'arrière-plan ou le nom, c'est-à-dire les **propriétés**.

Bien sûr, ce n'est pas vraiment en sachant simplement modifier le type de légende ou de bordure que vous concevrez un programme Windows à succès. Vous ne pourrez créer de véritables fonctionnalités qu'en ajoutant du code à votre feuille. Nous verrons donc comment écrire ce code, afin de pouvoir gérer les **événements** de la feuille ; nous passerons même un peu à la pratique. Pour finir, nous élaborerons un programme exécutable capable de fonctionner en dehors de Visual Basic.

Dans ce chapitre, nous aborderons les points suivants :

❑ Programmation événementielle et son fonctionnement dans Visual Basic

❑ Feuilles Visual Basic et modification de leur présentation

❑ Utilisation des propriétés de la programmation

❑ Écriture d'un code pour répondre aux événements

❑ Compilation de votre première application

Les objets et les événements

Dans Visual Basic, le fonctionnement du code que vous écrivez s'appuie essentiellement sur une association de deux éléments : les **objets** et leurs **événements**.

❑ Dans le monde réel, un **objet** peut désigner n'importe quelle entité, d'une télévision à un interrupteur : il assure une fonction particulière, comme l'affichage d'une émission TV ou l'éclairage de votre environnement, et peut se composer d'un **ensemble** d'autres objets. Une voiture, par exemple, est faite de roues, d'un châssis, d'un moteur et de nombreux éléments supplémentaires. Dans Visual Basic, les objets sont les composants de l'interface utilisateur du programme. En font notamment partie les feuilles et les contrôles (comme des boutons de commande).

❑ Les **événements** ont aussi un équivalent dans le monde réel. Lorsque vous avez faim, vous mangez un sandwich. S'il commence à pleuvoir alors que vous êtes dehors, vous ouvrez votre parapluie. Dans les deux cas, votre comportement est déterminé par les événements. Lorsqu'un utilisateur clique sur un bouton de commande du programme, par exemple, Visual Basic traduit cette action en événement : il reconnaît le clic sur le bouton et conclut donc à un événement appelé `Click`. Vous pouvez écrire du code pour gérer cet événement, afin que cette action déclenche par exemple systématiquement l'apparition d'un message à l'écran : il s'agit d'un **gestionnaire d'événements** (c'est-à-dire simplement la série d'actions effectuées au niveau d'un objet particulier, généralement à la suite d'une intervention de l'utilisateur).

La programmation événementielle

Les **événements** définissent les programmes Windows, et notamment votre application Visual Basic, à la différence d'autres versions du langage de programmation BASIC ou de langages comme le langage C et le Pascal. Lors de l'exécution d'un programme BASIC ou C traditionnel, l'ordinateur en parcourt le code ligne par ligne, en commençant par le début et en suivant ensuite jusqu'à la fin le chemin spécifique déterminé par le programmeur. Dans Visual Basic, en revanche, l'application affiche tout d'abord une feuille ou exécute un petit fragment de code. À partir de ce point, c'est l'utilisateur qui détermine les parties du code à exécuter par la suite.

Une nouvelle façon de penser

Prenons un exemple concret. Dans un langage de programmation traditionnel, vous pourriez écrire une application destinée à faire une tasse de café :

1 Remplissez une bouilloire d'eau

2 Allumez la bouilloire

3 Mettez du café dans une tasse

4 Versez du lait dans la tasse

5 Attendez que l'eau arrive à ébullition dans la bouilloire

6 Versez l'eau dans la tasse

Ces instructions sont assez simples à suivre. Dans Visual Basic, vous pourriez formuler les choses comme suit :

1 Présentez du café, une bouilloire, de l'eau, du lait et une tasse à l'utilisateur

2 Laissez l'utilisateur faire son café

L'utilisateur peut utiliser chacun des composants proposés dans l'ordre voulu, afin de se faire une tasse de café. En tant que programmeur, vous fourniriez juste quelques fragments de code pour gérer des événements spécifiques. Lorsque l'utilisateur allumerait la bouilloire, par exemple, Visual Basic exécuterait le code que vous avez écrit pour traiter cet événement particulier (il serait vraisemblablement question de faire chauffer l'eau, etc.). L'ordre des événements nécessaires à l'obtention d'une tasse de café est donc bien laissé à la discrétion de l'utilisateur ; il ne lui est pas imposé par le programmeur.

La programmation orientée objet

Outre la programmation événementielle, Visual Basic 6 prend en charge une méthode relativement nouvelle pour élaborer des applications : le développement **orienté objet**. Si vous lisez régulièrement la presse informatique d'un certain niveau, vous avez déjà rencontré de nombreuses fois le sigle POO. Mais que cache-t-il ?

Les programmeurs avaient l'habitude d'écrire des programmes qualifiés de **structurés**, destinés à résoudre un seul gros problème. Ils divisaient néanmoins ce problème en plusieurs problèmes de moindre taille, plus facilement gérables, et écrivaient de petites sections de code pour résoudre chacun d'eux.

La POO est le successeur naturel de ce type de programmation. Au lieu de décomposer simplement le problème en problèmes plus petits, les programmeurs appliquant les techniques Objet le scindent en objets qui existent chacun indépendamment les uns des autres. Un jeu de simulation spatiale, par exemple, aurait vraisemblablement un objet Extra-terrestre. Comme une entité du monde réel, ce dernier posséderait certaines caractéristiques (**propriétés**) et fonctions qu'il serait en mesure d'effectuer (**méthodes**). Le programmeur devrait ensuite imaginer les propriétés et méthodes nécessaires à l'existence d'un objet.

Dans le cas de notre Extra-terrestre, nous pourrions trouver, dans les propriétés, des coordonnées X et Y pour spécifier sa position à l'écran, et dans les méthodes, Déplacer, Tirer et Mourir. Visual Basic permet de définir des modèles d'objets sous la forme de modules de classes, modèles que vous pouvez ensuite transformer en objets réels.

Définir la classe s'apparente un peu à une conversation avec un extra-terrestre auquel vous diriez « Un humain se présente de cette manière, peut faire telle et telle chose », etc. Transformer la classe en un objet particulier (**instanciation** ou création d'une **instance** d'objet) revient à dire « ...et hop, c'est parti ! »

Nous traiterons de la programmation orientée objet plus en détail, un peu plus tard dans ce livre. Pour l'instant, il vous suffit de bien comprendre que ce concept dans Visual Basic implique des propriétés, des méthodes et des événements.

Les propriétés

Chaque feuille et contrôle possèdent des propriétés. C'est même le cas de certains objets que vous ne pouvez pas manipuler du tout lors de la conception et de l'élaboration de votre programme, comme l'écran et l'imprimante, et dont les propriétés ne sont généralement accessibles qu'à partir du code de l'application lorsqu'elle est en cours d'exécution. Ces propriétés contrôlent la présentation et le comportement des objets dans Visual Basic. Voici différentes techniques qui permettent de personnaliser des feuilles grâce à leurs propriétés :

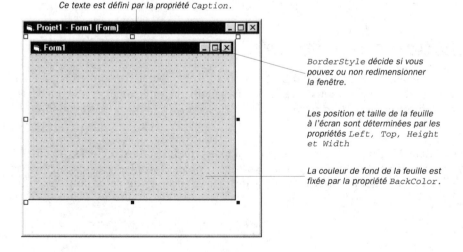

Ce texte est défini par la propriété Caption.

BorderStyle décide si vous pouvez ou non redimensionner la fenêtre.

Les position et taille de la feuille à l'écran sont déterminées par les propriétés Left, Top, Height et Width

La couleur de fond de la feuille est fixée par la propriété BackColor.

Dans le chapitre précédent, nous n'avons pas mentionné la fenêtre Propriétés, qui permet de personnaliser des propriétés comme celles présentées dans l'écran précédent, et bien d'autres choses que nous verrons bientôt.

La fenêtre Propriétés

La fenêtre Propriétés permet de définir et de consulter les propriétés des feuilles et contrôles lors de la création (avant la véritable exécution du programme) :

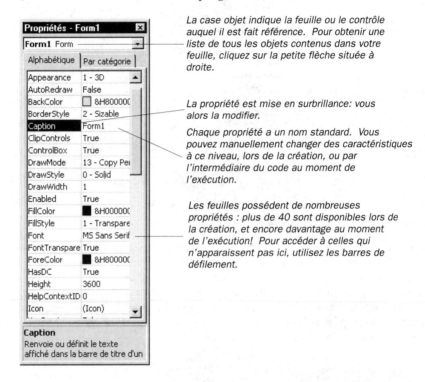

La case objet indique la feuille ou le contrôle auquel il est fait référence. Pour obtenir une liste de tous les objets contenus dans votre feuille, cliquez sur la petite flèche située à droite.

La propriété est mise en surbrillance: vous alors la modifier.

Chaque propriété a un nom standard. Vous pouvez manuellement changer des caractéristiques à ce niveau, lors de la création, ou par l'intermédiaire du code au moment de l'exécution.

Les feuilles possèdent de nombreuses propriétés : plus de 40 sont disponibles lors de la création, et encore davantage au moment de l'exécution! Pour accéder à celles qui n'apparaissent pas ici, utilisez les barres de défilement.

La fenêtre Propriétés comporte deux onglets dans sa partie supérieure. Normalement, lorsqu'elle s'affiche, elle répertorie simplement, dans l'ordre alphabétique, toutes les propriétés applicables à l'objet alors sélectionné (qu'il s'agisse d'une feuille, d'un composant de feuille, ou autre). Vous pouvez néanmoins activer l'onglet **Par catégorie**, afin d'obtenir une liste mieux organisée des propriétés :

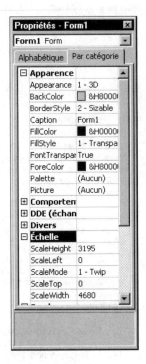

En cliquant sur le signe + à côté de chaque catégorie, vous développez la liste et affichez les propriétés qu'elle regroupe. Il s'agit d'un mode fantastique à exploiter lors de la découverte de Visual Basic, mais une fois familiarisé avec ce que propose la fenêtre Propriétés, vous trouverez vraisemblablement plus pratique de travailler en mode **Alphabétique**. Après avoir mémorisé les noms des propriétés, vous n'aurez en effet plus besoin de vous reporter à la catégorie correspondante. Quoi qu'il en soit, pour connaître ces propriétés, rien de tel que de les utiliser. C'est ce que nous ferons dans la prochaine section.

Programmer en utilisant les propriétés

Lorsque Visual Basic est en mode **création**, il est possible de consulter les propriétés des feuilles qu'il contient. Dans cet exemple, nous utiliserons le projet par défaut qui est créé quand vous sélectionnez **Exe standard** dans la fenêtre **Nouveau projet**, après le lancement de Visual Basic, ou **Nouveau projet** dans le menu **Fichier**.

Pour afficher la fenêtre Propriétés le cas échéant :

❑ Cliquez sur la feuille, afin de la sélectionner comme objet courant, puis appuyez sur *F4* pour ouvrir la fenêtre Propriétés avec les caractéristiques de la feuille courante. (Une fenêtre est sélectionnée lorsque sa barre de titre est mise en surbrillance.)

❑ Ou : Choisissez **Propriétés** dans le menu **Affichage**.

❑ Ou : Cliquez du bouton droit sur la feuille pour faire apparaître un petit menu, dans le bas duquel vous sélectionnerez **Propriétés**. Une fois qu'il est affiché, n'oubliez pas que vous pouvez le faire glisser sur une autre fenêtre ou vers le bord de l'écran pour l'ancrer dans la position suivante :

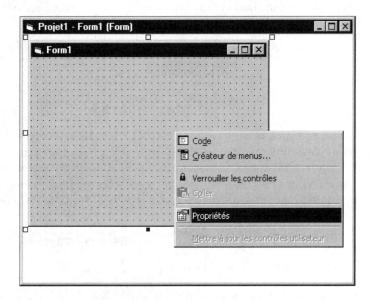

Passons à la pratique ! Changer les propriétés d'une feuille

Nous commençons donc avec un nouveau projet **Exe standard** ; une feuille vierge apparaît, dont nous allons modifier les propriétés.

1 Cliquez sur la feuille pour la sélectionner, puis appuyez sur *F4* pour ouvrir la fenêtre **Propriétés**. Assurez-vous que vous êtes bien en mode Alphabétique. Au moyen de la barre de défilement située dans la partie droite de la fenêtre **Propriétés**, localisez la propriété **ControlBox**. Celle-ci détermine si une case de contrôle (icône dans le coin supérieur gauche de la fenêtre, qui permet de redimensionner et de fermer cette dernière) apparaîtra sur la feuille en phase d'exécution :

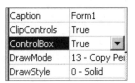

Vous pourriez également appuyer sur Shift+Ctrl+C : cette combinaison vous emmène à la première propriété de la liste dont le nom commence par C. Si vous répétez l'opération, la mise en surbrillance se déplace de nouveau pour atteindre très vite **ControlBox**, *troisième propriété de la fenêtre Propriétés à commencer par la lettre C.*

55

2 À droite des mots ControlBox apparaît le terme True : cela signifie qu'actuellement, une case de contrôle est effectivement associée à une feuille. Faites apparaître False à la place : double-cliquez sur le mot True, cliquez sur la flèche à droite de la propriété et sélectionnez une valeur dans la liste déroulante, ou, troisième possibilité, saisissez la première lettre du terme :

Caption	Form1
ClipControls	True
ControlBox	False
DrawMode	13 - Copy Pei
DrawStyle	0 - Solid

3 Avez-vous remarqué que la barre de titre de la feuille avait totalement changé ? Lorsque vous retirez une case de contrôle d'une feuille, vous en supprimez également l'icône et les boutons de dimensionnement. Si maintenant, vous exécutez de nouveau le programme (en appuyant sur *F5*), vous verrez que les modifications apportées en mode création sont immédiatement appliquées lors de l'exécution de la feuille :

Il est toujours possible de faire glisser la feuille à un autre endroit de l'écran et de la redimensionner en faisant glisser ses bordures.

Mais à l'heure actuelle, il n'existe qu'une seule manière de la fermer : cliquer sur l'icône Fin dans la barre d'outils Visual Basic. Les boutons Agrandir et Réduire ont également disparu, bien que vous puissiez encore donner sa taille maximale ou normale à la feuille en double-cliquant sur sa barre de titre.

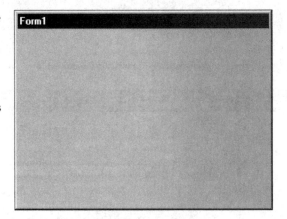

4 Arrêtez le programme en cliquant sur l'icône Fin dans la barre d'outils VB. Localisez cette fois la propriété BorderStyle dans la fenêtre Propriétés. Le texte qui figure à droite indique normalement 2—Sizable :

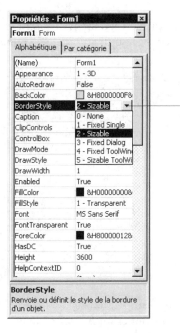

Vous pouvez connaître toutes les autres options proposées par cette propriété en cliquant sur la flèche en regard, faisant ainsi apparaître une liste déroulante.

5   Double-cliquez plusieurs fois sur le champ BorderStyle, jusqu'à ce qu'il affiche 1—Fixed Single, ou cliquez sur la flèche et sélectionnez cette option. Vous remarquerez que le type de bordure de la feuille reflète instantanément les changements lorsque vous parcourez les diverses options.

6   Localisez maintenant la propriété Caption. Cliquez sur le texte qui mentionne Form1 et appuyez sur *Retour arrière*, afin de supprimer la légende courante :

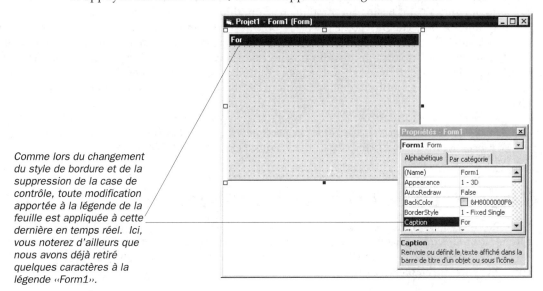

Comme lors du changement du style de bordure et de la suppression de la case de contrôle, toute modification apportée à la légende de la feuille est appliquée à cette dernière en temps réel. Ici, vous noterez d'ailleurs que nous avons déjà retiré quelques caractères à la légende «Form1».

7 Le reste de la feuille ne semble pas particulièrement différent en mode création, mais appuyez maintenant sur *F5* pour lancer l'application et en connaître l'apparence en phase d'exécution :

8 Vous devriez obtenir une boîte toute simple, bordée à l'extérieur d'un trait unique. Il est impossible de déplacer, redimensionner ou fermer cette fenêtre. Comme vous avez supprimé la légende de la feuille, Visual Basic a en effet automatiquement retiré la barre de titre. Pour arrêter le programme, cliquez de nouveau sur l'icône Fin dans la barre d'outils principale de Visual Basic.

Changer les propriétés de façon interactive

Vous pouvez changer certaines propriétés de la feuille sans même vous en rendre compte. Par exemple, lorsque Visual Basic est en mode création, déplacer ou redimensionner la feuille modifie les propriétés **Width**, **Height**, **Top** et **Left**. Ce point est très important : en bougeant simplement la feuille en mode création, vous programmez en fait Visual Basic, en lui indiquant d'afficher la feuille dans une position différente. Si vous redimensionnez cette feuille, cette nouvelle taille sera appliquée à la fenêtre dans le programme en cours d'exécution ; de même, si vous la déplacez, la fenêtre visualisée par l'utilisateur apparaîtra à l'écran à l'endroit actuellement occupé par cette feuille.

> *Gardez bien cela à l'esprit si vous travaillez avec une résolution de 1024 x 768, vous risquez de brimer les utilisateurs limités à 640 x 480 qui ne pourront visualiser que la moitié de votre feuille !*

Où insérer du code dans Visual Basic

Bien. Nous venons donc de parler des propriétés. Il est temps désormais, de nous intéresser à l'intégration de code dans le programme, afin que ce dernier puisse effectivement assurer diverses fonctions. Le schéma ci-après illustre clairement l'interaction entre l'utilisateur, la feuille et son code d'événement dans Windows :

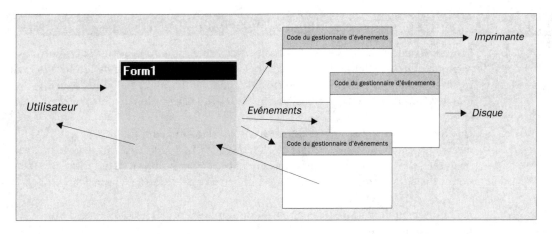

Dans un programme Visual Basic, tous les contrôles (zones de texte, boutons de commande, feuilles, etc.) possèdent un ensemble d'événements prédéfinis auxquels vous pouvez ajouter du code. Dans le cas des feuilles, par exemple, il existe un événement Load qui est déclenché lors du premier lancement et affichage de la feuille. Vous pouvez lui ajouter du code, afin que différentes tâches soient effectuées au moment du démarrage (positionnement automatique de la feuille ou affichage de valeurs standard, par exemple). Il existe également un événement Unload, qui est déclenché lors de la fermeture de la feuille. Chaque fragment de code est appelé **gestionnaire d'événements**.

Les gestionnaires d'événements

Bien que chaque contrôle et feuille de votre projet puisse répondre à des centaines d'événements différents, vous n'avez pas besoin d'écrire une seule ligne de code tant que vous ne le souhaitez pas vraiment. Parfois, vous voudrez peut-être qu'un bouton de commande ne fasse rien lorsque l'on clique dessus : il suffira alors de ne pas renseigner l'événement Click correspondant. Vous avez besoin d'écrire un code d'événement uniquement lorsque vous souhaitez que quelque chose se passe en réponse à un événement donné ; Visual Basic est un environnement très peu exigeant, qui vous permet de ne faire que le strict minimum, sans vous empêcher d'aller très loin.

Votre premier gestionnaire d'événements Visual Basic

Bon, le temps est venu d'écrire un peu de code. Comme nous venons de le dire, à chaque feuille sont associés certains événements, dont l'un des plus importants est Load. Ce dernier est déclenché à chaque premier chargement de la feuille, juste avant son affichage. Il sert couramment à fixer les valeurs des propriétés de la feuille ou à exécuter tel ou tel code lors de son apparition. Nous utiliserons cette fonctionnalité pour créer un programme simple qui insère la date courante dans la feuille.

Passons à la pratique ! Écrire un gestionnaire d'événements

1 Lancez Visual Basic si ce n'est pas encore fait. Au cas où vous auriez suivi notre exemple depuis le début et où vous auriez toujours une structure de feuille à l'écran, repartez sur de nouvelles bases en sélectionnant Nouveau projet dans le menu Fichier. Cliquez sur Non si vous êtes invité à sauvegarder les fichiers courants.

2 Une fois que vous avez choisi Nouveau projet dans le menu Fichier, Visual Basic ouvre la boîte de dialogue Projet, dans laquelle vous pouvez retenir le type de projet que vous souhaitez créer. Nous aborderons cette étape plus en détail ultérieurement. Pour l'instant, contentez-vous de sélectionner Exe standard et cliquez sur OK.

3 Au bout de quelques secondes apparaît un nouveau projet accompagné d'une nouvelle feuille vierge :

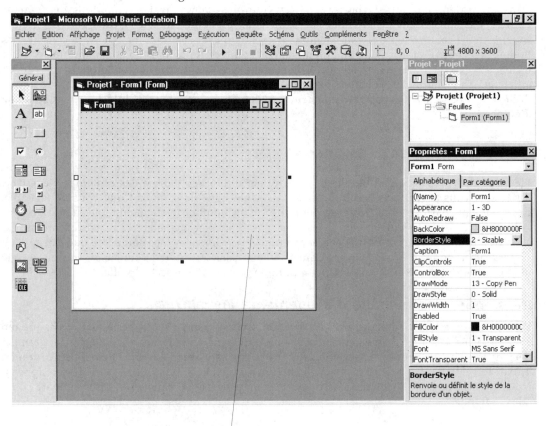

Redimensionnez la feuille de façon à ce qu'elle se présente de cette manière.

4   Il faut désormais un endroit pour afficher la date. La manière la plus simple de procéder dans Visual Basic est de placer un contrôle d'étiquette (un intitulé) sur votre feuille, puis d'y insérer la valeur de la date courante. Pour ce faire, cliquez sur l'icône de ce contrôle (celle qui comporte un A majuscule) dans la boîte à outils.

> Dans Visual Basic, un contrôle est un objet situé sur une feuille. Chacun assure une fonction particulière. Cela peut vous sembler un peu général, mais c'est précisément l'adjectif qui caractérise un contrôle : général. Ces éléments vont des boutons aux listes, en passant par des contrôles plus spécifiques pour l'accès à des bases de données. Ajouter un contrôle à une feuille permet d'en utiliser les fonctionnalités dans le programme.
>
> Nous envisageons d'afficher du texte sur la feuille, ce que va nous permettre le contrôle d'étiquette. Le chapitre 3 présente les contrôles de façon plus poussée ; pour l'instant, faisons simple et contentez-vous de suivre les étapes l'une après l'autre.

5   Tout en maintenant le bouton de la souris enfoncé, faites glisser le curseur en croix pour dessiner sur la feuille un encadré correspondant aux forme et taille voulues pour l'étiquette. Dans le cas présent, adoptez à peu près la même taille que ci-après :

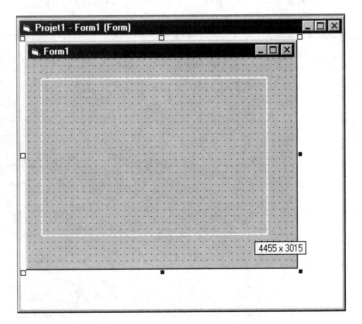

6 Une fois l'objet aux dimensions souhaitées, relâchez le bouton de la souris : l'étiquette apparaît. Visual Basic appelle ce contrôle **Label1**, nom par défaut de tout contrôle d'étiquette. C'est ce nom que nous utiliserons pour adresser le contrôle dans le code.

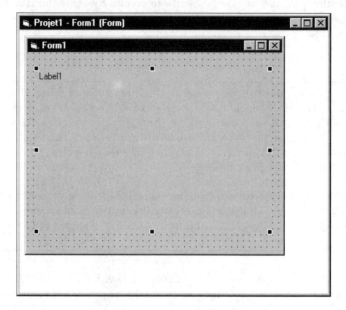

7 Histoire de s'amuser un peu, exécutons maintenant le programme, afin de voir à quoi il ressemble. Appuyez pour cela sur *F5* ou cliquez sur le bouton **Démarrer** de la barre d'outils.

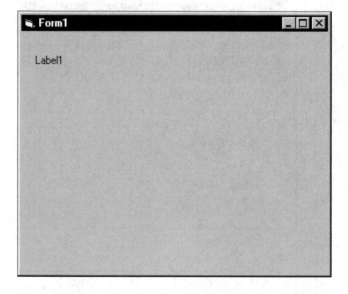

8 Arrêtez le programme en cliquant sur le bouton Fin de la barre d'outils. Nous devons désormais intégrer du code dans le projet, en vue de placer la date courante dans l'étiquette. Pour ajouter du code à une feuille ou à un autre objet, le plus facile est d'afficher la fenêtre de code en double-cliquant simplement sur l'objet lui-même. Double-cliquez donc sur votre feuille, mais attention ! hors de l'étiquette que vous venez d'insérer.

Une fenêtre de code apparaît au-dessus de la fenêtre courante, affichant l'objet sur lequel vous avez double-cliqué, ainsi qu'un événement par défaut pour lequel vous pouvez écrire du code :

9 En cliquant sur la flèche descendante à droite du mot **Load**, en haut de la fenêtre **Code**, vous affichez une liste de tous les événements susceptibles d'être associés à une feuille. Dans le cas présent, laissez **Load** sélectionné.

La zone principale de la fenêtre présente le code qui constitue ce gestionnaire d'événements : il s'agit d'une procédure événementielle (c'est-à-dire une partie de code qui effectue une opération spécifique à un événement).

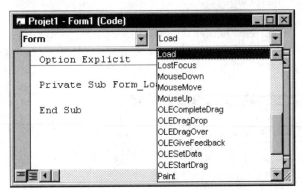

10 Cliquez dans la fenêtre de code et saisissez le code entre les lignes **Private Sub Form_Load()** et **End Sub**, de façon à ce que la sous-routine corresponde à celle de l'écran ci-après. Le code est expliqué en détail dans la section suivante Fonctionnement.

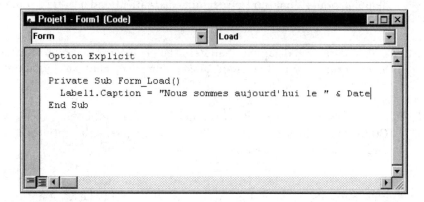

11 La dernière étape consiste à s'assurer que la feuille sera bien centrée à l'écran lors de son exécution. Il fut un temps où cela exigeait d'écrire plusieurs lignes de code assez complexes, mais heureusement, cette époque est révolue. Vous devez juste vérifier que la feuille est sélectionnée, ouvrir la fenêtre **Propriétés**, localiser la propriété **StartUpPosition** et la régler sur **2—CenterScreen** :

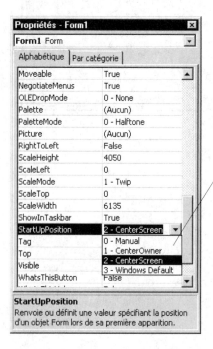

*Comme le montre l'écran, de nombreuses options sont proposées : vous pouvez décider de l'endroit où apparaîtra la feuille (**Manual**), laisser à Windows le soin de s'en occuper (**Windows Default**) ou centrer la feuille au sein de celle dont elle dépend (**CenterOwner**). Nous aborderons certaines de ces possibilités dans un chapitre ultérieur, lorsque nous traiterons de feuilles MDI.*

12 Essayez maintenant de lancer le programme en appuyant sur *F5* ou en cliquant sur l'icône **Démarrer** (désormais, nous partirons du fait que vous savez comment exécuter une application). La feuille apparaît à l'écran comme dans les autres exemples, à ceci près qu'à présent, elle se trouvera toujours centrée sur le moniteur. Elle contient la date courante :

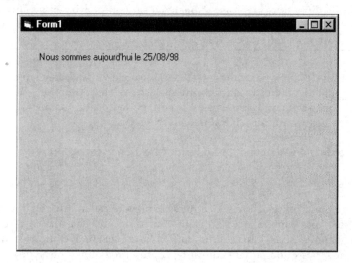

13 Arrêtez le programme en cliquant sur la case de fermeture de la feuille.

À l'avenir, l'écran ne correspondra peut-être pas exactement à l'apparence effective de la fenêtre de code. Utilisez les zones de liste en haut de cette fenêtre pour localiser les objet et événement pour lesquels vous souhaitez écrire du code. Attention ! il est très facile d'ouvrir une fenêtre de code, de saisir plusieurs écrans entiers de code et de s'apercevoir finalement que l'événement associé n'est pas le bon. Par conséquent, vérifiez toujours où vous êtes et où vous devriez être !

Fonctionnement

Voyons ligne par ligne l'événement Form_Load().

```
Private Sub Form_Load()

  Label1.Caption = "Nous sommes aujourd'hui le " & Date

End Sub
```

La première ligne, Private Sub Form_Load(), indique à Visual Basic le début du code correspondant à l'événement Load, et la commande Sub, que ce code est une **sous-routine.** Il existe un autre type de bloc de code dans Visual Basic : les **fonctions**, que nous aborderons plus tard dans ce livre. Private signale que cette partie de code n'est visible que pour d'autres blocs de code associés à la même feuille ou au même module. Ce point est important, et nous y reviendrons plus en détail ultérieurement, lorsque nous nous attaquerons à une question de taille : que se passe-t-il dans un projet ? Pour l'instant, poursuivons.

La partie `Form_Load` correspond au nom de la sous-routine. Visual Basic en attribue automatiquement un à chaque gestionnaire d'événement que vous écrivez, afin d'indiquer l'objet auquel il se rapporte et l'événement qui déclenchera son exécution : dans le cas présent, l'objet est `Form`, et l'événement, `Load`.

> Bien que vous puissiez changer le nom de la procédure vous-même, il est déconseillé de le faire, car Visual Basic ne sera alors plus en mesure d'associer la procédure événement au bon objet. Dans notre exemple, le code n'exécuterait pas la feuille une fois celle-ci chargée.

La combinaison de deux parenthèses () sert à encadrer les **paramètres**, valeurs transmises à une procédure pour lui permettre de remplir sa tâche (deux nombres à ajouter, par exemple). Le cas présent ne requiert aucun paramètre. Ne vous faites pas de soucis à ce sujet pour l'instant, tout vous semblera beaucoup plus clair dans quelques pages.

La ligne de code qui insère la date courante dans l'étiquette se présente comme suit :

```
Label1.Caption = "Nous sommes aujourd'hui le " & Date
```

Il se passe de nombreuses choses à ce niveau, mais toutes n'ont pas besoin d'être expliquées dès à présent. Pour faire simple, la propriété `Caption` de `Label1` est réglée pour accueillir une expression (connue sous l'appellation officielle de **chaîne**) composée des mots `Nous sommes aujourd'hui le` et de la date courante, représentée dans notre code par `Date`. Ce terme est en fait une fonction intégrée de Visual Basic qui extrait et insère la date donnée par l'horloge système de votre ordinateur.

Il est placé à la fin du morceau `Nous sommes aujourd'hui le` avec l'esperluette (&), qui indique à Visual Basic de regrouper les deux expressions de part et d'autre de ce symbole en une seule chaîne. La propriété `Caption` de l'étiquette contient les caractères qui seront affichés dans l'étiquette lors de l'exécution de la feuille et qui remplacent le mot **Label1**, valeur par défaut de cette propriété lorsque nous étions en mode création. La ligne `End Sub`, enfin, indique la fin de la sous-routine.

Nous l'avons dit, il se passe beaucoup de choses à ce niveau, mais nous voulions vous faire entrer dans cet univers et vous montrer comment Visual Basic peut donner des ailes à une simple ligne de code.

Saisir du code

Les débutants s'inquiètent souvent de l'apparence de leur code dans la fenêtre correspondante.

En ce qui concerne Visual Basic, tant que vous orthographiez et espacez correctement les commandes, la présentation du code importe peu. Visual Basic signale en effet aussitôt toute saisie incorrecte. Essayez par exemple de supprimer le signe & entre «Nous sommes aujourd'hui le» et `Date`. Lorsque vous passez à la ligne suivante, un message d'erreur apparaît, décrivant brièvement la faute commise :

Si vous cliquez maintenant sur le bouton **OK** de cette boîte de dialogue, Visual Basic retourne dans la fenêtre de code et met la ligne incorrecte en surbrillance. Tapez alors le bon texte : `"Nous sommes aujourd'hui le " & Date`.

Généralement, appliquer des retraits au moyen de la touche *Tab* (à la place de « Tab », cette touche comporte parfois deux flèches, l'une orientée vers la droite et l'autre vers la gauche) permet de faire apparaître plus clairement les divers blocs de code, ce qui peut s'avérer très utile pour localiser un bogue éventuel. Sachez toutefois que des commandes uniques, comme celles présentées dans l'exemple précédent, doivent se trouver sur une seule et même ligne. Ceci étant, si vous atteignez le bord droit de la fenêtre de code lors de la frappe, ne vous inquiétez pas… et n'appuyez pas sur *Entrée* ! La fenêtre défilera en effet pour s'adapter au texte saisi. Par ailleurs, appuyer sur *Entrée* au milieu d'une ligne de code déclenche souvent l'apparition d'un message d'erreur, dans lequel Visual Basic explique qu'il ne comprend pas ce que vous essayez d'exprimer.

Visual Basic vous facilite également la tâche en s'efforçant de formater toutes les lignes de code de façon standard : il assure un certain espacement du code et ajoute des lettres majuscules aux mots qu'il reconnaît. Le code est ainsi plus lisible et donc plus fiable. Mieux encore, Visual Basic peut vous aider à terminer des lignes de code en affichant la syntaxe de chaque instruction lors de la frappe et en proposant des valeurs pour différents paramètres. Lorsque vous saisissez quelque chose de ce type, par exemple, une fenêtre déroulante apparaît, contenant la syntaxe complète de l'énoncé :

```
Private Sub Form_Load()
    MsgBox
End  MsgBox(Prompt, [Buttons As VbMsgBoxStyle = vbOKOnly], [Title], [HelpFile], [Context]) As VbMsgBoxResult
```

Lors de la saisie de code d'événement, l'autre point important est de ne pas en supprimer la première ou la dernière ligne (c'est-à-dire celle qui commence par `Private` et celle qui s'intitule `End Sub`), car Visual Basic ne pourrait alors déterminer ni le début ni la fin du code.

> **Avez-vous remarqué que Visual Basic affecte une couleur différente aux composants de chaque ligne ? Ces teintes indiquent en fait les parties de lignes que VB reconnaît comme étant des mots clés Visual Basic. Il contrôle automatiquement chaque ligne de code saisie pour s'assurer de son exactitude.**

L'heure est venue de prendre congé

Bien. Nous savons donc afficher la date. Voyons maintenant comment réagir face aux différents événements. Cette fois, nous allons en effet ajouter du code qui s'exécute lors de l'événement Unload de la feuille.

Passons à la pratique ! Ajouter du code à l'événement Form_Unload

Nous allons ajouter du code pour que la feuille affiche « Au revoir » à chacune de ses fermetures. La première chose à faire est d'afficher la bonne routine dans la fenêtre de code.

1   Arrêtez le programme s'il est toujours lancé, puis double-cliquez sur la feuille pour faire apparaître la fenêtre de code. Cliquez sur la flèche descendante, à droite du mot **UnLoad**, en haut de la fenêtre. Comme précédemment, la liste des événements s'affiche :

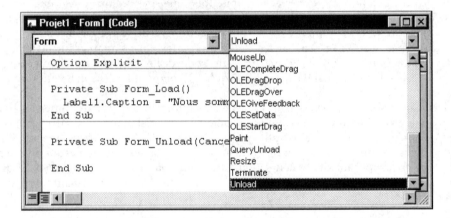

2   Utilisez les barres de défilement pour localiser le mot **Unload** et sélectionnez-le. Pour cet événement, ajoutez le code suivant :

```
Private Sub Form_Unload(Cancel As Integer)
        Msgbox "Au revoir !"
End Sub
```

La ligne MsgBox affiche juste un message intitulé Au revoir. Nous traiterons des messages dans un chapitre ultérieur. En deux mots, toutefois, un message correspond à une feuille toute prête qui affiche des messages à l'attention de l'utilisateur et auxquels ce dernier doit répondre avant de poursuivre. C'est un élément formidable pour l'affichage de messages d'erreur et d'information du style « vous venez juste de formater votre disque dur ».

3   Essayez maintenant d'exécuter le programme. Comme la fois précédente, la feuille apparaît au centre de l'écran :

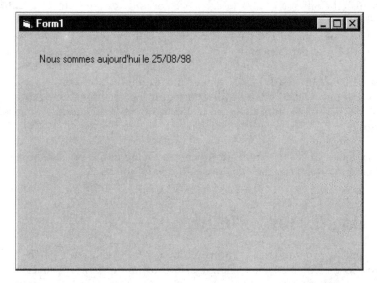

4   Si vous arrêtez l'application en double-cliquant sur la case de contrôle de la feuille ou en utilisant son bouton de fermeture, une autre fenêtre apparaît (il s'agit cette fois d'un message), qui vous dit Au revoir !

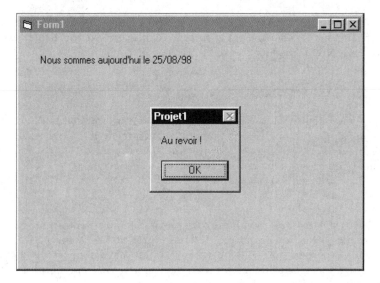

Si vous choisissez maintenant OK, le programme se ferme et vous vous retrouvez dans l'environnement de création Visual Basic.

Fonctionnement

Vous pouvez modifier la présentation et le comportement des messages au sein du programme, mais dans le cas présent, nous nous en sommes tenus à la version tout à fait ordinaire qui contient uniquement du texte et un bouton OK. Cliquer sur ce dernier ferme bien sûr l'application.

Contrairement à l'événement Load, Unload contient des paramètres entre les parenthèses, à savoir Cancel As Integer. Le mot Cancel n'a pas vraiment de signification : il s'agit juste d'un nom affecté par Visual Basic à ce paramètre, afin d'en indiquer le rôle. As Integer signale que Cancel est un entier. Les entiers et d'autres concepts étranges seront abordés dans la partie du chapitre 5 consacrée aux variables. En fixant Cancel à une valeur numérique, vous pouvez annuler l'événement Unload. Le code peut par exemple indiquer de ne pas décharger la feuille dans un programme réel lorsque l'utilisateur doit auparavant sauvegarder des données. Si tout cela ne vous semble pas très clair pour l'instant, ne vous inquiétez pas, vous allez bientôt comprendre.

Nous en terminons ainsi avec notre application élémentaire. Avant de nous replonger très vite dans la programmation, abordons quelques nouveaux concepts.

Réaliser un fichier exécutable

Jusqu'à présent, le programme que nous avons écrit s'exécutait à partir de l'environnement VB, d'un clic sur l'icône **Démarrer** ou d'une pression sur la touche *F5*. Visual Basic serait un bien piètre outil pour les développeurs expérimentés si chaque utilisateur d'une application VB devait aller dans Visual Basic lui-même pour se servir du programme. VB permet donc de transformer vos applications terminées en entités effectivement indépendantes qui se lancent simplement par le biais du menu **Démarrer** de Windows, comme tout autre programme.

Une fois votre application terminée et prête à être soumise aux utilisateurs (certes, nous sommes loin d'en être là pour l'instant), il est temps de réaliser un **exe,** ou **fichier exécutable**. Vous verrez que transformer votre dur labeur en **exe** est très facile.

Code interprété et code compilé

On distingue généralement deux types de langages de programmation : **interprété** ou **compilé**. Les utilisateurs de langage compilé dénigraient fréquemment les langages interprétés, considérant qu'ils éloignaient leurs utilisateurs du système, leur évitaient les dures réalités de la pratique informatique et leur assuraient une approche tout en douceur de la programmation. Les langages interprétés ont également la réputation d'être beaucoup plus lents et hermétiques que leurs homologues compilés.

Cette dernière caractéristique s'explique facilement. Sans trop entrer dans la théorie informatique, le PC qui occupe votre bureau ne peut et ne pourra jamais comprendre un traître mot de vos paroles. Si vous l'ouvriez, que vous posiez vos doigts sur des pistes de la carte mère et que vous pianotiez un rythme électronique de 1 et de 0, vous seriez tout prêt d'établir une sorte de communication (ou à deux doigts de la folie).

Écrire des programmes informatiques de cette manière serait néanmoins fastidieux, risqué et archaïque. Depuis le temps lointain des interrupteurs à bascule, les choses ont évolué, et nous disposons désormais de ces formidables outils que l'on appelle langages de programmation. Un compilateur prend votre masse organisée d'instructions et de mots clés et la traduit en 1 et en 0 électroniques dont l'ordinateur a besoin pour pouvoir répondre à vos diverses requêtes.

Un interpréteur, en revanche, ne fonctionne pas de cette manière. Il s'agit en effet d'un programme situé entre la machine elle-même et votre application. Lorsque vous lancez cette dernière, vous exécutez en fait l'interpréteur qui, ô miracle, parcourt votre code ligne par ligne, transmettant les énoncés traduits et interprétés à l'ordinateur sous une forme que celui-ci comprend. Et croyez-nous, c'est un long processus.

Les langages pseudo-compilés

Avant l'arrivée de la version 5, Visual Basic était une sorte de compromis : lorsque vous compiliez des applications, elles étaient toujours traduites dans un code plus facile à gérer, le **P-Code**. Techniquement, on pouvait parler de compilation ; cependant, vous aviez besoin de charger, conjointement au programme, un ensemble de fichiers Microsoft destinés à interpréter le P-Code que l'ordinateur était encore incapable de comprendre.

Depuis la version 5, en revanche, nous sommes en mesure de compiler véritablement et correctement les programmes Visual Basic. Cette fois, aucun interpréteur n'intervient lors de l'exécution : le code est compilé en quelque chose de naturellement intelligible pour l'ordinateur. Le programme qui en résulte est donc évidemment beaucoup plus rapide que vos chers éléments interprétés. Certes, il faut toujours fournir plusieurs fichiers de bibliothèque pour que le code natif puisse remplir sa tâche, mais c'est ainsi que procèdent les programmeurs C++ : ne les laissez donc plus vous impressionner...

Si vous utilisez l'édition Initiation ou un équivalent, cette option ne vous est peut-être pas proposée. Lorsque cela commencera à vous ennuyer, vous saurez qu'il est temps de passer à des versions plus poussées de Visual Basic ! Sinon, pas d'inquiétude : tout fonctionnera à merveille pour la plupart des projets que vous écrirez par la suite.

Vous pouvez activer et désactiver cette fonctionnalité à partir de la boîte de dialogue Propriétés du projet, que vous ouvrez par l'intermédiaire du menu Projet :

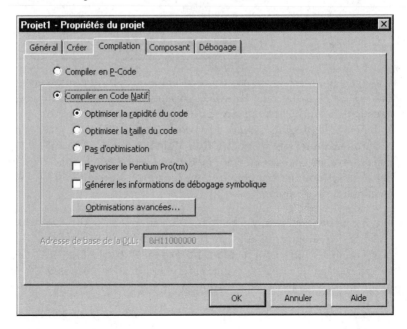

Ce manuel n'a pas vraiment pour objet d'expliquer toutes ces options en détail ; reportez-vous par conséquent aux fichiers d'aide si cela vous intéresse. En attendant, nous allons réaliser un programme exécutable qui peut fonctionner en dehors de Visual Basic, sans aide d'aucune sorte.

Passons à la pratique ! Créer un fichier EXE

1   Lors de l'écriture d'un programme, vous pouvez être amené à indiquer à Visual Basic la partie de l'application à exécuter en premier. Sélectionnez pour cela **Propriétés du projet...** dans le menu **Projet**. Une boîte de dialogue apparaît : ses différents onglets permettent de personnaliser certains composants de Visual Basic et du projet courant. Activez celui intitulé **Général**, afin de faire apparaître les options générales du projet :

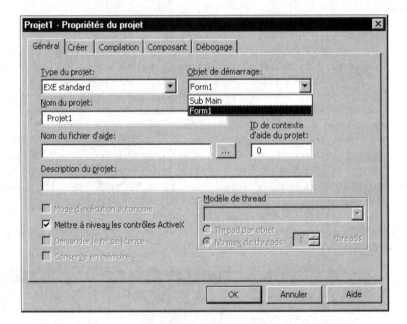

L'une des premières options proposées ici est **Objet de démarrage**. En cliquant sur la flèche à droite de la zone de texte et en sélectionnant le nom d'une feuille du projet dans la liste fournie, vous pouvez indiquer à Visual Basic l'endroit exact où devra commencer le programme lors de sa compilation. Outre les feuilles du projet, vous remarquerez une option appelée **Sub Main** : elle permet de lancer l'application par le biais d'un code contenu dans un module, et non d'une feuille. Ne vous souciez pas des diverses options disponibles pour l'instant ; quittez seulement la boîte de dialogue en cliquant sur **Annuler**.

2   Ouvrez maintenant le menu **Fichier** et sélectionnez l'option **Créer un fichier EXE...**. La boîte de dialogue qui apparaît vous demande d'entrer un nom de fichier pour votre programme terminé, comme **MonApp.exe** ou **WroxPro.exe**, et vous permet de spécifier le lieu d'enregistrement de cette application. Saisissez Test comme nom de programme. Visual Basic ajoute automatiquement un .exe à la fin, pour générer un exécutable appelé **Test.exe**.

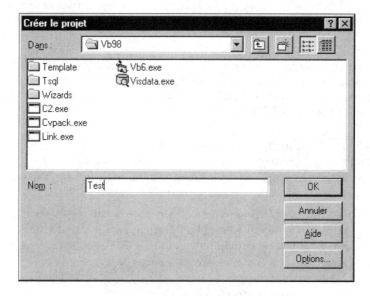

3 Cette boîte de dialogue comporte aussi de nombreuses autres options, que vous afficherez en cliquant sur le bouton **Options**.... Attribuez à votre programme un nom d'application en saisissant quelque chose dans le champ **Titre** : c'est ce nom qui apparaîtra lors de l'exécution de l'application et lors du basculement d'un programme à un autre, dans la barre des tâches ou dans le menu **Démarrer**. Il peut être différent de celui du fichier exécutable généré. Dans le cas présent, appelons-le **Aujourd'hui**.

Visual Basic 6

*Comme l'indique cette boîte de dialogue, de nombreux autres éléments sont proposés pour un fichier Exe. La boîte de dialogue **Propriétés du projet** permet d'incorporer des informations dans l'exécutable final, comme le nom de l'auteur, le numéro de version ou le copyright. Étant donné la multiplicité des pirateries logicielles, ces renseignements peuvent vous tirer d'un mauvais pas si vous devez un jour prouver que le programme écrit vous appartient. Il est aussi possible d'activer l'onglet **Compilation**, en haut de la boîte de dialogue, dans les versions professionnelles et d'entreprise de Visual Basic, afin de changer la façon dont le projet sera vraiment compilé.*

4 Cliquez finalement une première fois sur **OK** dans la boîte de dialogue **Propriétés du projet**, puis une deuxième dans la boîte **Créer le projet**. S'il n'y a pas de bogue apparent dans votre code, Visual Basic crée un fichier exe que vous pouvez désormais exécuter.

5 Essayez de lancer le programme comme une banale application, hors de Visual Basic. Ouvrez le poste de travail ou l'Explorateur, localisez le dossier dans lequel vous avez compilé le programme, et double-cliquez sur le nom de ce dernier. Il s'exécute exactement de la même manière qu'à partir de Visual Basic.

Changer l'icône du programme

L'icône du programme qui apparaît dans le poste de travail ou l'Explorateur correspond à une propriété de l'une des feuilles du projet. C'est par défaut celle de la première feuille qui est retenue (Démarrer l'objet, que nous avons vu précédemment), mais vous pouvez choisir celle d'une autre feuille grâce à la boîte de dialogue **Propriétés du projet**. La propriété Icon de cette feuille contient le nom d'un fichier d'icône affiché dans le menu **Démarrer** de Windows pour l'application, sur le bureau si vous créez un raccourci, et dans la barre des tâches lorsque la fenêtre du programme est réduite.

Vous pouvez définir l'icône vous-même au lieu d'accepter celle qui est proposée par défaut (comme nous venons de le faire) : ouvrez pour cela la fenêtre **Propriétés** d'une feuille et localisez la propriété Icon :

Poursuivons en double-cliquant sur la propriété Icon ou en cliquant une seule fois sur le bouton qui comporte trois **points de suspension**, à sa droite. La boîte de dialogue qui s'ouvre vous demande de sélectionner le nom d'un fichier d'icône (dont l'extension est généralement .ico) :

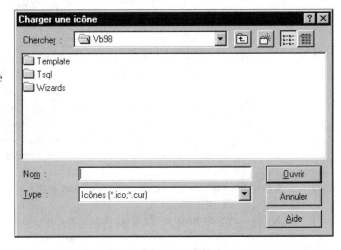

Si vous avez installé tous les exemples de programmes et les ClipArts fournis avec Visual Basic, le dossier Icons propose un très grand nombre d'icônes. Le chemin d'accès est généralement le suivant :

```
\Program Files\Microsoft Visual Studio\Common\Graphics\Icons
```

Après avoir trouvé votre bonheur dans la boîte de dialogue Charger une icône et fermé cette dernière, créez un fichier exe en suivant simplement les mêmes étapes que précédemment (c'est-à-dire en choisissant Créer Test.exe... dans le menu Fichier). En maintenant le bouton droit de la souris enfoncé, faites ensuite glisser l'exécutable sur le bureau à partir du poste de travail ou de l'Explorateur, afin de créer un raccourci. Voilà, c'est fini ! L'icône choisie peut être la suivante :

Résumé

Dans ce chapitre, nous avons couvert beaucoup de sujets très rapidement. Voici une brève récapitulation des opérations effectuées :

❑ Introduction à la programmation événementielle

❑ Découverte de la fenêtre Propriétés

❑ Personnalisation de différentes propriétés d'une feuille

❑ Ajout de code à une feuille pour répondre aux événements associés à cette dernière

❑ Compilation d'un programme pour créer un fichier exe

À plusieurs reprises dans ce chapitre, nous vous avons donné un avant-goût de ce que vous allez découvrir dans les prochains. Premier thème de la liste : les contrôles et leur utilisation. C'est ce qui fera l'objet du chapitre 3.

Que diriez-vous d'essayer ?

1   Utilisez la fenêtre Propriétés pour connaître les propriétés d'une feuille Visual Basic. Combien y en a-t-il ? Quelle est celle qui permet de masquer une feuille ?

2   Comme nous l'avons vu dans le chapitre, il est possible de changer les propriétés d'un objet en phase d'exécution aussi bien qu'en mode création. Créez un projet avec une feuille et un seul bouton de commande. Dans l'événement Form_Load, utilisez l'une des propriétés du bouton pour masquer ce dernier au démarrage.

3   Créez un exécutable de ce projet élémentaire.

4   Nous l'avons vu dans le chapitre, lorsque vous créez un exécutable de votre projet, une multitude d'options vous sont proposées. Avez-vous notamment remarqué la case à cocher Incrémentation automatique, dans l'onglet Créer de la boîte de dialogue Propriétés du projet.... Avez-vous une idée de sa fonction ?

5   Comment faire apparaître la feuille à un endroit particulier de l'écran lors de l'exécution d'un programme ?

Les contrôles

Même si les feuilles représentent la clef de voûte de toute application Visual Basic, elles ne seraient rien sans les contrôles zone de texte, liste et autres boutons de commandes qui permettent aux utilisateurs d'intéragir avec le logiciel. Ces contrôles sont aussi les objets qui permettent au programme d'obtenir et de présenter ses données.

Dans ce chapître, nous analyserons une application complète contenant certains des contrôles les plus fréquents. Nous verrons comment ces contrôles fonctionnent et comment ils peuvent s'insérer dans un programme Visual Basic. Nous aborderons donc les points suivants :

- ❑ Sélection des contrôles et leur positionnement sur la feuille
- ❑ Rôle réel de ces contrôles
- ❑ Utilisation du bouton de commande
- ❑ Raison de la présence de propriétés des contrôles
- ❑ Utilisation des contrôles généraux tels que les contrôles zone de texte, contrôles étiquette, contrôles bouton d'option, contrôles dessin et zone d'images

Utiliser les contrôles

Pour commencer, nous étudierons les techniques générales de sélection et de positionnement des différents contrôles sur une feuille. Ensuite, nous verrons comment leur apparence et leur comportement peuvent être programmés grâce aux propriétés, de façon assez similaire à ce que nous avons fait pour les feuilles dans le chapitre 2.

Nous détaillerons le contrôle **Bouton de commande** qui est le plus fréquemment utilisé mais nous passerons également rapidement en revue certains des contrôles tout aussi utiles tels que les contrôles **Bouton d'option, Cases à cocher, Zone de texte** et **Zone d'image**. Nous découvrirons également quelques problèmes associés à ces contrôles et nous verrons comment les résoudre. Mais tout d'abord, ouvrons donc cette bonne vieille boîte à outils : elle contient tous les contrôles que nous allons utiliser dans ce chapitre.

La boîte à outils

Tout comme pour de nombreux autres aspects de Visual Basic, placer un contrôle sur une feuille se résume à pointer et à cliquer avec la souris. Comme nous l'avons vu dans le chapitre 1, tous les contrôles se trouvent dans la boîte à outils et sont prêts à être placés sur votre feuille.

La boîte à outils peut être appelée en sélectionnant Boîte à outils dans le menu Affichage, ou en cliquant sur l'icône boîte à outils sur la barre d'outils principale de Visual Basic.

Vous pouvez alors déplacer la boîte à outils en faisant glisser son bandeau, comme pour n'importe quelle autre fenêtre. Pour la fermer, cliquez sur le bouton de fermeture situé dans le coin supérieur droit de la fenêtre boîte à outils. Une fois de plus, comme pour toutes les autres fenêtres de l'environnement Visual Basic, vous pouvez également cliquer du bouton droit sur la barre d'outils pour appeler un menu contextuel. Ceci vous permet entre autres d'ordonner à Visual Basic de rendre cette boîte de dialogue ancrable ou non. Et maintenant, un petit tuyau utile : si vous déplacez une fenêtre de sa position d'ancrage habituelle, vous pouvez l'y réancrer tout simplement en double-cliquant sur le bandeau de la fenêtre en question. Essayez. Faites glisser la barre d'outils hors de sa position d'ancrage normale, à gauche de l'écran Visual Basic, puis double-cliquez sur sa barre de titre pendant qu'elle flotte ; elle se réancrera toute seule, comme par magie.

Positionner des contrôles sur votre feuille

Dans le chapitre 2, nous avons placé un contrôle étiquette simple sur une feuille pour montrer la date du jour. Refaisons la même chose mais cette fois-ci en utilisant un bouton de commande.

Passons à la pratique ! Positionner des contrôles

1 Commencez un nouveau projet en sélectionnant <u>N</u>ouveau Projet dans le menu <u>F</u>ichier.

2 La boîte de dialogue de **Nouveau Projet** apparaît. Choisissez l'option **Exe standard** comme montré ci-dessous :

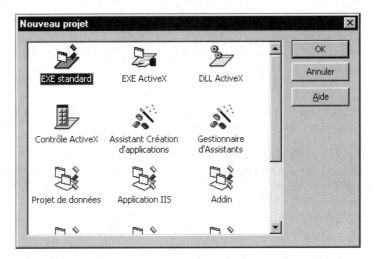

3 Une fois que vous avez créé votre nouveau projet et qu'une feuille blanche est à l'écran, prête à l'emploi, choisissez le contrôle désiré en cliquant sur son icône dans la boîte à outils. Ici, nous choisissons le bouton de commande. N'oubliez pas que si vous vous y perdez un peu, vous n'avez qu'à placer le pointeur de la souris sur les icônes de la boîte à outils pour qu'apparaissent de petits messages, les info bulles, vous révélant le nom de l'outil sur lequel vous pointez.

L'icône du bouton de commande : vous la trouverez dans la boîte à outils

4 Placez maintenant le curseur à l'endroit de la feuille où vous désirez positionner le contrôle. Puis, glissez-le en maintenant votre doigt sur le bouton gauche de la souris. Un rectangle représentant la taille du contrôle apparaît sur la feuille.

Lorsque le rectangle est à la taille désirée, relâchez le bouton de la souris et le contrôle sera appliqué sur la feuille.

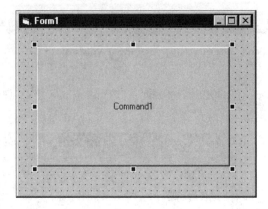

5   Vous pouvez maintenant cliquer sur le contrôle et le déplacer jusqu'à ce que vous
soyez satisfait de son emplacement.

*Si vous désirez déplacer le contrôle de manière plus précise, vous pouvez aussi maintenir
votre doigt sur la touche Ctrl tout en utilisant les touches de déplacement du curseur.
Chaque fois que vous appuyez sur une des flèches du clavier, le contrôle se déplace dans la
direction indiquée.*

Redimensionner les contrôles

Même après avoir ajouté plusieurs contrôles sur la feuille, il est encore possible de les déplacer ou
de les redimensionner.

Passons à la pratique ! Redimensionner les contrôles

1   Cliquez sur un contrôle que vous avez déjà créé, sélectionnez-le et faites apparaître
des **poignées de redimensionnement** représentées par de petits carrés noirs situés de
chaque côté et à chaque coin du contrôle :

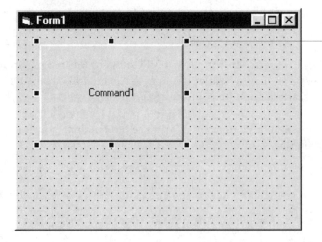

*Vous pouvez changer la taille du contrôle
en cliquant sur ces boutons et en les tirant
avec la souris.*

> La taille de certains contrôles n'est pas modifiable, tandis que d'autres ont une hauteur ou une largeur minimale présélectionnée. Un contrôle Liste modifiable, par exemple, doit toujours être suffisamment haut pour laisser apparaître une ligne de texte.

2   Il est parfois plus rapide de double-cliquer sur un contrôle de la boîte à outils et de laisser Visual Basic le placer sur la feuille dans sa taille et position par défaut. Vous pouvez par la suite le redimensionner et le déplacer. Par défaut, Visual Basic place chaque contrôle par dessus le contrôle précédent, ce qui les rend un peu difficiles à trouver si vous ne les déplacez pas tout de suite après les avoir créés.

Vous pouvez également redimensionner plus précisément un contrôle spécifique. Au lieu de maintenir la touche Ctrl tout en appuyant sur les flèches, maintenez la touche Shift et appuyez sur les flèches. Chaque fois que vous appuyez sur une des touches de déplacement du curseur, la taille du contrôle choisi change un petit peu.

La grille d'alignement

Pour vous aider à placer vos contrôles de façon soignée, Visual Basic dispose d'une grille d'alignement. Il s'agit d'une grille de petits points noirs recouvrant la surface de la feuille. Personnellement, je n'aime pas trop l'utiliser et je vous montrerai bientôt comment l'activer et la désactiver vous-même. On peut en modifier la taille ou s'en débarrasser complètement en utilisant l'onglet Général de la boîte de dialogue Options (rappelez-vous, nous avons vu dans le chapitre 1 comment appeler la boîte de dialogue Options en sélectionnant Options... dans le menu Outils).

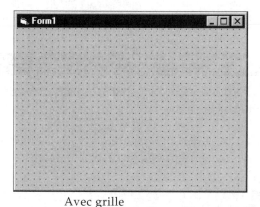 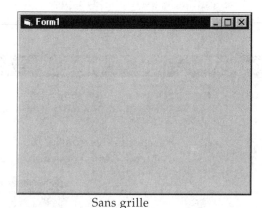

Avec grille   Sans grille

Passons à la pratique ! Modifier la grille d'alignement

1   Dans la boîte de dialogue Options, sélectionnez l'onglet Général (vous pouvez aussi l'appeler en sélectionnant Options dans le menu Outils) :

Les quatre premières options de cette boîte vous permettent de programmer la taille de la grille, de décider si vous voulez que la grille soit visible ou non et si Visual Basic doit vous obliger à placer vos contrôles sur des points de la grille (**Aligner les contrôles sur la grille**). Vous pouvez modifier toutes ces options en fonction de vos besoins.

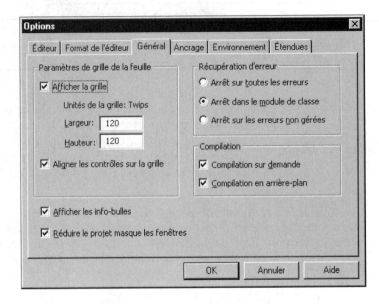

Lorsque j'utilise une grille, ce qui m'arrive très rarement, je la choisis plutôt fine (hauteur et largeur à 150), ce qui permet de déplacer plus facilement les contrôles tout en ayant la possibilité de les aligner soigneusement sur la feuille et d'éviter ainsi tout encombrement. Choisissez ce qui vous convient le mieux !

Verrouiller les contrôles

Une fois que votre feuille est tapissée de contrôles, vous risquez de les déplacer par accident. Fort heureusement, Visual Basic dispose d'une fonction de verrouillage des contrôles qui les figent sur la feuille à l'endroit choisi.

Passons à la pratique ! Verrouiller les contrôles

1   Placez sur votre feuille quelques contrôles choisis au hasard dans la boîte à outils. Donnez-leur une taille et une position quelconques.

2   Sélectionnez <u>V</u>errouiller les contrôles dans le menu **F<u>o</u>rmat** (ou, si vous avez la barre d'outils d'édition de feuille à l'écran, cliquez sur l'icône cadenas) :

3   Maintenant, essayez de déplacer les contrôles. Les poignées de redimensionnnement apparaissent, mais cette fois-ci, elles sont blanches et vous ne pouvez rien modifier. Mais seule la souris est affectée par ce verrouillage. Et si vous utilisez les combinaisons de touches sur le clavier, vous pouvez encore repositionner et redimensionner tout contrôle verrouillé.

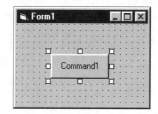

Définir des contrôles

Les contrôles vous semblent peut-être être de jolis graphismes sur votre feuille, mais si leur but était purement décoratif, Visual Basic ne serait jamais qu'un autre logiciel graphique de luxe... En fait, la force de Visual Basic réside dans la **réactivité** de chaque contrôle (autrement dit, un contrôle peut répondre à une sollicitation de la part de l'utilisateur). Observons maintenant l'étendue de leurs pouvoirs.

Les contrôles sont des fenêtres

Un contrôle est en fait une fenêtre dotée d'un certain comportement traduit par un programme. Il n'y a là aucune différence avec les fenêtres Windows auxquelles vous êtes habitué. Pour utiliser une nouvelle application, vous ouvrez une nouvelle fenêtre. Cette application prend cette fenêtre en charge et lui laisse le soin de gérer son apparence et son comportement. Les contrôles de Visual Basic prennent les fenêtres en charge de façon plus poussée, mais en soi, le principe est le même.

Un contrôle est dès lors un ensemble de lignes de code préétablies au sein d'une fenêtre qui peut être placé dans votre programme. Il incorpore dans votre projet les fonctions apportées par le code. L'industrie logicielle attendait avec impatience l'arrivée de ce type de composant standard afin d'accélérer la conception de logiciels.

Visual Basic a introduit la notion des **contrôles**. Avant cela, chaque programmeur devait quasiment écrire de bout en bout l'ensemble des lignes de code. Ceci impliquait la réécriture de code sans doute déjà écrit par d'autres programmeurs pour d'autres logiciels. Même si Visual Basic représente une véritable révolution en soi, il ne s'agit là que d'une transposition d'un phénomène présent dans toutes les autres industries. Votre PC est composé de pièces provenant de plusieurs fabricants, chacun se spécialisant dans la production d'une pièce en particulier. Ce qui rend les contrôles de Visual Basic spéciaux n'est pas simplement le concept de composants logiciels réutilisables (ce type de composants existait sous différentes formes depuis un certain temps), mais surtout l'élégance avec laquelle chacun de ces contrôles peut être personnalisé et intégré à une application particulière.

Un contrôle personnalisé, ou contrôle ActiveX, étend la fonctionnalité de votre environnement pour incorporer de nouveaux contrôles ou surpasser ceux qui sont déjà à votre disposition dans la boîte à outils. Plus vous ajoutez de contrôles ActiveX à votre système et plus vous accroissez la puissance et l'utilité de votre environnement Visual Basic. De plus, cela garantit le côté unique de chaque installation de Visual Basic, chaque informaticien ayant ses préférences quant aux contrôles ActiveX qu'il souhaite avoir dans sa boîte à outils Visual Basic.

Ces contrôles ActiveX sont facilement utilisables par de nombreuses autres applications ActiveX au sein de votre bureau, dans Office et Internet Explorer par exemple. Ces contrôles sont créés par des fabricants de logiciels et sont généralement inclus dans de nouveaux progiciels ou téléchargeables sur l'Internet, gratuitement ou pour une somme modique.

Propriétés et événements

Vous pouvez interagir avec ces contrôles à trois niveaux : propriétés, méthodes et événements.

- ❑ **Les propriétés** sont des paramètres que vous pouvez régler pour contrôler l'apparence de votre contrôle. Si les contrôles étaient des personnes, les propriétés seraient des caractéristiques telles que taille, poids ou condition physique.

- ❑ **Les méthodes** traduisent le comportement du contrôle. Si une personne était un contrôle, elle aurait peut-être une méthode pour Manger.

- ❑ **Les événements** traduisent les réactions d'un contrôle qu'il reconnaîtra et auxquelles il pourra réagir. Chaque contrôle comprend un ensemble d'**événement**s. Je vous rassure tout de suite, les contrôles réagissent à une gamme d'événements bien plus réduite que les êtres humains. Il n'est pas nécessaire de les encourager ni de les persuader de faire quoique ce soit, il suffit de leur cliquer dessus avec la souris.

Chaque contrôle possède un ensemble de propriétés, méthodes et événements qui lui sont propres et qui le rendent plus particulièrement adapté à certaines tâches. Pour clarifier tout ça, jetons un coup d'œil au contrôle probablement le plus fréquent, le **bouton de commande**.

Le bouton de commande

Le bouton de commande arrive peut-être en seconde place, juste après le contrôle Zone de texte, au niveau popularité mais il reste le champion inégalé au niveau simplicité et manque de charisme. Je parle de simplicité parce que, même s'ils sont incroyablement utiles et largement présents dans l'univers Windows, les boutons de commande ne sont finalement bons qu'à une chose : cliquer. Vous placez le pointeur dessus, vous appuyez sur le bouton gauche de votre souris et hop ! Vous avez un **événement click**. En fait, ces boutons de commandes sont tellement futés que vous pouvez leur faire porter du texte ou même des images. Et pour être plus précis, trois images différentes : une lorsque le bouton attend bien sagement sur la feuille, une autre lorsqu'il est poussé par un utilisateur et une dernière lorsqu'il est désactivé. Mais je m'égare...

Événements

Un bouton de commande peut bien sûr réagir à d'autres événements mis à part l'événement click, mais la majorité de ceux-ci sont centrés autour du clic ou non sur le bouton. Des événements tels que MouseDown et KeyDown sont utiles lorsqu'il s'agit de déterminer ce que l'utilisateur veut faire avec le bouton de commande et comment il compte le faire, mais en fin de compte, cela reste une question de clic.

Propriétés

Dès l'instant où vous percevez les contrôles comme des fenêtres, il devient très simple de comprendre pourquoi ils ont des propriétés, tout comme les feuilles. Tous deux possèdent des propriétés de taille, police, couleur de fond etc. Vous pouvez également utiliser cette chère fenêtre Propriétés pour redimensionner les contrôles, changer leur couleur et leur police :

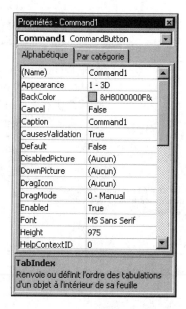

Voyons maintenant comment modifier les propriétés d'un bouton de commande pour changer son fonctionnement.

Passons à la pratique ! Utiliser les propriétés du bouton de commande

1 Créez un nouveau projet Visual Basic en sélectionnant <u>N</u>ouveau Projet dans le menu <u>F</u>ichier. Comme d'habitude, sélectionnez Exe standard parmi les types de projets proposés. Choisissez ensuite l'icône du bouton de commande dans la boîte à outils et placez le bouton de commande sur la feuille, comme nous l'avons fait auparavant :

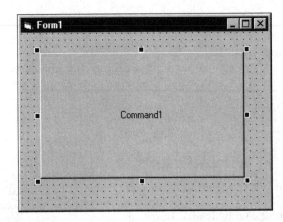

2 Cette fois-ci, faisons faire quelque chose au bouton de commande : faisons-le émettre un signal sonore lorsque vous cliquez dessus. Pour cela, il nous faut afficher la fenêtre Code et y saisir du code.

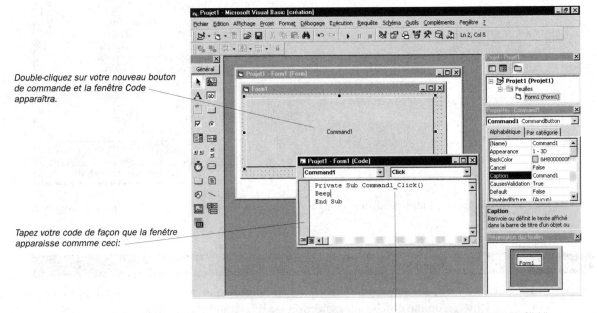

Double-cliquez sur votre nouveau bouton de commande et la fenêtre Code apparaîtra.

Tapez votre code de façon que la fenêtre apparaisse commme ceci:

*Notez que le texte dans la fenêtre Code indique : Private Sub Command1_Click().
Ceci veut dire que nous voyons là le code qui se produira chaque fois que vous cliquez sur le bouton de commande, Command1. Nous étudierons les codes de manière plus détaillée ultérieurement dans ce manuel, donc ne paniquez pas si vous ne comprenez pas ces mots et symboles étranges. Tout ce que vous avez besoin de savoir, c'est que nous allons écrire un code que Visual Basic mettra en marche chaque fois que le bouton est utilisé.*

3 Maintenant, déclenchez le programme soit en appuyant sur *F5*, soit en sélectionnant Exécuter dans le menu Exécution ou, soit encore, en cliquant sur l'icône d'exécution dans la barre d'outils de Visual Basic.

Et maintenant, si vous cliquez sur le bouton de commande, vous entendrez un signal sonore et ce, parce que le code que vous avez tapé dans l'événement clic du bouton de commande lui dit de le faire. Une fois que vous en aurez assez de ce programme, vous pourrez l'arrêter en appuyant sur *Alt-F4* ou en cliquant sur l'icône Fin de la barre d'outils.

Retour aux propriétés

Avant d'aller plus loin, prenons le temps d'en apprendre un peu plus sur les propriétés, plus particulièrement sur celles que nous utilisons le plus souvent.

Afin de simplifier le plus possible l'apprentissage de Visual Basic, Microsoft a eu la gentillesse de donner à la plupart des contrôles de Visual Basic des propriétés similaires. Tous les contrôles ont, par exemple, une propriété **Enabled**. Ils possèdent également pour la plupart une propriété **Visible** et ainsi de suite. Il est donc utile de traiter de façon générale des propriétés et des contrôles avant de nous lancer dans des aspects plus spécifiques, ce que nous ferons très bientôt.

La propriété Name

Une des propriétés que vous serez amené à rencontrer est la propriété **Name**. Elle est utilisée afin d'écrire des codes qui permettent de différencier vos contrôles Visual Basic. En d'autres termes, elle permet de donner un nom à chaque contrôle.

Chaque fois que vous créez un nouveau contrôle ou une nouvelle feuille dans Visual Basic, un nom par défaut lui est automatiquement attribué. Par exemple, dans le cas d'une feuille, **Form1**. Lorsque vous placez votre premier bouton de commande sur cette feuille, il sera appelé **Command1** et le suivant **Command2**, etc.

Les noms communs

Au-delà de l'attribution automatique de noms, il existe des modèles communs permettant de donner un nom plus significatif à vos contrôles. Les contrôles **Zone de texte**, par exemple, sont presque toujours préfixés par `txt`, les feuilles par `frm`, les boutons d'option par `opt` et ainsi de suite.

cmdQuit est un nom significatif pour un bouton de commande destiné à quitter votre programme

Une liste complète de ces modèles se trouve dans l'Annexe B, mais vous en rencontrerez plusieurs lorsque nous étudierons un exemple de programme dans ce chapitre. Au départ, ces noms peuvent paraître un peu étranges, mais en fin de compte, ils facilitent la lecture et la compréhension de votre code.

Par exemple, si vous avez une ligne de code comme celle-ci :

```
optDrive.Text = "D :"
```

Visual Basic n'appréciera pas vraiment, car les boutons d'option ne possèdent pas de propriété Text. Une fois que vous vous serez familiarisé avec Visual Basic, ce genre d'erreur deviendra facile à repérer puisqu'ici par exemple, le nom du contrôle indique clairement que c'est un bouton d'option.

Bien sûr, si vous le souhaitiez vraiment vous pourriez appeler votre contrôle Drive optDrive, le choix est entièrement vôtre. Visual Basic ne se plaint que si vous essayez d'utiliser des propriétés qui n'appartiennent pas à certains contrôles, telles qu'une propriété Text avec un contrôle Bouton d'option. Si c'est le cas, Visual Basic vous envoie un message d'erreur et vous laisse résoudre le problème.

Dans son analyse finale, Visual Basic se soucie peu de la façon dont vous appelez vos contrôles : il se contente parfaitement que vous les appeliez tous A, B, C, D, etc. Cependant, cela ne vous simplifiera pas votre vie de programmeur. En vous conformant à des appellations standard, vous pouvez éviter de nombreuses frustrations, particulièrement lorsque vous devrez relire vos codes quelques mois plus tard pour les passer en revue ou procéder à un débogage. A ce moment-là, vous n'aurez probablement plus la moindre idée de ce que votre code fait. Et à ce stade-là, la dernière chose dont vous aurez besoin c'est de passer des heures à déchiffrer ce que chaque contrôle et nom variés signifient.

Les propriétés Caption et Text

Dans Visual Basic, chaque contrôle doit avoir un nom unique, sauf si vous le placez délibérément dans un groupe appelé tableau de contrôle. Vous pouvez attribuer les noms vous-même en vous référant à la convention de nommage de l'Annexe B. Vous pouvez aussi accepter les noms par défaut que vous propose Visual Basic. Il s'agit-là en fait d'une dénomination privée entre vous, le programmeur, et le contrôle. Lorsque vous exécuterez le programme, ce nom ne sera pas visible pour l'utilisateur.

Il y a néanmoins deux autres étiquettes textuelles qui peuvent être attribuées à certains contrôles et qui afficheront le dit texte à l'écran. Ce sont les propriétés Caption et Text. Jetons maintenant un coup d'œil à ces dernières.

La propriété Caption

Les **légendes** se trouvent habituellement sur des objets tels que des feuilles, des encadrés et des boutons de commande. Une légende n'est rien d'autre que du texte apparaissant à l'écran afin de donner à un objet un titre ou un en-tête :

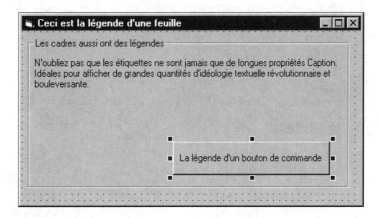

Dans le cas du bouton de commande, le texte est actuellement affiché au centre du bouton même.

La propriété Text

La propriété Text est quelque peu différente. On la trouve normalement sur des contrôles qui acceptent la saisie de données par l'utilisateur, ce sont par exemple des contrôles **Zone de texte** ou des contrôles **Liste modifiable** (que nous étudierons plus tard). En modifiant la propriété Text, vous dites en fait à Visual Basic ce qu'il doit afficher à l'écran dans la zone de saisie de texte. La ligne de code qui suit est celle que nous utiliserons lorsque nous construirons notre visionneuse de fichier graphique. Vous vous souvenez de notre première question sur le contrôle **Zone de texte** ? Ce code fait apparaître le nom du fichier dans le contrôle **Zone de texte** du nom de fichier en plaçant ce nom dans la propriété Text du contrôle :

```
txtNomDuFichier.Text = filNomsDesFichiers.Path & "\" & filNomsDesFichiers.filename
```

Nous étudierons en détail comment ceci fonctionne lorsque nous aborderons les contrôles **Etiquette** et **Zone de texte** plus loin dans ce chapitre.

Les raccourcis clavier

La propriété Caption possède une autre caractéristique intéressante qui, en fait, concerne tous les contrôles qui peuvent avoir une légende. Observez attentivement la légende du bouton suivant :

Vous pouvez voir que la lettre **Q** *est soulignée. C'est ce qu'on appelle une* **touche**
d'accès rapide. *En appuyant sur* Alt-Q *lorsque le programme tourne, vous pouvez provoquer l'événement clic du bouton* **Quitter** *sans avoir à y pointer la souris et cliquer.*

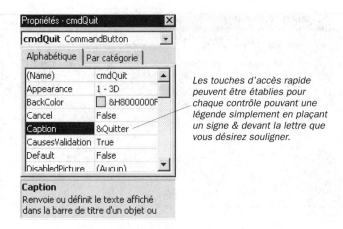

Les touches d'accès rapide peuvent être établies pour chaque contrôle pouvant une légende simplement en plaçant un signe & devant la lettre que vous désirez souligner.

Du point de vue de l'utilisateur, ceci simplifie l'utilisation du programme.

Les contrôles Zone de texte

Les contrôles **Zone de texte** sont parmi les contrôles les plus fréquents d'un programme Windows. Ils créent une zone à l'écran où l'utilisateur peut entrer des informations et où vous pouvez également afficher de l'information.

La zone au sein de ces contrôles se comporte comme les écrans texte DOS d'antan. Comme pour de nombreux autres contrôles dans Visual Basic, le gros du travail pour les contrôles **Zone de texte** est déjà fait pour vous. La plupart du temps, tout ce que vous avez à faire pour que votre utilisateur puisse entrer des données, c'est de placer le contrôle sur la feuille. Visual Basic et Windows s'occupent automatiquement du reste, de toutes ces petites choses compliquées telles que l'affichage de la saisie utilisateur, l'insertion et la suppression de caractères, le défilement des données dans le contrôle **Zone de texte**, la sélection de texte, le couper-coller et ainsi de suite.

C'est d'une telle simplicité que nous allons tout de suite mettre ça en pratique !

Passons à la pratique ! Les contrôles Zone de texte

1 Commencez un nouveau projet Visual Basic en sélectionnant <u>N</u>ouveau Projet dans le menu <u>F</u>ichier. Une fois de plus, je vous rappelle de choisir **Exe standard** parmi la sélection de types de projets proposés.

2 Sélectionnez le contrôle **Zone de texte** dans la boîte à outils et placez-le sur la feuille par défaut.

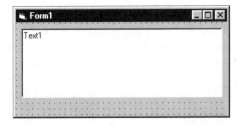

3 Vous pouvez radicalement modifier l'apparence de votre contrôle **Zone de texte** en utilisant sa propriété **Font**. Cette dernière est bien pratique, puisqu'elle vous permet de modifier de toutes les manières possibles et imaginables le style du texte de votre contrôle :

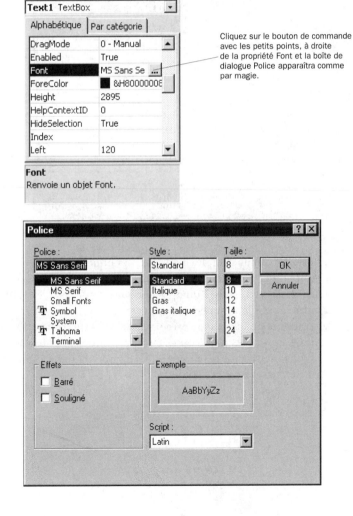

Vous pouvez utiliser cette boîte de dialogue pour modifier le type de police, son style (caractères gras, soulignés, italiques, etc.), sa taille et même s'il apparaît en indice ou en exposant ; tout ça en pointant et en cliquant. La seule chose que vous ne puissiez pas faire dans cette boîte de dialogue, c'est modifier la couleur des polices.

Les couleurs... Il y en a plusieurs ? Bien sûr, vous pouvez changer la couleur d'arrière-plan du texte (la couleur du fond du texte) et la couleur de premier plan (la couleur du texte même). Pour effectuer ces modifications, utilisez les propriétés Backcolor (couleur d'arrière-plan) et Forecolor (couleur de premier plan).

4   Trouvez la propriété BackColor dans la boîte de dialogue des propriétés de votre contrôle Zone de texte :

5   Ignorez la valeur complexe affichée et cliquez sur la flèche pointant vers le bas située à droite de la propriété et la boîte de dialogue Couleurs apparaîtra. Notez qu'il y a deux onglets en haut ; l'un appelé System et l'autre Palette. L'onglet System vous montre les couleurs présélectionnées pour une utilisation dans Windows, c'est-à-dire, les couleurs qui sont sur votre ordinateur et qui sont utilisées pour colorier les boutons et feuilles dans toutes les applications Windows. L'onglet Palette, quant à lui, vous montre toute la panoplie de couleurs disponibles. Cliquez sur cet onglet, puis choisissez une des couleurs proposées :

Notez que dès que vous choisissez une couleur, le résultat est immédiat. Avec cet outil de développement, vous obtenez sur le papier ce que vous voyez vraiment à l'écran.

C'est vraiment aussi simple que ça. Nous nous arrêterons plus longuement sur les polices et les couleurs dans le chapitre 12 – Les graphiques. Mais pour l'instant, passons à d'autres propriétés du célèbre contrôle Zone de texte.

Les propriétés du contrôle Zone de texte

Text est la propriété la plus importante d'un contrôle Zone de texte. Vous pouvez la modifier au moment de la création dans la fenêtre Propriétés. Vous pouvez également, à n'importe quel moment, examiner la propriété Text afin de déterminer exactement ce qui apparaît dans le contrôle à l'écran. Et pour couronner le tout, vous pouvez également l'utiliser pour modifier le texte à la volée. Mettons cette idée en pratique immédiatement !

Passons à la pratique ! Modification du texte à la volée

Juste pour rendre les choses un peu plus intéressantes, nous allons empêcher l'utilisateur de modifier par lui-même le contenu textuel du contrôle Zone de texte et ce, afin de prouver qu'il n'y a pas de triche.

1 Commencez un nouveau projet Visual Basic et sélectionnez Exe standard. Placez un bouton de commande et un contrôle Zone de texte sur la feuille. Modifiez la propriété Name du bouton de commande et du contrôle Zone de texte en cmdChanger et txtAffichage. Changez également la légende du bouton de commande en écrivant le code suivant : &Changer. Effacez la propriété Text à l'écran. Votre feuille devrait maintenant présenter l'aspect suivant :

2 Ensuite, faites passer la propriété MultiLine du contrôle Zone de texte de False à True. Ceci veut dire que lorsque l'on atteint la fin d'une ligne, le contrôle Zone de texte placera le reste du texte sur la ligne suivante.

3 Placez maintenant la propriété Locked à True. Ceci vous empêche de taper quoi que ce soit dans le contrôle :

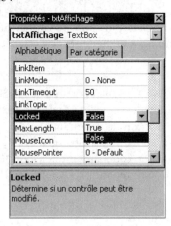

4 Double-cliquez sur le bouton <u>C</u>hanger et ajoutez la ligne suivante au code de l'événement :

```
Private Sub cmdChange_Click()

txtAffichage.Text = txtAffichage.Text + "Bonjour !"

End Sub
```

5 Vous pouvez maintenant lancer le programme et, bien que vous ne puissiez rien saisir dans le contrôle **Zone de texte**, si vous appuyez sur le bouton <u>C</u>hanger, le mot **Bonjour !** est ajouté. Ceci se répète chaque fois que vous appuyez sur ce bouton :

Fonctionnement

Ce programme fonctionne de façon simple et directe : il prend la propriété Text du contrôle Zone de texte et affiche « Bonjour ! » chaque fois que vous cliquez sur le bouton Changer. Nous avons utilisé la propriété Locked pour empêcher l'utilisateur d'entrer des données dans le contrôle Zone de texte et la propriété MultiLine pour s'assurer que lorsque l'on atteint la fin d'une ligne dans le contrôle, le mot suivant est affiché sur la ligne suivante et ainsi de suite.

Vérification de la saisie utilisateur

En fait, la seule chose que les contrôles Zone de texte ne peuvent pas faire sans votre aide, c'est vérifier les données entrées par les utilisateurs. Les problèmes commencent lorsque le contrôle permet aux utilisateurs d'entrer plus d'informations qu'il n'est possible d'afficher ou d'entrer des données alphabétiques lorsque vous souhaitez uniquement des données numériques par exemple.

Par défaut, le contrôle Zone de texte vous permet d'entrer plus de données que ne le permet sa largeur. Lorsque cela arrive, il défile pour vous montrer la section suivante. Vous pouvez également faire défiler le texte vous-même en plaçant le curseur à l'intérieur du contrôle Zone de texte et en utilisant les touches flèches du clavier pour aller de gauche à droite et vice versa. Tant mieux si vous souhaitez ce genre de fonction, mais cela peut donner l'impression que vous n'avez pas très bien prévu votre interface.

Visual Basic vous offre une solution sous la forme d'une autre propriété. En préréglant la propriété MaxLength à une valeur supérieure à 0, vous pouvez limiter la quantité de données pouvant être entrées. Essayez : placez la propriété MaxLength sur une valeur ridicule telle que 5 et exécutez le programme. N'oubliez pas de remettre la propriété Locked sur False, sinon vous n'arriverez pas à saisir dans le contrôle Zone de texte. Puis, sélectionnez le contrôle Zone de texte et commencez à taper. Vous ne pouvez entrer que cinq caractères. Arrêtez le programme et remettez la propriété MaxLength sur 0. Si vous relancez le programme, vous vous apercevrez que vous pouvez à nouveau entrer autant de texte que vous le voulez.

Les événements du contrôle Zone de texte

Je me réfère sans cesse à l'**affichage de données** et à la **saisie de données** lorsque je parle du contrôle Zone de texte alors qu'il serait plus logique de dire qu'un contrôle Zone de texte contient et affiche du **texte**. En fait, malgré leur nom quelque peu trompeur, ces contrôles ne contiennent pas que du texte. Ils peuvent contenir des ponctuations, des chiffres, des symboles arithmétiques, bref, tout ce que vous pouvez obtenir en tapant sur le clavier peut y être affiché. Ceci peut créer des problèmes si, par exemple, vous souhaitez que votre utilisateur n'entre que des chiffres et rien que des chiffres.

Passons à la pratique ! Obtenir des données saisies dans un contrôle Zone de texte

Étudions un programme qui vérifie ce qui a été entré dans le contrôle Zone de texte.

1   Commencez un nouveau projet et, lorsque la nouvelle feuille apparaît, ajoutez-y deux étiquettes, deux zones de texte et un bouton de commande. Effacez l'entrée par défaut de la propriété Text des deux contrôles Zone de texte de telle sorte qu'ils apparaissent vides à l'écran. Votre feuille devrait avoir cet aspect :

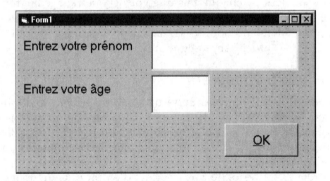

2   Appelez le contrôle Zone de texte du haut (en utilisant bien sûr la propriété Name) txtPrenom et txtAge celui du bas. Les contrôles étiquette doivent être nommés respectivement lblPrenom et lblAge. Enfin, appelez votre bouton de commande cmdOK et votre feuille frmPrincipale. Finalement, programmez la propriété MaxLength du contrôle Zone de texte Age à 2.

3   Double-cliquez sur votre bouton de commande afin d'appeler la fenêtre **Code** et d'y ajouter la ligne suivante :

```
Private Sub cmdOk_Click()

MsgBox "Entrée acceptée !"

End Sub
```

4   Exécutez le programme et entrez une lettre dans le contrôle **Zone de texte** Age. Appuyez sur le bouton de commande et observez ce qu'il se passe :

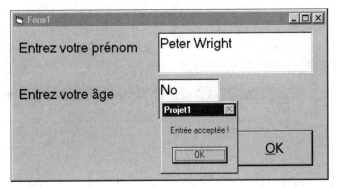

Et oui, c'est bien là le problème, rien ne se passe. Bon, certes, un petit message arrive, mais rien n'affecte l'information que vous avez entrée. Votre entrée est acceptée aveuglément, que vous entriez des chiffres ou des lettres. Rien ne vous empêche d'entrer des données complètement ridicules telles que des chiffres pour votre nom et des lettres pour votre âge.

Nous allons arranger ça tout de suite. Ensuite, nous vérifierons également que lorsque l'utilisateur appuie sur le bouton **OK** , il a réellement entré des données dans les deux contrôles **Zone de texte** et ne les a pas laissés vides.

Passons à la pratique ! Ajouter du code à l'événement Keypress

La meilleure façon de vérifier des données saisies, c'est d'utiliser l'événement `KeyPress`. Cet événement est déclenché dans un contrôle **Zone de texte** à chaque fois que l'utilisateur presse une touche du clavier destinée à être affichée dans le contrôle **Zone de texte**. Cet événement nous révèle le code **ASCII** associé à la touche en question.

> Chaque caractère présent sur votre clavier possède un nombre unique appelé code ASCII (prononcez as-ki). Nous pouvons ainsi nous assurer que les bonnes touches ont été utilisées. Nous pouvons également indiquer à l'événement `KeyPress` d'ignorer certaines touches. Pratique, non ?

> Pour vous faciliter la tâche, Visual Basic comprend une liste complète de ces codes ASCII. Sélectionnez **Index** dans votre menu **Aide** et entrez le mot ASCII. Ensuite, sélectionnez **ASCII jeu de caractères** dans la liste et cliquez sur le bouton **Afficher**. Une autre fenêtre apparaît. Vous pouvez y sélectionner soit **Character Set (0-127)** ou **Character Set (128-255)** et la liste complète de tous ces caractères et des codes qui y sont associés apparaîtra.

Entrons donc le code dont nous aurons besoin dans ce programme. Nous utiliserons l'événement `txtPrenom_KeyPress`.

1   Si votre programme tourne encore, arrêtez-le et double-cliquez sur le contrôle **Zone de texte Prénom** de votre feuille afin d'appeler la fenêtre **Code**. Lorsque celle-ci apparaît, appuyez sur la flèche à côté du mot **Change** et sélectionnez **Press** dans la liste d'événements offerte. Votre fenêtre Code devrait maintenant avoir cet aspect :

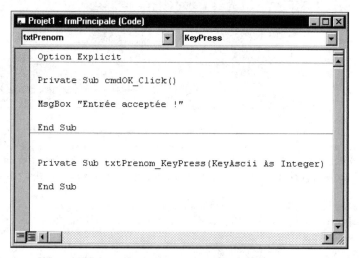

2   Ajoutons une ligne à l'événement pour vérifier la touche qui a été utilisée et agir en conséquence. De façon fort opportune, les codes ASCII des chiffres de 0 à 9 sont tous en séquence et, dès lors, le code de l'événement destiné à les reconnaître sera relativement simple. Ajoutez une ligne à votre code d'événement de façon qu'il ait cet aspect :

```
Private Sub txtPrenom_KeyPress(KeyAscii As Integer)

If KeyAscii >= Asc("0") And KeyAscii <= Asc("9") Then KeyAscii = 0

End Sub
```

3   Si vous exécutez maintenant votre programme, vous vous apercevrez que vous ne pouvez plus entrer de chiffres dans votre contrôle **Zone de texte**. Pas mal, sauf si vous vous appelez C-3PO ou R2-D2 !

Fonctionnement de KeyPress

La première ligne de code :

```
Private Sub txtPrenom_KeyPress(KeyAscii As Integer)
```

marque le début du code de l'événement. Elle informe Visual Basic et vous-même de l'endroit où le code appartenant à l'événement KeyPress commence. Elle nous informe également du nom du contrôle qui va porter l'événement KeyPress et pour lequel nous écrivons le code. La première ligne de l'événement KeyPress comprend la phrase KeyAscii As Integer. KeyAscii est appelé un **paramètre** (et c'est une façon pour Visual Basic de donner une valeur à votre code qu'il peut utiliser pour évaluer la situation). Vous le rencontrerez fréquemment !

Durant l'événement KeyPress, KeyAscii retient le nombre ASCII de la touche qui a été tapée. Si par exemple l'utilisateur a tapé la touche A, KeyAscii serait égale à 65. La ligne :

```
If KeyAscii >= Asc("0") and KeyAscii <= Asc("9") Then
```

utilise le paramètre KeyAscii pour vérifier la validité de la touche tapée. Il opère cette vérification en utilisant la fonction Asc de Visual Basic.

> Une fonction est un élément de code (dans ce cas-ci intégré à Visual Basic) qui prend une partie de votre code, l'analyse séparément et rend une nouvelle donnée. La fonction Asc nous permet d'obtenir la valeur ASCII d'un symbole. Donc, en écrivant Asc("0"), nous donnons à notre code le code ASCII du caractère 0.

Nous pouvons ensuite comparer ce qui est en KeyAscii avec la valeur rendue par Asc afin de déterminer si oui ou non la touche utilisée était numérique.

Enfin, le symbole >= veut dire *est supérieur ou égal à* et le symbole <= signifie *est inférieur ou égal à*. Sachant cela, on peut en fait lire le code de la façon suivante :

Si le paramètre KeyAscii *est supérieur ou égal au code ASCII de* '0'*, et est inférieur ou égal au code ASCII de* '9'*, alors il faut mettre* KeyAscii *à 0.*

Mettre KeyAscii à 0 dans l'événement KeyPress a pour effet d'annuler la touche qui vient d'être tapée. Tous les autres caractères seront néanmoins acceptés.

Passons à la pratique ! Vérifier des données entrées dans le champ Age

Nous pouvons utiliser une technique similaire pour le contrôle **Zone de texte Age**. Dans ce cas-ci, nous voulons conserver les chiffres et exclure tous les autres caractères. Ce code devra être placé dans l'événement txtAge_KeyPress().

1 Arrêtez le programme en cours.

2   Appelez la fenêtre **Code** du contrôle **Zone de texte Age**, soit en double-cliquant sur le contrôle **Zone de texte** sur la feuille ou soit en sélectionnant `txtAge` dans le contrôle **Liste déroulante** situé à gauche dans la fenêtre **Code**.

3   Lorsque la fenêtre **Code** apparaît, sélectionnez l'événement `KeyPress`.

4   Ajoutez la ligne suivante au code de gestion de l'événement :

```
Private Sub txtAge_KeyPress(KeyAscii As Integer)

If KeyAscii < Asc("0") Or KeyAscii > Asc("9") Then KeyAscii = 0

End Sub
```

Si vous exécutez maintenant le programme, vous vous apercevrez que le contrôle **Zone de texte Age** n'accepte que les chiffres et ignore les espaces, lettres et autres caractères que vous tapez. De plus, comme la propriété **MaxLength** est fixée à 2, vous ne pourrez pas entrer un âge de plus de 2 chiffres. Les chances qu'un centenaire lise ce livre et utilise Visual Basic étant plutôt minimes, je suis persuadé que personne ne s'en plaindra.

Il faut que vous sachiez que la touche RetourArrière possède également un code ASCII et qu'elle sera dès lors également ignorée. C'est un problème auquel il faudra que nous nous attaquions plus tard.

Vérifier la présence de données dans le contrôle Zone de texte

Tout ce qu'il nous reste à faire, c'est de nous assurer que l'utilisateur a entré des données dans les contrôles **Zone de texte** avant d'appuyer sur le bouton **OK**. Nous avons vu que la propriété **Text** nous montre le contenu de l'encadré de texte. Dès lors, si la propriété `Text` est égale à `""`, l'utilisateur n'a visiblement rien entré. Dans Visual Basic, `""` est la façon de vérifier qu'un contrôle **Zone de texte** ne contient rien du tout. C'est ce qu'on appelle couramment **une chaîne vide**.

Passons à la pratique ! Détecter un contrôle Zone de texte vide

1   Si votre programme tourne, arrêtez-le et double-cliquez sur le bouton de commande pour appeler le code de l'événement `Click`.

2   Pour compléter le programme, ajoutez à votre code actuel les quelques lignes de code suivantes :

```
Private Sub cmdOK_Click()

  If txtAge.Text = "" Then
    MsgBox "Vous devez entrer votre âge"
    Exit Sub
  End If
```

```
    If txtPrenom.Text = "" Then
        MsgBox "Entrez votre Prénom"
        Exit Sub
    End If

    MsgBox "Saisie acceptée !"

    End

End Sub
```

Ce code étudie la valeur de chaque contrôle **Zone de texte** afin de vérifier qu'ils contiennent des données. Il suffit qu'un seul de ces contrôles ne possède pas de donnée pour qu'un message d'erreur apparaisse à l'écran. La ligne `Exit Sub` permet alors de sortir du code de l'événement. On appelle généralement ce type de code d'événement une **sous-procédure**. Nous les étudierons davantage plus loin dans ce livre.

En fait, notre exemple n'atteint jamais la ligne `End Sub` parce que, soit l'un ou l'autre des contrôles **Zone de texte** ne contient rien et dans ce cas la ligne `Exit Sub` termine l'événement, soit les deux contrôles **Zone de texte** contiennent des informations et dans ce cas, la déclaration `End` achève le programme.

On peut encore améliorer le programme en utilisant une commande appelée `SetFocus` qui placera le curseur dans le contrôle **Zone de texte** fautif. Le focus est un sujet complexe qu'il est préférable d'aborder séparément et nous y reviendrons donc à la fin du chapitre.

Le contrôle Étiquette

Le **contrôle Étiquette** est le partenaire idéal du contrôle **Zone de texte**. Ce dernier est l'un des rares contrôles à ne pas avoir de légende qui lui soit propre. C'est pour cela qu'on utilise une étiquette placée près du contrôle **Zone de texte** pour expliquer ce qu'il représente.

Les propriétés d'étiquette

Tout comme dans le cas du contrôle **Zone de texte**, le style de police de l'étiquette peut être modifié grâce à la propriété **Font**. Vous pouvez même ajouter une bordure autour de l'étiquette pour qu'elle ressemble tout à fait à votre contrôle **Zone de texte**. Vous pouvez réaliser ceci en modifiant la propriété **BorderStyle** de la même façon que nous l'avons fait pour la feuille dans le chapitre précédent.

Les événements d'étiquette

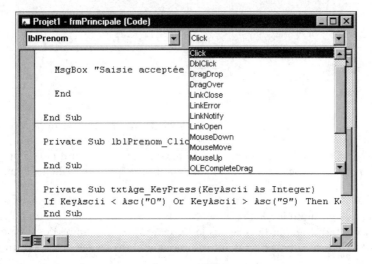

Les étiquettes sont des contrôles légers : elles utilisent moins de ressources système (moins de mémoire par exemple) et leur gestion est moins exigeante pour l'unité centrale. Ceci est dû au simple fait que Visual Basic n'a pas à se soucier de ce que l'utilisateur va en faire (y entrer des données ou les redimensionner entre autres exemples). Quoi qu'il en soit, elles sont peut-être poids plume du point de vue de la gestion Windows, mais elles sont parmi les meilleures lorsqu'il s'agit de la gestion d'événements.

Les étiquettes peuvent réagir à l'ensemble des événements, à l'exception, bien évidemment, d'événements tels que KeyPress puisque les données contenues dans la légende de l'étiquette n'acceptent pas de contribution extérieure comme c'est le cas avec les contrôles **Zone de texte**. L'un des événements les plus fréquemment mis en code pour les étiquettes est l'événement Clic. Vous pourriez, par exemple, avoir une application bancaire dans laquelle vous auriez à l'écran des informations personnelles relatives à des clients telles que leur adresse. En ajoutant à l'événement Clic de l'étiquette un code qui dirait **Adresse**, vous pourriez appeler à l'écran une autre feuille contenant la liste des précédentes adresses d'un client.

Certains programmes ont tendance à utiliser les événements Clic comme entrée de secours, une façon d'accéder au programme si rien d'autre ne marche. J'ai récemment trouvé un programme de la sorte dans lequel un double-clic sur l'étiquette **Mot de passe** sur une feuille particulière vous permettait de changer ou de reprogrammer votre mot de passe : pratique pour les têtes de linottes.

Les contrôles Case à cocher

 Les contrôles Case à cocher vous permettent de présenter à votre utilisateur des options du type on/off, vrai/faux. Vous vous souvenez de ces questionnaires à choix multiples que vous aviez quand vous étiez étudiant ? Les contrôles Case à cocher fonctionnent sur le même principe que ces petites cases que vous cochiez avec votre stylo en classe.

104

Passons à la pratique ! Les contrôles Case à cocher

1 Créez un nouveau projet Visual Basic. Lorsque vous avez votre feuille par défaut, sélectionnez la case à cocher dans votre boîte à outils.

2 Double-cliquez sur l'icône de la case à cocher afin d'en créer une sur la feuille dans sa taille et position par défaut.

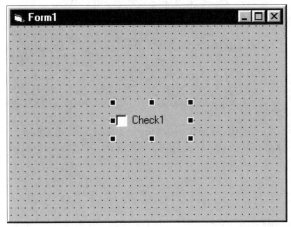

3 Par défaut, la légende d'un contrôle Case à cocher apparaît à droite du contrôle. Vous pouvez changer tout ça en modifiant la propriété **Alignment**. Appelez la fenêtre **Propriétés** et choisissez **Alignement**. Par défaut, elle est réglée à **0 - Left Justify**, ce qui signifie que le contrôle, et non pas le texte, est à gauche. Double-cliquez sur cette propriété pour la régler à **1 - Right Justify** :

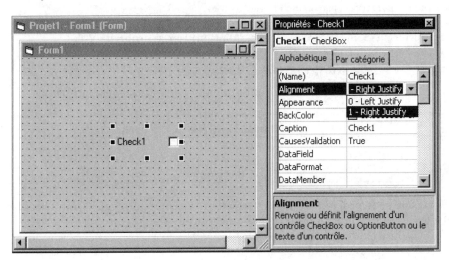

4   Ajoutez quelques contrôles Case à cocher supplémentaires pour que votre feuille ressemble à l'écran suivant. N'oubliez pas de régler la propriété **Alignment** de chacune d'entre elles à **1 - Right Justify** :

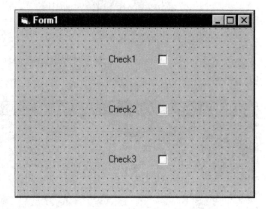

5   Vous pouvez maintenant exécuter le programme. Chaque contrôle Case à cocher est maintenant sélectionnable indépendamment des autres et sans affecter les autres cases présentes sur la feuille.

Les événements du contrôle Case à cocher

Peu d'événements peuvent s'employer avec un contrôle Case à cocher ; le plus important est sans aucun doute l'événement Clic. Ce dernier est amorcé lorsque l'utilisateur pointe et clique sur le contrôle Case à cocher ou lorsqu'il utilise les raccourcis de clavier. Vous pouvez ajouter des codes à l'événement Clic afin d'exécuter une action en relation avec l'état du contrôle Case à cocher à ce moment. Toutefois, vous ne pouvez pas insérer ce type d'action directement dans l'événement Clic car le fait de cliquer pourrait **sélectionner** ou **désélectionner** cette option, en fonction de l'état préalable du contrôle Case à cocher.

Pour profiter pleinement de ce contrôle, il faut utiliser la propriété Value.

La propriété Value du contrôle Case à cocher

On peut utiliser la propriété Value pour examiner l'état actuel du contrôle Case à cocher.

Propriété Value	État du contrôle Case à cocher
0	Non coché
1	Coché
2	Grisé, désactivé

Écrivons un petit programme nous permettant de jeter un coup d'œil à la propriété Value du contrôle Case à cocher lorsque le programme tourne.

Passons à la pratique ! Vérification du contrôle Case à cocher

1 Créez un nouveau projet Visual Basic et placez un contrôle Case à cocher sur la feuille par défaut. Ajoutez-y la légende suivante :

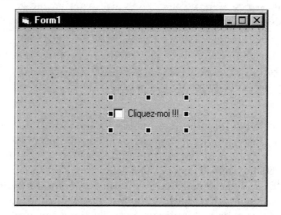

2 En restant en mode création, double-cliquez sur le contrôle Case à cocher pour appeler la fenêtre Code. Ajoutez la ligne de code ci-dessous. Nous utiliserons la fonction Boîte de message de VB (`MsgBox`) afin d'afficher un message lorsque le contrôle est cliqué :

```
Private Sub Check1_Click()

        MsgBox "La valeur est maintenant égale à" & Check1.Value

End Sub
```

3 Exécutez maintenant votre programme et vérifiez votre contrôle Case à cocher.

Chaque fois que vous cliquez sur votre contrôle Case à cocher, une boîte de message apparaît et vous indique le contenu de la propriété **Value** de ce contrôle. Si votre contrôle Case à cocher a été coché, la **Valeur** sera 1. Sinon, la **Valeur** sera 0. La seule valeur que vous ne rencontrerez pas est 2, valeur obtenue lorsque le contrôle Case à cocher est désactivé.

La possibilité de griser le contrôle Case à cocher peut être à l'origine de certains bogues des plus inquiétants. Imaginons que vous désactiviez ce contrôle après qu'il ait été coché afin d'empêcher votre utilisateur de le recocher, vous ne pouvez dès lors plus déterminer dans votre programme si le contrôle a été coché ou non puisque la valeur rendue par la propriété **Value** sera 2. Faites-y attention !

Le contrôle Bouton d'option

Le contrôle Bouton d'option (encore appelé radio-bouton) est un cousin germain du contrôle Case à cocher. Il fait office de bouton on/off pour de nombreuses options. Mais ce qui fait la différence, c'est que les boutons d'option d'un même groupe sont **mutuellement exclusif**. Les contrôles Bouton d'option peuvent être groupés pour permettre à l'utilisateur de choisir une chose, **ou** une autre, **ou** encore une autre. La quantité de "ou" dépend du nombre de contrôles Bouton d'options que vous regroupez Ces derniers sont particulièrement utiles dans des applications de base de données où ils peuvent être utilisés pour permettre à l'utilisateur de choisir rapidement une option dans une liste de possibilités.

Tous les contrôles Bouton d'options sur une feuille ou dans un cadre (nous y reviendrons plus tard) opèrent en synergie : l'activation d'un bouton d'option désactive les autres. C'est un peu le même principe que les boutons de sélection de chaînes de radio, lorsque vous appuyez sur un bouton pour choisir une nouvelle fréquence, le bouton de la fréquence précédente ressort. Et d'ailleurs on les appelle aussi boutons radio.

Passons à la pratique ! Les contrôles Bouton d'option

1 Créez un nouveau projet Visual Basic. Lorsque la feuille par défaut apparaît, sélectionnez le contrôle Bouton d'option dans votre boîte à outils.

2 Double-cliquez sur l'icône du bouton d'option pour placer un contrôle Bouton d'option sur votre feuille en position et taille par défaut :

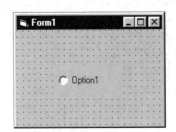

3   Tout comme nous l'avons vu précédemment pour les contrôles Case à cocher, la légende d'une bouton d'option apparaît par défaut à droite du contrôle. Tout comme dans le cas du contrôle Case à cocher, vous pouvez changer cela en utilisant la propriété **Alignment** du bouton d'option. Appelez la fenêtre **Propriétés** et choisissez la propriété **Alignment**. Double-cliquez sur cette propriété pour la changer et la mettre en 1 – Right Justify.

4   Ajoutez quelques cases d'option supplémentaires et modifiez leur propriété **Alignment** pour que votre feuille ait cette allure :

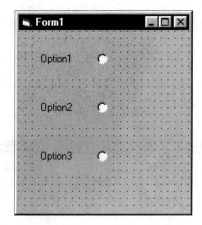

5   Exécutez maintenant votre programme.

Tous les boutons d'options placés sur la même feuille ou dans le même cadre s'annulent les uns les autres. Si vous en choisissez un, les autres sont désélectionnés. Essayez vous-même : cliquez sur chacune des cases l'une après l'autre et observez ce qui se passe.

A part ça, les cases d'options fonctionnent de la même façon que les contrôles Cases à cocher, sauf en ce qui concerne la propriété **Value**. Au lieu d'avoir trois valeurs possibles (0, 1 or 2), les cases d'options n'en ont que deux : vrai ou faux. Si la valeur du bouton d'option est vraie, la case a été sélectionnée ; sinon, elle ne l'a pas été.

Les contrôles Dessin et Zone d'image

Visual Basic possède deux contrôles destinés particulièrement à l'affichage d'images graphiques : le **contrôle Dessin** et le **contrôle Zone d'image**. Ces deux contrôles sont très puissants et présentent l'un comme l'autre des avantages et des inconvénients. Dans cette section, nous survolerons rapidement leur fonctionnement et leur utilisation, mais nous y reviendrons plus en détails dans le chapitre 12.

Utiliser les contrôles Dessin et Zone d'image

La propriété Picture est la propriété la plus importante des contrôles Dessin et Zone d'image. Celle-ci détermine quel fichier image est chargé dans le contrôle. Si vous appelez la fenêtre Propriétés et double-cliquez sur la propriété Picture, Visual Basic affichera une boîte de dialogue de chargement de fichier où il vous demandera de choisir le fichier que vous voulez afficher dans le contrôle.

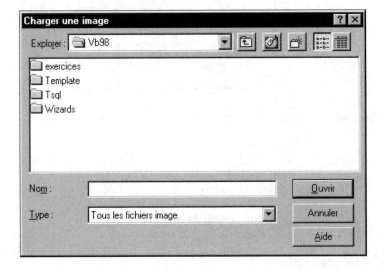

Les formats des fichiers image

Vous pouvez charger toute une gamme de fichiers graphiques dans les contrôles Dessin et Zone d'image.

Type de fichier image	Extension de fichier	Description
Bitmap	*.BMP	Format de prédilection de Windows pour les images. Windows Paint en est la source habituelle. Ces images peuvent être utilisées dans différents contextes, des Clipart aux icônes.
Windows Metafile	*.WMF	Fichier graphique ordinairement réalisé par un progiciel graphique structuré tel que Microsoft Draw. Particulièrement adapté comme clipart dans un programme puisque les métafichiers utilisent nettement moins de mémoire que les autres formats.
Graphics Interchange Format	*.GIF	Fichier graphique idéal pour des images simples tels que des objets géométriques ou des images très colorées. Particulièrement utilisé sur le Web car la taille des fichiers est relativement réduite.
JPEG	*.JPG	Fichier graphique utilisé pour des photos. La taille de ces fichiers peut être comprimée de manière significative tout en assurant une qualité d'image satisfaisante.
Icon	*.ICO	Petits dessins d'icône tels que ceux de la barre d'outils.

Vous pouvez charger une image dans un contrôle Dessin ou Zone d'image lors de la création du programme ou lorsqu'il est en mode exécution. L'exemple que nous allons construire ne possèdera pas d'images dans ces contrôles pour commencer et nous utiliserons des codes pour les charger avec des fichiers graphiques présélectionnés.

Comparaison des contrôles Dessin et Zone d'image

Le contrôle Zone d'image fait partie du groupe de contrôles légers, parmi lesquels on retrouve le contrôle Ligne, le contrôle Forme et le contrôle Étiquette. En résumé, la gestion des contrôles légers est moins exigeante pour les ressources système (mémoire et temps de traitement) que la gestion d'autres contrôles tels que le contrôle Dessin, le contrôle Bouton de commande ou l'un des plus lourds de tous, le contrôle Grille. Ceci est dû à des raisons assez complexes, mais ici, tous ce qui nous intéresse ce sont les limites du contrôle Zone d'image par rapport au contrôle Dessin.

❑ **Les contrôles Zone d'image** ne peuvent pas être superposés sur d'autres contrôles, sauf s'ils sont préalablement placés dans d'autres objets tel qu'un encadré ou un contrôle Dessin. Ils ne peuvent pas non plus recevoir le focus lorsque le programme tourne. Nous aborderons cet élément un peu plus tard.

❑ **Les contrôles Dessin** sont bien plus fonctionnels que les contrôles Zone d'image. Ils peuvent être placés n'importe où et peuvent recevoir le focus, ce qui les rend particulièrement adaptés à la création de vos propres barres d'outils graphiques. Ils peuvent également faire office de contrôles récepteurs. Autrement dit, vous pouvez y placer d'autres contrôles, un peu comme une forme dans une feuille.

Dans le chapitre 12 – Les graphiques, vous apprendrez comment utiliser au mieux ces contrôles.

D'autres propriétés fréquentes

Beaucoup des contrôles que nous avons abordés durant ce chapitre partagent les mêmes propriétés. Au départ, nous avons étudié les plus simples, mais maintenant que nous connaissons mieux les contrôles spécifiques, nous serons plus à même de comprendre certaines des propriétés plus perfectionnées tel que la propriété Enabled.

La propriété Enabled

Comme nous l'avons déjà vu, les contrôles Case à cocher peuvent avoir trois états du point de vue de l'utilisateur : **sélectionné**, **désélectionné** ou **grisé**, autrement dit, désactivé. Un contrôle Case à cocher, comme la plupart des contrôles de Visual Basic, possède une propriété Enabled permettant de déterminer si oui ou non ce contrôle peut être sélectionné sur la feuille lorsque le programme tourne. Du point de vue de Visual Basic, la propriété Enabled ne peut avoir que deux valeurs : True (Vrai) (c'est-à-dire « on ») ou False (Faux) (c'est-à-dire « off »).

*Si vous avez déjà fait de la programmation en C ou en Assembler, vous connaissez les termes True et False. Pour toute autre personne, cela peut paraître inutilement compliqué (pourquoi ne pas tout simplement utiliser "oui" et "non" ?). Malheureusement, il s'agit-là d'une partie de la programmation où s'est infiltré le jargon des débuts de la programmation informatique binaire. Ce jargon provient de ce que l'on appelle **la logique booléenne**. Nous y reviendrons plus en détails plus loin dans ce manuel, mais pour l'instant, j'ai bien peur que vous ne deviez vous y habituer.*

Réglage des propriétés en phase d'exécution

Nous avons vu dans ce chapitre et dans le chapitre précédent comment régler les propriétés en mode création en utilisant la fenêtre Propriétés. En fait, vous pouvez également les régler au sein même de vos codes. C'est une des façons les plus simples de donner vie à votre programme.

*Le **mode création** est la période durant laquelle votre programme ne tourne pas et pendant laquelle vous placez vos contrôles sur votre feuille et vous écrivez vos codes. Le **mode création** démarre lorsque vous avez cliqué sur votre bouton d'exécution et que vos feuilles et contrôles réagissent aux événements en exécutant les procédures adéquates.*

Désactivation des contrôles

Imaginez que votre utilisateur vienne d'entrer du texte et que dès lors, vous souhaitiez désactiver deux boutons de commande, appelés **Command1** et **Command2**. Vous n'avez qu'à ajouter les lignes suivantes à votre code :

```
Command1.Enabled = False
Command2.Enabled = False
```

Visual Basic met alors les boutons de commande en grisé pour indiquer qu'ils ne fonctionnent plus et que votre utilisateur ne peut plus les cliquer.

Activation des différents contrôles

Lorsque vous utilisez la propriété **Enabled** pour désactiver un objet, le résultat est immédiatement visible à l'écran. Les contrôles **Zones de texte**, **Zones de liste** et les éléments des menus apparaissent tous en grisé, vous indiquant ainsi qu'ils ne fonctionnent plus :

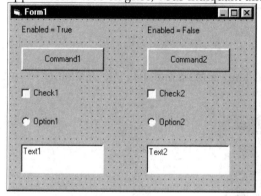 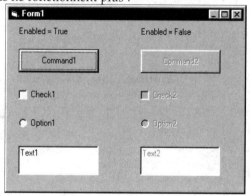

Observez ces deux écrans et vous remarquerez qu'avant que les codes ne s'exécutent, tous les contrôles ont la même allure (évidemment !). Mais en phase d'exécution, certains contrôles ont été désactivés et vous noterez que les contrôles **Command2**, **Check2**, **Option2** et **Text2** à droite de la feuille sont en grisé.

Passons à la pratique ! Activer les contrôles

Nous allons maintenant voir comment activer et désactiver des contrôles en phase d'exécution en utilisant un clic de souris et une seule ligne de code.

1 Créez un nouveau projet Visual Basic : sélectionnez **Exe standard** et placez deux contrôles Bouton de commande sur votre feuille. Appelez celui du haut `cmdEnable` et celui du bas `cmdMessage`. Réglez les légendes des boutons de commande de façon que celle du haut contienne **Enable/Disable** et que celle du bas contienne **Message**.

2   Double-cliquez sur le bouton de commande `cmdEnable` et ajoutez la ligne de code suivante à l'événement `Click` du bouton :

```
Private Sub cmdEnable_Click()

    cmdMessage.Enabled = Not (cmdMessage.Enabled)

End Sub
```

3   Double-cliquez sur le bouton de commande `cmdMessage` et ajoutez la ligne de code suivante à l'événement `click` du bouton afin qu'il affiche une boîte de message :

```
Private Sub cmdMessage_Click()

    MsgBox "Bonjour !"

End Sub
```

4   Exécutez le programme et cliquez sur le bouton **Message**. La boîte de dialogue suivante apparaît :

5   Cliquez sur **OK** pour faire disparaître la boîte de dialogue et cliquez sur le bouton **Enable/Disable**. Le bouton **Message** est en grisé et ne réagit plus à vos clics.

❑   Si vous appuyez sur **Enable/Disable** à nouveau, il redevient actif.

Fonctionnement

En gros, tout le programme est centré autour de cette seule ligne de code dans l'événement `clic` du bouton **Enable/Disable** :

```
cmdMessage.Enabled = Not (cmdMessage.Enabled)
```

Un seul mot dans cette ligne peut prêter à confusion, le mot "Not". C'est pourtant très simple. Tout ce que cette ligne fait, c'est de prendre la propriété **Enabled** du bouton de commande **Message** et de l'inverser. Comme nous l'avons observé précédemment, le bouton **Enable/Disable** ne peut avoir que deux valeurs : vrai ou faux. Si la propriété **Enabled** est vraie, elle est inversée (et donc devient fausse) et si elle est fausse elle devient vraie. C'est aussi simple que ça. Et donc, chaque fois que vous cliquez sur le bouton **Enable/Disable**, la propriété **Enabled** est inversée.

La propriété Visible

La propriété **Visible** opère de la même manière que la propriété **Enabled**. Si vous réglez cette propriété sur la valeur Faux, le contrôle disparaît de l'écran. Dans le cas d'un objet container, telle qu'une feuille ou un cadre, tous les contrôles qui s'y trouvent disparaissent également lorsque le programme s'exécute.

Le focus

Nous avons déjà mentionné rapidement le focus. Il n'a rien avoir avec la photographie ou l'optique. Dans l'univers Windows, le focus nous indique quel contrôle est actuellement sélectionné lorsque le programme s'exécute.

Vous ne l'avez peut-être pas remarqué mais vous avez déjà vu le focus en action dans ce chapitre. Prenez notre dernier exemple, lorsque les deux boutons sont activés, appuyez sur la touche *Tabulation* et vous verrez que les contrôles sont tour à tour mis en surbrillance. Lorsqu'un contrôle est mis en surbrillance , cela signifie qu'il a le focus, qu'il est actif.

La ligne pointillée autour du contrôle veut dire qu'il a le focus. La prochaine action que vous effectuerez, que ce soit un clic ou l'utilisation du clavier, affectera cet objet.

La propriété TabIndex

Le focus est particulièrement utile sur une feuille ayant de nombreux champs séparés nécessitant une entrée de données. De nombreuses dactylos expérimentées préfèrent utiliser la touche *Tab*, pour progresser sur la feuille plutôt que d'abandonner le clavier pour utiliser la souris. Vous contrôlez l'ordre dans lequel les contrôles reçoivent le focus en utilisant la propriété **TabIndex**.

Lorsque le projet s'exécute, appuyez sur la touche *Tab* plusieurs fois et vous constaterez que la surbrillance passe d'un contrôle à l'autre. Si vous arrêtez le programme et appelez la fenêtre Propriétés de ces contrôles, vous verrez que le **TabIndex** est à 0 pour `cmdEnable` et à 1 pour `cmdMessage`. S'il y avait plus de contrôles sur la feuille, ils auraient des valeurs **TabIndex** plus élevées.

Chaque fois que vous modifiez une propriété **TabIndex**, Visual Basic réorganise automatiquement l'ordre de succession de cette même propriété pour les autres contrôles. Une fois de plus, vous pouvez voir ceci dans la fenêtre **Propriétés** du bouton de commande **Message**. Réglez le **TabIndex** de ce contrôle à 0 et réexécutez le programme. Cette fois-ci, le bouton **Message** obtient le focus en premier. Et si vous regardez sous la fenêtre **Propriétés**, vous constaterez que cmdEnable a maintenant son **TabIndex** réglé à 1.

Utiliser le Focus en phase d'exécution

Vous pouvez également déplacer le focus à partir du code de programme. Si votre utilisateur entre des données incorrectes, par exemple, vous pouvez utiliser la méthode SetFocus pour placer le focus sur le contrôle fautif.

Passons à la pratique ! Contrôler le focus

Vous pouvez détecter si un contrôle possède le focus en utilisant les événements Gotfocus et Lostfocus. Et c'est là que les problèmes commencent.

1 Créez un nouveau projet et placez plusieurs contrôles sur la feuille par défaut de façon à ce qu'elle ressemble à la feuille d'ouverture de session représentée dans l'illustration ci-dessous. Effacez les entrées par défaut de ces deux contrôles **Zone de texte** afin qu'ils soient vides. N'oubliez pas d'appeler le contrôle Zone de texte <u>N</u>om de l'utilisateur txtUtilisateur et le contrôle **Zone de texte** <u>M</u>ot de passe txtMotdePasse pour faire fonctionner le code que je vais vous donner :

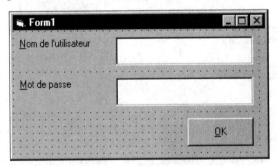

2 Ce programme possède deux contrôles **Zone de texte** : l'un pour l'identité de l'utilisateur, l'autre pour son mot de passe. Double-cliquez sur le contrôle Zone de texte txtUtilisateur et utilisez le contrôle **Liste modifiable** des événements afin de trouver l'événement LostFocus (nous allons y ajouter du code). Tapez du code de façon à ce que la fenêtre de gestion de l'événement LostFocus de ce contrôle **Zone de texte** ait cette allure :

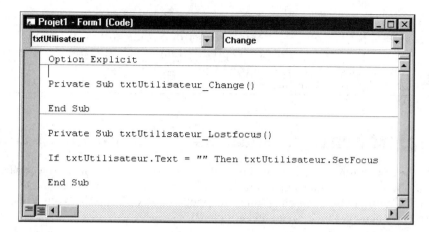

Si ce contrôle perd le focus (si le bouton de commande a été cliqué par exemple, ou si l'utilisateur est passé à la zone de texte **Mot de passe**) avant d'avoir reçu des données, le code de la procédure `LostFocus` lui ramènera automatiquement le focus.

3   Exécutez le programme et essayez de quitter la zone texte **N**om de l'utilisateur sans y entrer quoi que ce soit. Vous noterez que le curseur rebondit automatiquement dans la zone de texte **N**om de l'utilisateur, vous forçant à y entrer des données. Jusque là, pas de problèmes !

Mais maintenant, imaginez que nous voulions faire la même chose avec la zone de texte **M**ot de passe...

4   De retour en mode création, double-cliquez sur la zone de texte **M**ot de passe afin d'appeler sa fenêtre Code et sélectionner l'événement `LostFocus`. Maintenant, changez le code afin qu'il ait cette apparence :

```
Private Sub txtMotdePasse_LostFocus()

        If txtMotdePasse.Text = "" Then txtMotdePasse.SetFocus

End Sub
```

Et, là, nous avons un problème. Pour qu'un contrôle perde le focus, il faut que l'autre l'obtienne. Si vous exécutez le programme et que vous essayez de quitter la zone de texte **N**om de l'utilisateur, le programme sera coincé : il sera bloqué en boucle et vous ne pourrez le libérer qu'en appuyant sur *Ctrl-Break*.

Ce qui se passe ici, c'est que lorsque **N**om de l'utilisateur perd le focus, **M**ot de passe l'obtient. La zone de texte **N**om de l'utilisateur se dit alors, "Attendez un peu... Vous n'avez rien entré", et reprend le focus, ce qui fait qu'à son tour, la zone texte **M**ot de passe perd le focus. Et la zone texte **M**ot de passe fait exactement la même chose que la zone texte **N**om de l'utilisateur. Et ainsi de suite...

C'est pour cette raison que de nombreux programmeurs n'utilisent pas du tout les événements `LostFocus` et `GotFocus`, surtout pas pour la validation de contrôles **Zone de texte. Leur option de prédilection est l'utilisation des événements** `KeyPress` ou `Change`. **Toutefois, si vous voulez absolument utiliser** `LostFocus`, **il y a moyen de contourner le problème comme nous le verrons plus tard.**

Et maintenant, Mesdames et Messieurs : OLE !

Nous avons étudié beaucoup de choses dans ce chapitre. Sans aucune connaissance préalable de Visual Basic, nous sommes maintenant, je l'espère, en position de créer une interface d'utilisateur et même de lui donner vie en ajoutant un soupçon de code. Nous avons donc bien mérité de nous amuser un peu avec un petit gadget appelé **OLE**.

OLE est l'accronyme de **Object Linking and Embedding** (incorporation et association d'objets) et c'est en gros ce qu'il vous permet de faire : incorporer des applications entières ainsi que leurs données, au sein de vos propres applications. Si vous possédez par exemple la version 6 de Microsoft Word ou une version ultérieure, vous pouvez couper et coller un document entier et le placer dans une application Visual Basic sans utiliser de code. Ceci permet à l'utilisateur de dialoguer et d'éditer le texte qu'il voit dans votre application comme s'il était dans Word.

Ça a l'air trop beau pour être vrai.

Passons à la pratique ! OLE

1 Créez un nouveau projet. Lorsque votre nouvelle feuille apparaît, sélectionnez le contrôle OLE dans votre boîte à outils.

2 Placez-le sur votre feuille de la même façon que tous les autres contrôles :

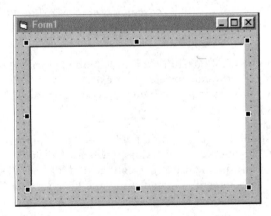

3   Une boîte de dialogue apparaît et vous demande avec quel objet OLE vous voulez jouer. Cette boîte de dialogue vous donne une liste complète de toutes les applications OLE que votre version de Windows connaît :

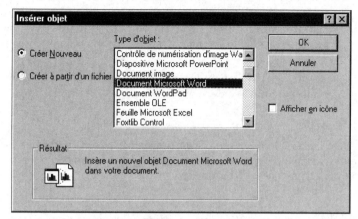

Choisissez Document **Microsoft Word** (s'il est installé sur votre ordinateur).

4   Après quelques sursauts (je n'ai jamais dit qu'OLE était rapide...), vous devriez voir quelque chose d'étrange se produire. Regardez :

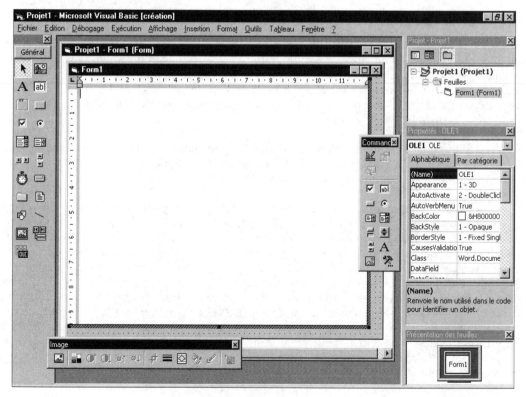

5   Vous voyez ces barres d'outils et ce nouveau menu ? Ce sont les barres d'outils et menus de Word, en supposant que vous ayez Word sur votre ordinateur, bien sûr. Comme Word permet ce qu'on appelle **une activation in situ**, VB est capable de vous offrir toutes les fonctionnalités de Word au sein même de votre propre application Visual Basic. Exécutez maintenant votre programme en cliquant sur l'icône d'exécution ou en appuyant sur *F5*, puis double-cliquez sur le contrôle OLE.

Vous pouvez maintenant taper et formater à cœur joie comme si vous aviez une version miniaturisée de Word.

Fonctionnement

Et en fait, c'est le cas ! OLE charge les parties de MS Word dont vous avez besoin pour maintenir l'ensemble des accessoires que le contrôle vous propose et exécute tout ceci en parallèle avec votre programme en Visual Basic. Windows 95 se place entre les deux programmes et s'assure qu'ils collaborent sans problème.

Un soupçon d'imagination suffit pour se rendre compte des possibilités ainsi offertes. Microsoft considère d'ailleurs Visual Basic comme la "colle" qui permet d'attacher des composants OLE à des applications personnalisées. Les fonctionnalités de n'importe quelle application compatible OLE peuvent donc être utilisées.

Bon, alors, OLE, c'est quoi ?

En vous basant sur ce que nous avons vu jusqu'à présent, vous pourriez être tenté de penser qu'OLE n'est jamais qu'un système permettant d'incorporer une application dans une autre. Mais si vous avez déjà utilisé OLE dans des versions précédentes de Windows, vous savez probablement que vous pouvez également utiliser OLE pour incorporer et associer les données d'une autre application à la vôtre et, disposer d'une copie miniaturisée de cette application à chaque fois qu'un utilisateur désire éditer ces données.

Ce n'est pourtant là qu'une fraction de ce qu'OLE peut faire. En fait, on ne devrait même plus l'appeler OLE puisque l'incorporation et l'association d'objets ne représentent plus qu'une petite partie des fonctionnalités d'OLE dans Windows 95.

Comme nous le verrons plus loin dans ce livre, OLE vous permet de prendre complètement en charge une autre application grâce à ce qu'on appelle l'**Automation**. En ce qui concerne le code, la gestion d'une autre application est relativement semblable à celle d'un contrôle sur votre feuille. OLE nous permet aussi, en tant que programmeurs, de conditionner des objets fonctionnels en unités autonomes réutilisables dans d'autres applications de la même façon que des commandes ActiveX peuvent être utilisées pour ajouter des fonctionnalités à votre application. On pourrait par exemple développer une application frontale de sécurité qui traiterait tous les aspects d'ouverture de session dans la base de données d'une entreprise et la distribuerait à tous les utilisateurs sous forme d'objet OLE. Tous les programmes que ces utilisateurs ont sur leur PC nécessitant une application frontale de sécurité pourraient être modifiés avec un minimum d'effort afin de leur permettre d'utiliser votre nouvel objet, réduisant ainsi la quantité de code recopié sur chaque PC et par là même l'ampleur de la tâche d'assistance technique pour le programmeur.

NT4 (et la dernière version de Windows 95) va encore plus loin et nous permet de distribuer des objets à travers un réseau tout en les maintenant dans un emplacement central. Autrement dit, toutes les applications d'utilisateur de réseau se promènent librement sur le réseau à la recherche d'objets qu'elles peuvent activer pour leur propre utilisation, quel que soit l'endroit où se trouvent ces objets. Le futur c'est déjà aujourd'hui...

Nous examinerons OLE plus en détail ultérieurement dans ce manuel. Le sujet reste néanmoins délicat pour de nombreux programmeurs puisqu'OLE est sensé être particulièrement difficile du point de vue de la programmation. Mais comme vous avez pu le constater, ce n'est plus le cas aujourd'hui.

Résumé

Dans ce chapitre vous avez appris comment utiliser certains des contrôles les plus fréquents de Visual Basic 6, vous avez acquis une bonne connaissance de base sur la gestion des contrôles, des propriétés et sur la création de feuilles. Vous avez plus particulièrement appris :

- ❑   A utiliser les contrôles Zone de texte, Bouton d'option, Case à cocher, Bouton de commande, Dessin et Zone d'image

- ❑   A modifier votre code

- ❑   A valider les saisies au travers d'un contrôle Zone de texte

- ❑   A résoudre certains des problèmes liés aux contrôles Zone de texte, Bouton de commande et Focus

- ❑   A vous familiariser avec l'univers fantastique d'OLE

Toutefois, si vous avez lu des revues de presse et si vous avez prêté attention aux rumeurs, vous aurez compris que nous n'avons fait qu'effleurer la surface de quelque chose de très complexe. Dans les chapitres suivants, nous étudierons des contrôles plus compliqués (le contrôle Zone de liste et le contrôle Grille, par exemple) pour lesquels il nous faudra posséder des connaissances plus approfondies du code VB en général. En matière de contrôles visuels, Visual Basic 6 possède une fonction des plus puissantes, la possibilité de véritablement créer des contrôles utilisables dans vos projets pour construire la parfaite interface d'utilisateur. Nous y reviendrons également dans des chapitres à venir. Mais avant tout, il nous faut déblayer le terrain et pour ce faire, nous allons examiner plus en détail les lignes de codes qui se cachent derrière les feuilles Visual Basic.

Que diriez-vous d'essayer ?

1   Créez un projet contenant une feuille avec un seul bouton de commande. Paramétrez la feuille de telle sorte qu'au démarrage, elle affiche ce bouton sans légende. Écrivez un code grâce auquel la légende deviendra **ON** lorsque l'utilisateur cliquera sur le bouton.

2   Créez un projet contenant une feuille avec un seul bouton de commande. Écrivez le code nécessaire pour que ce bouton se déplace de 100 twips vers la gauche par rapport à sa position courante lorsque l'utilisateur clique dessus. Utilisez la méthode `Print` de la feuille (c'est-à-dire `Form1.Print`) pour en afficher les coordonnées actuelles. Qu'advient-il de ces dernières quand le bouton se déplace à l'extérieur de la feuille ?

3   Créez un projet contenant une feuille avec un seul bouton de commande. En mode conception, changez la légende de ce bouton pour qu'elle affiche **OK**. Dans l'événement `Click` de ce bouton, écrivez du code qui permette de centrer ce bouton au sein de la feuille, puis renommez ce dernier (appelez-le `cmdOK`). Observez le code que vous venez de placer dans l'événement `Click` du bouton de commande. Où est-il passé ?

4   Créez un projet contenant une feuille avec deux boutons de commande. Affectez au bouton #1 la légende **Thomas**. Utilisez l'esperluète (&) pour désigner le **T** comme touche d'accès rapide. Dans l'événement `Click` du bouton de commande #1, affichez un message indiquant que **Thomas** a été sélectionné.

Attribuez maintenant au bouton #2 la légende **Thierry**. Utilisez l'esperluète (&) pour désigner le **T** comme touche d'accès rapide. Dans l'événement `Click` du bouton de commande #2, affichez un message indiquant que **Thierry** a été sélectionné.

Exécutez le projet, puis appuyez sur *Alt+T*. Quel est le message qui apparaît ?

5   Créez un projet avec deux zones de texte. Lors du démarrage, repérez celle qui reçoit le focus. Est-il possible de modifier cet état de fait ?

Écrire du code

Dessiner des contrôles sur des feuilles ne représente vraiment qu'une petite partie du processus qui permet de créer un logiciel. En fait, tous les programmeurs qui utilisent Visual Basic savent que le gros du travail consiste en l'écriture de code qui va permettre de contrôler et de répondre aux actions de l'utilisateur.

Ce chapitre explique donc comment vraiment travailler avec Visual Basic. Vous aller apprendre à écrire du code de programme en utilisant certains des éléments les plus courants du langage de programmation Visual Basic. Comme je l'ai dit au début de ce manuel, VB bénéficie des meilleures caractéristiques des autres langages de programmation, comme le langage C, le Pascal et ce bon vieux BASIC. Donc, si vous avez utilisé n'importe lequel de ces langages, vous allez probablement vous y retrouver.

Dans ce chapitre, nous aborderons les points suivants :

❑ Exécution de choix simples en utilisant `If...Then`

❑ Sélection d'une option dans une liste

❑ Répétition de parties de codes avec `For...Next` et `Do...While`

❑ Combinaison de toutes ces structures de programmation afin de créer des programmes Visual Basic qui fonctionnent

Écrire du code en Visual Basic

Dans les trois premiers chapitres, vous avez pu vous familiariser avec les principaux composants d'un programme Visual Basic et nous allons les récapituler brièvement ici :

❑ **Les feuilles** constituent le cadre dans lequel vous construisez votre interface.

❑ **Les contrôles** représentent les briques avec lesquelles vous la construisez.

❑ **Les procédures événementielles** constituent la colle qui lie tous ces composants et les transforme en un système qui fait ce que vous désirez.

L'un des objectifs de ce manuel est d'essayer de vous faire rapidement créer des programmes intéressants et pratiques. Pour cela, je vous ai tout de suite mis dans le bain. Dès le chapitre 2, vous avez vu vos premières lignes de code en utilisant deux événements : `Form_Load` pour afficher la date et `Form_UnLoad` pour afficher une boîte de message qui vous disait « Au revoir ». Je vous ai expliqué certaines choses au fur et à mesure, mais je vous avais caché le plus gros.

A présent, je suis désolé d'avoir à vous le dire : la fête est finie et il est temps de se mettre sérieusement à la programmation. Les deux chapitres suivants traitent des techniques dont vous avez besoin pour écrire des gestionnaires d'événements efficaces et d'autres types de modules de code.

Dans ce chapitre, nous expliquerons comment structurer votre code de programme pour que vous puissiez faire des choix et répondre aux différents événements et conditions.

Dans les chapitres 5 et 6, vous découvrirez comment représenter des données dans votre code et les actions que vous pouvez y effectuer afin d'obtenir les résultats escomptés.

Ces deux sujets (le code de programme, puis les données) représentent la base de la programmation en Visual Basic. Chemin faisant, vous allez découvrir beaucoup d'autres éléments, comme par exemple l'ensemble très complet de fonctions intégrées de Visual Basic. Nous en parlerons en temps voulu. Mais pour le moment, si vous voulez vous mettre à écrire du code en Visual Basic, vous devez comprendre sa structure et la manière dont on y utilise les données. Alors, allons-y !

Mettre du code dans des modules

Supposons par exemple, que vous vouliez vérifier les caractères que votre utilisateur saisit dans une zone de texte, comme nous l'avons fait dans le chapitre 3. Si vous n'aviez qu'une zone de texte, cela ne poserait aucun problème. Malheureusement, la plupart des feuilles réellement utilisées en comportent généralement plusieurs, ainsi que d'autres contrôles dans lesquels l'utilisateur peut entrer des données. Sans une structuration nette et précise du code que vous écrivez, vous finiriez par taper le même code pour valider chaque contrôle. Heureusement, Visual Basic est extrêmement structuré et vous permet de créer de petits blocs de code qui peuvent être divisés en d'autres morceaux à l'intérieur de vos applications. Vous n'inventerez donc la roue qu'une seule fois.

Ces petits blocs sont désignés par le terme générique **Méthodes** et vous verrez apparaître ce mot maintes et maintes fois à l'écran, dans les journaux de développeurs et bien sûr dans les manuels VB. Mais, comme vous le verrez bientôt, il existe en fait deux types de méthodes. Vous tapez dans un module le code destiné à une méthode...bon, d'accord, je vais peut-être un peu vite en besogne.

Jusqu'à présent, tout le code que nous avions écrit se trouvait directement dans les gestionnaires d'événements des différents contrôles et objets. Puisque ces objets se trouvent eux-mêmes sur des feuilles, tout notre code se trouve en fait à l'intérieur de feuilles. Les modules sont très différents.

Alors que le code d'une feuille se rapporte généralement à cette dernière, le code d'un module peut être **public**. Il peut être appelé par n'importe quel autre code de votre projet et n'est pas attaché à un autre contrôle ou à une autre feuille. Pour vérifier les caractères saisis dans une zone de texte, vous pouvez donc créer une routine publique dans un module intitulé par exemple `CheckInput`. Vous pourrez alors appeler cette routine centrale à chaque fois que vous en aurez besoin.

Fonctions et procédures

Lorsque vous créez des méthodes dans un module à l'intérieur de votre projet Visual Basic, vous devez choisir quel type de méthode vous allez concevoir. Vous ne disposez que de deux options : les fonctions ou les procédures.

- ❑ Les **fonctions** sont généralement composées de code qui effectue une action spécifique, puis qui donne ensuite le résultat à la partie du programme qui l'a appelée. Prenons par exemple, la fonction Sin() dans Visual Basic. Vous lui donnez un nombre et elle vous donne en échange son sinus . Vous pouvez donc considérer une fonction comme un bloc de code auquel vous pouvez dire « Allez, va faire ça à ma place ».
- ❑ Les **procédures**, quant à elles, ne sont pas censées donner de résultat. Elles font simplement quelque chose. La méthode Unload que nous avons déjà utilisée pour décharger une feuille est en fait une procédure. Le seul moyen de vérifier si la feuille a réellement été déchargée est d'aller voir.

Jusqu'ici, le code Visual Basic que vous avez écrit était destiné aux procédures événementielles. Lorsqu'un bouton de commande appelé Command1 est pressé, Visual Basic exécute la **procédure événementielle** Command1_Click(). Dans cette procédure, votre code effectue généralement une action comme modifier l'affichage, mais il n'est pas censé traiter quelque chose et le rendre à Visual Basic. Une procédure agit, alors qu'une fonction donnera généralement à une partie de votre programme une valeur provenant d'une autre partie.

Et voilà le tableau !

Feuilles, modules, procédures et fonctions sont tous liés. Mais que sont-ils exactement ? Et bien, vous connaissez déjà les **feuilles**, ce sont les éléments de votre programme sur lesquels vous pouvez dessiner des contrôles pour construire une interface d'utilisateur pour votre application.

Derrière toute la partie graphique, il y a du code événementiel. C'est un type de code qui fait quelque chose en réponse à un événement déclenché par un utilisateur, comme un clic sur un bouton de commande, un déplacement de souris, etc. Ce code d'événement est en fait une procédure.

Pensez à la préparation d'une tasse de café. C'est l'application Faire_du_café. Remplir la bouilloire, mettre du café dans la tasse et mélanger le café sont toutes des sous-routines. Vous n'avez pas besoin de savoir comment remplir la bouilloire à chaque fois que vous voulez faire du café. Remplir_la_bouilloire est stockée dans votre cerveau comme une sous-routine. C'est la même chose dans votre application Visual Basic. Si vous avez un bloc commun de code qui est utilisé plusieurs fois, alors mettez-le dans une sous-routine :

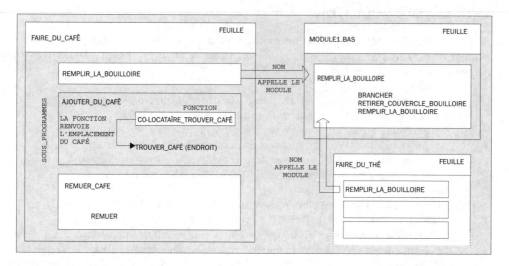

Les **fonctions** ressemblent beaucoup aux sous-routines si ce n'est qu'elles donnent un résultat. Lorsque vous faites une tasse de café, vous n'arriverez peut-être pas à trouver le café ; vous allez alors demander à votre co-locataire de le trouver pour vous. Et c'est seulement à ce moment-là que vous pourriez avoir le café. Dans Visual Basic, vous utiliseriez la fonction Co-locataire_Trouver_Café pour trouver le café. Puis votre sous-routine Prendre_Café irait là où la fonction Co-locataire_Trouver_Café vous aurait dit d'aller.

Imaginez une feuille sans le côté visuel, juste des sous-routines et des fonctions. Si vous pouvez vous la représenter, alors vous pouvez imaginer un **module**. Les modules vous permettent d'écrire du code qui peut être utilisé dans tout votre système. Généralement, les sous-routines et les fonctions d'un module sont **globales,** c'est-à-dire qu'elles peuvent être appelées par du code situé n'importe où dans votre application.

Si cela vous semble toujours un peu confus, ne vous inquiétez pas. Nous traiterons les fonctions, les sous-routines et les modules de manière plus détaillée au fur et à mesure de ce manuel.

Passons à la pratique ! Ajouter des sous-routines

Dans le chapitre 2, nous avons écrit un programme qui affichait la date au centre de l'écran. Centrer la feuille était facile à faire : il fallait juste modifier une propriété. Mais supposez que vous vouliez personnaliser l'affichage d'une feuille, par exemple, la placer en largeur dans le tiers inférieur de l'écran. Ne serait-ce pas merveilleux si nous pouvions juste appeler une sous-routine qui placerait automatiquement la feuille là où nous le désirons ?

1   Créez un nouveau projet en choisissant **Exe standard** comme d'habitude et ajoutez une étiquette comme nous l'avons fait dans le chapitre 2. Double-cliquez sur la propriété **Font** dans la fenêtre Propriétés pour faire apparaître la boîte de dialogue de police et modifier la police en 18 gras. Mettez également **True** devant la propriété **AutoSize** de ce contrôle étiquette, de manière que le texte de la légende, quelle que soit sa taille, puisse toujours y rentrer :

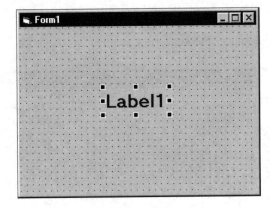

2 Et maintenant, double-cliquez sur la feuille ou appuyez sur *F7* en ayant sélectionné la feuille : la fenêtre de code de l'événement Form_Load apparaît. Ajoutez les lignes suivantes de code pour afficher la date sur l'étiquette :

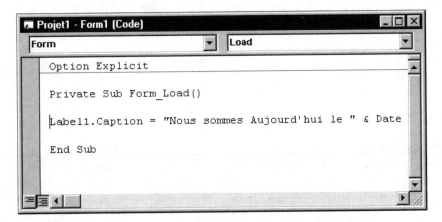

3 Créons à présent la sous-routine qui placera la feuille sur l'écran. Pour ajouter une nouvelle sous-routine, tapez simplement la ligne suivante sous les mots Option Explicit.

```
Private Sub Place
```

Les mots Option Explicit *apparaissent car nous avons demandé à Visual Basic de nous faire déclarer toutes les variables. Nous traiterons ce point plus en détail dans le chapitre suivant. Mais pour le moment, ignorez-le.*

129

Appuyez sur *Entrée* et Visual Basic insérera automatiquement les lignes qui marquent le début et la fin de la nouvelle procédure, puis il attendra patiemment que vous tapiez quelque chose qui ait du sens :

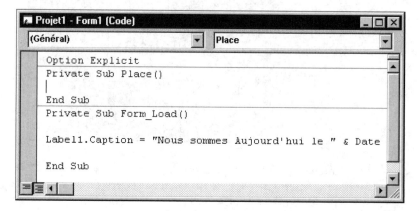

4   Tapez du code pour que la sous-routine `Place` ressemble à l'écran suivant :

```
Private Sub Place()

    Form1.Left = (Screen.Width - Form1.Width) \ 3
    Form1.Top = (Screen.Height - Form1.Height) \ 3

End Sub
```

5   Tout ce qui reste à faire maintenant, est d'appeler la sous-routine. Dans la zone de liste déroulante modifiable située en haut à gauche, sélectionnez `Form` puis trouvez son événement `Click`. Tapez ensuite deux lignes de code de manière que le gestionnaire d'événement ressemble à l'image ci-dessous :

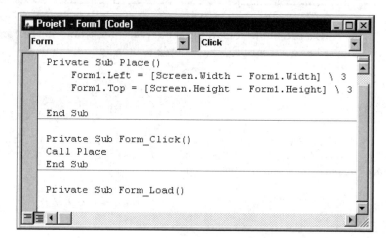

La commande Call indique à Visual Basic que nous voulons appeler une sous-routine. Dans ce cas, Call Place indique à Visual Basic d'exécuter la sous-routine intitulée Place. Elle aura pour effet de placer la feuille à chaque fois que l'utilisateur cliquera dessus (c'est-à-dire sur n'importe quelle zone de la feuille qui ne contient pas encore d'autres contrôles).

6 Et maintenant, exécutez le programme : cliquez sur la feuille et regardez-la se déplacer toute seule.

Fonctionnement

Call est en fait un reste de Visual Basic 1 et 2. Même si vous pouvez l'utiliser et qu'elle facilite la lecture de votre code, vous auriez aussi bien pu écrire :

```
Private Sub Form_Click ()

        Place
End Sub
```

Puisque Place n'est pas un mot clé, Visual Basic sait que vous êtes en train d'essayer d'appeler une sous-routine.

*Les **mots clés** sont des termes qui ont une signification spéciale dans Visual Basic, comme Call ou GoTo. Ils sont par exemple utilisés pour les commandes. En revanche, vous ne pouvez pas les intégrer vous–même dans votre code et de toute façon, Visual Basic vous en empêchera.*

Mais où est la feuille ?

Lorsque vous utilisez des modules, vous pouvez choisir de ne montrer aucune feuille au démarrage de votre programme et d'exécuter du code directement dans un module. Si vous voulez communiquer avec vos utilisateurs, vous devrez pourtant créer une interface utilisateur à la volée. Les feuilles les utilisent généralement pour sauvegarder le code commun qu'elles utilisent. Écrivons donc un programme sans feuille.

Passons à la pratique ! Écrire un programme sans feuille

1 Commencez un nouveau projet et choisissez **Exe standard**. Comme vous le savez, tous les nouveaux projets de Visual Basic sont créés avec au moins une feuille déjà présente. Sélectionnez **Explorateur de Projet** dans le menu **Affichage**, pour faire apparaître une liste de tous les fichiers de votre projet. A ce stade, le seul que vous trouverez est, bien sûr, **Form1** :

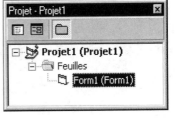

2   Sélectionnez cette ligne en y cliquant une seule fois, puis dans le menu Projet, sélectionnez Supprimer Form1. Si vous avez modifié la feuille depuis sa création, Visual Basic vous demandera si vous voulez enregistrer ces modifications ; sinon, il supprimera tout simplement le fichier en vous laissant avec un projet vide.

3   Nous devons maintenant ajouter quelque chose dans ce projet qui puisse retenir du code, sinon quel est l'intérêt d'avoir un projet ? Dans cet exemple, nous devons ajouter un module de code. Vous pouvez soit sélectionner Ajouter un module dans le menu Projet, soit dérouler l'icône Ajouter de la barre d'outils standard et sélectionner le module dans la liste. Allez-y.

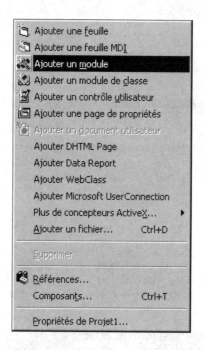
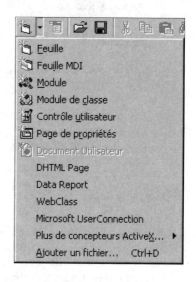

Assurez-vous que vous avez bien choisi Module et non pas Module de classe. Les modules de classe n'ont rien à voir avec ce que vous cherchez et nous les traiterons beaucoup plus en détail un peu plus loin.

4   Lorsque vous sélectionnez Module, la boîte de dialogue Ajouter un module surgit :

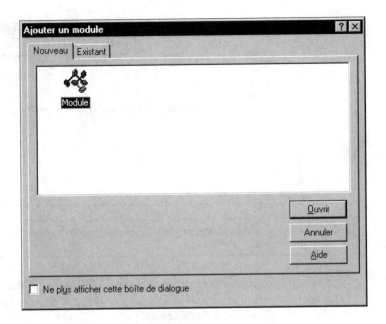

Vous pouvez cocher la case **Ne plus afficher cette boîte de dialogue**, pour ne plus avoir à repasser par cette étape la prochaine fois. Dans tous les cas, sélectionnez **Module** et cliquez sur le bouton **Ouvrir**.

5 Dès que vous avez créé un module, une fenêtre de code apparaît. Souvenez-vous que les modules sont des feuilles mais sans le côté visuel.

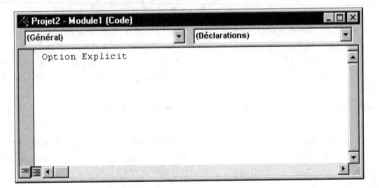

6 Pour obtenir un programme sans feuille, vous devez disposer d'une sous-routine intitulée `Main` pour remplacer votre feuille principale. Cliquez sur la fenêtre de code et créez une sous-routine `Main` :

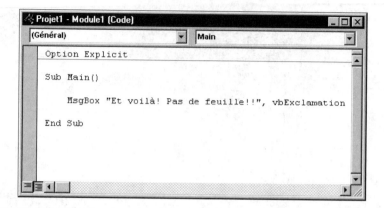

Visual Basic la nomme automatiquement Main dans la zone de liste déroulante
modifiable en haut à droite.

7 A chaque fois que vous créez un projet sans feuille, Visual Basic sait instinctivement
exécuter la sous-routine Main au démarrage du programme. Cliquez sur le bouton
d'exécution et hop, voilà un message !

Ici, nous avons utilisé l'une des formes de l'instruction MsgBox. Nous avons seulement dit à la
commande d'afficher le texte "Et voilà ! Pas de feuille !!" et de choisir une boîte simple avec un
point d'exclamation. La constante vbExclamation indique à Visual Basic le type de boîte que
nous voulons. Le chapitre 11 - Les boîtes de dialogue traite en détail des messages.

Exécuter une application dotée de feuilles et de modules

Vous aurez quelquefois à exécuter une sous-routine Main dans une application qui possède des
feuilles. Dans ce cas, vous devez dire à Visual Basic de charger d'abord votre module et non pas la
première feuille que vous avez créée. Vous pouvez le faire en utilisant l'option **Objet de
démarrage**. Dans le menu **P**rojet, sélectionnez **Propriétés du projet...** pour afficher les pages de
propriétés du projet en cours :

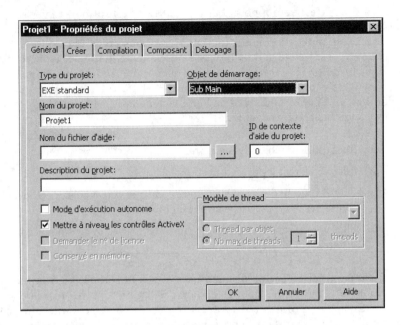

Ici, l'option **Objet de démarrage** est fixée sur **Sub Main**, ce qui signifie que la sous-routine `Main` s'exécutera en premier. Dans le cas d'un projet avec plusieurs feuilles, vous pouvez sélectionner n'importe laquelle de ces feuilles qui s'exécutera en premier.

Privé ou public ?

Dans les exemples de codes donnés dans ce manuel, vous remarquerez les mots `Public` ou `Private` au début des sous-routines ou des fonctions. Qu'est-ce que cela signifie ?

Comme vous le savez déjà, les projets Visual Basic sont en fait composés de feuilles pour l'interface utilisateur et de modules de code qui effectuent des tâches courantes et en arrière-plan. Chacun de ces éléments est indépendant et possède ses propres données et son propre code : cette caractéristique est déterminée par `Public` et `Private`.

Les procédures `Public` sont déclarées comme suit :

```
Public Sub <nom de la procédure>
```
ou
```
Public Function <nom de la fonction> As <type de donnée rendue>
```

Une routine déclarée `Public` est accessible de n'importe où dans tout le programme. Par exemple, le code de `Module1` peut être appelé par le code de `Form1`, ou de n'importe quelle feuille ou module. Mais le plus souvent, `Public` est surtout utilisé si vous avez besoin d'un morceau de code pour une action qui doit être effectuée dans tout le projet.

Quant à `Private`, c'est son opposé. Si vous collez une routine `Private` dans une feuille, alors seules les procédures et fonctions de la même feuille pourront l'utiliser. Par exemple, supposons que vous ayez une application multi feuille et que vous créez une routine `Private` dans `Form1`. Le code de `Form1` est le seul code qui puisse officiellement appeler cette routine. Si vous tentez de l'appeler à partir de `Form2`, ceci provoquera juste une erreur. Mais alors, quel est l'intérêt ? Bien sûr, ce serait certainement plus simple si tout était `Public` puisque vous n'auriez pas à vous préoccuper d'avoir à garder une trace de l'emplacement des choses. Mais les procédures `Private` présentent néanmoins certains avantages :

- ❑ Elles utilisent moins de mémoire.

- ❑ Elles accélèrent les procédures.

- ❑ Elles protègent des parties de votre code que vous voulez défendre contre des opérations extérieures au module.

- ❑ Elles vous permettent d'utiliser plusieurs fois les mêmes noms dans différents modules.

Mais bien sûr, tout cela n'est qu'un résumé. Nous utiliserons des routines à la fois `Public` et `Private` tout au long de ce manuel et nous les traiterons de manière très détaillée dans le chapitre 8 – Créer vos propres objets. Mais dès le chapitre suivant, nous verrons comment des variables peuvent s'intégrer dans le paysage public et privé. Et maintenant, nous allons essayer de faire prendre une décision à votre programme.

Faire des choix dans les programmes

Les deux éléments les plus importants de tout langage de programmation sont ses capacités de prise de décisions et de branchement. Ces termes nécessitent une petite explication.

La prise de décision

Dans une procédure, votre code s'exécutera normalement dès la première ligne de code et continuera jusqu'à ce qu'il rencontre une instruction `Exit Sub`, ou `End Sub`. Le mot `Sub` est l'abrégé de **subprocedure (sous-routine)**, qui est le nom que Visual Basic donne à un bloc simple de code.

Par exemple, dans beaucoup d'applications, on trouve un bouton de commande **Quitter**. Lorsque l'utilisateur clique sur ce bouton, l'application se ferme. Le code d'événement le plus simple que vous puissiez trouver pour ce clic sur ce bouton de commande est :

```
Private Sub cmdQuitter_Click()
    End
End Sub
```

La prise de décision intervient lorsque le code du programme décide d'effectuer une première action à condition qu'une certaine condition soit remplie. En tant que programmeur, vous aurez tout d'abord à tester la condition, puis à écrire le code qui doit être exécuté en réponse.

Repensez au bouton de commande **Quitter**. Bien que le code d'événement remplisse parfaitement sa mission, il pourrait faire encore mieux. Qu'arriverait-il si l'utilisateur pressait le bouton **Quitter** par accident ? L'application se fermerait et si l'utilisateur avait oublié d'enregistrer son travail, il perdrait tout. La prise de décision peut résoudre ce problème :

```
Private Sub cmdQuitter_Click()

    If Sauvegardé = False Then
        MsgBox "Enregistrez d'abord votre travail !"
    Else
        End
    End If

End Sub
```

> Si vous voulez exécuter ce fragment de code vous-même, alors ajoutez la ligne `Sauvegardé = False` directement après l'instruction `If`. Elle est censée fonctionner comme une partie d'un programme dans lequel la valeur de `Sauvegardé` aurait déjà été définie.

En ajoutant uniquement quelques lignes de code de prise de décision, vos utilisateurs seront comblés. Lorsqu'ils presseront le bouton **Quitter**, le code vérifiera que leur travail a été enregistré en contrôlant la valeur d'une variable intitulée `Sauvegardé`. Si le travail n'a pas été enregistré, notre vieille amie, la boîte de message (`MsgBox`) sera utilisée pour afficher un message spécifique. Sinon, l'application se terminera comme d'habitude.

Le branchement

Le branchement survient lorsque le code du programme prend le contrôle de lui-même et décide que la prochaine ligne à exécuter se trouve dix lignes en arrière, ou une centaine de lignes en avant.

La prise de décision et le branchement sont étroitement liés. Le code ne se branchera généralement pas sur une ligne différente sauf si une décision a été prise disant qu'il fallait le faire. Pensez à un voyage à la plage. Si tout va bien, vous allez :

1   Aller en voiture jusqu'à la plage.

2   Trouver un endroit agréable.

3   Vous détendre pour le reste de la journée.

4   Rassembler vos affaires.

5   Revenir chez vous.

La prise de décision entre en action si vous habitez dans un pays comme l'Angleterre où tout est à l'envers... Dans ce cas, vous allez :

1   Aller en voiture jusqu'à la plage.

2   **Si (If)** le temps est pourri, **Aller à (Go to)** l'étape 6, directement.

3   Trouver un endroit agréable.

4   Vous détendre pour le reste de la journée.

5   Rassembler vos affaires.

6   Rentrer chez vous.

Les mêmes techniques s'appliquent avec Visual Basic. Vous disposez votre code dans l'ordre où vous souhaitez que les actions se déroulent. Vous utilisez ensuite des instructions de condition comme If pour vérifier que tout va bien. Si ce n'est pas le cas, alors les instructions Goto ou Call peuvent être utilisées pour se brancher sur une autre partie du code.

Tout au long de ce chapitre, vous apprendrez tout ce que vous avez besoin de savoir sur les instructions If, Goto et Call – donc, ne paniquez pas si vous ne comprenez pas tout dès le début.

Il est possible de sauter à une autre ligne du programme sans avoir testé aucune condition. Mais ceci est généralement considéré comme une mauvaise habitude de programmation et vous comprendrez pourquoi en lisant ce qui suit.

La prise de décision

Il existe plusieurs façons de faire des choix et des sélections en utilisant du code, bien que toutes reviennent à la même action : tester la véracité ou la non-véracité de telle ou telle chose. Comme vous le verrez au fil des pages, vous préférerez parfois utiliser un processus de prise de décision élégant, plutôt qu'une longue ligne compliquée d'instructions If...Then. Et c'est là que des structures de programmation comme Select Case, que nous examinerons ultérieurement, entrent en action.

Tester des conditions avec If...Then

La façon la plus simple de prendre une décision dans un programme est d'utiliser la structure If...Then. Vous vous rappelez sans doute que nous l'avons déjà utilisée dans certains des exemples de ce manuel : espérons que tout ce que vous avez déjà vu commence à se mettre maintenant en place ! Essayons donc d'écrire un peu de code pour voir comment fonctionne l'instruction If...Then.

Passons à la pratique ! L'instruction de base If

Dans les entreprises, beaucoup d'applications sont munies d'une forme de sécurité intégrée afin d'empêcher des utilisateurs indésirables de disposer des informations auxquelles ils ne devraient pas avoir accès. Généralement, l'instruction `If...Then` est utilisée pour vérifier le nom de l'utilisateur et son mot de passe avant de le laisser aller plus loin.

Voyons comment faire.

1 Démarrez un nouveau projet Visual Basic.

2 Faites apparaître la fenêtre Propriétés et pressez *F4* pour obtenir la feuille par défaut. Modifiez la propriété **Caption** pour qu'elle affiche **Entrez votre mot de passe** :

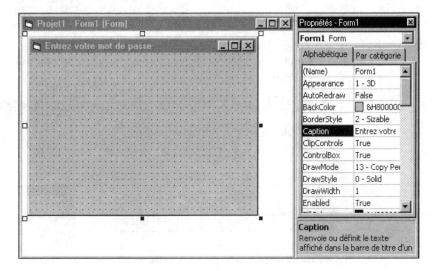

3 Dessinez sur la feuille une zone de texte et un bouton de commande. Redimensionnez la feuille et déplacez les nouveaux contrôles pour qu'elle ressemble à la écran ci-dessous :

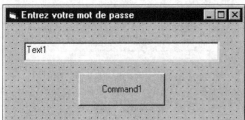

4   Sélectionnez la zone de texte et faites apparaître sa fenêtre Propriétés. Trouvez la propriété PasswordChar et fixez-la sur l'astérisque (*).***** remplace maintenant le texte de la zone de texte.

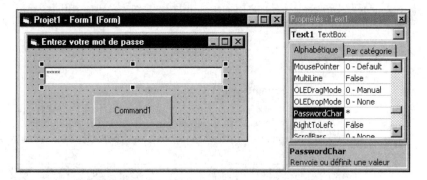

5   Trouvez la propriété Text et effacez-la : pour ce faire, sélectionnez la propriété en cliquant sur Text1, puis appuyez sur la touche *Retour arrière* de votre clavier, puis sur *Entrée*. Ceci supprime ***** :

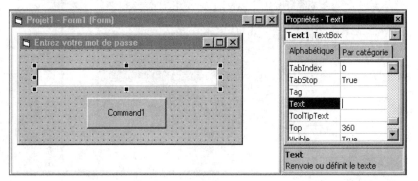

6   Sélectionnez le bouton de commande, faites apparaître sa fenêtre Propriétés et fixez la propriété Caption sur OK :

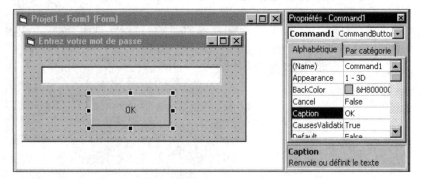

7   Et maintenant, nous pouvons écrire du code. Nous voulons qu'au moment de l'exécution du programme, l'utilisateur tape son mot de passe, puis presse le bouton OK. Une instruction If...Then vérifie alors le mot de passe et affiche les résultats dans un message à l'écran. Double-cliquez sur le bouton de commande pour faire apparaître la fenêtre de code et tapez du code de manière que le bouton de commande de l'événement Click ressemble à cela :

```
Private Sub Command1_Click()
 If Text1.Text = "sésame" Then
        MsgBox "Bravo - Mot de passe accepté !"
        Unload Form1
        End
    Else
        MsgBox "Désolé, mot de passe erroné, réessayez !"
        Text1.Text = ""
        Text1.SetFocus
    End If
End Sub
```

Lorsque je parle de la propriété Text *de* Text1*, j'utilise la syntaxe complète pour plus de clarté. Mais vous pouvez aussi omettre complètement le nom de la propriété* Text *et utiliser uniquement* Text1 *; par défaut Visual Basic supposera que cela se rapporte à la propriété* Text*. Remarquez également que nous indiquons explicitement que la feuille doit être déchargée avant de terminer le programme. Si c'était la feuille principale de notre application, cette action terminerait le programme de toute façon, mais il n'y a pas de mal à le confirmer.*

Fonctionnement

Essayez d'exécuter votre programme. Si vous avez tapé correctement tout le code, le programme s'exécutera après une petite pause. Cliquez dans la zone de texte et tapez **Fred**:

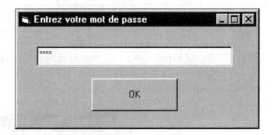

Des étoiles apparaissent à la place des lettres que vous avez tapées sur votre clavier. C'est ce que fait la propriété **PasswordChar** lorsque vous l'avez fixée sur *****.

Une fois que vous avez tapé **Fred**, cliquez sur le bouton de commande et un message apparaîtra qui vous demandera de réessayer :

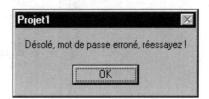

Débarrassez-vous du message en cliquant sur le bouton **OK**, puis tapez **sésame** dans la zone de texte et cliquez encore une fois sur le bouton de commande. Cette fois, le mot de passe est accepté et le programme se termine.

Dans l'exemple ci-dessus, l'instruction `If...Then` est composée de plusieurs parties :

❑ Immédiatement après le mot `If`, se trouve la condition que nous voulons tester. Dans cet exemple, la condition est `Text1.Text = "sésame"`.

❑ Immédiatement après la condition, se trouve la partie `Then`, qui indique à Visual Basic ce qu'il faut faire si la condition est remplie.

Regardez encore une fois ce code. En bon français, il signifie : *si la valeur de la zone de texte est égale à 'sésame' alors, décharger la feuille et terminer le programme.*

L'instruction `Else` et le code qui suit, indiquent à Visual Basic ce qu'il faut faire si la condition n'est pas remplie. Dans cet exemple, cette partie de la commande signifie en fait : *sinon, afficher le message 'Désolé, message erroné, réessayez! ' et faire revenir le curseur dans la zone de texte.* La partie `Else` de l'instruction est en fait facultative : vous pourriez juste avoir une instruction `If...Then` qui ne fait quelque chose que si la condition est remplie.

Les deux lignes de code :

```
Text1.Text = ""
Text1.SetFocus
```

suppriment le texte précédent et la zone est alors prête à accepter votre tentative suivante : elles replacent le focus sur la zone de texte.

Vous pouvez remarquez que, par défaut, Visual Basic compare le texte en respectant la casse des caractères. Ceci signifie que l'emploi de majuscules ou de minuscules dans le texte est important. Si vous aviez tapé **Sésame**, il aurait été rejeté comme mot de passe incorrect. Si vous voulez que Visual Basic ignore la casse, vous devez ajouter l'instruction `Option Compare Text` à votre code. Tapez cette ligne dans la section (**Général**) (**Déclarations**) de la feuille ou du module auquel vous voulez l'appliquer :

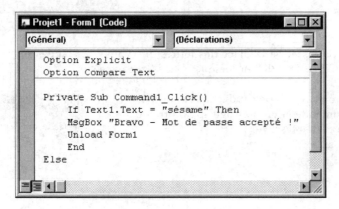

Pour revenir au paramètre par défaut, vous devez utiliser `Option Compare Binary`. Et puisque c'est le paramètre par défaut, vous n'avez pas à le taper. Il vous suffit juste de supprimer la ligne que vous venez d'ajouter.

Définir les conditions que vous voulez tester

Ceci nous amène aux **expressions conditionnelles**. Le sens du signe = dans l'exemple précédent est assez évident, mais que se passe-t-il si vous voulez tester deux nombres inégaux, ou un nombre supérieur à un autre ? En modifiant le signe égal dans l'exemple, vous pouvez tester plusieurs conditions.

Voici la liste complète des symboles que vous pouvez utiliser pour tester les conditions :

Symbole	Signification
=	Est égal à
<>	N'est pas égal à
>	Est supérieur à
<	Est inférieur à
>=	Est supérieur ou égal à
<=	Est inférieur ou égal à

Par exemple, `If Age > 21 Then Laisser_Entrer`, serait compris comme *Si l'âge est supérieur à 21, alors laisser entrer.* Ici, `Laisser_Entrer` représente le code que vous voulez exécuter si la condition est vraie.

> *Le code* `Laisser_Entrer` *peut être soit une procédure Visual Basic qui se trouve dans le même gestionnaire d'événement, soit du code contenu dans un autre module, différent du gestionnaire courant. Dans le second cas, ce bloc de code est appelé une **sous-routine** et la simple écriture de son nom,* `Laisser_Entrer`*, amène directement Visual Basic sur ce code et l'exécute. Les modules et les sous-routines sont étroitement liés au contrôle du « séquencement » du programme et nous les examinerons plus en détail ultérieurement dans ce chapitre. Mais avant cela, continuons de passer en revue les différentes manières de tester les conditions dans Visual Basic.*

Tester des conditions multiples

Tout ça c'est bien beau, mais que se passe-t-il lorsque vous devez tester plusieurs conditions avant toute chose ? On pourrait donner comme exemple un mot de passe correct et un âge de la personne supérieur à 21.

Visual Basic vous permet d'utiliser les mots `And` et `Or` afin de faciliter la lecture de ces conditions complexes écrites en code. Dans cet exemple, nous pourrions avoir une instruction `If...Then` qui dirait :

```
If Age > 21 And MotDePasse = "sésame" Then Laisser_Entrer
```

Normalement, avec une instruction `If...Then`, vous vérifiez un certain nombre de conditions et indiquez à Visual Basic si l'action doit se faire si toutes les conditions sont remplies (en utilisant `And`), ou s'il suffit d'une seule condition (en utilisant `Or`). Vous pouvez grouper ces tests en utilisant des parenthèses dans la ligne `If...Then`. Par exemple, avec une ligne comme celle-la :

```
If Age > 21 and MotDePasse = "sésame" or MotDePasse =
↳"Responsable" Then Faire_QuelqueChose
```

ce que le code fait n'est pas immédiatement évident. Fait-il quelque chose si `Age` est supérieur à 21 et si le mot de passe est `"sésame"` ou `"Responsable"`? Ou fait-il quelque chose si le mot de passe est `"sésame"` et que `Age` est supérieur à 21, ou si `MotDePasse = "Responsable"` ? Tout ça est assez confus !

Dans le cas d'une longue ligne de code, je l'ai divisée en deux en utilisant le symbole ↳. Cela ne fait pas partie de Visual Basic. Lorsque vous tapez du code, vous devez ignorer ce symbole et écrire tout le code sur une seule ligne. Il existe en fait un caractère de continuité de ligne dans Visual Basic. Lorsque vous voulez décomposer une ligne de code, tapez un espace suivi du trait de soulignement _. Je ne l'ai pas fait dans ce manuel, car un _ est bien moins visible qu'un ↳.

Avec des parenthèses, le code devient bien plus lisible et les résultats sont bien plus prévisibles :

```
If (Age > 21 and MotDePasse = "sésame") or MotDePasse = "Responsable" Then
↳Faire_QuelqueChose
```

Cette ligne `If...Then` fera quelque chose si le mot de passe est `"Responsable"`, ou si `Age` est supérieur à 21 et que le mot de passe est `"sésame"`. Les parenthèses séparent les tests en petits groupes, la ligne `If` traite donc :

```
(Age > 21 and MotDePasse = "sésame")
```

comme un seul test, que nous appellerons test A et :

```
MotDePasse = "Responsable"
```

comme un autre test, appelons-le test B. La ligne `If...Then` fonctionnera alors tant que A *ou* B est vrai.

Les instructions multiligne If

Vous avez déjà compris que la longueur de la ligne de code est proportionnelle à la complexité de la condition. Il existe une autre manière d'utiliser l'instruction `If...Then` qui peut faciliter la lecture du code.

Avec l'instruction multiligne `If...Then`, le code qui suit le mot `Then` est réparti sur au moins une ligne. La commande `End If` indique à Visual Basic la fin exacte du code conditionnel. Revoyons cet exemple :

```
If (sMotDePasse = "sésame" and sUtilisateur = "Peter") or
↳Connecté = True Then

    Permettre_Accès
    MiseAJour_Connex_Utilisateur
    Afficher_Premier_écran

End If
```

> En utilisant l'instruction multiligne `If..Then`, vous ne rendez pas seulement votre code bien plus lisible, mais vous y placez également bien plus de fonctionnalités. Dans cet exemple, si les conditions appropriées sont remplies, trois appels de sous-routines, au lieu d'un seul, sont faits.

Les instructions multiligne If... Else

Comme avec la ligne simple `If...Then`, la version multiligne vous permet d'utiliser l'instruction `Else` pour que Visual Basic puisse choisir une autre action :

```
If (MotDePasse = "sésame" and Utilisateur = "Peter") or
↳Connecté = True Then

    Permettre_Accès
    MiseAJour_Connex_Utilisateur
    Afficher_Premier_écran

Else

    Refuser_Accès
    Effacer_DisqueDur
    Electrocuter_Utilisateur

End If
```

Propositions multiples avec ElseIf

En temps normal, une instruction `If...Then` vous limite à deux actions :

- ❑ Le code exécute l'action si la condition est remplie.

- ❑ Le code qui suit `Else` exécute l'action si la condition n'est pas remplie.

Mais avec les instructions multiligne `If...Then`, vous pouvez procéder à d'autres tests en fonction des résultats précédents. Et pour cela, vous devez utiliser `ElseIf`.

`ElseIf` vous permet de construire du code de prise de décision complexe qui peut faire plusieurs actions :

```
If <condition> Then
    ...
    ...
ElseIf <condition> Then
```

145

```
    ...
    ...
ElseIf <condition> Then
    ...
    ...
Else
    ...
    ...
End If
```

Le code qui suit la dernière instruction Else s'exécute si toutes les autres conditions des lignes If et Elseif ont échoué.

Passons à la pratique ! Les instructions multiligne If...Then

Avant de commencer à réellement explorer le monde des instructions multiligne If...Then, nous allons avoir besoin d'un programme pour les tester. Nous allons donc créer une application qui permet à l'utilisateur d'entrer un nom de fichier dans la zone de texte et qui, lorsqu'il cliquera sur le bouton **Afficher**, exécutera le programme Windows approprié pour traiter le nom de fichier entré. Ceci peut être fait en utilisant une instruction multiligne If...Then. Allons-y.

1 Commencez un nouveau projet dans VB et ajoutez un contrôle étiquette, une zone de texte et un bouton de commande, comme dans l'écran ci-dessous :

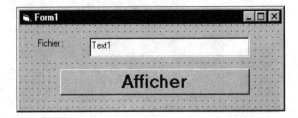

2 Effacez le contenu de la zone de texte, puis nommez les contrôles comme suit :

Contrôle	Nom
Feuille	frmPrincipale
Zone de texte	txtFichier
Bouton de commande	cmdAfficher

3 Double-cliquez sur le bouton de commande pour faire apparaître la fenêtre de code et tapez du code de manière que son gestionnaire d'événement Click ressemble à cela :

146

```
Private Sub cmdAfficher_Click ()

    Dim sExtension As String
    Dim iValeurRendue

    sExtension = UCase(Right$(txtFichier.Text, 3))

    If Dir$(txtFichier.Text) = "" Then
        MsgBox "Désolé, je n'ai pas pu trouver ce fichier !" & vbCrLf
            ↳ & "C'est peut-être un fichier caché.", vbExclamation
        Exit Sub

    ElseIf sExtension = "TXT" Then

        iValeurRendue = Shell("Bloc-Notes " & txtFichier.Text, 1)

    ElseIf sExtension = "BMP" Then

        iValeurRendue = Shell("PBrush " & txtFichier.Text, 1)

    End If

End Sub
```

Et maintenant, essayez d'exécuter ce programme. Pour le nom de fichier, tapez le chemin et le nom d'un fichier texte situé sur votre disque dur (s'il n'y est pas, utilisez **Bloc-Notes** pour créer un fichier texte intitulé par exemple, c:\test.txt) puis cliquez sur le bouton : Bloc-Notes devrait charger le fichier texte :

Si vous avez entré le nom d'un fichier image doté de l'extension .bmp, le code que vous avez saisi chargera PaintBrush qui affichera le fichier.

Remarquez que Shell *dépend de l'application disponible dans vos répertoires système Windows. PaintBrush est un ancien programme Windows 3, mais il se trouve aussi dans votre répertoire Windows sous Windows 95. Les programmes plus récents comme WordPad et MS Paint sont stockés dans votre répertoire* Program Files.

Le programme n'est pas encore terminé. Si vous sélectionnez un fichier doté de l'extension `.bat`, rien ne se passe. On aurait pourtant pu penser qu'il aurait chargé ce fichier dans Bloc-Notes de la même manière que les fichiers `.txt`. Et le programme est également incapable de traiter les fichiers `.wav` (échantillons de sons), `.mid` (son MIDI) et `.avi` (vidéo).

Et puisque nous sommes à l'ère du multimédia, nous allons en ajouter toutes les caractéristiques et nous ferons en sorte que le programme nous fasse savoir quand quelque chose n'a pas marché, au lieu de rester muet comme une carpe parce qu'il ne reconnaît pas le type de fichier. Mais tout d'abord, examinons ce qui se cache sous le capot.

Fonctionnement

Regardons encore une fois le code que nous venons juste de taper. Un peu décourageant non ? Je vais y aller doucement.

```
Private Sub cmdAfficher_Click ()

    Dim sExtension As String
    Dim iValeurRendue
```

Ces deux lignes, qui commencent par le mot clé `Dim`, définissent des variables. Ce sont des parties de la mémoire dans lesquelles les données sont temporairement stockées. Nous traiterons les variables dans le chapitre suivant.

```
    sExtension = Ucase$(Right$(txtFichier.Text, 3))
```

La ligne suivante prend les 3 lettres les plus à droite du nom de fichier sélectionné (c'est-à-dire l'extension du fichier) et fait en sorte qu'elles soient transformées en majuscules. Elle stocke ensuite le résultat dans la variable `sExtension`. Par exemple, si vous avez sélectionné `ReadMe.txt`, cette ligne prendrait le morceau `txt` et le convertirait en majuscules si ce n'est déjà fait. Et le résultat est stocké dans `sExtension`.

```
    If Dir$(txtFichier.Text) = "" Then
        MsgBox "Désolé, fichier introuvable !" & vbCrLf
            & "C'est peut-être un fichier caché.", vbExclamation
        Exit Sub

    ElseIf sExtension = "TXT" Then

        iValeurRendue = Shell("Bloc-Notes " & txtFichier.Text, 1)

    ElseIf sExtension = "BMP" Then

        iValeurRendue = Shell("PBrush " & txtFichier.Text, 1)

    End If
```

L'instruction `If...Then` constitue la principale partie du code. C'est une version multiligne qui vérifie d'abord que le fichier sélectionné existe réellement, puis contrôle que la variable `sExtension` reconnaît le type de fichier. Si c'est le cas, le programme approprié est chargé à l'aide de la commande `Shell` et le fichier apparaît.

`Dir$` nous permet de vérifier qu'un fichier existe. La commande `Dir$` donne soit le nom du fichier s'il a été trouvé, soit `""` dans le cas contraire. La ligne :

```
If Dir$(txtFichier.Text) = "" Then
```

provoquera donc une action si le nom de fichier dans la zone de texte ne peut être trouvé sur le disque dur. Shell est une commande de Visual Basic qui nous permet d'exécuter un autre programme. Le nom du programme et de tout autre paramètre sont mis entre parenthèses après le mot Shell. Par exemple la ligne :

```
iValeurRendue = Shell("Bloc-Notes " & txtFichier.Text, 1)
```

exécute Bloc-Notes et affiche le fichier Lisez-moi.txt dont vous avez peut-être entré le nom. Le 1 du code indique à Visual Basic que lorsque le programme est exécuté, il doit être activé et sa fenêtre affichée au-dessus de celle de notre programme Visual Basic. Vous pourriez également faire en sorte que Shell exécute un programme en arrière-plan, ou qu'il affiche juste un bouton de la barre des tâches.

Shell renvoie en fait une valeur à votre code que vous pouvez vérifier pour voir si tout s'est bien passé. Dans cet exemple pourtant, nous n'avons pas réellement utilisé ce que Shell nous a donné dans la variable iValeurRendue.

Passons à la pratique ! Ajouter plusieurs types de fichiers

Et maintenant, essayons d'étendre les capacités du programme pour qu'il puisse aussi gérer des fichiers graphiques, sons et vidéos.

1 Dans la fenêtre de code, cliquez sur la ligne située au-dessus des mots End If et tapez-y ceci :

```
ElseIf sExtension = "WAV" or sExtension = "MID" or sExtension =
     ↳ "AVI" Then
   iValeurRendue= Shell ("MPlayer " & txtFichier.Text, 1)
Else
   MsgBox "Désolé, impossible de gérer ce type de fichier", vbExclamation
```

Si vous utilisez Windows NT, au lieu de Windows 95, vous devez remplacer le mot MPlayer par MPlay32 dans le code ci-dessus.

Comme vous l'avez vu auparavant, le code qui suit ElseIf sera exécuté seulement si toutes les parties initiales If...Then et l'autre ElseIf...Then échouent. Maintenant, si vous exécutez le programme, vous pourrez gérer des fichiers graphiques et multimédia comme les fichiers Wav et MID.

La commande Else que vous avez saisie affiche un message. Else, opposé à ElseIf, qui vous permet généralement d'indiquer à Visual Basic ce qu'il faut faire si l'instruction If...Then échoue. Mais dans ce cas, Else indique à Visual Basic ce qu'il faut faire si toutes les lignes If...Then et ElseIf...Then échouent.

2 Et enfin, faisons en sorte que le programme traite les fichiers `.bat` de la même manière que les fichiers `.txt`. Déplacez–vous sur la ligne qui dit :

```
ElseIf sExtension = "TXT" Then
```

Modifiez-la pour obtenir cela :

```
ElseIf sExtension = "TXT" Or sExtension = "BAT" Then
```

Et le programme peut maintenant lire les fichiers BAT.

Je n'en ferais pas mystère : c'est un programme difficile. Ne vous inquiétez pas si tout ne se met pas en place immédiatement, car la plus grande partie de ce programme sera traitée dans les chapitres suivants. Je voulais juste vous donner une application utile. Lorsque vous en aurez fini, vous disposerez d'une application à laquelle nous pourrons nous fier plus tard dans ce chapitre. Enregistrez-la sur votre disque dur sous le nom `Affichage.vbp`.

Sélectionner

Si vous voulez continuer à utiliser des conditions et des instructions `If...Then`, vous allez rapidement vous retrouver emmêlé dans du code composé de lignes et de lignes d'instructions quasiment identiques de `If...Then...Else...End`. `If...Then` doit être réservé aux choix simples (oui ou non) (`If` *a* `Then` *b* `Else` *c*). Mais lorsque les choses commencent à devenir vraiment compliquées, il est temps de rechercher l'instruction `Select Case`.

L'instruction Select Case

Dans un programme, il arrive toujours un moment où la structure `If...Then` n'est tout simplement plus à la hauteur. Imaginez, par exemple, un menu à l'écran, non pas votre menu normal Windows, mais une simple liste d'entrées de texte numérotées. Disons qu'il y en a sept. Vous voulez que la première option du code s'exécute si l'utilisateur appuie sur la touche 1 du clavier. S'il presse 2, une autre partie s'exécutera etc.

En utilisant `If...Then` vous obtiendriez alors quelque chose comme ça :

```
If KeyPress = "1" Then
    'code pour l'option 1
Else If Keypress = "2" Then
    'code pour l'option 2
Else If Keypress = "3" Then
    'code pour l'option 3
Else If Keypress = "4" Then
'code pour l'option 4
```

150

```
Else If Keypress = "5" Then
   'code pour l'option 5
Else If Keypress = "6" Then
   'code pour l'option 6
Else If Keypress = "7" Then
   'code pour l'option 7
```

Un peu désordonné non ? Si les ordinateurs savent tellement bien simplifier les tâches répétitives, il doit exister une manière plus élégante de faire ce type de test : c'est l'instruction Select Case.

Passons à la pratique ! Select Case en action

Vous vous souvenez de cette horrible instruction multiligne If...Then dans Affichage.vbp ? Ce code serait tellement plus simple si vous utilisiez Select Case. Mais avant que nous ne nous lancions dans l'explication de son fonctionnement, saisissons un peu de code.

1 Rechargez le projet Affichage.vbp. Lorsque la feuille apparaît, double-cliquez sur le bouton de commande **Afficher** de la feuille principale pour en voir le code.

Toutes les lignes ElseIf se réfèrent à la variable sExtension qui vérifie l'extension du fichier sélectionné et qui exécute le programme approprié. C'est l'occasion idéale de se servir de Select Case.

2 Changez le code pour utiliser Select Case, comme dans ce qui suit :

```
Private Sub cmdAfficher_Click()

    Dim sExtension As String
    Dim iValeurRendue

    sExtension = UCase(Right$(txtFichier, 3))

    If Dir$(txtFichier) = "" Then
        MsgBox "Désolé, impossible de trouver ce fichier !" & vbCrLf
            ↳ & "C'est peut-être un fichier caché.", vbExclamation
        Exit Sub
    End If

    Select Case sExtension
        Case "TXT", "BAT"
            iValeurRendue = Shell("Bloc-Notes " & txtFichier.Text, 1)
        Case "BMP"
            iValeurRendue = Shell("PBrush " & txtFichier.Text, 1)
        Case "WAV", "MID", "AVI"
            iValeurRendue = Shell("MPlayer " & txtFichier.Text, 1)
        Case Else
            MsgBox "Désolé, impossible de gérer ce type de fichier",
                ↳ vbExclamation
    End Select

End Sub
```

Tout ce code déplace la ligne `End If` sous les mots `Exit Sub`, puis transforme tous les `ElseIf` en `Case`, ajoute une instruction `Select Case` et enfin, exécute le programme.

Fonctionnement

`Select Case` indique à Visual Basic que nous voulons revérifier une variable spécifique, dans ce cas, sExtension. Les lignes `Case` qui suivent indiquent à Visual Basic ce qu'il faut faire si la variable est égale à la valeur qui suit le mot `Case`. Si c'est une valeur de texte, elle est écrite entre guillemets.

Remarquez que, si vous voulez vérifier plusieurs valeurs, vous pouvez tout simplement les séparer par des virgules à l'intérieur de l'instruction `Case` :

```
Case "TXT", "BAT"
```

Ce qui équivaut à dire :

```
If sExtension = "TXT" or sExtension = "BAT" Then
```

Mais avec la différence évidente que l'instruction `Case` est plus facile à lire et beaucoup moins longue à taper que la construction traditionnelle `If xxxx Or xxxxx Then...`.

Dans l'exemple ci-dessus, si nous nous intéressions uniquement aux fichiers portant l'extension TXT, l'instruction `Case` ressemblerait à cela :

```
Case "TXT"
```

Les virgules ne sont pas nécessaires ici, puisque vous voulez juste vérifier une seule valeur.

Sélectionner des options basées sur des conditions différentes

L'instruction `Case` peut vérifier non seulement une ou plusieurs valeurs, mais également une plage de nombres comme 1 à 5, ou 100 à 200. Supposons que vous vouliez vérifier que la variable contient un nombre situé entre 10 et 15; votre instruction `Case` ressemblerait à ça :

```
Case 10 To 15
   'Voilà le code
   'que vous voulez exécuter
   'si ces valeurs sont vraies
```

Au contraire de l'instruction `If...Then`, les instructions `Case` ne peuvent contenir le nom de la variable que vous vérifiez : vous ne pouvez donc pas dire que `Case Index > 10` si Index est le nom de la variable dans l'instruction `Select`. Vous devriez utiliser à la place le mot `Is` qui se rapporte à la variable que vous vérifiez. Ce qui donne :

```
Case Is < 100, Is >= 500, 444
```

152

Cette ligne vérifie les valeurs inférieures à 100, ou supérieures ou égales à 500 ou encore égales à 444. Rappelez-vous que le nom de la variable se trouve sur la ligne `Select Case`. Le mot clé `Is` vérifie la valeur de la variable précisée au niveau du « Select » par rapport à la condition, donc `Is < 100` signifie : *si la variable est inférieure à 100*. Les virgules signifient « ou » et la ligne ci-dessus veut donc dire : *si la variable est inférieure à 100, ou supérieure ou égale à 500, ou encore égale à 444 alors, faites quelque chose.*

Sélectionner des chaînes de caractères

Vous pouvez utiliser `Case` exactement de la même manière pour traiter du texte. Si vous utilisez l'article `To`, Visual Basic procède à une comparaison alphabétique des deux chaînes :

```
Select Case sMotDePasse
    Case "Ananas" To "Poires"
        ...
        ...
End Select
```

Cet exemple exécuterait votre code de casse, si la valeur de la chaîne `MotDePasse` tombait alphabétiquement entre `"Ananas"` et `"Poires"`.

Lorsque vous comparez des chaînes de caractères, Visual Basic effectue la comparaison d'une manière semi-intelligente. Tout d'abord, il examine la casse des lettres de la chaîne. La majuscule G par exemple est traitée comme venant avant sa minuscule équivalente g. Si vous deviez comparer Pierre et pierre, en tri alphabétique, Pierre vient en premier.

Ce type de comparaison est effectué pour chaque lettre de la chaîne. Visual Basic gère correctement les chaînes de manière que Ananas vienne avant Poire, que Acariens vienne avant Arachnides etc. Mais, attention – en ce qui concerne Visual Basic Acariens est complètement différent de acariens.

Et maintenant : les boucles !

Les instructions conditionnelles comme `If...Then` et `Select Case` conviennent parfaitement pour exécuter des morceaux de code qui ne sont basés que sur une condition. Cela dit, ce qui a toujours rendu les ordinateurs si impressionnants, c'est leur capacité à effectuer un grand nombre d'opérations répétitives en une fraction de seconde.

Et c'est là où les boucles entrent en action. Repensez à l'époque où vous étiez encore à l'école. Vous venez d'arriver en retard pour la 12ème fois consécutive et vous avez oublié pour la 10ème fois de faire vos devoirs… Le professeur est évidemment un peu énervé et vous ordonne d'écrire 1000 fois « Je dois cesser de faire l'imbécile ». Et voilà : une tâche ennuyeuse, répétitive qu'un ordinateur pourrait effectuer sans problème. Une remarque pourtant : un ordinateur bien programmé ne serait pas arrivé en retard…

Dans ce cas précis, nous avons besoin d'une boucle `For...Next`. Ceci nous permet d'exécuter un bloc de code un nombre défini de fois. Dans ce cas, le code en question écrirait simplement 1000 fois la phrase « Je dois cesser d'être un imbécile ».

Passons à la pratique ! La boucle For...Next

1 Démarrez un nouveau projet **Exe standard** dans Visual Basic. Double-cliquez sur la feuille pour afficher sa fenêtre de code.

2 Sélectionnez l'événement `Form_Load` et tapez-y un peu de code pour qu'il ressemble à l'écran ci-dessous :

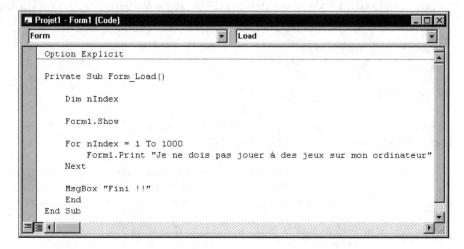

```
Option Explicit

Private Sub Form_Load()

    Dim nIndex

    Form1.Show

    For nIndex = 1 To 1000
        Form1.Print "Je ne dois pas jouer à des jeux sur mon ordinateur"
    Next

    MsgBox "Fini !!"
    End
End Sub
```

3 Exécutez le code et vous verrez ce message apparaître sur la feuille 1000 fois. Un nouveau message s'affiche alors vous annonçant que le programme est terminé. Nous traiterons la commande `Print` plus en détail ultérieurement, mais pour l'instant, je pense que c'est assez simple.

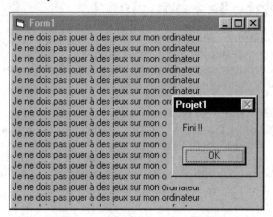

Fonctionnement de la boucle For...Next

La ligne `For nIndex = 1 to 1000` marque le début de la boucle `For...Next`, qui nous intéresse en ce moment. L'instruction `Next` montre la fin de la boucle. Tout le code placé entre les commandes `For` et `Next` est exécuté à chaque passage ou itération de la boucle.

Parmi toutes les commandes de boucle dans Visual Basic, la combinaison `For...Next` est la seule qui provienne de la toute première version du langage BASIC. C'est pour cela que `For...Next` est facile à utiliser et étonnamment puissant.

Comment les variables d'index contrôlent les boucles

La boucle `For...Next` utilise une variable numérique comme un **compteur** pour garder une trace du nombre de fois dont la boucle a effectivement besoin pour s'exécuter. En langage de boucle, cette variable est souvent appelé **index**.

Nous allons dire à Visual Basic que `nIndex` est une variable au début de la routine, grâce à la ligne :

```
Dim nIndex
```

Une variable contient une donnée à laquelle vous pouvez affecter une étiquette, appelée nom de variable. Vous pouvez modifier la valeur d'une variable au moment de l'exécution et c'est pourquoi elle sert à compter les boucles. Nous étudierons plus en détail les variables dans le chapitre suivant.

En disant `For nIndex = 1 to 1000` nous indiquons à Visual Basic de charger la variable nIndex avec le numéro 1 pour commencer. Par défaut, 1 sera ajouté à cette variable à chaque passage grâce au code de la boucle jusqu'à ce que 1000 soit atteint. Dès que la variable sort de la plage 1 à 1000, la boucle se termine et le code qui suit l'instruction `Next` est exécuté.

Je vous conseille de placer le nom de la variable d'index après le mot (i.e. `Next nIndex`). Ceci facilite la lecture du code qui devient aussi plus aisé à suivre, particulièrement si vous avez un certain nombre de boucles `For...Next` imbriquées les unes dans les autres. Mais dans notre exemple, il n'y a qu'une boucle `For...Next` et il est donc évident que la commande `Next` se rapporte au `For` précédent.

Contrôler la variable d'index

Dans notre exemple, la boucle `For...Next` incrémente la variable d'index d'1 à chaque itération. C'est le paramètre par défaut de cette boucle. Il peut être modifié en plaçant une instruction `Step` à la fin de l'instruction `For`. `Step` indique à Visual Basic combien il faut ajouter à la variable d'index à chaque itération. Nous voyons donc que la ligne :

```
For nIndex = 1 to 1000 Step 50
```

signale à Visual Basic de commencer avec la valeur 1 dans nIndex et d'ajouter 50 à la variable d'index à chaque passage. Comme auparavant, la boucle se terminera à chaque fois que la valeur 1000 est dépassée dans nIndex.

$Step$ est le plus souvent utilisée pour créer des boucles décroissantes. Visual Basic ajoutera automatiquement 1 à la variable d'index à chaque fois, donc une instruction comme celle-là :

```
For nIndex = 1000 to 1
```

ne fonctionnera pas, car la variable d'index essaiera de commencer à une valeur supérieure à celle à laquelle elle est censée terminer. Le code à l'intérieur de la boucle ne s'exécutera pas vraiment avant que le programme ne termine la boucle. L'instruction :

```
For nIndex = 1000 To 1 Step -1
```

fonctionnerait puisque l'instruction $Step$ indique à Visual Basic d'ajouter -1 à la variable d'index à chaque passage.

Quitter une boucle For

Visual Basic permet d'utiliser une commande pour quitter une boucle For...Next prématurément. En plaçant la commande Exit For à l'intérieur d'une boucle vous l'arrêterez immédiatement. Le code continuera à s'exécuter à partir de la ligne qui suit l'instruction Next. Cela fonctionne à peu près de la même manière que Exit Sub pour quitter une sous-routine.

Nommage des variables d'index

Traditionnellement, les variables d'index des boucles For s'appellent généralement I ou J, ou même X et Y. Malgré tout ce que pourront vous dire les livres ou les magazines, c'est une très mauvaise habitude de programmation. Elle découle du choix limité des noms de variables disponibles dans Fortran, le langage qui précédait le BASIC. En Fortran, toutes les variables de type Integer commençaient par les lettres I, J, K, L, M ou N. Les noms X et Y ont probablement été créés par des mathématiciens sans imagination.

Si vous définissez une variable, vous avez sans aucun doute une bonne raison. Même remarque si vous avez commencé une boucle For...Next. Donnez toujours un nom significatif à une variable. Si vous avez une boucle For...Next qui compte les enregistrements d'un fichier, appelez la variable d'index nEnregisDansFichier. Si vous avez pris le temps de créer une variable, alors prenez le temps de la nommer convenablement. Lorsque vous reviendrez à votre code pour le modifier dans un mois ou dans un an, le nom de la variable en facilitera la lecture. Vous devriez pouvoir avoir une indication de son nom exactement comme c'est le cas pour la boucle.

Afficher une feuille pendant son chargement

Vous remarquerez que, dans notre exemple précédent, nous avons utilisé la commande Show pour nous assurer que la feuille était visible, avant de choisir Print. Si nous ne l'avions pas fait, rien ne serait apparu. En chargeant une feuille avec la commande Load, vous réservez tout simplement un peu de mémoire pour les graphiques de la feuille, le code et les contrôles. Cette commande ne fait pas réellement apparaître la feuille à l'écran.

La feuille s'affichera normalement quelque temps après la fin de l'événement de chargement de la feuille. Je dis « quelque temps », car le code de l'événement Load peut partir et aller faire une centaine d'autres choses comme fixer des variables pour des données ou faire des calculs en boucles. La feuille deviendra seulement visible lorsque tout le code en aura terminé.

La méthode `Show` contourne cette difficulté en obligeant Visual Basic à afficher la feuille. Du point de vue de l'utilisateur, c'est toujours utile de mettre une commande `Show` dans un événement de feuille `Load`. Si quelque chose apparaît à l'écran presque immédiatement, vos utilisateurs ne paniqueront pas et ne penseront pas que Windows ou votre programme ou les deux se sont plantés.

C'est une question de psychologie : si les utilisateurs voient que quelque chose se passe, ils arrêteront de compter les secondes qu'il faut à votre programme pour effectivement faire quelque chose. C'est tout l'intérêt de l'écran splash que nous avons vu dans l'application créée par l'Assistant Création d'applications du chapitre 2. Vous pourriez adopter une toute autre approche et montrer (`Show`) une petite feuille avec un message du style **Veuillez patienter—Chargement de données**.

La boucle Do

La boucle `For...Next` est un vestige du langage BASIC d'origine. Visual Basic est un produit très évolué qui a adopté la plupart des meilleures commandes et caractéristiques des autres langages comme le C et le Pascal et les a combiné au BASIC d'origine. La boucle `Do` illustre bien ce point, car elle est basée sur une structure similaire que l'on trouve dans le Pascal.

La boucle `Do` constitue un autre moyen de répéter un bloc de code. Vous pouvez obtenir les mêmes résultats en utilisant diverses combinaisons de la boucle `For...Next`, mais l'utilisation de `Do` peut quelquefois rendre votre code plus élégant et plus intuitif. En réalité, c'est juste une question de style.

Il existe trois types de boucles `Do` : celles qui s'exécutent toujours, celles qui s'exécutent pendant qu'une condition est remplie et celles qui s'exécutent jusqu'à ce qu'une condition soit remplie : ce sont les commandes `Do...Loop`, `Do...Loop While` et `Do...Loop Until`. Il n'existe pas beaucoup d'utilisations pour une boucle qui s'exécute à l'infini et nous allons donc nous pencher uniquement sur les deux derniers types de boucles.

Do...Loop While

Revenons à l'exemple du mot de passe du début de ce chapitre. C'est très bien d'électrocuter un utilisateur indésirable et de le jeter hors du système, mais tôt ou tard, nous n'aurons plus d'utilisateurs vivants sous la main...Vous voulez finalement donner à l'utilisateur une deuxième, voire une troisième chance. Et voilà la boucle `Do...Loop While` qui fait son entrée.

Passons à la pratique ! Trois essais pour le mot de passe

1   Créez un nouveau projet dans Visual Basic et comme avant, supprimez la feuille par défaut qui apparaît, en la remplaçant par un module de code. La fenêtre de code s'affiche ce qui est très pratique car il est temps de taper la sous-routine `Main` suivante :

```
Sub Main()
    Dim nEssais As Integer
    Dim sMotDePasse As String

    nEssais = 3

    Do
        sMotDePasse = InputBox$("Entrez votre mot de passe et cliquez sur OK")
        nEssais = nEssais - 1
    Loop While sMotDePasse <> "sésame" And nEssais > 0

    If sMotDePasse <> "sésame" Then
        MsgBox "Mot de passe erroné - Accès refusé"
    Else
        MsgBox " Mot de passe accepté - Bienvenue dans le système"
    End If
End Sub
```

Essayez d'exécuter votre programme. Rappelez-vous que comme ce projet ne comporte pas de feuille, Visual Basic cherchera une sous-routine intitulée Main, ce qui tombe bien puisque c'est justement ce que vous avez tapé dans votre module de code. Lorsque le programme s'exécute, il affiche l'écran suivant :

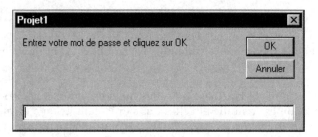

Essayez de saisir un mot de passe. A chaque fois que vous vous trompez, le programme affiche la même boîte de dialogue et vous demande de réessayer et de vous connecter avec le bon mot de passe : c'est tellement plus humain que d'électrocuter votre utilisateur, mais, je vous l'accorde, bien moins drôle !

2 A la troisième tentative infructueuse, le programme se termine. Cliquez sur le bouton **OK** pour revenir en mode création :

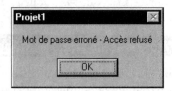

3 Avant d'examiner le code, enregistrez votre travail. Nous reviendrons à ce projet dans un petit moment, donc donnez-lui un nom dont nous puissions tous nous rappeler, comme Passdo1.vbp par exemple.

Regardons donc ce code.

Fonctionnement

Tout d'abord, nous devons déclarer deux variables. Ces lignes indiquent à Visual Basic à quoi vont servir ces variables, c'est-à-dire, quel type de données vous allez y stocker :

```
Dim nEssais As Integer
Dim sMotDePasse As String
```

Ici, nEssais est un nombre qui compte les tentatives déjà effectuées pour deviner le mot de passe, alors que sMotDePasse contient la bonne chaîne de caractères.

> Dim **est utilisé pour déclarer ces variables ou pour les dimensionner. Ne vous en préoccupez pas trop, car nous en reparlerons plus en détail dans le chapitre suivant.**

Ensuite nous avons la boucle. La commande Do marque le début du code de la boucle. Exactement comme Next marque la fin d'une boucle For, le mot clé Loop ferme une boucle Do. L'instruction While dit à Visual Basic d'exécuter le code tant que l'utilisateur rentre un mauvais mot de passe et qu'il a toujours droit à un certain nombre de tentatives.

```
Do
    sMotDePasse = InputBox$("Entrez votre mot de passe et cliquez sur OK")
```

La première ligne de la boucle place une boîte de saisie à l'écran avec les mots **Entrez votre mot de passe et cliquez sur OK**. Comme la boîte de message, la boîte de saisie est l'une des autres caractéristiques intégrées de Visual Basic. Elle accepte une saisie utilisateur, puis la place dans une variable de votre choix, dans ce cas sMotDePasse.

Nous réduisons alors le nombre de tentatives restantes d'un :

```
nEssais = nEssais - 1
```

Si le mot de passe est faux et qu'il reste des tentatives, la ligne :

```
Loop While sMotDePasse <> "sésame" And nEssais > 0
```

renvoie le programme en boucle.

Lorsque la boucle se termine, l'une des deux conditions doit être vraie. Soit vous avez épuisé les tentatives et dans ce cas, c'est le premier message qui s'affiche :

```
If sMotDePasse <> "sésame" Then
    MsgBox " Mot de passe erroné - Accès refusé "
```

Soit, votre mot de passe est correct et dans ce cas, c'est le deuxième message qui s'affiche :

```
Else
    MsgBox "Bienvenue dans le système - mot de passe accepté"
```

Le chapitre 11 – Les dialogues, traite en détail des boîtes de saisie et de messages. Ce qui est important ici, c'est le code `Do...Loop While`.

Do...Loop Until

Peut-être que trois tentatives n'ont pas suffi car votre utilisateur n'est vraiment pas doué. Et voilà la boucle `Do...Loop Until`.

En utilisant `Do...Loop Until`, nous pouvons maintenir la boucle aussi longtemps qu'il le faut pour que l'utilisateur saisisse le bon mot de passe. Remplaçons cette boucle `Do...While` dans `Passdo1.vbp` par une `Do...Loop Until` qui conviendra à tout le monde, même aux moins habiles :

```
Sub Main()

    Dim nEssais As Integer
    Dim sMotDePasse As String

    nEssais = 3

    Do
        sMotDePasse = InputBox$("Entrez votre mot de passe et cliquez sur OK")
        nEssais = nEssais - 1
    Loop Until sMotDePasse = "sésame"

End Sub
```

Si vous essayez d'exécuter le code, vous verrez comment l'instruction `Loop Until` permet de rester dans la boucle jusqu'à ce que l'utilisateur finisse par trouver le bon mot de passe. Pour arrêter le programme, appuyez sur les touches *Ctrl* et *Arrêt* ou entrez le mot de passe correct.

Où faut-il tester la boucle ?

Remarquons que, même si jusqu'à maintenant, nous avons placé les instructions `While` et `Until` après le mot clé `Loop`, elles peuvent également être mises immédiatement après la commande `Do`. A part les différences syntaxiques évidentes, ceci modifie vraiment la manière dont le code lui-même s'exécute.

En plaçant les instructions `While` ou `Until` après l'instruction `Loop` le code en boucle s'exécutera au moins une fois. Il rencontre le mot clé `Do`, fait ce qu'il a à faire, puis examine la ligne `Loop` pour voir s'il doit encore tout refaire. En plaçant ces instructions après `Do`, cela signifie que si la condition n'est pas remplie, le code en boucle est complètement ignoré et que la ligne suivante qui s'exécutera est celle qui suit immédiatement la commande `Loop` :

```
Do While 1 = 2

    'Le programme n'atteindra jamais le corps de cette boucle

Loop
```

Et enfin, exactement comme pour la boucle `For`, le mot clé `Exit` peut être utilisé pour abandonner prématurément une boucle `Do`. Dans ce cas, l'instruction exacte dont vous aurez besoin est `Exit Do`.

Dans la version 3 de Windows, si vous aviez une boucle qui ne faisait rien d'autre que des calculs (qui ne rafraîchissait jamais l'écran, ni ne demandait de saisie utilisateur), il était possible de stopper net les autres programmes. C'était parce que les versions de Windows antérieures à 95/NT attendaient que le programme actif redonne le contrôle au système d'exploitation. Dans Windows 95 et Windows NT, le système d'exploitation alloue à chaque programme une portion de temps, mais le suspend automatiquement lorsque ce temps est écoulé.

Cela dit, si votre code est en train de s'essouffler sur sa boucle en ne faisant que des calculs, votre application aura l'air de se verrouiller, même si Windows alloue toujours du temps aux autres. Les utilisateurs de votre programme s'ennuieront donc vite. Bien sûr, vous pouvez leur montrer un sablier mais ce serait encore mieux s'ils pouvaient pendant ce temps sélectionner d'autres feuilles, ou entrer des valeurs pour les calculs suivants. Votre application deviendrait ainsi plus active et cela réveillerait l'utilisateur.

Vous pouvez alors utiliser la commande `DoEvents`. Placez simplement une instruction `DoEvents` dans votre boucle et à chaque fois qu'il la rencontrera, votre programme dira à Windows de mettre à jour l'interface et de faire tout ce qu'il a à faire, avant que votre code original puisse continuer. Nous verrons plus tard comment utiliser `DoEvents` et quelque chose qui s'appelle **une boucle inactive** pour créer des programmes qui non seulement, s'intègrent parfaitement dans la logique du système, mais qui sont également très réactifs et que vos utilisateurs adoreront.

La boucle While...Wend

Pour être totalement honnête, je ne vois qu'une seule raison qui explique pourquoi Microsoft a inclus la boucle `While...Wend` dans Visual Basic : pour que cette version 6 puisse être compatible avec les versions précédentes (et peut-être pour que les programmeurs WordBasic, C et Pascal soient contents !). C'est exactement la même boucle que `Do...While`, mais sans la flexibilité qu'offre cette dernière. Et d'ailleurs, même le manuel de référence des programmeurs précise qu'il vaut mieux ignorer `While...Wend` et aller tout droit sur la boucle `Do...While`.

C'est pourquoi vous ne verrez des boucles `Do` que dans des exemples de code bien plus complexes plus loin dans ce manuel. Pour ceux d'entre vous qui veulent absolument utiliser `While...Wend`, voilà notre code de mot de passe réécrit :

```
While sMotDePasse <> "sésame"
    sPassword = InputBox$("Entrez votre mot de passe")
Wend
```

C'est pratiquement la même chose que la boucle `Do...While`, sauf que le mot `Do` est absent et qu'un `Wend` a remplacé l'instruction `Loop`. L'autre différence entre ces deux types de boucle est que vous ne pouvez sortir d'une boucle `While` en utilisant une commande `Exit`. La seule issue est de modifier la variable que la boucle `While` est en train de tester de manière à faire échouer la condition et à arrêter la boucle.

Faire des bonds avec GoTo

Des centaines d'articles de presse et de chapitres de manuels sont consacrés aux mystères de la célèbre commande GoTo. Pour ceux qui n'en ont jamais entendu parler, GoTo est une commande qui permet de sauter d'une partie du code à une autre. C'est aussi simple que ça. Vraiment rien de mystérieux là-dedans !

Aux sources du mystère

Au tout début du BASIC, avant les sous-routines et les fonctions, GoTo constituait un moyen aisé de diviser votre code en morceaux gérables. Vous pouviez écrire du code pour effectuer une fonction courante et utiliser GoTo pour l'exécuter à partir de n'importe quel endroit de votre programme en disant simplement GoTo, suivi d'un numéro de ligne qui indiquait le début du code.

Mais votre code ressemblait rapidement à une masse informe pleine de GoTos et sans aucune indication de leur réelle utilité.

Lorsqu'avec la programmation structurée, les procédures et les fonctions sont apparues, la commande vieillissante GoTo a été abandonnée comme une vieille chaussette. On disait : « Elle favorise le code spaghetti, elle augmente les risques de bogues ». Et il est vrai que vous pouvez effectivement écrire un programme sans jamais toucher à GoTo.

Quand peut-on utiliser GoTo

Et pourtant GoTo est une commande très utile. La commande intégrée de gestion d'erreur de Visual Basic On Error requiert le mot clé GoTo. Lorsque votre programme Visual Basic fonctionnera pour la première fois, il comportera probablement des erreurs. Vous pouvez rencontrer des valeurs dans vos contrôles qui sont trop grandes pour que Visual Basic puisse les gérer. Dans un programme de base de données, votre code aura du mal à communiquer avec la base de données, surtout si votre utilisateur appartient à ce groupe qui a la mauvaise habitude de tout détruire les yeux fermés.

On Error vous permet de mettre ces erreurs dans vos sous-routines et d'exécuter un morceau de code pour les gérer, ce qui évite ainsi que votre programme ne se bloque. Par exemple la ligne :

```
On Error GoTo ErrorHandler
```

indique à Visual Basic qu'en cas d'erreur dans le programme, il doit aller dans la partie de la procédure intitulée ErrorHandler et exécuter le code à partir de là.

> La gestion des erreurs qui peuvent survenir pendant l'exécution constitue un sujet très important, surtout si vous comptez distribuer des applications Visual Basic à d'autres utilisateurs. Pour une explication complète, reportez-vous au chapitre 9 - Débogage.

Si vous avez une raison valable et légitime d'utiliser la commande `GoTo` (par exemple pour la gestion d'erreurs), alors, n'hésitez pas. Utilisée intelligemment, elle n'endommagera pas votre programme et n'entachera pas votre crédibilité. Une fois encore, utilisez un outil adapté.

Se brancher sur une étiquette

Avant de pouvoir utiliser `GoTo` vous devez définir une étiquette. Une étiquette est un nom que vous pouvez assigner à un point de votre code. Vous les définissez en tapant simplement un nom au début d'une ligne et en plaçant deux points (`:`) immédiatement près.

Si vous définissez une étiquette appelée `Code1` par exemple, vous pouvez sauter ce qui suit votre étiquette en disant `GoTo Code1`. Voilà un exemple similaire :

```
Private Sub Une_sous_procédure()

    GoTo FinDuCode
        ...
        ...
        ...
FinDuCode:
        ...
        ...
End Sub
```

Les problèmes commencent lorsque vous avez un `GoTo` suivi d'un autre `GoTo` et ainsi de suite. Un moyen imparable de tester la fréquence d'utilisation de la commande `GoTo` est d'essayer de tirer des lignes droites sur un listing de code de votre projet entre toutes les étiquettes et les `GoTos` qui les appellent. Si vous obtenez un enchevêtrement de lignes qui se croisent, alors vous en avez trop fait et vous seriez bien avisé de simplifier votre code. C'est cette méthode qui a donné son nom au « code spaghetti ».

Une dernière analogie avant que nous fermions le dossier `GoTo`. *On donne les mêmes plans de construction d'une maison à deux hommes, qui disposent chacun d'une centaine de milliers de clous et d'un millier de morceaux de bois. Le premier construit une cabane délabrée au bord de l'effondrement. Pendant des générations, les descendants de cet homme vont refuser d'utiliser du bois et des clous pour construire des maisons, puisqu'il est dangereux de vivre dedans. Mais le deuxième homme construit une maison solide avec ces mêmes matériaux et y vit très heureux.*

La morale de cette histoire est que ce ne sont pas les outils et les matériaux qui provoquent des désastres, mais la naïveté et l'incompétence de celui qui les utilise. Un programme mal écrit reste un programme mal écrit et il est inutile d'accuser les outils qui ont été utilisés pour le créer.

Résumé

Dans ce chapitre, nous avons étudié les boucles, la prise de décision, le branchement et les modules. Ce sont trois des aspects fondamentaux de l'écriture de code Visual Basic. Nous avons vu :

❑ Comment définir des conditions dans des instructions et des boucles If

❑ Comment écrire des instructions If à ligne unique ou multiligne

❑ Comment ajouter des modules de code à votre projet

❑ Comment utiliser l'instruction Select Case pour comparer la valeur d'une variable destinée à toute une gamme de valeurs

❑ Comment utiliser une boucle For pour exécuter des parties de votre programme un certain nombre de fois

❑ Comment utiliser des boucles Do et la signification des instructions While et Until

❑ Comment utiliser correctement la commande GoTo

Dans le chapitre suivant, nous verrons comment représenter des données dans vos programmes Visual Basic. Vous avez déjà utilisé des chaînes simples de données et des compteurs de boucles. À présent, vous allez tout savoir sur les autres types de données gérés par Visual Basic.

Que diriez-vous d'essayer ?

1 Créez un projet contenant une feuille qui puisse être utilisée pour la connexion à une application. Placez sur cette feuille une étiquette, une zone de texte et un bouton de commande. Assurez-vous que la zone de texte recevra bien le focus au démarrage. Écrivez du code dans l'événement `Click` du bouton qui permette de valider l'entrée dans la zone de texte par rapport à un mot de passe déterminé (utilisez pour cela une simple instruction `If`). Si le mot de passe est correct, affichez un message félicitant l'utilisateur pour l'exactitude de sa saisie.

2 Modifiez le projet de l'exercice 4-1 : à l'aide d'une clause `Else`, affichez cette fois un message d'avertissement adressé à l'utilisateur qui aurait entré un mot de passe incorrect.

3 Créez un projet avec une feuille, une zone de texte et une étiquette. En utilisant l'instruction `Select Case`, écrivez du code (je vous conseille la procédure événement `KeyPress` de la zone de texte) qui accepte un caractère dans la zone de texte et détermine si ce dernier est une voyelle. Dans l'étiquette, affichez une note indiquant que le caractère est bien une voyelle.

4 Modifiez l'exercice 4-3 pour savoir, cette fois, s'il s'agit d'une consonne.

Astuce : vous devrez ajouter une autre étiquette pour afficher le deuxième nombre.

5 Créez un projet contenant une feuille et une zone de texte. Réglez les propriétés **MultiLine** et **ScrollBars** de la zone de texte sur **True** et **Vertical**, respectivement. Utilisez une boucle `For...Next` dans l'événement `Form_Load`, en vue d'afficher les tables de multiplication de 2 à 12 dans la zone de texte.

Astuce : vous devrez recourir à des boucles For...Next imbriquées.

Manipuler des données

Pratiquement tous les programmes que vous écrirez seront fondés sur une seule chose : les données, essence même de toute application. Sans elles, vos programmes seront en effet insipides. Dans ce chapitre, vous allez donc apprendre à les utiliser dans Visual Basic.

Plus précisément, nous aborderons les points suivants :

- ❑ Types de données avec lesquels Visual Basic permet de travailler
- ❑ Définition de variables personnalisées
- ❑ Contrôle de la durée de vie des données

Nous venons de le dire, les données sont vitales dans une application ; après avoir lu ce chapitre, vous connaîtrez donc l'un des éléments essentiels de la programmation et aurez considérablement progressé sur la route qui vous mènera à l'écriture de vos propres programmes Visual Basic.

Des données, encore et toujours

Prenons l'exemple d'un jeu de simulation spatiale. Si vous envisagiez d'écrire votre propre version de ce classique des divertissements, il faudrait indiquer au programme l'emplacement de chaque envahisseur et balle à l'écran, ainsi que leur sens de déplacement. Vous devriez également mettre constamment à jour le score des joueurs et le nombre de vies restantes avant la fin du jeu, et connaître les intentions de l'utilisateur (tourner à gauche ou à droite, tirer, etc.).

Envisageons maintenant un programme plus simple, qui compterait par exemple les mots d'un fichier texte. Cette application aurait besoin de connaître le nom du document concerné (information que devrait fournir l'utilisateur). Il lui faudrait par ailleurs garder un suivi du nombre de mots comptés jusqu'alors et disposer d'un espace destiné à stocker le texte du fichier, afin de pouvoir effectuer cette comptabilisation.

Ces deux programmes ont bien sûr un élément en commun : les données. La position d'un envahisseur à l'écran correspond à deux données particulières : l'une indique l'emplacement de l'extra-terrestre par rapport à la largeur de l'écran, et l'autre, par rapport à la hauteur. Dans le même temps, d'autres données gèrent le score courant et le nombre de vies restantes du joueur. Dans le deuxième exemple (comptage de mots), les données servent à connaître le nom du fichier texte et le nombre de mots déjà comptabilisés.

Reste à savoir comment Visual Basic garde un suivi de ces différents types de données. C'est ce que nous allons voir dès maintenant.

Présentation des variables

Dans Visual Basic, comme dans tout langage de programmation, d'ailleurs, les données sont stockées dans des **variables**. Ces dernières n'existent que pendant le temps d'exécution d'une application particulière ; elles servent à garder un suivi des informations nécessaires au fonctionnement du programme pendant cette période.

> Une variable est une sorte de bloc-notes temporaire dont le code se sert pour mémoriser une information.

Visual Basic possède un plus non négligeable par rapport à la plupart des autres environnements de développement : il permet d'utiliser une très large gamme de types de données différents. Il propose également d'innombrables commandes et instructions spéciales pour l'emploi de ces données. Si vous voulez arrondir un nombre qui comporte beaucoup de chiffres après la virgule, par exemple, il suffit de recourir au mot clé Round de Visual Basic. De même, au cas où vous souhaiteriez localiser un bloc de texte au sein d'un autre (tout comme le fait la fonction de recherche d'un traitement de textes), il suffirait d'employer le mot clé InStr.

Dans ce chapitre, vous apprendrez tout ce dont vous avez besoin pour utiliser des variables simples et étudierez certaines des commandes les plus courantes de Visual Basic, susceptibles de s'appliquer à ces données.

Pourquoi les variables sont-elles si importantes ?

Peut-être vous demandez-vous ce qui rend les variables si importantes et incontournables. En fait, vous pourriez probablement vous en passer si leur emploi vous semblait vraiment trop difficile, mais le code de programme qui en résulterait serait totalement inexploitable.

Supposons que vous vouliez exécuter une partie de code à de multiples reprises, pour inscrire un texte sur une feuille un certain nombre de fois, par exemple. Le plus simple est de recourir à une boucle. Seulement, nous l'avons vu dans le chapitre précédent, les boucles requièrent des variables pour savoir combien de fois elles ont été exécutées. Une autre possibilité serait d'employer un code du type :

```
Form1.Print "Voici la ligne 1"
Form1.Print "Voici la ligne 2"
Form1.Print "Voici la ligne 3"
```

...etc., autant de fois qu'il y a de lignes de texte à afficher. Si vous deviez maintenant écrire beaucoup de lignes, la tâche deviendrait vite fastidieuse.

Les variables simplifient nettement les choses, sans pour autant être particulièrement compliquées à utiliser. S'il s'agit de votre première expérience en programmation, le plus dur consistera juste à prendre l'habitude de toujours indiquer à Visual Basic le moment où vous envisagez d'utiliser une variable et le type de données que vous désirez y stocker. Ne vous inquiétez pas si cela vous semble un peu nébuleux. Nous allons dès maintenant passer aux explications.

Créer une variable

Dans le monde réel, si vous souhaitiez noter une information à titre de pense-bête, vous saisiriez vraisemblablement le bout de papier le plus proche et y griffonneriez quelques mots. En programmation, cela devient un peu plus compliqué. Avant même de commencer à travailler, vous devez faire savoir à Visual Basic que vous allez avoir besoin de plusieurs feuilles pour prendre des notes : une pour le texte, une pour les nombres et une troisième pour les dates. Cette étape correspond à la **déclaration** des variables.

De nombreuses techniques permettent de déclarer une variable. Nous les aborderons toutes au cours de ce chapitre, mais pour l'instant, voyons la plus simple. Elle consiste à utiliser le mot clé `Dim` de la manière suivante :

```
Dim MaVariable As String
```

L'instruction `Dim` indique à Visual Basic que nous voulons définir une nouvelle variable destinée à contenir des données d'un certain type. Lorsque vous déclarez une variable, donnez-lui un nom unique que vous pourrez employer dans le code pour faire référence aux données stockées. Dans ce premier exemple, contentons-nous de `MaVariable`.

La dernière partie, As String, indique à Visual Basic le type de données que nous allons placer dans la variable. « String » correspond à une chaîne de caractères. La ligne ci-dessus définit donc une variable appelée MaVariable et destinée à stocker du texte. Rien de bien compliqué, n'est-ce pas ? Nous ne vous avions pas menti. Et si nous la faisions maintenant fonctionner ? Lancez Visual Basic, afin d'essayer plusieurs variables avec leurs données.

Passons à la pratique ! Déclarer votre première variable

1 Démarrez un nouveau projet Exe standard dans Visual Basic. Lorsque la feuille apparaît, double-cliquez dessus pour ouvrir la fenêtre de code.

2 Passons à la déclaration de la variable. Saisissez le code suivant dans la fenêtre correspondante :

```
Option Explicit

Dim sMaVariable As String

Private Sub Form_Load()
      sMaVariable = "Bonjour"
End Sub
```

3 Fermez la fenêtre de code, afin de faire réapparaître la feuille. Si vous êtes perdu, double-cliquez simplement sur la feuille dans l'Explorateur de projets pour l'afficher de nouveau.

4 Selon la méthode habituelle, dessinez un bouton de commande sur la feuille, afin que celle-ci se présente comme l'écran suivant :

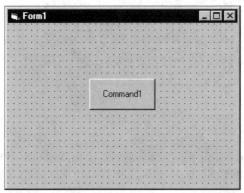

5 Double-cliquez sur ce bouton pour ouvrir la fenêtre de code correspondante, avec l'événement Click du bouton affiché.

6 Tapez le code suivant, afin de définir le gestionnaire de cet événement Click :

```
Private Sub Command1_Click()
      MsgBox sMaVariable
      sMaVariable = "Vous avez déjà cliqué ici"
End Sub
```

7   Exécutez maintenant le programme.

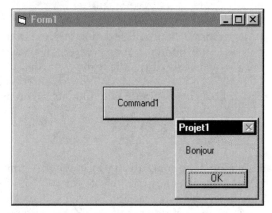

La première fois que vous lancez l'application et que vous cliquez sur le bouton, le message « **Bonjour** » apparaît, mais tout autre clic sur le bouton affichera le message « **Vous avez déjà cliqué ici** ». Voyons comment cela fonctionne.

Fonctionnement

En haut du code, la ligne `Dim` définit une variable appelée `sMaVariable` :

```
Dim sMaVariable As String
```

Ce nom peut vous sembler étrange : pourquoi n'avoir pas simplement choisi `MaVariable`, sans le s initial ? Contrairement aux apparences, il y a une logique derrière tout cela.

En regardant la ligne, vous vous apercevrez que la variable est une chaîne de caractères (« String ») : elle est destinée à recevoir du texte. Dans l'univers Visual Basic, il est assez fréquent de faire commencer un nom de variable par une lettre unique qui indique le type de données stockées : il s'agit dans le cas présent d'une chaîne de caractères. La lecture du code devient ainsi considérablement plus aisée, car cela permet ensuite de connaître immédiatement le type de données renfermées dans chaque variable. Par ricochet, cela facilite également la localisation des erreurs contenues dans le code, ce qui n'est pas négligeable.

Peut-être êtes-vous aussi intrigué par les termes Option Explicit *au début du code. Dans le domaine des variables, cette instruction Visual Basic est très importante. Si cela vous trouble vraiment, reportez-vous dès maintenant à la prochaine section qui traite cet énoncé en détail.*

Intéressons-nous à présent une nouvelle fois à l'événement Load, qui correspond simplement à l'une des lignes de code saisies :

```
sMaVariable = "Bonjour"
```

Cette ligne de texte insère juste le mot « Bonjour » dans la variable. Notez bien que les guillemets « » n'apparaissent pas dans la variable elle-même : en langage Visual Basic, ils servent uniquement à indiquer « Il s'agit d'un bloc de texte ».

Lors du démarrage du programme, la première action qui se déroule est l'exécution de l'événement Form_Load. Dans le code correspondant à ce dernier, une variable appelée sMaVariable est déclarée (c'est ce que nous venons de voir), et le texte « Bonjour » y est copié.

Quand vous cliquez sur le bouton au sein de la feuille, un menu apparaît, conséquence de la ligne suivante :

```
MsgBox sMaVariable
```

Cette commande fait simplement apparaître un message à l'écran dont la teneur correspond aux données actuellement stockées dans la variable sMaVariable. La première fois que vous cliquez sur le bouton, le texte saisi dans la variable lors du démarrage de l'application est affiché (« Bonjour »). Dès que ce message disparaît (et c'est précisément ce qui se trame en secret), le code modifie le contenu de la variable sMaVariable :

```
sMaVariable = "Vous avez déjà cliqué ici"
```

Tout clic ultérieur sur le bouton déclenche donc l'affichage du message « Vous avez déjà cliqué ici » et non « Bonjour », qui est d'ailleurs désormais totalement occulté, comme s'il n'avait jamais existé lors du premier clic.

Tout est dit !

Option Explicit

Voyons maintenant la signification de la commande Option Explicit au début du code. Tout d'abord, une petite rectification. Nous avons dit précédemment qu'il fallait déclarer toute variable avec laquelle on souhaite travailler avant de pouvoir effectivement l'utiliser. Cela n'est pas tout à fait exact.

En l'absence de l'instruction Option Explicit en haut de chaque feuille ou module de code dans votre projet, Visual Basic ne cherche pas à savoir si vous avez ou non déclaré les variables. En fait, sans Option Explicit, vous pourriez écrire un code extrêmement direct du type :

```
X = 12
```

Visual Basic poursuivrait automatiquement la lecture et créerait une variable appelée X au cas où elle n'existerait pas encore. On pourrait croire à une véritable aubaine. Pourtant, ce mode de fonctionnement est précisément l'inverse, un piège insidieux que Option Explicit permet heureusement de déjouer.

Prenons un exemple :

```
X = 1
Y = 2
XY = X + Y
XY = Y * X + XY
XY = (X * X) + YX + Y - (Y / 2) * XY
```

Sans `Option Explicit`, la compilation et l'exécution de ce bloc de code s'effectueront sans problème… mais n'aboutiront pas au résultat souhaité. Observez bien la dernière ligne. En raison d'une faute de frappe dans un nom de variable, elle travaille en fait avec une variable appelée `YX` et non `XY`. Sans `Option Explicit`, Visual Basic s'en tient à ce qu'il lit et déclare une nouvelle variable nommée `YX` (au lieu de vous signaler l'erreur d'orthographe).

En présence de `Option Explicit` au début du code, Visual Basic contrôle chaque nom de variable saisi et vérifie que vous les avez correctement déclarés. Cette méthode est idéale pour repérer les simples fautes de frappe dans le code, qui pourraient sinon donner lieu à des bogues fâcheux et longs à résoudre.

Ceci étant, vous n'avez pas forcément besoin de taper `Option Explicit` vous-même dans chaque feuille. Visual Basic peut s'en charger.

Signalons à l'occasion que ce bloc de code illustre à merveille le bien-fondé de noms de variables explicites dans un code. Trop de personnes se contentent de définir des variables appelées X, Y, I, N, S etc. et passent ensuite un temps fou à tenter de comprendre le pourquoi du comment. En attribuant des noms judicieux dès le début, vous améliorez la lisibilité du code et pouvez ainsi gagner du temps lors du débogage.

Dans Visual Basic, cliquez sur le menu Outils et sélectionnez Options :

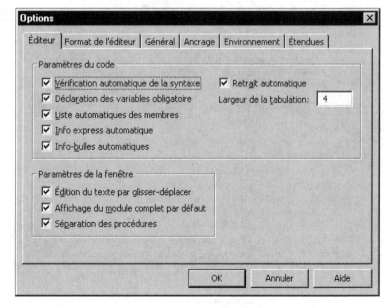

La boîte de dialogue propose l'option Décla_ration des variables obligatoires. Si la case correspondante est cochée, Visual Basic insère automatiquement `Option Explicit` au début de toute feuille ou module de code créé, vous allégeant la tâche tant sur le long que sur le court terme. Néanmoins, si vous avez déjà chargé un projet dont certaines feuilles ne comportent pas `Option Explicit`, sélectionner cette option n'aura pas forcément d'incidence sur le fonctionnement ultérieur du projet : `Option Explicit` n'est pas ajouté automatiquement au début de chaque feuille chargée. Vous devrez donc toujours saisir ces termes manuellement dans les projets existants dont ils sont absents.

Contrôler la durée de vie d'une variable

Seriez-vous intéressé par une petite curiosité ? Chargez le projet que nous venons de terminer (il est vraiment petit ; par conséquent, si vous ne l'avez pas sauvegardé, retapez-le).

Affichez de nouveau le code :

```
Option Explicit

Dim sMaVariable As String

Private Sub Command1_Click()
      MsgBox sMaVariable
      sMaVariable = "Vous avez déjà cliqué ici"
End Sub

Private Sub Form_Load()
      sMaVariable = "Bonjour"
End Sub
```

Déplacez la ligne `Dim` dans l'événement `Click` du bouton de commande :

```
Private Sub Command1_Click()
      Dim sMaVariable As String
      MsgBox sMaVariable
      sMaVariable = "Vous avez déjà cliqué ici"
End Sub
```

Essayez de nouveau d'exécuter le programme.

`Option Explicit` a rempli son rôle, et Visual Basic nous signale une erreur au niveau de la variable `sMaVariable` qui ne serait pas définie. Or elle l'a été, dans l'événement `Click` du bouton de commande : quelle est donc la cause du dysfonctionnement ?

C'est ici qu'intervient la notion de « portée des variables ». L'endroit exact où vous déclarez une variable détermine le lieu d'existence de cette dernière et sa durée de vie. Nous avons déclaré la variable sMaVariable dans l'événement Click du bouton de commande. Pour Visual Basic, cela signifie qu'elle existe uniquement lors de l'exécution de cet événement. Elle est donc invisible et inutilisable pour tout code hors de cet événement ou, dans le cas présent, dans un autre événement. Lorsque nous avions déclaré la variable au début de la feuille, en revanche, cela voulait dire que l'ensemble du code de cette feuille pouvait y accéder à n'importe quel moment.

Essayons d'être encore plus clairs. Regardez le tableau suivant :

Lieu de déclaration de la variable	Période d'existence	Entité susceptible de l'utiliser
Au début d'une feuille ou d'un module	Tout au long de l'exécution du programme	Tout code de la feuille ou du module
Dans une routine ou un gestionnaire d'événements	Tout au long de l'exécution de la routine	Uniquement le code de la routine

Outre Dim, deux autres instructions permettent de déclarer une variable, chacune ayant une incidence différente sur la vie et la disponibilité de cet élément (on parle de portée de la variable).

Il s'agit de Public et Private ; elles emploient exactement la même syntaxe que l'instruction Dim :

```
Public sMaVariable As String
```

ou

```
Private sMaVariable As String
```

D'une manière générale, les variables Public sont disponibles pour tout code au sein du projet dans lequel elles sont déclarées. Les variables Private, en revanche, ont une portée limitée à la routine ou au module dans lequel elles sont déclarées.

Rectifions le tableau en conséquence.

Mode et lieu de déclaration	Période d'existence	Entité susceptible de l'utiliser
Avec Dim ou Private au début d'une feuille	Tout au long de l'exécution du programme	Tout code de la feuille
Avec Dim ou Private au début d'un module	Tout au long de l'exécution du programme	Tout code du module

Le tableau continue sur la page suivante

Mode et lieu de déclaration	Période d'existence	Entité susceptible de l'utiliser
Avec Dim dans une routine ou un gestionnaire d'événements	Tout au long de l'exécution de la routine	Uniquement le code de la routine
Avec Public au début d'une feuille	Tout au long de l'exécution du programme	Tout code du projet, si tant est que la variable soit précédée du nom de la feuille
Avec Public au début d'un module	Tout au long de l'exécution du programme	Tout code du projet

Vous en apprendrez beaucoup plus sur la portée des variables dans les prochains chapitres, lorsque nous scinderons de plus en plus le code en routines distinctes. Pour l'instant, considérez cette section comme une présentation générale et sachez que vous pouvez contrôler quelque peu la vie et la portée des variables que vous créez.

Manipuler du texte – Les variables String

Jusqu'ici, nous nous sommes intéressés aux règles fondamentales d'utilisation des variables ; il est temps, maintenant, de passer à des types spécifiques de variables. Nous commencerons par les chaînes de caractères, car elles permettent d'employer du texte, plus agréable et facile à comprendre.

En programmation, une chaîne de caractères n'est rien d'autre qu'un morceau de texte. Avant l'apparition de langages plus conviviaux comme le BASIC, si vous souhaitiez afficher du texte à l'écran, vous deviez constituer une suite de plusieurs lettres, nombres et espaces isolés : une chaîne de caractères.

Déclarer une chaîne de caractères

La création et l'utilisation d'une variable String sont réellement très faciles. Dans ce seul chapitre, vous vous y êtes d'ailleurs déjà beaucoup essayé. Pour créer une chaîne de caractères, il suffit en effet de déclarer la variable de la manière habituelle (avec Dim, Public ou Private, selon la portée souhaitée), de la nommer et de taper As String.

Supposons que nous voulions créer une nouvelle variable String pour stocker le nom d'une personne. Nous écririons :

```
Dim sNom As String
```

Affecter une chaîne de caractères

Toute donnée placée dans une variable String doit être inscrite entre guillemets. Visual Basic distingue ainsi les parties du programme qui correspondent normalement à des noms de variables, et celles qui sont au contraire des constantes (nombres, lettres, texte, etc.). Gardez bien ce point en mémoire ; il nous ramène en fait à l'expression `Option Explicit` dont nous avons parlé précédemment. Sans `Option Explicit`, une ligne du type :

```
sPrénom = Alain
```

serait compilée sans problème. Visual Basic supposerait que `Alain` est une variable String, dont vous désirez copier le contenu dans la variable String `sPrénom`. Cela ne correspond cependant pas du tout à votre objectif premier qui était de placer le nom `Alain` dans la variable String elle-même :

```
sPrénom = "Alain"
```

Si la fonction `Option Explicit` avait été activée, la compilation aurait échoué dans le premier exemple, et Visual Basic aurait affiché le message d'erreur **Variable non définie** dès que vous auriez lancé l'exécution.

Dans la plupart des langages de programmation, la gestion des chaînes de caractères est généralement assez délicate pour les concepteurs de langage, car l'utilisateur est susceptible de les manipuler comme bon lui semble. Dans votre application, vous pouvez en effet être amené à concaténer deux blocs de texte, à rechercher un passage de texte dans un autre, à extraire des caractères d'un texte, etc. Visual Basic propose heureusement toute une palette de commandes et d'instructions utiles pour réaliser ces opérations et bien d'autres encore. C'est ce que nous allons voir dès maintenant, afin que vous puissiez manipuler du texte à votre convenance dans vos propres programmes Visual Basic.

Concaténer des chaînes de caractères

Avant toute chose, voyons comment concaténer des chaînes de caractères.

Passons à la pratique ! Concaténer des chaînes de caractères

1 Démarrez un projet Exe standard. Lorsque la feuille apparaît, placez-y quelques contrôles, de façon à ce qu'elle se présente comme suit :

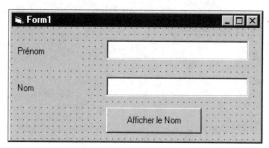

2 Vous devez maintenant changer certaines propriétés du bouton de commande, des étiquettes et des zones de texte, afin que votre code se présente et se comporte comme le nôtre. Respectez le tableau ci-dessous :

Contrôle	Propriété	Valeur
Zone de texte Prénom	Name	txtPrénom
	Text	<vide>
Zone de texte Nom	Name	txtNom
	Text	<vide>
Bouton de commande	Name	cmdAfficher
	Caption	Afficher le nom
Étiquette supérieure	Caption	Prénom
Étiquette inférieure	Caption	Nom

3 Double-cliquez sur le bouton de commande de la feuille pour ouvrir la fenêtre de code et affichez l'événement Click de ce bouton.

4 La première étape de la programmation consiste évidemment à déclarer une variable String qui stockera le nom de la personne. Tapez ceci dans le gestionnaire d'événements :

```
Dim sNomComplet As String
```

5 Nous pouvons désormais concaténer ce qui a été entré dans les deux zones de texte :

```
sNomComplet = txtPrénom.Text & " "  & txtNom.Text
```

6 Dernière chose à faire : placer la ligne de code dans ce qui affichera la chaîne finale à l'écran :

```
MsgBox sNomComplet
```

Lorsque vous avez terminé, le code dans le gestionnaire d'événements du bouton doit se présenter comme suit :

```
Private Sub cmdDisplay_Click()

    Dim sNomComplet As String
    sNomComplet = txtPrénom.text & " " & txtNom.Text
    MsgBox sNomComplet

End Sub
```

7   Enregistrez ce programme sous le nom `Chaînes.vbp` (nous le perfectionnerons quelque peu dans la prochaine section). Pour cela, sélectionnez simplement **Enregistrer le projet** dans le menu **Fichier** ou cliquez sur le bouton d'enregistrement dans la barre d'outils.

8   Exécutez le programme. Saisissez vos nom et prénom et cliquez sur le bouton :

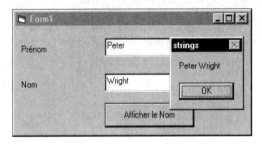

Fonctionnement

Voici la ligne essentielle du programme :

```
sNomComplet = txtPrénom.text & " " & txtNom.Text
```

Elle extrait les chaînes de caractères entrées dans les zones de texte Prénom et Nom et les accole en les séparant par un espace. Elle affecte ensuite la chaîne obtenue à une nouvelle variable : `sNomComplet`.

Le symbole `&` s'emploie pour concaténer au moins deux chaînes. Dans notre exemple, il permet d'ajouter ce qui a été saisi dans la zone Nom à la suite de ce qui a été tapé dans la zone Prénom.

> *Certains programmeurs VB utilisent plus volontiers le signe + que & pour concaténer des chaînes de caractères. Si tous deux fonctionnent de manière aussi satisfaisante, ils sont néanmoins sensiblement différents, contrairement aux apparences. Le caractère + est le signe de l'addition. Lorsque vous l'employez dans du code, il analyse le type de données à ajouter. S'il s'agit d'un nombre et d'une chaîne de caractères, il commence par convertir le nombre en chaîne de caractères, puis l'ajoute à l'autre chaîne. Cette opération assez lourde pour Visual Basic aboutit finalement à un code moins efficace. Le plus souvent, tout cela passe néanmoins inaperçu ; par conséquent, pourquoi s'en soucier ? En fait, un autre problème se pose : le signe + peut s'employer avec de multiples types de données et ne signale aucune erreur lorsque vous tentez d'ajouter des nombres à du texte, ou inversement. Mieux vaut donc éviter ce genre de programmation.*
>
> *Si vous envisagez de concaténer deux chaînes de caractères, utilisez plutôt le symbole & ; ainsi, au cas où les valeurs concernées ne seraient pas de type texte, Visual Basic vous signalerait une erreur. Cette méthode est donc plus sûre.*

Peut-être vous interrogez-vous sur la présence de `& " "` au milieu de la ligne qui concatène les chaînes. Supprimez ces caractères, afin d'obtenir le résultat suivant :

```
sNomComplet = txtPrénom.text & txtNom.Text
```

Exécutez de nouveau le programme. Lorsque vous cliquez sur le bouton, le prénom est désormais collé au nom, aucun espace ne les sépare. Visual Basic respecte en effet vos instructions à la lettre : vous lui avez demandé de concaténer deux chaînes sans mettre d'espace entre elles, et c'est précisément ce qu'il a fait. Ce type d'erreurs est assez fréquent lors de la manipulation de chaînes de caractères, mais il se corrige facilement.

Scinder une chaîne de caractères

Maintenant que vous savez concaténer des chaînes de caractères, la prochaine étape consiste logiquement à apprendre à les scinder. Visual Basic propose à cette fin pas moins de trois commandes :

- ❑ Left$
- ❑ Right$
- ❑ Mid$

Toutes utilisent un certain nombre de paramètres pour spécifier la chaîne et la partie à extraire, puis retournent cette mini-chaîne.

Appuyons-nous sur quelques exemples pour simplifier l'explication. Ajoutons ainsi du code à l'exemple employé dans la section précédente (que vous avez normalement enregistré) et appelé alors Chaînes.vbp.

Passons à la pratique ! Scinder une chaîne de caractères avec Left$

1 Chargez le projet de la précédente section « Passons à la pratique ! » si ce n'est pas encore fait. Ouvrez la feuille et ajoutez-y les trois boutons suivants :

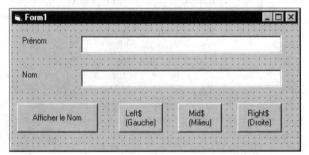

2 Nous les avons appelés cmdGauche, cmdMilieu and cmdDroite et réglé leurs légendes respectives sur Left$, Mid$ et Right$.

3 Double-cliquez sur le bouton **Afficher le nom**, afin d'ouvrir la fenêtre de code et d'afficher le code saisi précédemment. Déplacez la déclaration de la variable sNomComplet au début de la feuille, de la manière suivante :

```
Option Explicit

Private sNomComplet As String

Private Sub cmdAfficher_Click()

    sNomComplet = txtPrénom.Text & " "  & txtNom.Text
    MsgBox sNomComplet

End Sub
```

Vous aurez vraisemblablement remarqué que nous avons remplacé l'ancienne instruction élémentaire `Dim` par une variable `Private`. Nous aurions certes pu nous en tenir à `Dim`, mais mieux vaut déclarer la variable avec le terme `Private`. Lors de la lecture du code, chacun saura en effet que cette variable n'est utilisable que par le code au sein de la feuille.

4   Ajoutons maintenant du code à ces nouveaux boutons. Commençons par celui appelé **Left$**. Dans la partie supérieure de la fenêtre de code, sélectionnez `cmdGauche` dans la liste déroulante des objets, à gauche, et `Click` dans la liste des événements, à droite.

5   Utilisons le bouton de commande **Left$** pour afficher les quatre lettres à l'extrême gauche de la chaîne. Ajoutez du code au gestionnaire d'événements de ce bouton, afin d'obtenir le résultat suivant :

```
Private Sub cmdGauche_Click()
    MsgBox Left$(sNomComplet, 4)
End Sub
```

6   Exécutez le programme. Saisissez votre nom, comme précédemment, et cliquez sur le bouton d'affichage (cette étape est indispensable, car c'est le code sous-jacent au bouton **Afficher le nom** qui élabore la chaîne). Cliquez ensuite sur le bouton **Left$** :

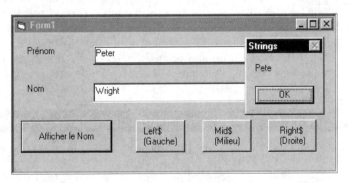

Fonctionnement

Chacun des nouveaux boutons étant destiné à extraire une partie de la chaîne constituée, nous devons déplacer la déclaration de la variable sNomComplet à un autre endroit du code.

À l'origine, sNomComplet avait été déclarée au sein de l'événement Click du bouton d'affichage. Souvenez-vous de ce que nous avons dit sur la vie et la portée des variables plus tôt dans ce chapitre : cela signifie que la portée de sNomComplet est locale et qu'elle se limite au gestionnaire de l'événement Click du bouton d'affichage. Aucun autre gestionnaire d'événements ni code au sein de l'application ne peut donc utiliser sNomComplet. C'est pourquoi nous devons faire passer la déclaration de sNomComplet du gestionnaire de l'événement Click au début de la feuille ; ainsi, tous les gestionnaires d'événements de boutons ont accès à la variable sNomComplet :

```
Private sNomComplet As String
```

Nous pouvons désormais employer la variable sNomComplet dans l'événement Click du bouton Left$:

```
Private Sub cmdGauche_Click()
      MsgBox Left$(sNomComplet, 4)
End Sub
```

Il faut ensuite indiquer à la fonction Left$ la chaîne à affecter et le nombre de caractères, à partir de la gauche de la chaîne, que nous désirons visualiser. Dans l'exemple présent, la chaîne correspond à la variable sNomComplet et le nombre de caractères est 4. N'oubliez pas que cela n'a aucune incidence sur la chaîne originale : Left$ ne retire pas les quatre caractères recherchés de la chaîne, elle les indique uniquement.

> *Nous abordons ici un point intéressant. À chaque fois que nous avons utilisé la commande MsgBox auparavant, nous nous sommes contentés de lui indiquer les éléments à afficher ; jamais, encore, nous n'avions mis ces derniers entre parenthèses* (). *Nous y sommes pourtant contraints avec la commande* Left$. *Comment, alors, se rappeler les commandes Visual Basic qui requièrent les* () *?*

C'est en fait très simple. MsgBox effectue une action : elle affiche juste un message à l'écran (cette règle a quelques exceptions, mais ne compliquons pas les choses pour l'instant). La commande Left$ nous donne quelque chose : après que nous lui avons fourni une variable String et indiqué le nombre de lettres souhaitées à partir de la gauche de la chaîne, elle nous restitue ces quatre lettres. On appelle ces commandes qui, en langage VB, « retournent un résultat », des fonctions ; tout ce que nous leur fournissons doit être entre parenthèses ().

Les commandes qui effectuent simplement une action mais ne retournent rien sont des procédures : nul besoin, alors, de mettre entre parenthèses les éléments sur lesquels elles doivent travailler. Un jeu d'enfants, n'est-ce pas ? Si la commande retourne quelque chose, en revanche, il s'agit d'une fonction et les parenthèses sont donc indispensables.

Passons à la pratique ! Scinder une chaîne de caractères avec Right$

Le code destiné au bouton Right$ est presque identique.

1 Arrêtez le programme s'il est toujours en cours d'exécution. Double-cliquez sur le bouton Right$ dans la feuille, afin d'ouvrir la fenêtre de code correspondante et d'ajouter du code à l'événement Click de ce bouton, comme suit :

```
Private Sub cmdDroite_Click()
      MsgBox Right$(sNomComplet, 4)
End Sub
```

2   Relancez le programme et testez le nouveau code des boutons Left$ et Right$. N'oubliez toutefois pas, auparavant, de cliquer sur le bouton Afficher le nom.

Fonctionnement

Il est pratiquement identique à celui du code du bouton Left$, à ceci près que la fonction utilisée cette fois est évidemment Right$ et non Left$.

Passons à la pratique ! Scinder une chaîne de caractères avec Mid$

Dernière étape : faire fonctionner le bouton Mid$. Vous l'avez sûrement deviné, Mid$ est un peu plus compliqué que Left$ et Right$ (c'est d'ailleurs pour cette raison que nous avons choisi de le traiter en dernier).

1   Après avoir testé le programme, arrêtez-le et double-cliquez sur le bouton Mid$ dans la feuille, afin d'ouvrir la fenêtre de code et d'en afficher l'événement Click.

2   Ajoutez le code suivant à cet événement :

```
Private Sub cmdMilieu_Click()
      If Len(sNomComplet) > 7 Then
          MsgBox Mid$(sNomComplet, 4, 4)
      End If
End Sub
```

3   Sauvegardez l'application si vous le souhaitez, puis exécutez-la de la manière habituelle. Saisissez votre nom et cliquez successivement sur les boutons Afficher le nom et Mid$.

Fonctionnement

Comme vous le voyez, la commande Mid$ utilise trois paramètres. Alors qu'il suffisait d'indiquer à Left$ et Right$ le nombre de caractères à retourner à partir de la gauche ou de la droite de la chaîne concernée, il faut signaler à Mid$ où commencer à regarder au sein de la chaîne et combien de caractères retourner à partir de ce point :

```
Mid$(sNomComplet, 4, 4)
```

Le paramètre initial, c'est assez clair, correspond à la chaîne à examiner (sNomComplet). Le deuxième est le premier caractère qui nous intéresse (4), et le troisième indique le nombre de caractères (le premier y compris) que nous souhaitons extraire (4). Si vous avez entré « Alain Durand » comme nom, par exemple, le bouton Mid$ affiche donc « in D ».

Vous pouvez même ignorer totalement ce troisième paramètre et vous contenter de :

```
MsgBox Mid$(sNomComplet, 4)
```

Cela afficherait le quatrième caractère de la chaîne et tous ceux qui le suivent.

Vous vous demandez peut-être le rôle que joue cette ligne dans le code du bouton Mid$:

```
If Len(sNomComplet) > 7 Then
    MsgBox Mid$(sNomComplet, 4, 4)
```

Nous utilisons une autre fonction relative à la chaîne, Len, afin de contrôler à ce stade si la chaîne contenue dans sNomComplet comporte plus de sept caractères (> 7). Cette fonction utilise un paramètre qui lui indique le nom de la chaîne à examiner et retourne la longueur de cette dernière. Dans notre cas, extraire les quatre lettres centrales d'une chaîne n'a d'intérêt que si cette entité est suffisamment longue au départ (c'est-à-dire, ici, au moins sept lettres). Par conséquent, si le nombre de lettres de notre chaîne sNomComplet est inférieur ou égal à sept, le message n'apparaît pas. Il s'agit juste d'un petit mieux, dans le cas présent, mais il montre bien, je pense, à quel point il peut être utile de connaître la longueur d'une chaîne de texte et illustre les formidables potentialités de la fonction Len.

Modifier une chaîne de caractères

Visual Basic propose également deux commandes appréciables pour rechercher et/ou remplacer des caractères au sein d'une chaîne : InStr et Replace.

InStr parcourt une chaîne afin d'y localiser des caractères particuliers et vous indique si elle a trouvé une concordance, ainsi que l'emplacement de cette dernière dans la chaîne. Replace remplace une chaîne de caractères par une autre.

Pour apprendre à utiliser ces deux commandes et les voir à l'œuvre, le mieux est de prendre un exemple concret de rechercher-remplacer.

Passons à la pratique ! Utiliser InStr et Replace

Le mode de fonctionnement de la feuille est extrêmement simple : vous entrez une phrase dans la zone de texte supérieure puis la valeur à trouver dans la deuxième. Lorsque vous cliquez ensuite sur le bouton Rechercher, un message s'affiche pour vous indiquer si la recherche s'est révélée positive ou non. Au cas où vous désireriez remplacer chaque occurrence du texte recherché par un autre texte, entrez ce dernier dans la zone de texte inférieure et cliquez sur le bouton Remplacer.

Les fonctions InStr et Replace sont très puissantes, et le code est donc assez simple.

1   Démarrez un nouveau projet Exe standard et placez quelques contrôles sur la feuille par défaut, de façon à ce que cette dernière se présente comme l'écran suivant :

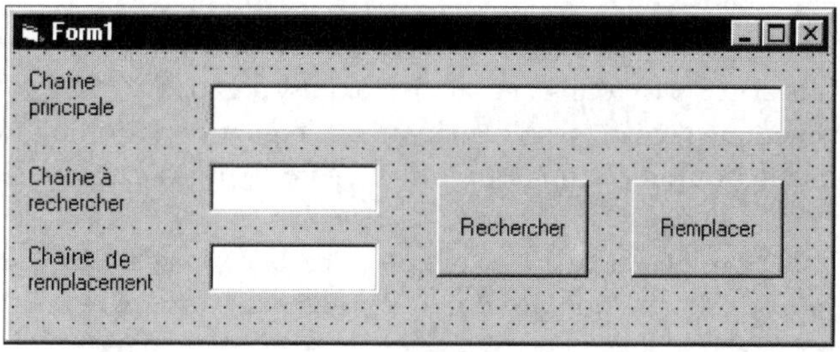

2   Pour que votre code fonctionne de la même manière que le nôtre, vous devez définir certaines propriétés pour ces contrôles ; elles sont répertoriées dans le tableau ci-dessous :

Contrôle	Propriété	Valeur
Étiquette supérieure	Caption	Chaîne principale
Zone de texte supérieure	Name	TxtPrincipale
	Text	\<vide\>
Étiquette centrale	Caption	Chaîne à rechercher
Zone de texte centrale	Name	TxtRechercher
	Text	\< vide\>
Étiquette inférieure	Caption	Chaîne de remplacement
Zone de texte inférieure	Name	TxtRemplacer
	Text	\< vide\>
Bouton Rechercher	Name	CmdRechercher
	Caption	Rechercher
Bouton Remplacer	Name	CmdRemplacer
	Caption	Remplacer

3   Commençons par le bouton **Rechercher**. Double-cliquez dessus, afin d'ouvrir la fenêtre de code et d'afficher l'événement Click de ce bouton. Saisissez le code suivant :

```
Private Sub cmdRechercher_Click()
        If InStr(txtPrincipale.Text, txtRechercher.Text) = 0 Then
                MsgBox "La recherche a échoué. Aucune concordance n'a été trouvée."
        Else
                MsgBox "La recherche a réussi. Une concordance a été trouvée."
        End If
End Sub
```

185

4   Dans la partie supérieure de la fenêtre de code toujours ouverte, sélectionnez
          cmdRemplacer dans la liste des objets, à gauche, et Click dans la liste des
          événements, à droite. Normalement, le gestionnaire de l'événement Click apparaît
          pour le bouton **Remplacer**, afin que vous puissiez commencer à y saisir du code.

5   Nous pouvons faire en sorte que ce code soit assez similaire au code de la recherche.
          Modifiez le gestionnaire d'événements de la manière suivante :

```
Private Sub cmdRemplacer_Click()
    If InStr(txtPrincipale.Text, txtRechercher.Text) = 0 Then
        MsgBox "Aucune concordance n'ayant été trouvée,
        ↵ aucun remplacement n'a été effectué."
    Else
        txtPrincipale.Text = Replace(txtPrincipale.Text, txtRechercher.Text,
            ↵ txtRemplacer.Text)
    End If
End Sub
```

6   Exécutez le programme. Entrez le texte source dans le champ **Chaîne principale** et le
          texte à trouver dans la zone **Chaîne à rechercher**. Dans le champ **Chaîne de
          remplacement**, saisissez aussi le texte qu'il faudra substituer à la chaîne recherchée :

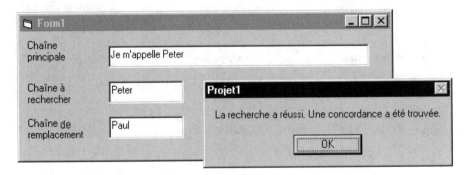

7   Cliquez sur le bouton **Rechercher** ; un message apparaît et vous indique si le texte a
          ou non été trouvé. Cliquez successivement sur les boutons **OK** et **Remplacer**. Si le
          texte recherché a été localisé, le texte du champ **Chaîne principale** change ; dans le cas
          contraire, un message s'affiche, signalant qu'aucune concordance n'a été trouvée.

Fonctionnement

La partie la plus importante de ce code en est la première ligne, qui contient la fonction InStr :

```
If InStr(txtPrincipale.Text, txtRechercher.Text) = 0 Then
```

Sous sa forme minimaliste, la fonction InStr utilise juste deux paramètres : la chaîne à explorer et la chaîne à rechercher. Elle retourne un nombre : 0 si la recherche a échoué, et une valeur positive si elle a abouti. Cette valeur positive peut se révéler particulièrement utile, car elle indique l'emplacement de la concordance dans la chaîne explorée. N'en tenons cependant pas compte pour l'instant, afin de ne pas compliquer les choses. Concentrons-nous plutôt sur les chaînes et réservons la définition de variables numériques pour plus tard.

Maintenant que vous connaissez le mode de fonctionnement de la fonction InStr, comprendre le rôle du reste du code ne devrait pas poser de problème. Si InStr retourne 0, cela signifie que la recherche a échoué, et un message vous en informe. Si elle retourne une autre valeur, le message qui apparaît indique cette fois que la recherche a réussi.

Nous verrons dans la prochaine section que la fonction InStr est parfois un peu plus compliquée.

Le code du bouton **Remplacer** est très proche de celui du bouton **Rechercher**. Vous remarquerez notamment qu'ils commencent de la même façon. InStr permet de savoir s'il existe une concordance entre le texte recherché et la chaîne principale. Lorsqu'il n'y en a aucune, un message apparaît pour en informer l'utilisateur :

```
If InStr(txtPrincipale.Text, txtRechercher.Text) = 0 Then
    MsgBox " Aucune concordance n'ayant été trouvée,
    ↳ aucun remplacement n'a été effectué."
Else
    txtPrincipale.Text = Replace(txtPrincipale.Text, txtRechercher.Text,
    ↳ txtRemplacer.Text)
End If
```

Supposons que InStr trouve effectivement une concordance ; la ligne avec la fonction Replace entre en action.

Sous sa forme minimaliste, Replace utilise trois paramètres :

- ❑ la chaîne à explorer
- ❑ la chaîne à rechercher
- ❑ la chaîne de substitution

Si tout se passe bien, Replace remplace toute occurrence de la chaîne recherchée par le nouveau texte et retourne la nouvelle chaîne. Ce point est important : la fonction retourne une chaîne que vous pouvez placer dans une variable String, afficher à l'écran ou affecter à une propriété de contrôle (comme c'est le cas ici). Cela ne change pas réellement la chaîne originale, mais montre juste sa présentation éventuelle si elle était effectivement modifiée.

Nous verrons d'ici peu que, comme InStr, la fonction Replace est parfois plus compliquée.

Perfectionner InStr

Vous devez commencer à en avoir assez des chaînes de caractères ; nous n'approfondirons donc pas outre mesure la fonction InStr et nous en tiendrons à une présentation générale. Néanmoins, si le cœur vous en dit, n'hésitez pas à modifier notre exemple en utilisant les chaînes : c'est un excellent moyen de se familiariser avec elles, et vous verrez qu'elles ne sont vraiment pas si compliquées.

Nous l'avons déjà dit, sous sa forme minimaliste, InStr utilise juste deux paramètres : la chaîne à explorer et la chaîne à rechercher. Il en existe toutefois deux autres qui permettent de contrôler davantage le mode de fonctionnement de cette fonction. Le premier a un rôle de position, comme le montre l'exemple suivant :

```
InStr(5, "Alain Alain Durand", "Alain")
```

Ici, InStr recherche une occurrence de « Alain » après la position 5 dans la chaîne originale. Cela peut être très utile pour savoir simplement combien de fois une chaîne figure dans une autre.

Vous pouvez également indiquer à InStr si la recherche doit ou non respecter la casse (considérer « ALAIN » et « Alain » comme deux mots différents ou comme un seul, par exemple). Prenons un cas concret :

```
InStr("Alain Durand", "AlAiN", vbTextCompare)
```

InStr retourne une concordance, bien que la casse des lettres ne soit pas identique. Si vous retirez le dernier paramètre ou que vous le remplacez par vbBinaryCompare, InStr invalide la concordance précédente et signale que « AlAiN » est totalement différent de « Alain ».

Perfectionner Replace

Nous n'entrerons pas plus dans les détails avec Replace qu'avec InStr. N'hésitez toutefois pas à modifier l'application exemple à votre convenance pour vous entraîner à utiliser ces fonctions.

Replace accepte en fait trois paramètres supplémentaires que nous n'avons pas encore employés. Le premier est le même que pour InStr : il indique où doit commencer la recherche (puis le remplacement), comme le montre l'exemple suivant :

```
Replace("Alain Alain Durand", "Alain", "Paul", 6)
```

Vous pourriez vous attendre à obtenir « Alain Paul Durand » (seule la deuxième occurrence de « Alain » aurait été remplacée), mais la fonction retourne en fait « Paul Durand ». C'est parce que la chaîne retournée commence seulement à la position indiquée par le paramètre de début, c'est-à-dire ici 6.

Tout ce qui précède le paramètre de début est ignoré. Pour remédier à cette situation, il faudrait utiliser la commande Left$, afin de conserver le texte qui précède le point de départ et de le concaténer à la chaîne retournée par Replace grâce au signe & :

```
Left$(" Alain Alain Durand", 5) & Replace("Alain Alain Durand", "Alain",
         ⏎ "Paul", 6)
```

Notez bien, toutefois, que le point de départ est spécifié après les autres paramètres, et non avant, comme avec `InStr`. Cela peut perturber, au début, d'autant que Microsoft se fait l'ardent défenseur des standards dans le développement de logiciels. Mieux vaut ne pas chercher à comprendre !

Le paramètre suivant, `Count`, permet d'indiquer le nombre d'occurrences à remplacer. Dans l'exemple :

```
Replace("Alain Alain Alain Durand", "Alain", "Hourra", 1, 2)
```

vous obtiendriez « `Hourra Hourra Alain Durand` », car `Count` demande à Visual Basic de remplacer uniquement 2 occurrences du mot « `Alain` » par « `Hourra` ». La valeur par défaut est −1 ; elle correspond à « remplacer tout ».

Le dernier paramètre fonctionne exactement de la même manière que pour `InStr` : il indique à Visual Basic s'il doit effectuer une recherche binaire ou textuelle, et donc respecter ou non la casse. Ainsi :

```
Replace("Alain Durand", "ALAIN", "A.", 1, -1, vbTextCompare)
```

retourne « `A. Durand` », car `Replace` considère que « `ALAIN` » équivaut à « `Alain` ».

C'est tout ! Il n'y a rien de compliqué ; seulement, de nombreuses options s'offrent à vous, ce qui peut vous embrouiller. Entraînez-vous à modifier l'application que nous avons écrite il y a quelque temps, afin de maîtriser parfaitement la commande `Replace`.

Manipuler des nombres

Si vous n'avez jamais programmé d'ordinateur auparavant, vous serez peut-être surpris d'apprendre qu'il existe en réalité de multiples types de nombres différents. On distingue notamment les nombres entiers (1, 2, 100, 543, etc.), appelés tout simplement entiers, des nombres décimaux (tels que 1,2 ou 1,5343), qualifiés également de nombres à virgule flottante. Il y a par ailleurs diverses tailles de nombres. Dans Visual Basic, par exemple, un `Single` est un petit nombre à virgule flottante, et `Double`, un très grand. De même, un `Integer` est un nombre entier assez petit, et `Long`, un très grand.

Cela peut certes sembler très déroutant... à tort. Si vous comptiez de 1 à 100, vous pourriez sans problème utiliser un `Integer`. Pour calculer la plupart des salaires mensuels d'employés, un `Single` conviendrait, voire un `Currency`, type de nombre spécialement prévu à cet effet. Si vous travailliez avec une application sur une balance des paiements publique, en revanche, mieux vaudrait employer un `Long`, ou même un `Double`. Considérez bien le genre de programme que vous développez et les types de nombres que vous utiliserez dans chaque variable pour choisir un type adéquat.

Variables Integer et Long

Les variables `Integer` et `Long` permettent de stocker des nombres entiers. Il s'agit également des types de données les plus rapides que propose Visual Basic. Particulièrement adaptés aux compteurs d'itérations, les `Integer` ne peuvent toutefois stocker que des nombres compris entre - 32 768 et 32 767. Ils ne conviennent donc pas vraiment pour des numéros de comptes ou des numéros d'identification dans une base de données (susceptible de regrouper des centaines de milliers d'enregistrements). Pour de grands nombres entiers, mieux vaut donc utiliser le type de données `Long`, afin de pouvoir travailler sur des nombres compris entre - 2 147 483 648 et 2 147 483 647.

Types numériques plus précis

Lorsque des valeurs **décimales** s'avèrent nécessaires (dans des applications scientifiques, par exemple), vous devez recourir à des nombres de **précision simple** et **double**. Soyons honnêtes, vous n'aurez probablement jamais besoin d'aller au-delà de `Single`, car cette variable permet de stocker des nombres décimaux de l'ordre de plusieurs milliards avec une extrême précision. À titre indicatif, cela correspond exactement, en notation scientifique, à une plage allant de - 3,402823E38 à 3,402823E38. Si cela se révélait insuffisant et que vous ayez besoin de nombres extrêmement précis ou de valeurs exprimant des milliards de milliards, vous pourriez néanmoins utiliser le type de données `Double`.

> Il est évident que les variables `Double` sollicitent énormément Visual Basic et qu'elles sont donc susceptibles de ralentir globalement le programme.

Le dernier type de donnée numérique est `Currency`. Il correspond à une valeur comportant un nombre de décimales fixe, à savoir ici 4. Si vous stockez une valeur avec plus de quatre décimales dans une telle variable, les décimales supplémentaires sont purement et simplement supprimées. 123,456789 devient ainsi 123,4567.

Les valeurs monétaires ne sont donc ni plus ni moins que des valeurs `Single` et `Double` avec un nombre de chiffres prédéfini après la virgule. Il n'y a pas grand chose d'autre à ajouter. Si vous envisagez d'effectuer des calculs dans un programme avec un nombre fixe de décimales, utilisez une variable `Currency`. Sinon, les `Integer`, `Double`, `Single` et `Long` conviennent parfaitement. Les variables monétaires permettent cependant d'éviter des erreurs d'arrondi qui peuvent se produire avec d'autres types de nombres.

Déclarer une variable numérique

Toutes ces variables numériques sont extrêmement simples à déclarer. Il suffit d'utiliser `Dim`, `Public` ou `Private`, selon la portée souhaitée, et de faire suivre ce terme successivement du nom à donner à la variable, de `As` et du type de donnée :

```
Dim cSalaireNet As Currency
Private fCoefficientDePénétrationDansAirDeLaVoiture1 As Double
Public lUnitésVendues As Long
Dim iCompteur As Integer
Private fDroitsAuteur As Single
```

Dès que vous déclarez une variable, Visual Basic lui affecte automatiquement une valeur par défaut. Contrairement à beaucoup d'autres langages qui laissent la valeur des nouvelles variables « non définie », il affecte en effet la valeur 0 aux nombres (et « » aux chaînes de caractères) lors de leur création.

Travailler avec des nombres

Cela ne vous surprendra pas, Visual Basic permet d'effectuer des opérations mathématiques avec des nombres. Vous pouvez notamment ajouter des valeurs avec le signe + et en soustraire avec le signe –. Pour de nombreux débutants en programmation, les choses se compliquent quelque peu dans le cas des divisions et des multiplications. Le clavier ne comporte en effet aucune touche avec le signe multiplié ou divisé, mais propose à la place * pour les multiplications et \ et / pour les divisions. À quoi servent donc ces deux derniers opérateurs ?

C'est très simple. De même qu'il existe des variables décimales et entières, de même, vous pouvez effectuer une division en vue d'obtenir un nombre décimal ou entier :

❑ Le signe / effectue une division décimale ; dans le code, 5 / 3 donne la réponse attendue : 1,666666666667.

❑ 5 \ 3, en revanche, donne 1, car la partie décimale est tronquée (supprimée), dans le but de fournir comme résultat un nombre entier.

Dans le code, les divisions sur des entiers sont plus rapides que leurs équivalents sur des décimaux. Gardez bien cela à l'esprit lorsque devrez réaliser une division au sein d'une boucle. Cette dernière s'exécutera en effet beaucoup plus vite avec une division de type entier \ qu'avec une de type décimal /. Vous vous en souvenez peut-être, nous avions utilisé \ au chapitre 4 pour déterminer la largeur de l'écran. Ce choix était alors judicieux car les fractions de pixels n'existent pas.

La commande Round

Si vous devez effectuer des calculs précis avec des types de données numériques, l'effet de troncature risque parfois de changer sensiblement le résultat de ces opérations. À l'inverse, après avoir été utilisée dans diverses fonctions, une variable numérique peut comporter de nombreuses décimales dont vous n'avez souvent que faire et que vous désirez simplement limiter à quelques-unes. Dans les deux cas, vous emploierez la commande Round pour ajuster le nombre de chiffres après la virgule d'un nombre décimal.

La syntaxe de cette commande est la suivante :

```
Round (Nombre à ajuster, <nombre de décimales>)
```

Ainsi, le code :

```
Round (12.3456789,4)
```

retourne 12,3457.

Vous n'êtes pas obligé de fournir le dernier paramètre (nombre de décimales). Dans ce cas, l'expression retourne un entier.

Les dates et les heures

Bon nombre des applications développées à partir de Visual Basic doivent garder un suivi des dates et des heures. Cette exigence ne cesse de gagner en importance, car VB est de plus en plus employé par les entreprises, toujours en quête du moment où les choses se sont passées ou se passeront.

Pour atteindre cet objectif, vous pouvez déclarer des variables comme `Date`, type de données générique qui permet de gérer efficacement les dates, les heures, et même les deux à la fois. Il y a en outre une bonne nouvelle pour ceux qui écrivent du code tout en pensant au prochain millénaire : le type `Date` de Visual Basic fonctionne avec l'an 2000 (c'est-à-dire que le passage à ce nouveau millénaire ne posera aucun problème).

Saisir une date et une heure

La déclaration d'une variable en vue d'y stocker une date ou une heure s'effectue de la même manière qu'avec toute autre variable : il suffit de la déclarer `As Date`. Le plus compliqué consiste à savoir comment convertir les autres types de données en une variable Date et comment accéder aux parties spécifiques d'une valeur date/heure. Il est vital de connaître la méthode de conversion d'autres types de données. Le plus souvent, les dates sont en effet communiquées par un utilisateur par l'intermédiaire d'une zone de texte. Vous devez donc savoir comment déterminer si les informations entrées dans le champ constituent une date valide et pouvoir convertir la valeur en une entité que Visual Basic identifiera comme une date.

À l'image des autres manipulations de variables, la marche à suivre n'est pas très compliquée. Néanmoins, Visual Basic proposant de nombreuses options et la saisie d'une date dépendant beaucoup de la partie du monde dans laquelle vit l'utilisateur, vous pouvez obtenir des scénarios assez déroutants.

Commençons tout d'abord par spécifier une date dans du code.

Passons à la pratique ! Entrer une date dans du code

À votre avis, que signifie 01/02/98 ? La question peut paraître stupide, mais elle ne l'est pas. Prenons un cas concret.

1 Créez un nouveau projet Exe standard et appuyez sur *Ctrl* puis *G* pour afficher une fenêtre spéciale appelée fenêtre Exécution.

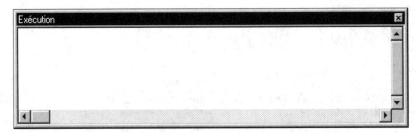

2   Vous pouvez utiliser la fenêtre **Exécution** à tout moment dans Visual Basic, afin de tester des commandes élémentaires sans avoir à saisir un programme entier. Cliquez dedans et tapez le texte suivant :

```
? 01/02/98
```

Le signe ? initial est une façon rapide d'écrire `Print` : cela indique à Visual Basic d'afficher ce qui suit. Ainsi, lorsque vous appuyez sur *Entrée*, il fait apparaître la valeur que vous venez d'entrer. Sympathique, non ?

Vous vous attendiez vraisemblablement à ce que Visual Basic affiche « 01/02/98 » sur une ligne séparée dans la fenêtre **Exécution**. Par ailleurs, si vous habitez en France, « 01/02/98 » évoque vraisemblablement pour vous le 1er février 1998, mais si vous résidez aux États-Unis, vous comprenez probablement le 2 janvier 1998. Pourtant, Visual Basic interprète cette saisie tout à fait différemment : à son avis, vous souhaitez diviser 1 par 2, puis le résultat obtenu par 98 !

3   Dans la fenêtre **Exécution**, tapez cette fois :

```
? #01/02/98#
```

Le résultat répond désormais à votre attente : Visual Basic affiche une date dans la fenêtre Exécution :

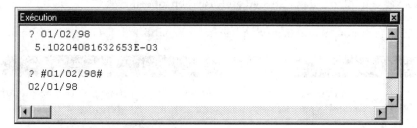

Les signes # qui encadrent la date indiquent à VB de traiter les nombres comme une date et non comme une formule mathématique à résoudre. La présentation exacte de la date à l'écran dépend néanmoins entièrement des paramètres internationaux courants de Windows.

Fonctionnement

Si vous ne l'avez encore jamais consulté, le **Panneau de configuration** de Windows propose un objet appelé **Paramètres régionaux**. La boîte de dialogue qui lui est associée permet à l'utilisateur de configurer une machine de telle sorte qu'elle affiche les dates, heures et monnaies sous une forme adaptée au pays dans lequel réside la personne :

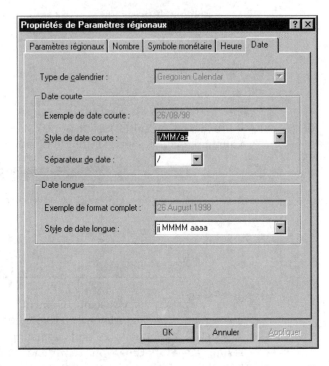

Visual Basic lui-même traite toujours les dates qui figurent dans un code de la manière européenne. `#01/02/98#` correspond ainsi au 1er février 1998. Toutefois, lorsqu'elle est affichée dans la fenêtre **Exécution** d'une machine américaine, cette date apparaît sous la forme `02/01/98`, car aux États-Unis, les dates sont spécifiées dans l'ordre mois, jour, année, et non pas jour, mois, année.

Ne vous laissez surtout pas alarmer par tout cela ; Visual Basic se charge à votre place de la plupart des conversions imposées par son mode interne de gestion des dates et par le format souhaité par l'utilisateur. Tout ce que vous avez vraiment besoin de savoir est que les dates stockées en interne dans VB sont au format européen.

Intéressons-nous maintenant à un véritable échantillon de code qui traite des dates.

Passons à la pratique ! Gérer des dates

1   Démarrez un nouveau projet dans Visual Basic, et placez quelques contrôles sur la feuille par défaut, de façon à ce que cette dernière se présente comme suit :

2   Comme toujours, vous devez définir plusieurs propriétés pour ces contrôles, afin que votre code se présente et fonctionne comme le mien :

Contrôle	Propriété	Valeur
Zone de texte	Name	TxtDate
	Text	\<vide\>
Bouton de commande	Name	CmdDécouvrir
	Caption	Découvrir la date

3   Double-cliquez sur le bouton dans la feuille, afin d'ouvrir la fenêtre de code et de modifier le gestionnaire d'événements de la manière suivante :

```
Private Sub cmdDécouvrir_Click()
      Dim dDate As Date

      If IsDate(txtDate.Text) Then
            dDate = CVDate(txtDate.Text)

            MsgBox "Jour = " & Day(dDate) & _
                   "    Mois = " & Month(dDate) & _
                   "    Année = " & Year(dDate)
      Else
            MsgBox "Cette date n'est pas valide. Essayez de nouveau."
      End If

End Sub
```

4   Exécutez le programme. Entrez une date dans la zone de texte sous la forme 01/02/98 et cliquez sur le bouton. Saisissez ensuite 12 janvier 2000 et observez le résultat. Essayez ainsi plusieurs formats, afin de découvrir les types de dates que le programme accepte et ceux qu'il refuse.

Fonctionnement

La première ligne de code devrait être tout à fait claire, désormais. Elle déclare simplement une nouvelle variable qui, dans le cas présent, peut recevoir une date :

```
Dim dDate As Date
```

Avant de pouvoir placer dans la variable la valeur entrée par l'utilisateur dans la zone de texte, il faut toutefois vérifier que la date saisie est valide.

C'est exactement le rôle de la deuxième ligne de code. La fonction IsDate de Visual Basic peut extraire une chaîne et contrôler s'il s'agit d'une date. Lorsque c'est effectivement le cas, il en résulte une valeur True. Sinon, elle retourne False. Oubliez cette valeur quelques instants pour ne considérer que cette ligne de code.

Avec les fonctions qui retournent True ou False, vous disposez généralement de lignes de code extrêmement claires :

```
If IsDate(txtDate.Text) Then
```

Cela signifie simplement « Si (If) ce qui se trouve dans la propriété Text de txtDate est une date, alors (then)... ».

Supposons que la valeur entrée soit effectivement une date valide. Nous devons désormais la placer dans la variable Date. Il est possible d'utiliser à cette fin la fonction CVDate de Visual Basic, qui convertit une valeur textuelle en véritable valeur date :

```
dDate = CVDate(txtDate.Text)
```

Enfin, une fois la date bien définie dans la variable correspondante, nous pouvons demander l'affichage d'un message pour faire apparaître les différentes parties de la valeur.

Visual Basic propose trois fonctions qui permettent de scinder une date d'après chacune de ses valeurs jour, mois et année. Les mots clés correspondants s'appellent respectivement Day, Month et Year. Il suffit de leur affecter une valeur date pour qu'ils retournent un nombre représentant chaque partie :

```
MsgBox "Jour = " & Day(dDate) & _
    " Mois = " & Month(dDate) & _
    " Année = " & Year(dDate)
```

Notez bien, cependant, que la commande MsgBox s'étend sur trois lignes distinctes. Une seule raison à cela : améliorer la lisibilité du code. C'est une méthode que vous trouverez parfois utile. Lorsque vous adopterez cette solution, n'oubliez pas le signe _ à la fin de chaque ligne : il indique à Visual Basic que la ligne de code se répartit sur plusieurs lignes « matérielles » dans la fenêtre de code.

Résumé

Nous en avons fini avec cette présentation éclair de quelques types de données parmi les plus courants et les plus simples dans Visual Basic. Nous sommes passés sur beaucoup de choses dans ce chapitre, afin de vous expliquer aussi brièvement que possible le mode de fonctionnement des variables, la méthode à suivre pour les déclarer, et autres informations de ce genre. Toutefois, sorti du contexte d'une véritable application, il est difficile de vous faire sentir à quel point le travail avec des données et des variables peut être captivant. C'est ce à quoi nous tenterons de remédier dans le prochain chapitre. Dans ces quelques pages, néanmoins, nous avons abordé les points suivants :

- ❑ Déclaration d'une variable
- ❑ Portée d'une variable
- ❑ Utilisation poussée des chaînes de caractères
- ❑ Types de données numériques
- ❑ Utilisation des dates

Dans le prochain chapitre, nous ancrerons ces informations dans la réalité. Vous découvrirez deux autres types de données assez spéciaux (`Boolean` et `Variant`) et apprendrez à créer et gérer des listes de données (tableaux). Nous nous intéresserons également aux commandes que Visual Basic met à votre disposition pour convertir des types de données et aborderons pratiquement tout ce dont vous aurez besoin pour mettre ces éléments variables en action dans le monde réel.

Affaire à suivre...

Que diriez-vous d'essayer ?

1   Modifiez le projet de l'exercice 4-2, dans lequel vous avez écrit du code pour permettre à l'utilisateur de se connecter à votre application. Cette fois, refusez tout accès au système si la date courante n'est pas un jour ouvré (s'il s'agit d'un samedi ou d'un dimanche, donc).

2   Créez un projet avec une feuille, une zone de texte et un seul bouton de commande. Faites en sorte que l'utilisateur entre une chaîne de caractères dans la zone de texte et qu'un clic sur le bouton de commande entraîne la mise en majuscule d'un caractère sur deux. À titre indicatif, sachez que dans notre solution, nous emploierons un opérateur appelé Mod. Il existe bien sûr d'autres possibilités pour résoudre ce problème, et vous en trouverez sûrement une différente de la nôtre. Néanmoins, prenez peut-être le temps de lire ce qui concerne Mod : il s'agit d'un outil formidable pour effectuer de telles opérations.

Astuce : utilisez une boucle pour vous déplacer d'un caractère à l'autre de la zone de texte.

3   Créez un projet avec une feuille, une zone de texte unique et un seul bouton de commande. Effacez le contenu de la propriété **Text** de la zone de texte. Lorsque l'utilisateur clique sur le bouton Command1, effectuez un test pour déterminer si cette zone de texte est vide (il s'agit d'une tâche fréquente dans la validation des données). Quelle est la meilleure marche à suivre ?

4   Créez un projet avec deux feuilles contenant chacune un seul bouton de commande. Déclarez une variable sur Form1. Lorsque l'utilisateur clique sur le bouton de commande de Form1, affichez la valeur de cette variable. Si vous essayez cependant d'employer le bouton de commande de Form2 pour atteindre le même objectif, cela ne fonctionnera pas.

     Changez ensuite la déclaration de la variable de telle sorte qu'un clic sur le bouton de commande de Form2 puisse tout de même en afficher la valeur.

Astuce : vous devrez ajouter un bouton de commande supplémentaire sur Form1 pour faire apparaître Form2.

5   Créez un projet avec une feuille, une zone de texte et deux boutons de commande. Demandez à l'utilisateur de saisir quelque chose dans cette zone de texte. Utilisez Mid$ dans Command1 et Right$ dans Command2 pour afficher le dernier caractère de la propriété Text de la zone de texte.

Exploiter des données

Dans le dernier chapitre, nous avons vu les principales règles d'utilisation des variables. Vous avez découvert ce qu'étaient ces éléments et leur rôle, et vous avez bien sûr appris à en créer. Les variables sont vraiment incontournables : pratiquement tout langage de programmation en requiert, car l'idée même qui sous-tend l'écriture d'un programme informatique est de manipuler des données et quelles que soient ces dernières, vous atteindrez le plus souvent cet objectif grâce à des variables.

Étant donné l'importance des variables, il est logique que tout langage de programmation digne de ce nom permette d'aller plus loin avec ces éléments que nous ne l'avons fait jusqu'alors. Visual Basic n'échappe pas à cette règle.

Je vais de ce pas tenter de vous mettre l'eau à la bouche. Grâce aux tableaux, auxquels nous nous intéresserons dans ce chapitre, vous pourrez gérer de gigantesques listes de données. Autre exemple : le type de données Variant de Visual Basic permet de travailler avec des données sans même en connaître le type ! Cela surprend, certes, mais cet outil est extrêmement simple et très puissant. Ceci étant, pour les cas où les types de données Visual Basic ne conviennent pas, vous pouvez en créer d'autres. Enfin, VB met même à votre disposition un jeu de commandes spéciales et extrêmement précieuses, qui permettent de convertir un type de données en un autre.

Dans ce chapitre, nous allons donc clore le sujet des variables en nous intéressant aux opérations plus complexes que permettent d'effectuer ces éléments. Nous aborderons les points suivants :

- ❑ Variables booléennes et leur utilité
- ❑ Utilisation des variables Variant
- ❑ Constantes Visual Basic
- ❑ Portée des variables statiques
- ❑ Création de tableaux ou de listes de données
- ❑ Création de vos propres types de données
- ❑ Conversion d'un type de données en un autre

Si vous avez bien compris ce qui vous a été présenté dans le chapitre précédent, vous n'avez aucune crainte à avoir pour celui-ci. Il n'y a vraiment rien de très difficile, mais il est certain que presque tout vous servira à un moment ou un autre dans votre carrière de programmeur Visual Basic.

Les variables booléennes

Les **variables booléennes (Boolean)** sont probablement le type de données le plus facile à utiliser. Elles constituent l'essence même de l'informatique, l'état Activé/Désactivé, Vrai/Faux.

Les variables booléennes n'acceptent que deux valeurs : True (Vrai) et False (Faux). Si n'avez encore jamais fait de programmation, vous vous direz peut-être qu'il n'y a ici rien d'extraordinaire. Après tout, il y vraiment peu de chances que vous vouliez stocker juste deux valeurs, fixes, qui plus est, non ? Erreur. Vous obtenez une variable booléenne à chaque fois que vous demandez à l'ordinateur de prendre une décision. Lorsque vous comparez le contenu de deux variables entre elles, par exemple, afin de savoir si elles sont égales, Visual Basic vous donne un résultat qui n'est autre que True ou False.

Voyons comment fonctionne l'instruction If. Elle exige que vous lui fournissiez une valeur True ou False. Il suffit de donner une condition True à une instruction If pour que ce qui suit cette condition soit exécuté. Si vous fournissez une condition False à une instruction If, en revanche, c'est ce qui suit Else qui prendra effet :

```
IF MaValeurBooléenne Then
        ' Ceci sera exécuté si MaValeurBooléenne = True
Else
        ' Ceci sera exécuté si MaValeurBooléenne = False
EndIf
```

Une variable Boolean se déclare exactement de la même manière que toute autre variable :

```
Dim MaValeurBooléenne As Boolean
```

Les variables booléennes fonctionnent également très bien comme de petits « interrupteurs ». Supposons que vous vouliez savoir si une opération essentielle a déjà été effectuée ou non. La seule chose que vous ayez à faire est de créer une variable Boolean et de lui affecter la valeur True, pour indiquer que l'opération a effectivement eu lieu, ou False, si ce n'est pas le cas :

```
ExécuterCeProgrammeAuparavant = True
```

Vous en savez assez sur les variables booléennes pour l'instant : rien de compliqué, n'est-ce pas ? Pourtant, ces variables sont si utiles que vous les rencontrerez en permanence.

Les variables Variant

Les variables Variant sont à la fois la source de tous les maux et la bouée de sauvetage des programmeurs Visual Basic désespérés. Il s'agit d'un type de variable spécial et général, destiné à accueillir tout type de données. Vous pouvez déclarer une variable Variant et y stocker immédiatement du texte, des nombres ou même des tableaux entiers (des listes) de données. Elles sont censées pouvoir gérer tous les cas de figure, mais cela a un prix. C'est ce que nous allons voir dès maintenant, avant de nous plonger dans le code.

Une petite mise en garde

Si vous avez activé l'option Déclaration des variables obligatoires dans la boîte de dialogue Options de Visual Basic (vous vous souvenez, celle qui insère Option Explicit au début de votre code), VB devient ce que l'on appelle un **langage fortement typé**. Passons sans tarder aux explications.

Avant d'utiliser une variable, vous devez la déclarer, ce qui nécessite de connaître au préalable le type de données que vous allez y stocker. Lorsque vous débutez la programmation, déclarer toutes les variables que vous envisagez d'employer et définir le type de données correct correspondant peut vous causer de véritables soucis. Le code de votre programme n'en sera néanmoins que plus lisible et gérable.

Les programmeurs oublient fréquemment leur idée première lorsqu'ils écrivent du code. Par conséquent, une fois l'heure venue de reprendre du code précédemment créé et éventuellement de le mettre à jour, vous vous féliciterez de disposer d'un code fortement typé, dont toutes les variables seront bien définies et déclarées de manière conventionnelle : cela vous aidera fort à comprendre le rôle de chaque partie de ce code. Une bonne méthode qui portera ses fruits, donc.

Les variables Variant peuvent cependant réduire tout cela à néant. En mesure de stocker n'importe quel type de données, elles aboutissent souvent très vite à un code de programme dont la compréhension est un véritable cauchemar. D'une ligne à l'autre, vous ne savez jamais quel type de données le code emploie, ce qui, par ricochet, complique encore davantage le débogage. Visual Basic émet en outre des hypothèses sur le code qui fonctionne avec des variables Variant. Supposons qu'une Variant contienne du texte et une autre, un nombre. Que se passera-t-il si vous les ajoutez ? VB convertit automatiquement le nombre en chaîne de caractères et l'accole à la fin du texte de la première variable Variant. Cela s'avère certes très utile, parfois, mais c'est aussi au petit bonheur la chance : une telle situation se reproduira forcément alors même que vous vous attendiez à ce que les deux variables soient traitées comme des nombres, et vous obtiendrez ainsi un bogue fâcheux dans votre code, pour lequel le compilateur de VB ne vous sera d'aucun secours (si vous essayez d'ajouter un nombre à une chaîne de caractères de la manière habituelle, vous générez en effet une erreur).

Les variables Variant fonctionnent de surcroît très lentement. Un programme qui en contient beaucoup se révèle donc au final très lourd et très lent.

Si les variables Variant semblent être la racine de tous les maux, pourquoi donc les utiliser ? Pourquoi occupent-elles même le devant de la scène dans Visual Basic ?

Le bon côté des variables Variant

Malgré le danger qu'elles représentent, les variables Variant occupent une place de choix dans les langages de programmation modernes, à tel point que certaines ont été intégrées à Visual C++ pour maintenir ce dernier à la hauteur de VB. Borland les a même récemment ajoutées à Delphi, son outil de développement Visual Pascal. Pascal faisant partie des langages les plus fortement typés, cela montre vraiment à quel point les variables Variant sont précieuses.

Le mot clé dans Visual Basic est Visual (visuel). La plus grande force de ce langage est de vous permettre d'écrire vraiment facilement une application avec une interface utilisateur extrêmement complexe et de fournir tous les outils nécessaires à la conception d'une interface utilisateur de qualité optimale.

Les variables Variant sont formidables pour le travail avec les utilisateurs et les interfaces utilisateur. Supposons qu'à l'écran, une zone de texte invite à entrer un âge. Vous êtes persuadé que l'utilisateur saisira un nombre et pourtant, ce dernier décide de taper « vingt-huit » au lieu de « 28 ». Si vous essayez de placer la valeur textuelle dans une variable Integer, vous provoquez une erreur : pour l'utilisateur, « vingt-huit » correspond certes à un nombre, mais pour l'ordinateur, il s'agit simplement d'un bloc de texte. Les variables Variant permettent de pallier ce problème en stockant automatiquement « vingt-huit » comme du texte et en vous indiquant qu'elles contiennent désormais du texte et non un nombre. Vu sous un autre angle, cela signifie que vous pouvez inciter l'utilisateur à entrer un véritable nombre, au lieu de laisser simplement l'erreur se produire dans l'application.

En fait, c'est précisément pour cette raison que beaucoup des propriétés de contrôles employés pour concevoir une interface utilisateur sont des variables Variant. Ces dernières sont idéales pour gérer des données dont vous ne connaissez pas encore le type. Une fois l'information stockée dans une variable Variant, vous pouvez vous servir du code VB pour en déterminer le type et la placer à un endroit plus adapté.

Assez philosophé, je pense. Voyons maintenant les variables Variant à l'œuvre. Lancez VB si ce n'est pas encore fait, afin que nous puissions saisir du code sans tarder.

Utiliser les variables Variant

Bravo ! Vous avez décidé de persévérer et de vous lancer dans l'utilisation des variables Variant. Reste à savoir par où commencer. En fait, elles se définissent et s'emploient vraiment de la même manière que les autres : vous déclarez juste une variable As Variant avec Dim. Rien de bien compliqué, donc.

Le plus délicat est de déterminer le type de données effectivement stocké dans cette variable, et c'est ici que la commande VarType entre en jeu. Regardons cela de plus près.

Passons à la pratique ! Votre première variable Variant

1 Démarrez un projet Exe standard et placez un bouton sur la feuille (l'endroit exact n'a pas d'importance). Double-cliquez ensuite sur ce dernier pour ouvrir la fenêtre de code et saisissez-y ce qui suit :

```
Private Sub Command1_Click()

    Dim varVariant As Variant

    varVariant = 12
    Form1.Print VarType(varVariant)

    varVariant = "Peter"
    Form1.Print VarType(varVariant)

    varVariant = True
    Form1.Print VarType(varVariant)

    varVariant = #1/1/2001#
    Form1.Print VarType(varVariant)

End Sub
```

Vous remarquerez que nous faisons précéder les variables de var *pour indiquer qu'il s'agit de Variant. En utilisant VB, il est probable que vous rencontrerez d'autres préfixes, comme* vnt, *qui signale également des données de type Variant. Il s'agit juste de conventions de dénomination différentes, car il n'existe pas encore de standard en la matière. Il ne vous reste donc plus qu'à mémoriser la signification de ces deux préfixes !*

2 Exécutez le projet et cliquez sur le bouton de commande. Nous vous expliquerons l'effet de cette action juste après :

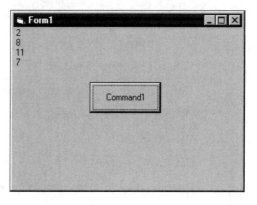

Fonctionnement

La signification de la première ligne ne devrait pas vous poser de problème : elle déclare juste une variable varVariant comme Variant :

```
Dim varVariant As Variant
```

Le reste du code affecte simplement des valeurs à la variable, puis utilise VarType pour indiquer le type de données stockées dans la variable Variant. La valeur 2 correspond à un entier, 8, à une chaîne de caractères, 11, à un type booléen, et 7, à une date.

Comme vous pouvez le voir, VarType fournit uniquement un nombre qui renvoie au type de données contenues dans la variable Variant. Pas très explicite, n'est-ce pas ? Heureusement, si vous utilisez VarType dans le code, vous pouvez employer certaines fonctions intrinsèques de Visual Basic à la place de leurs homologues peu évocateurs.

Valeur VarType	Description
0 - vbEmpty	La variable Variant est vide
1 - vbNull	Les données contenues dans la variable Variant ne sont pas valides
2 - vbInteger	La variable Variant renferme un entier standard
3 - vbLong	La variable Variant renferme un entier Long
4 - vbSingle	Nombre à virgule flottante simple précision
5 - vbDouble	Nombre à virgule flottante double précision
6 - vbCurrency	Donnée monétaire
7 - vbDate	Date ou heure
8 - vbString	Chaîne de caractères simple
9 - vbObject	Objet
10 - vbError	Objet incorrect
11 - vbBoolean	Valeur booléenne standard
12 - vbVariant	Tableau d'autres variables Variant
13 - vbDataObject	Objet d'accès aux données standard
14 - vbDecimal	Valeur décimale
17 - vbByte	Valeur Byte (octet)
36 - UserDefinedType	Données dont le type est défini par l'utilisateur
8192 - vbArray	Tableau de données

Voilà une liste bien complète, n'est-ce pas ? Conjointement à la fonction `VarType`, vous pouvez utiliser des constantes, afin de déterminer le type de données contenues dans la variable :

```
If VarType(varVariant) = vbString Then
      :
      :
```

Si vous le souhaitez, vous pouvez également employer la fonction `VarType` dans une instruction `Select Case` :

```
Select varType(varVariant)
      Case vbString
            :
            :
      Case vbInteger
            :
            :
      Case vbDecimal
            :
            :
End Select
```

Les constantes

Comme leur nom l'indique, les variables sont des éléments d'un programme dans lesquels vous pouvez placer des données amenées à changer. Cependant, vous aurez souvent besoin d'un type de stockage en cours d'exécution plus stable, d'où les **constantes**. Elles sont comme un objet protégé par une vitre blindée : vous pouvez les observer, mais il vous est impossible d'y toucher.

Les constantes contribuent fortement à améliorer la lisibilité du code, facilitant ainsi sa gestion. Prenons l'exemple d'un jeu dans lequel vous auriez besoin d'utiliser une simple boucle `For...Next` pour déplacer dix envahisseurs à l'écran :

```
For nEnvahisseur = 1 to 10
   Call DéplacerEnvahisseur(nEnvahisseur)
Next
```

Seul, ce bloc de code ne pose aucun problème, mais que se passe-t-il si le reste du programme comporte des boucles supplémentaires allant de un à dix, consacrées à d'autres tâches ? Il pourrait notamment y avoir des boucles pour vérifier si un envahisseur désire tirer, mourir ou produire un son. Qu'arrivera-t-il si quelqu'un trouve votre jeu trop simple et vous demande d'y rajouter une vingtaine d'envahisseurs ?

Normalement, vous devriez parcourir l'intégralité du code de votre application, afin d'y localiser les boucles allant de un à dix. En utilisant une constante, en revanche, vous n'avez plus qu'une seule ligne à changer :

```
' Pour augmenter le nombre d'ennemis, changez la déclaration de cette constante
Constant NOMBRE_D_ENVAHISSEURS = 10

For nEnvahisseur = 1 to NOMBRE_D_ENVAHISSEURS
   Call DéplacerEnvahisseur(nEnvahisseur)
Next
```

Déclarer une variable Static

Dans la section précédente, nous avons parlé des constantes comme d'un moyen de stockage de données plus durable. Cela nous amène donc aux variables **statiques**. Il s'agit simplement d'un attribut permettant de préciser la portée des variables, au même titre que Public et Private, traitées dans le chapitre 5. Caractéristique essentielle des variables Static, elles continuent d'exister au-delà de l'endroit où elles ont été déclarées, et donc tout au long de l'exécution de l'application.

Bien que les variables statiques conservent leurs valeurs pendant toute l'exécution du programme, elles sont uniquement consultables et ne peuvent être utilisées que par le code de la procédure dans laquelle elles ont été créées. Il s'agit donc de variables locales sûres. Elles obéissent aux mêmes règles que toute autre variable locale, mais ne perdent pas leur contenu dès que la procédure ou la fonction s'achève.

Les variables Static se déclarent exactement comme avec Dim, à ceci près que vous devez cette fois taper Static et non Dim, bien sûr :

```
Static nNombreDeLancements As Integer
```

On emploie généralement une variable statique pour garder un suivi des valeurs d'un événement de contrôle Timer (minuterie), dont l'exécution est régulière. À chaque exécution du code, celui-ci peut utiliser la valeur du passage précédent. Lorsque le code de l'événement Timer prend fin et n'est plus pertinent, les valeurs ne disparaissent pas (alors que ce serait le cas si elles étaient déclarées avec Dim ou Private).

Vous trouverez de nombreux exemple d'emploi de variables Static dans les réponses types fournies aux exercices proposés dans ce livre, en annexe B.

Convertir des types de données

Après avoir placé des données dans un type de variable particulier, notamment une Variant, vous apprécierez de pouvoir les convertir en un autre type. Il est ainsi parfois pratique de convertir un nombre, comme 123, en son équivalent texte « 123 », et inversement. De même, extraire une date d'une chaîne de caractères peut s'avérer utile. Toutes ces conversions, et bien d'autres encore, deviennent un jeu d'enfant grâce à un ensemble très efficaces de commandes intégrées Visual Basic.

Une remarque avant d'aller plus loin. Donner un exemple de saisie pour illustrer une à une chaque routine de conversion dans Visual Basic serait un travail titanesque ; toutes fonctionnent en effet de la même manière et sont très faciles à maîtriser. Par conséquent, considérez cette section comme une présentation rapide à laquelle vous pourrez vous référer pour connaître les possibilités offertes. La prochaine fois que vous devrez convertir un type de données en un autre, reportez-vous au tableau ci-après pour déterminer le rôle de chaque commande. Attention, toutefois, si vous tentez une conversion impossible (d'une chaîne de caractères en un nombre entier, par exemple), vous provoquerez une erreur lors de l'exécution.

Commande de conversion	Description
Cbool(<paramètre>)	Utilise un seul paramètre qu'elle tente de convertir en True (Vrai) ou False (Faux). Emploi optimal : avec des entiers, une valeur différente de zéro correspondant à True et une valeur nulle, à False
Cbyte(<paramètre>)	Convertit le paramètre fourni en nombre compris entre 0 et 255, si possible, en 0 dans le cas contraire
Ccur(<paramètre>)	Convertit le paramètre fourni en valeur monétaire (avec un nombre de décimales fixe, qui dépend du pays où vous vivez)
Cdate(<paramètre>)	Convertit le paramètre fourni en date
CDbl(<paramètre>)	Convertit le paramètre fourni en nombre décimal double précision (0,2321 par exemple)
Cdec(<paramètre>)	Convertit le paramètre en nombre décimal standard
Cint(<paramètre>)	Convertit le paramètre en entier Integer (cela supprime simplement tous les chiffres après la virgule si vous avez fourni un nombre décimal)
CLng(<paramètre>)	Convertit le paramètre en entier Long (même règles qu'avec la conversion Cint)
CSng(<paramètre>)	Convertit le paramètre fourni en nombre à virgule flottante simple précision plus petit
CStr(<paramètre>)	Convertit le paramètre fourni en chaîne de caractères
Cvar(<paramètre>)	Convertit le paramètre fourni en variable Variant

Sans trop entrer dans les détails mathématiques, il faut toutefois noter la différence entre un nombre à **virgule flottante** et un nombre **décimal**. Le second correspond au type de nombre 1234,5679 standard, alors que le premier, selon sa taille, peut s'exprimer sous la forme <quelque chose> multiplié par 10 à la puissance <quelque chose d'autre>.

Par exemple, 1,2341E12 signifie 1,2341 multiplié par 10 à la puissance 12.

En règle générale, nous appliquons simplement le principe suivant dans VB : à moins que vous ne soyez convaincu d'avoir besoin d'un nombre à virgule flottante (ce qui suppose que vous travailliez sur des applications physiques ou mathématiques très poussées), les nombres décimaux conviennent à la plupart des situations, même aux progiciels de comptabilité... sauf si vous représentez Microsoft, bien sûr.

Ne croyez pas ces rumeurs dénuées de tout fondement, selon lesquelles Microsoft serait sur le point d'ajouter un nouveau type de données appelé MSCurrency, qui représenterait des milliards.

Les tableaux de données

Savoir manipuler des données isolées est certes très bien, mais un jour viendra où vous devrez gérer de longues listes d'informations ; c'est à ce moment que les **tableaux de variables** entrent en jeu. Il s'agit simplement de listes d'un seul type de données. Pour les définir, vous donnez un nom unique au tableau et faites référence à chacun de ses éléments par l'intermédiaire de leur numéro, le premier article d'entre eux portant généralement l'indice 0, le suivant, l'indice 1, etc. Visual Basic permet de créer des tableaux d'une longueur fixe, appelés **tableaux statiques**, tout en fournissant des commandes destinées à travailler avec chaque élément d'un tableau indépendamment. Il permet aussi de réaliser des tableaux de longueur variable, appelés **tableaux dynamiques**, et propose diverses commandes en vue d'en connaître la taille et d'effectuer de nombreuses autres opérations.

À l'heure des bases de données, les tableaux ne sont plus un outil de programmation aussi important que par le passé, mais ils n'en restent pas moins utiles. Jetons donc un coup d'œil sur ces objets.

Les tableaux statiques

Les tableaux statiques sont les plus simples à utiliser, notamment parce qu'ils ont une taille prédéfinie qui ne change pas. Toutefois, il s'agit d'un moyen idéal pour faire connaissance avec les tableaux. Nous commencerons donc par ce type d'objet.

Pour définir un tableau, il suffit de déclarer une variable de la manière habituelle, à ceci près qu'il faut faire suivre son nom d'un nombre placé entre parenthèses, qui indique la position de cette variable dans le tableau. L'exemple :

```
Dim MonTableau(10) As Integer
```

définit un tableau de onze entiers. Vous pouvez stocker des valeurs dans le tableau ou en extraire, en indiquant le nom de la variable, suivi d'un indice représentant sa position dans le tableau :

```
MonTableau(5) = 133

MonTableau(4) = MonTableau(7)
```

Mais au fait, pourquoi onze entiers ? C'est très simple. Par défaut, les tableaux sont numérotés de 0 à la valeur indiquée entre parenthèses. Dans le code ci-dessus, le tableau comporte donc les éléments suivants :

```
MonTableau(0), MonTableau(1), MonTableau(2)………. MonTableau(9), MonTableau(10)
```

Prenons un exemple simple.

Passons à la pratique ! Créer votre premier tableau

1   Démarrez un projet Exe standard et, comme précédemment, placez un bouton sur la feuille. Ne prenez pas la peine de le nommer.

2   Une fois le projet configuré, double-cliquez sur le bouton pour ouvrir la fenêtre de code. Placez-vous au début de cette dernière et ajoutez à la feuille un tableau de variables de niveau module :

```
Option Explicit

Private m_sStrings(10) As String
```

Vous venez de définir un tableau de onze chaînes de caractères. Plaçons-y des valeurs.

3   Tapez le code nécessaire pour l'événement Form_Load (n'oubliez pas que vous pouvez obtenir le même résultat en sélectionnant simplement **Form** dans la liste déroulante des objets, en haut à gauche de la fenêtre de code) :

```
Private Sub Form_Load()

    Dim nIndex As Integer

    For nIndex = 0 To 10
        m_sStrings(nIndex) = "Voici la chaîne " & nIndex
    Next

End Sub
```

Nous n'avons ici qu'une simple boucle qui place du texte dans chaque élément du tableau de chaînes.

4   Saisissez le code de l'événement Click du bouton, en vue d'extraire les valeurs du tableau :

```
Private Sub Command1_Click()

    Dim nIndex As Integer

    For nIndex = 0 To 10
        Form1.Print m_sStrings(nIndex)
    Next

End Sub
```

Ces quelques lignes ont un effet exactement inverse à celui du code de l'événement Form_Load : au lieu de placer des valeurs dans le tableau, cet événement les extrait et les affiche sur la feuille.

5   Exécutez l'application et observez le résultat :

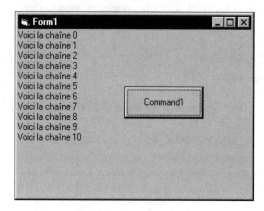

Rien de vraiment compliqué, n'est-ce pas ? Je pense donc que nous pouvons passer à l'étape suivante.

Les tableaux dynamiques

Les **tableaux dynamiques** n'ont pas de taille fixe. Vous pouvez en effet les agrandir ou les réduire en intervenant sur le code et utiliser les instructions Visual Basic pour obtenir des informations les concernant, telles que leur taille. Les tableaux dynamiques présentent de nombreuses différences avec leurs homologues statiques. Premièrement, ils *doivent* être déclarés comme tableaux de niveau module (privés) dans la feuille, le module ou le module de classe où vous envisagez de les utiliser. Deuxièmement, vous n'avez jamais à spécifier le nombre d'éléments qu'ils contiennent : vous emploierez à la place l'instruction `ReDim` lorsque vous aurez besoin d'en définir la taille.

Un tableau dynamique se déclare donc à l'aide d'un code du type :

```
Private MonTableau() As String
```

Aucun nombre ne figurant entre les parenthèses, Visual Basic sait qu'il s'agit d'un tableau dynamique et que ses dimensions sont donc susceptibles d'évoluer. Ces dernières se modifient grâce à l'instruction `ReDim` :

```
ReDim MonTableau(10)

ReDim Preserve MonTableau(10)
```

Ces deux commandes changent la taille du tableau, de telle sorte qu'il peut maintenant accueillir 11 éléments (numérotés de 0 à 10). Elles fonctionnent toutefois différemment : la première ligne de code supprime simultanément tout ce que contenait le tableau, alors que la deuxième, `ReDim Preserve`, s'efforce de le préserver. Cet état de fait sera bien illustré par l'exemple que nous allons vous présenter dans une prochaine section. Pour l'instant, voyons rapidement les autres commandes importantes dans l'emploi d'un tableau.

Travailler avec un tableau dynamique

L'utilisation d'un tableau se traduit le plus souvent par la manipulation de chacun de ses éléments, quel que soit leur nombre. VB met pour cela la boucle `For Each...Next` à votre disposition. Observez le code suivant :

```
Dim varElement As Variant

For Each varElement In MonTableau
        :
        :
Next
```

`For Each` requiert une variable Variant, qu'il utilise pour stocker momentanément chaque élément du tableau. N'oubliez pas qu'il s'agit d'une boucle. À chaque exécution de cette dernière, l'objet suivant du tableau est placé dans la variable Variant que vous spécifiez. Vous pouvez par ailleurs écrire du code dans la boucle qui effectue une opération importante avec les données du tableau (mise à jour de la position des ennemis, par exemple, ou autre action moins intéressante).

Certaines situations nécessitent cependant de connaître le nombre d'éléments contenus dans un tableau ; il suffit alors d'employer les fonctions `UBound` et `Lbound`, qui retournent respectivement l'élément qui a le numéro le plus élevé et celui qui a l'indice le plus petit. Exemple :

```
NumPlusPetit = LBound(MonTableau)
NumPlusElevé = UBound(MonTableau)
```

Les plus perspicaces s'interrogeront peut-être sur l'utilité de `Lbound`. Cette fonction se justifie par le fait que vous n'êtes pas obligé de démarrer les tableaux à l'élément 0 pour aller jusqu'à l'élément n. Vous pouvez en effet personnaliser cette numérotation, de la manière suivante :

```
Private MonTableau(10 to 20)
```

Cette ligne déclare un tableau dont le premier élément porte l'indice 10 et le dernier, 20. Dans de telles situations, `LBound` est essentielle si vous voulez connaître avec certitude l'objet du tableau qui porte le numéro initial.

Bon, assez parlé. Nous vous avons promis du concret, il est donc grand temps de nous y pencher en étudiant ces tableaux dynamiques en action.

Passons à la pratique ! Travailler avec un tableau dynamique

1   Comme d'habitude, démarrez un projet Exe standard et placez quelques contrôles sur la feuille, de façon à obtenir le résultat suivant :

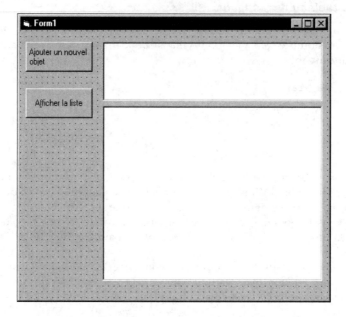

2   Vous devez également définir plusieurs propriétés pour ces contrôles, afin d'obtenir une feuille similaire à la nôtre et un code opérationnel :

Contrôle	Propriété	Valeur
Bouton Ajouter	Caption	A&jouter un nouvel objet
Name	cmdAjouter	
Bouton Afficher	Caption	A&fficher la liste
Name	cmdAfficher	
Grande zone de texte	Name	txtListe
Text	<vide>	
MultiLine	True	
Petite zone de texte	Name	txtSaisie
Text	<vide>	
MultiLine	True	

Avec cette feuille, nous allons permettre à l'utilisateur d'intégrer de nouveaux objets dans un tableau dynamique grâce au bouton **Ajouter**. Lorsqu'il cliquera ensuite sur le bouton **Afficher**, notre code placera les éléments du tableau dans la deuxième zone de texte qui occupe une très grande surface de la feuille.

3   Double-cliquez sur la feuille elle-même pour ouvrir la fenêtre de code, afin de pouvoir y saisir du code.

La première chose à faire est de créer un tableau dynamique dans la partie déclarations de la fenêtre, en haut à droite, sous l'instruction bien connue Option Explicit :

```
Private m_sEléments() As String
```

À ce stade, le tableau est vide : il n'a ni contenu, ni taille. Nous devons en définir les dimensions, le meilleur emplacement pour ce faire étant dans l'événement Load de la feuille. Dans la liste déroulante des objets, en haut à gauche de la fenêtre de code, sélectionnez **Form** : l'événement Form_Load apparaît. Ajoutez le code suivant :

```
Private Sub Form_Load()
    ReDim m_sEléments(0)
End Sub
```

Cette ligne définit un seul élément, numéroté zéro : elle donne donc juste un semblant de taille et de forme au tableau (pour le reste de l'application, nous considérerons en fait l'élément 0 comme un objet vide sans intérêt).

4   Passons au bouton **Ajouter**. Affichez l'événement cmdAjouter_Click, qui se produit lorsque l'utilisateur clique sur le bouton **Ajouter**. Nous devons ici employer le texte entré par l'utilisateur dans la zone txtSaisie, puis l'intégrer dans notre tableau dynamique. Cela nous obligera vraisemblablement à redimensionner aussi ce dernier. Tapez le code mis en surbrillance dans l'événement Click du bouton **Ajouter** :

```
Private Sub cmdAjouter_Click()
    Dim sNouvelElément As String

    sNouvelElément = txtSaisie.Text
    If sNouvelElément <> "" Then
        ReDim Preserve m_sEléments(UBound(m_sEléments) + 1)
        m_sEléments(UBound(m_sEléments)) = sNouvelElément

        txtListe.Text = txtListe.Text & vbCrLf & "Nouvel objet ajouté."

        txtSaisie.Text = ""
        txtSaisie.SetFocus

    End If

End Sub
```

5   Il faut maintenant faire en sorte que les données entrées dans le tableau soient placées dans la grande zone de texte txtListe lorsque l'utilisateur clique sur le bouton **Afficher**. Par conséquent, saisissez le code ci-dessous dans la procédure de l'événement Click :

```
Private Sub cmdAfficher_Click()
    Dim sElément As Variant

    With txtListe
        .Text = ""
        .Text = "Tableau vidé !"
        .Text = .Text & vbCrLf & "Il y a actuellement " &
            ↳ UBound(m_sEléments) & " à afficher"

        For Each sElément In m_sEléments
            .Text = .Text & vbCrLf & sElément
        Next

    End With

End Sub
```

6   Exécutez le programme et amusez-vous !

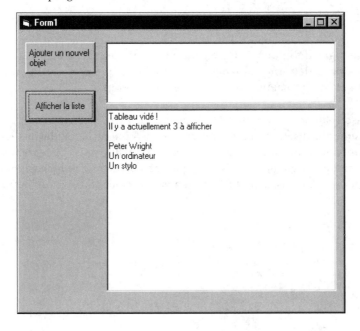

Fonctionnement

Nous avons déjà vu comment définir le tableau ; intéressons-nous donc maintenant au code des deux boutons de commande.

Les deux premières lignes du bouton **Ajouter** devraient vous sembler limpides : elles définissent juste une variable String destinée à recevoir le texte prochainement saisi par l'utilisateur, puis y placent le contenu de la zone de texte txtSaisie :

```
Dim sNouvelElément As String

sNouvelElément = txtSaisie.Text
```

À la ligne suivante, l'instruction `If` vérifie que l'utilisateur a bien entré des informations, qu'il n'a pas laissé champ vide. S'il a effectivement saisi quelque chose, le code encadré par `If...End If` peut s'exécuter :

```
If sNouvelElément <> "" Then
```

La ligne `ReDim Preserve` indique à VB d'agrandir le tableau, tout en préservant son contenu actuel. Elle recourt pour cela à `UBound`, afin de déterminer l'élément qui porte actuellement l'indice le plus élevé du tableau, puis redimensionne le tableau en ajoutant 1 à la valeur retournée par `UBound` :

```
ReDim Preserve m_sEléments(UBound(m_sEléments) + 1)
```

La ligne suivante copie alors le texte entré par l'utilisateur dans le nouvel élément en haut du tableau, avant de mettre finalement la zone de texte à jour :

```
m_sEléments(UBound(m_sEléments)) = sNouvelElément

txtListe.Text = txtListe.Text & vbCrLf & "Nouvel objet ajouté."
```

Nous supprimons ensuite le contenu de la zone de texte Saisie et lui redonnons le focus, afin de pouvoir y entrer le nouvel objet :

```
txtSaisie.Text
txtSaisie.SetFocus
```

Examinons maintenant le code du bouton **Afficher**. Cette routine utilise une boucle `For Each...Next` pour parcourir chaque élément du tableau et les ajouter dans la zone de texte. Comme nous l'avons dit précédemment, cependant, `For Each` requiert une variable Variant ; la première ligne de code qui suit en définit donc une, appelée `sElément` :

```
Dim sElément As Variant
```

Les 4 lignes de code suivantes effacent simplement le contenu de la zone de texte et affichent des informations génériques, puis un message indiquant à l'utilisateur le nombre de lignes actuellement contenues dans le tableau. N'oubliez pas : nous ne tenons pas compte de l'élément 0 et pouvons donc utiliser `UBound` pour signaler à l'utilisateur le nombre exact de lignes dans le tableau :

```
With txtListe
   .Text = ""
   .Text = "Tableau vidé !"
   .Text = .Text & vbCrLf & "Il y a actuellement " & UBound(m_sEléments) &
         ↳ " à afficher"
```

Entre ensuite en jeu la boucle `For Each` : elle copie un à un tous les éléments du tableau dans `sElément` ; à chaque exécution de la boucle, la valeur courante de `sElément` est copiée à partir de la zone de texte :

```
For Each sElément In m_sEléments
   .Text = .Text & vbCrLf & sElément
Next
```

Prenez bien le temps de relire attentivement ce code, ainsi que la section précédente, si besoin est. Vous serez peut-être un peu dérouté au début, surtout si vous n'avez jamais rencontré cette situation auparavant. Cela ne devrait toutefois pas durer. Il s'agit juste de vous faire à l'esprit VB.

Les tableaux multidimensionnels

Avant de quitter définitivement le monde des tableaux, arrêtons-nous un instant sur les **tableaux multidimensionnels**. Jusqu'à présent, ceux avec lesquels nous avons travaillé étaient de simples listes de données à une seule dimension. Il est néanmoins possible d'employer des tableaux multidimensionnels. Considérez-les comme des listes de listes de données (voire des listes de listes de listes de données dans le cas de tableaux à 3 dimensions). Prenons l'exemple suivant :

```
Dim MonTableau(9,9) As String
```

Cette ligne définit un tableau de chaînes de caractères à 2 dimensions, dont les éléments sont numérotés comme suit :

```
(0,0)    (0,1)    (0,2)    (0,3)    (0,4)    (0,5)    (0,N)
(1,0)    (1,1)    (1,2)    (1,3)    (1,4)    (1,5)    (0,N)
                           :
                           :
                           :
(M,0)    (M,1)    (M,2)    (M,3)    (M,4)    (M,5)    (M,N)
```

À l'exception de la numérotation, le fonctionnement d'un tableau multidimensionnel est en tous points identique à celui d'un banal tableau à une seule dimension. UBound and LBound requièrent toutefois des paramètres supplémentaires pour déterminer les plus grand et plus petit indices de chaque dimension.

❑ UBound(MonTableau,1) retourne la limite supérieure de la première dimension du tableau.

❑ LBound(MonTableau,2) retourne la limite inférieure de la deuxième dimension, etc.

Une dernière remarque sur les tableaux

Vous aurez souvent besoin de copier un tableau dans un autre. Dans Visual Basic 5, vous deviez définir à cette fin une boucle For...Each qui parcourait l'ensemble du tableau à copier et redimensionnait le tableau de destination à chacune de ses exécutions, afin de copier la valeur suivante.

Dans le cadre des tableaux dynamiques, VB6 propose néanmoins une autre méthode :

```
MonTableau = VotreTableau
```

Attention ! cette procédure ne vaut que pour les tableaux dynamiques (pas les statiques).

Définir vos propres types de données

Bien que VB inclue d'innombrables types de données utilisables pour définir des variables, il est parfois très pratique de créer ses propres types d'informations. Si vous connaissez déjà le langage Pascal ou le C++, sachez que les types VB définis par l'utilisateur fonctionnent globalement de la même manière que les structures en C et les enregistrements en Pascal : il s'agit d'un ensemble de variables particulières regroupées sous un seul type. Après avoir créé une telle entité, vous pouvez faire référence à chacune des variables incluses dans le type défini par l'utilisateur, au même titre que la propriété d'un contrôle.

Leur création est étonnamment simple ; il suffit en effet d'entrer :

```
Type <NomDeVotreTypeDeDonnées>
        :
        :
End Type
```

Entre les instructions `Type` et `End type`, vous devez juste répertorier les variables dont vous allez avoir besoin pour définir le type. Exemple :

```
Type TEmployé
        Nom As String
        Prénom As String
        Salaire As Single
        Age As Integer
End Type
```

Une fois ceci saisi, vous pouvez créer des variables basées sur ce type comme s'il s'agissait d'un tout autre type de variable VB et faire référence aux variables qu'il regroupe de la même manière que vous utiliseriez les propriétés d'un contrôle :

```
Dim MonEmployé As TEmployé

MonEmployé.Nom = "Durand"
MonEmployé.Prénom = "Alain"
MonEmployé.Salaire = 10
MonEmployé.Age = 28
```

S'ils semblent particulièrement commodes, les types définis par l'utilisateur ont néanmoins été largement supplantés, ces dernières années, par les classes (reportez-vous au chapitre 8 pour tout savoir sur ces entités). Pourquoi ? Un type personnalisé est certes formidable pour stocker une grande quantité de données, mais une classe est également en mesure de stocker conjointement du code permettant de manipuler les données et se révèle donc considérablement plus utile. Elle peut en outre être intégrée dans une DLL unique, devenant ainsi disponible pour beaucoup d'autres programmes et projets VB, alors qu'un type défini par l'utilisateur doit être saisi dans chaque projet auquel il servira. C'est pourquoi nous ne nous attarderons pas plus longtemps sur les types personnalisés. Rien ne vous empêche de les essayer, au contraire, mais n'oubliez surtout pas de vous reporter au chapitre 8 pour découvrir une solution plus efficace.

Résumé

Dans ce court chapitre, nous avons approfondi le sujet des variables et abordé à cette occasion de nombreux points fondamentaux ; il serait donc judicieux que vous preniez désormais le temps d'expérimenter divers développements Visual Basic personnels. Les variables booléennes, si simples à utiliser, sont omniprésentes dans la plupart des applications actuelles, de même que les tableaux ; maintenant que vous savez les employer, vous avez donc toutes les cartes en main pour y recourir dans votre travail. Les variables Variant, également, tendent à se multiplier ; cependant, si vous n'en connaissez pas les tenants et les aboutissants, ni les pièges, vous risquez très vite de perdre pied en les utilisant.

Dans ce chapitre, nous avons abordé les points suivants :

- Variables booléennes
- Déclaration d'une variable Variant
- Reconnaissance du type de données contenues dans une variable Variant
- Constantes
- Pertinence de la déclaration d'une variable statique
- Conversion d'un type de données en un autre
- Utilisation des tableaux statiques
- Emploi des tableaux dynamiques
- Redimensionnement d'un tableau dynamique
- Types définis par l'utilisateur ; cause de leur déclin

Ne vous inquiétez pas si tout cela vous semble encore un peu nébuleux. Vous ne cesserez d'utiliser l'ensemble de ces éléments tout au long de votre travail avec VB et dans le reste de ce livre. Vous aurez donc largement le temps de vous familiariser avec toutes ces nouveautés.

1   Dans l'événement `Load` d'une feuille, écrivez du code qui permette de charger un tableau de 26 éléments : les lettres de l'alphabet en majuscules. Placez ensuite un bouton de commande sur la feuille qui présente ces éléments.

2   Consultez l'aide en ligne afin de savoir comment utiliser la fonction `Array` pour charger les jours de la semaine dans un tableau à 7 éléments. Placez ce code dans l'événement `Load` de la feuille et saisissez du code dans l'événement `Click` du bouton de commande, en vue d'afficher ces éléments.

3   Créez un projet avec une feuille, une seule zone de texte et quatre boutons de commande. « Videz » la propriété **Text** de la zone de texte. Lorsque l'utilisateur clique sur le bouton `Command1`, effectuez un test pour déterminer si cette zone de texte est vide (il s'agit d'une tâche fréquente dans la validation des données). Quelle est la meilleure marche à suivre ?

Dans chacun des trois boutons de commande restants, déclarez une variable unique : une Variant dans `Command2`, une Integer dans `Command3` et une String dans `Command4`. Faites le test approprié pour savoir si la variable est vide dans les trois événements `Click` respectifs. Là encore, quelle est la meilleure marche à suivre ? Une fois ces trois types de variables déclarées, avec quelles valeurs les variables sont-elles initialisées ?

4   Créez un projet avec une feuille et un seul bouton de commande. Écrivez un code qui permet, si l'utilisateur clique sur le bouton, de calculer et d'afficher le nombre courant de clics sur ce bouton.

5   Créez un projet avec une feuille et deux boutons de commande. Déclarez un type défini par l'utilisateur appelé `udtPersonne` et contenant des éléments pour un nom, un prénom, une adresse, une ville, un code postal et une adresse électronique. Dans la procédure événement `Click` du premier bouton de commande, déclarez une instance de `udtPersonne` et affectez des valeurs aux éléments du type défini par l'utilisateur. Dans la procédure événement `Click` du deuxième bouton de commande, affichez ces valeurs.

Utiliser les contrôles Liste

Beaucoup d'applications, en particulier celles qui traitent des données, doivent pouvoir présenter des listes d'informations à l'utilisateur. Dans un système de gestion du personnel par exemple, l'utilisateur doit pouvoir disposer d'une liste des postes ou des noms des services. Dans un jeu de simulation spatiale, le joueur doit pouvoir choisir l'arme appropriée dans une liste. Toutes ces possibilités peuvent être facilement mises en place dans Visual Basic grâce aux différents types de contrôles Liste et Liste modifiable.

Visual Basic propose une gamme étendue de contrôles Liste. Ils sont assez simples à utiliser et facilitent la construction du squelette de votre application. Ils conviennent également tout à fait au traitement des tableaux que nous avons étudiés dans le chapitre précédent. Ce chapitre présentera les contrôles Liste et Liste modifiable et vous montrera comment les faire fonctionner efficacement et harmonieusement.

Dans ce chapitre, nous aborderons les points suivants :

- ❏ Fonction du contrôle **Liste**
- ❏ Fonction du contrôle **Liste modifiable**
- ❏ Utilisation des contrôles Liste dans nos programmes
- ❏ Utilisation des contrôles Liste modifiable dans nos programmes

Nous commencerons en examinant les types de contrôles Liste que nous pouvons utiliser.

Qu'y a t'il au menu ?

Les **listes** permettent à votre utilisateur de choisir un contrôle dans une liste d'options que vous avez placée dans la fenêtre de liste. L'utilisateur ne peut sélectionner que les éléments que vous lui permettez de voir. En examinant cet exemple de contrôle Liste, vous pouvez vous rendre compte que c'est une fenêtre simple dans laquelle les éléments sont énumérés les uns après les autres

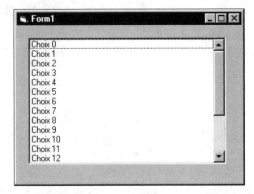

Les **contrôles Liste modifiable** *peuvent* ressembler aux zones de liste mais ils sont dotés d'un contrôle Zone de texte supplémentaire. Dans certains cas, seule cette partie est visible sur la feuille et le contenu de la liste n'est apparent que lorsque l'utilisateur clique sur la flèche orientée vers le bas.

Il existe trois styles de listes modifiables : la liste modifiable déroulante, la liste modifiable simple et la liste déroulante. Examinons-les :

- ❑ La l**iste modifiable déroulante**, style 0, ressemble à une zone de texte avec une liste attachée. L'utilisateur peut soit taper sa propre valeur dans la partie de la zone de texte, soit choisir un texte déjà existant dans la liste. Pour ce faire, il faut cliquer sur la flèche orientée vers le bas.

- ❑ La **liste modifiable simple,** style 1, donne également une liste des options à l'utilisateur, mais ce dernier peut entrer ses propres valeurs dans la zone de texte.

- ❑ La **liste déroulante**, style 2, ressemble à la **liste modifiable déroulante**. La liste n'apparaît que si l'utilisateur clique sur la flèche orientée vers le bas. Mais cette fois, il peut seulement y sélectionner une option. S'il tape du texte dans la zone de saisie, la liste se déroulera pour atteindre la valeur correspondante qui sera alors mise en surbrillance.

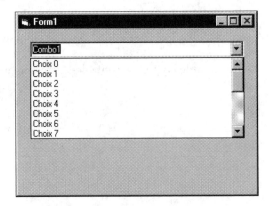

Comme pour n'importe quel type de contrôle de Visual Basic, il est possible d'accéder à tous les contrôles que vous voyez ici à partir de la boîte à outils

Contrôle Liste

Contrôle Liste modifiable

Nous examinerons chaque contrôle et nous les verrons en action dans un projet Visual Basic.

Utiliser les contrôles Liste

Les **contrôles Liste** sont parfaits lorsque vous voulez présenter une liste de choix à l'utilisateur et restreindre ses possibilités à cette seule liste. Si vous avez seulement une petite liste de choix, vous pourrez en théorie utiliser un ensemble de zones d'option. La liste présente néanmoins beaucoup plus d'avantages :

- ❑ Elle affiche les options en liste continue, de manière que les utilisateurs voient qu'ils sont en train de choisir une option dans une liste

- ❑ Vous pouvez maîtriser la quantité d'espace que le contrôle occupe sur votre feuille en dimensionnant la zone au moment de la création

- ❑ Vous pouvez ajouter et supprimer des éléments de votre liste en utilisant du code bien plus facilement qu'avec les boutons d'options

- ❑ Contrairement à ces derniers, vous pouvez programmer une liste de manière qu'elle permette des sélections multiples

Voyons comment utiliser le contrôle Liste.

Passons à la pratique ! Créer des contrôles Liste

1 Créez un nouveau projet Exe standard dans Visual Basic. Dessinez ensuite un contrôle Liste sur la feuille de votre projet, de manière qu'elle ressemble à celle ci-dessous :

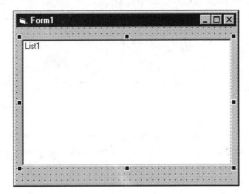

2 Double-cliquez ensuite sur la feuille (mais pas sur le contrôle que vous venez juste de dessiner pour faire apparaître la fenêtre de code, montrant le code associé à l'événement Load de la feuille. Ajoutons un peu de code à cet événement pour placer quelques informations dans la liste.

```
Private Sub Form_Load ()
    Do While List1.ListCount < 100
        List1.AddItem "Ceci est le numéro de l'élément " & List1.ListCount
    Loop
End Sub
```

3 Exécutez le programme pour voir les résultats

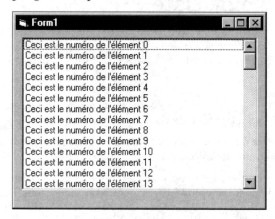

4 La liste affiche les éléments qui ont été ajoutés par le code dans l'événement Form_Load(). Mais comme il y a trop d'éléments à afficher, Visual Basic ajoute automatiquement une barre de défilement sur le côté.

Fonctionnement

Le seul code qui travaille réellement dans cette application est celui que vous ajoutez dans l'événement de feuille Load. Ce code est utilisé dans la méthode AddItem pour créer la liste. Si vous affichez l'événement Form_Load() dans la fenêtre de code, vous pouvez voir comment tout cela fonctionne :

```
Private Sub Form_Load ()
    Do While List1.ListCount < 100
        List1.AddItem "Cet élément porte le numéro " & List1.ListCount
    Loop
End Sub
```

Comme la liste est vide au début, la boucle commencera avec ListCount à zéro et nommera sa première entrée Élément 0. ListCount est tout simplement une propriété de la liste, mise automatiquement à jour par Windows et qui contient toujours le nombre total des éléments présents.

> Comme pour les tableaux, l'une des bizarreries de ce type de contrôles est que la numérotation des éléments commence toujours à partir de 0. Dans cet exemple, le dernier élément portera toujours le numéro 99.

La ligne `AddItem` place un nouvel élément dans la liste à partir de la chaîne « Cet élément porte le numéro » suivi d'une propriété `ListCount` du contrôle Liste. Dans notre exemple, cela fonctionne comme cela :

```
List1.AddItem "Cet élément porte le numéro " & List1.ListCount
```

Vous avez peut-être remarqué une autre chose étrange à propos de ce contrôle : lorsque vous avez exécuté pour la première fois le programme, sa taille a un peu diminué. Pourquoi ? Et bien, parce qu'il s'ajustera de manière à contenir un nombre exact de lignes à l'écran. Tout ceci est dû à la propriété IntegralHeight :

Par défaut, lorsque vous placez une liste sur une feuille, cette propriété est fixée sur True, ce qui signifie que le contrôle se redimensionnera de lui-même pour s'ajuster au nombre exact de lignes qui apparaissent à l'écran. Si vous choisissez False, cela permet de conserver les dimensions de la liste, mais il est possible que seule une partie de la ligne du bas s'affiche. Vérifions cela :

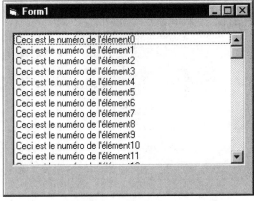

La propriété ne peut avoir que deux valeurs - True ou False – que vous sélectionnez normalement : soit en double-cliquant sur la propriété dans la fenêtre Propriétés, soit en déroulant la liste des possibilités.

Trier des éléments dans une liste

Par défaut, les éléments d'une zone de texte apparaissent dans l'ordre de leur saisie. Par conséquent, si vous avez un code qui dit :

```
List1.AddItem "Zèbre"
List1.AddItem "Chameau"
List1.AddItem "Éléphant"
```

votre liste va ressembler à ça :

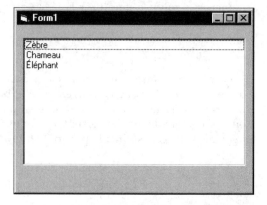

En ce qui concerne la liste, tout va bien : elle montre tous les éléments et l'utilisateur peut sans problème faire son choix. Enfin, presque sans problème. Les utilisateurs sont des créatures étranges qui ont tendance à penser que vos applications vont en faire plus que ce que les spécifications du programme indiquent réellement. Si vous avez une liste de 1000 clients dans le désordre, votre utilisateur va se lasser assez rapidement...

La solution est toute simple. Les contrôles Liste sont dotées d'une propriété appelée Sorted, qui peut être réglée sur True ou sur False :

En fixant la propriété **Sorted** sur **True**, tous les éléments que vous ajoutez à la liste sont automatiquement triés. Vos utilisateurs obtiennent le résultat escompté :

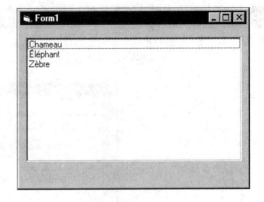

> La propriété `Sorted` ne peut être modifiée qu'en mode création. Vous ne pouvez pas modifier le tri d'une liste pendant l'exécution de votre programme.

Mais l'inconvénient du tri est qu'il ralentit de manière significative Visual Basic. Si vous traitez de longues listes contenant des centaines d'éléments, vous devez prendre ce facteur en compte dans la durée d'exécution de votre programme.

Mais si vous voulez simplement insérer un élément à un endroit particulier, vous pouvez utiliser la méthode `AddItem` que nous avons déjà vue pour spécifier la position dans laquelle vous voulez qu'il apparaisse :

```
List1.AddItem "Nouvel élément", 3
```

Ceci place l'élément en quatrième position et sa `ListIndex` sera 3. Pour garantir la validité de la valeur que nous utilisons, il nous faut vérifier qu'elle est inférieure à la propriété existante `ListCount` :

```
nNouvellePosition = 6
If List1.ListCount > 6 Then List1.AddItem "Nouvel élément", nNouvellePosition
```

Sélectionner des éléments dans une liste

Lorsque vous avez placé une liste d'éléments dans votre liste, l'utilisateur doit pouvoir sélectionner au moins une option et il faut mettre ce choix dans votre code.

Détecter un choix effectué par l'utilisateur

Commençons par examiner certains des événements supportés par les contrôles Liste et Liste modifiable : cela vous permettra de détecter lorsqu'ils sont affectés par une action. L'événement le plus utile est sans aucun doute l'événement `Click`. Il survient à chaque fois que l'utilisateur sélectionne un élément dans la liste ce qui vous permet d'examiner la propriété `Text` du contrôle pour savoir exactement ce qui a été sélectionné.

Passons à la pratique ! Utiliser l'événement Click avec des contrôles Liste

1 Continuons avec le dernier exercice, double-cliquez sur le contrôle Liste pour faire apparaître sa fenêtre de code et sélectionnez l'événement `Click` :

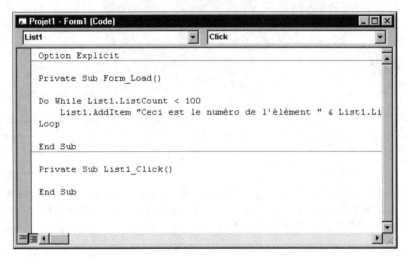

2 Ajoutez une commande `MsgBox` de manière que votre code d'événement ressemble à cela :

```
Private Sub List1_Click ()
    MsgBox "Sélectionné : " & List1.Text
End Sub
```

3 Enregistrez votre programme sous List.vbp (nous en aurons encore besoin), puis exécutez le programme. A chaque fois qu'un élément de la liste est sélectionné, l'événement `Click` survient et affiche une boîte de message qui vous montre l'élément choisi :

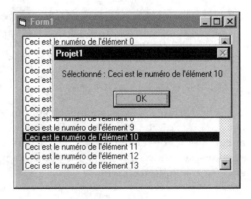

Fonctionnement

Vous pouvez très simplement trouver l'élément sélectionné en utilisant la propriété Text. Elle s'applique à tous les styles de contrôles Liste et Liste modifiable et contient l'élément sélectionné. Si aucun élément n'est sélectionné, la propriété Text contiendra une chaîne vide " ". Mais, dans les contrôles Liste modifiable, comme vous le verrez ultérieurement, la propriété Text peut également contenir le texte que l'utilisateur a entré et non pas sélectionné. En ce qui concerne les contrôles Liste, c'est la valeur de l'élément sélectionné.

Identifier des entrées spécifiques dans une liste

La propriété Text convient parfaitement pour trouver le contenu de l'élément sélectionné. Mais nous voudrons quelquefois connaître l'*index* réel et non pas la *valeur* d'un élément. Comme avec la plupart des autres informations relatives aux listes, nous pouvons l'obtenir grâce à une propriété, dans ce cas ListIndex. Tous les contrôles Liste mettent à jour un tableau appelé List, qui contient tous les éléments d'une liste. ListIndex est utilisé comme l'index d'un tableau ordinaire défini pour accéder à chaque élément de la liste.

Passons à la pratique ! Utiliser ListIndex pour trouver le numéro de l'élément sélectionné

1   Si le programme List.vbp tourne toujours, arrêtez-le et revenez en mode création.

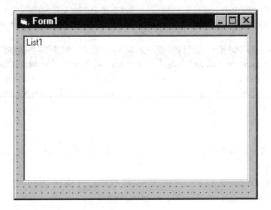

2   Modifiez l'événement Click de cette manière :

```
Private Sub List1_Click()

    MsgBox "Vous avez sélectionné l'élément numéro " & List1.ListIndex

End Sub
```

3   Si vous exécutez votre programme maintenant et que vous cliquez sur un élément de la liste, cela vous montrera la valeur de la propriété ListIndex, qui est également le numéro de l'élément que vous avez sélectionné. Mais attention. Lorsque la boîte de message vous annonce « Vous avez sélectionné l'élément numéro 2 », elle est juste en train de vous dire la position de cette ligne dans le tableau. Le fait que le texte de cette ligne indique également que c'est l'élément numéro 2 n'est que pure coïncidence. En fait, pas vraiment : c'était juste pour voir si vous suiviez.

Supprimer des éléments d'une liste

La méthode RemoveItem, comme son nom l'indique, vous permet de supprimer des éléments. Vous devez préciser le numéro de l'élément à supprimer après le mot RemoveItem. Si vous tapiez cette ligne :

```
List1.RemoveItem 5
```

elle supprimerait l'élément numéro 5 de la liste. Rappelez-vous pourtant que puisque les éléments sont numérotés à partir de 0, l'élément 5 est en fait le sixième. Les ordinateurs ne sont-ils pas merveilleux ?

ListIndex est très souvent utilisée avec la méthode RemoveItem pour supprimer l'élément actuellement sélectionné, comme vous le verrez dans l'exemple suivant. Nous pouvons également utiliser la méthode Clear pour supprimer tous les éléments d'une liste.

Passons à la pratique ! Supprimer des éléments d'une liste

Dans cet exemple, nous utiliserons les méthodes RemoveItem et Clear. Pour se débarrasser de tous les éléments d'une liste appelée List1, nous dirons simplement :

```
List1.Clear
```

Les éléments disparaîtront presque immédiatement. Essayons avec un exemple.

1   Créez un nouveau projet Visual Basic et dessinez un contrôle **Liste** et deux boutons de commande sur la feuille comme cela :

2   Faites apparaître la fenêtre Propriétés de chaque bouton de commande et modifiez la propriété Caption de Command1 en Clear et celle de Command2 en Remove:

3   Ajoutez le code suivant à l'événement `Form_Load` pour adjoindre 100 éléments à la liste :

```
Private Sub Form_Load()
    Do While List1.ListCount < 100
        List1.AddItem "Élément " & List1.ListCount
    Loop
End Sub
```

4   Maintenant, ajoutez du code à l'événement `Click` du bouton de commande **Clear** pour supprimer le contenu de la Liste :

```
List1.Clear
```

5   Pour terminer, ajoutez la ligne suivante à l'événement `Click` du bouton de commande `Remove` :

```
List1.RemoveItem List1.ListIndex
```

6   Et voilà ! Maintenant lancez le programme :

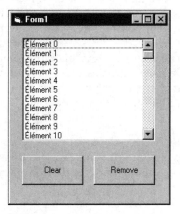

7 Sélectionnez un élément dans la liste et cliquez sur le bouton **Remove**. L'élément sélectionné disparaîtra et ceux situés juste en dessous se réorganiseront automatiquement pour combler le vide.

8 Essayez de cliquer sur le bouton **Clear**. Tous les éléments sont immédiatement éliminés, ce qui vous laisse avec un contrôle vierge.

Fonctionnement

Comme dans le dernier exemple, nous avons rempli la zone de texte appelée List1 avec une liste d'éléments. Pour les supprimer, nous utiliserons juste la ligne :

```
List1.Clear
```

Supprimer un seul élément est un peu plus compliqué. Nous avons besoin de savoir lequel est sélectionné pour pouvoir le supprimer. Nous avons déjà vu comment obtenir l'index d'un élément particulier :

```
List1.ListIndex
```

Pour le supprimer, nous utilisons la ligne :

```
List1.RemoveItem List1.ListIndex
```

> **Si nous essayons de supprimer un élément sans donner de numéro d'index, nous obtiendrons une erreur de syntaxe. Et si cet index n'existe pas, nous obtiendrons une erreur d'exécution.**

Sélectionner des entrées multiples

Jusque là, nous avons utilisé dans tous nos exemples la méthode **sélection simple** pour choisir des éléments dans des listes. L'utilisateur ne peut donc sélectionner qu'un élément à la fois alors que les contrôles Liste permettent pourtant de sélectionner plusieurs éléments.

Dans un système de saisie d'enregistrements par exemple, vous pourriez avoir une liste contenant les factures en attente de paiement. Vos utilisateurs devraient alors pouvoir sélectionner toutes les factures payées à ce jour et cliquer sur un bouton pour toutes les supprimer de la liste en une seule fois. Pour cela, vous avez besoin de la méthode **sélection multiple** .

La propriété MultiSelect

Le mode que vous utilisez pour effectuer des sélections dans une liste est contrôlé par la propriété MultiSelect. Cette dernière peut être dotée de trois paramètres :

Paramètre	Description
0	**Par défaut**. Permet à l'utilisateur de sélectionner un seul élément à la fois.
1	**Multiple**. Chaque élément sur lequel l'utilisateur clique est sélectionné ; s'il clique sur trois éléments, les trois seront donc sélectionnés. Un nouveau clic sur un élément sélectionné le désélectionne.
2	**Étendu**. Avec cette méthode, un simple clic sur un élément a le même effet que le paramètre 0. Mais en pressant la touche *Shift* (Maj) tout en cliquant, vous sélectionnerez tous les éléments situés entre la sélection précédente et la sélection actuelle ; maintenir la touche *Ctrl* enfoncée tout en cliquant fait fonctionner la liste de la même manière que le paramètre 1.

La propriété Multiselect ne peut être fixée qu'à partir de la fenêtre Propriétés au moment de la création :

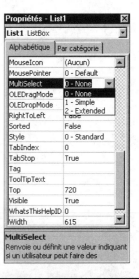

Passons à la pratique ! La sélection multiple

1 Pour voir comment tout cela fonctionne, construisons une autre application. Créez une nouvelle application Exe standard et dessinez un contrôle Liste et un bouton sur la feuille. Modifiez la légende du bouton en Remove :

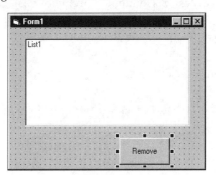

2 Faites apparaître l'événement Load de la feuille et modifiez-le de cette manière :

```
Private Sub Form_Load()
    Do While List1.ListCount < 500
        List1.AddItem "Élément " & List1.ListCount
    Loop
End Sub
```

Vous devriez maintenant pouvoir deviner ce que ce code fait : il entre 500 éléments dans la liste au moment du chargement de la feuille, de manière que nous disposions de quelques données.

L'étape suivante consiste à fixer le mode de sélection de la liste pour que nous puissions procéder à une sélection étendue des éléments qu'elle contient.

3 Sélectionnez la liste, puis allez dans la fenêtre Propriétés et trouvez la propriété **MultiSelect**. Déroulez la liste des options et sélectionnez **1-Simple** :

4 Enfin, ajoutons un peu de code au bouton de la feuille. Au moment de l'exécution, nous voulons sélectionner une gamme d'éléments dans la liste, puis presser un bouton pour les supprimer. C'est en fait beaucoup plus simple à faire que ça n'en a l'air, même si ce n'est pas évident la première fois que vous voyez ce code. Double-cliquez sur le bouton de la feuille pour faire apparaître sa fenêtre de code, puis modifiez l'événement `Click` de cette manière :

```
Private Sub Command1_Click()

    Dim nNombreEntrée As Integer
    nNombreEntrée = List1.ListCount

    Do While nNombreEntrée > 0
```

```
            nNombreEntrée = nNombreEntrée - 1
            If List1.Selected(nNombreEntrée) = True Then List1.RemoveItem
                ↳  nNombreEntrée

        Loop

    End Sub
```

5 Et maintenant, enregistrez l'application et essayez de l'exécuter. Après un court instant et à condition que vous ayez tout tapé correctement, la feuille apparaîtra. Elle contiendra une seule liste de 500 éléments. Sélectionnez quelques entrées, puis pressez le bouton :

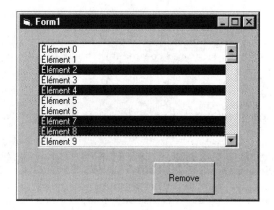

Fonctionnement

Lorsque le bouton de commande est pressé, la boucle itère sur toutes les entrées de la liste en examinant la propriété `Selected` et vérifie que l'élément a été marqué comme sélectionné. La méthode `RemoveItem` est alors utilisée pour s'en débarrasser.

Tout d'abord, une variable appelée `nNombreEntrée` est fixée afin de retenir le numéro de l'élément de la liste à vérifier. Le nombre total d'éléments est obtenu grâce à la propriété `ListCount` du contrôle Liste et placé dans cette variable :

```
        Dim nNombreEntrée As Integer
        nNombreEntrée = List1.ListCount
```

Nous devons d'abord vérifier le dernier élément de la liste et travailler à l'envers, car à chaque fois que vous détruisez un élément, la propriété `ListCount` descend d'un échelon. Si vous essayez de remonter dans la liste, vous allez vous embrouiller car votre code finirait par tenter de vérifier des éléments qui n'existent plus. A l'intérieur de la boucle `Do`, nous réduisons le nombre d'entrées à chaque passage :

```
    Do While nNombreEntrée > 0
        nNombreEntrée = nNombreEntrée - 1
        ...
    Loop
```

Et maintenant, nous devons imaginer un moyen de voir si un élément a été sélectionné. Et de même que le tableau List dans lequel se trouvent les valeurs des éléments, les contrôles Liste possèdent également une propriété Selected, qui se présente aussi sous la forme d'un tableau. Dans ce cas, ce dernier possède une entrée pour chaque élément de la liste, mais les valeurs qu'il contient ne sont True que si l'élément est sélectionné, ou False dans le cas contraire. Pour trouver si un élément est sélectionné, tout ce que vous devez faire est de vérifier l'élément Selected portant cet index. S'il a été cliqué avec la souris, alors Selected est vrai, l'élément est détruit à l'aide de RemoveItem et le code repart en boucle pour vérifier l'élément suivant.

```
Do While nNombreEntrée > 0
        nNombreEntrée = nNombreEntrée - 1
        If List1.Selected(nNombreEntrée) = True Then List1.RemoveItem
nNombreEntrée
Loop
```

Lorsque vous vérifiez la propriété Selected, vous devez inclure le numéro de l'entrée désirée. Vous pouvez considérer Selected comme un tableau de valeurs booléennes, chacune d'entre elles pouvant être soit vraie, soit fausse, en fonction de l'état de l'élément correspondant dans le tableau de la liste.

Après une sélection multiple, la propriété Text *de la liste contient le dernier élément sélectionné sauf évidemment, si nous l'avons détruit.*

Passons à la pratique ! La sélection étendue

Comme je l'ai déjà dit, il existe un autre moyen de sélectionner plusieurs éléments sans avoir à cliquer sur chacun d'entre eux. C'est ce qu'on appelle la **sélection étendue**. Voyons comment cela marche.

1   Arrêtez le programme et faites apparaître la fenêtre Propriétés de la liste.

2   Trouvez la propriété MultiSelect et fixez-la sur 2—Extended.

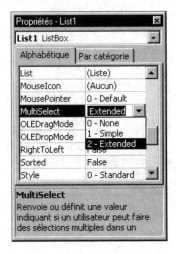

3 Relancez le programme.

4 Cliquez sur le premier élément de la liste, puis tout en maintenant la touche *Shift* enfoncée, cliquez sur un autre situé un peu plus bas. Tout ce qui se trouve entre ces deux éléments est automatiquement sélectionné :

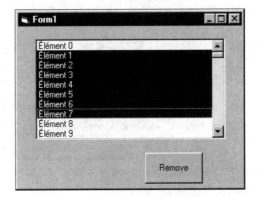

5 A présent, essayez de sélectionner un autre élément situé un peu plus bas, cette fois en maintenant la touche *Ctrl* enfoncée tandis que vous cliquez. Cette action a le même effet que la sélection simple.

Lorsque les éléments ont été sélectionnés, les éléments correspondants du tableau Selected sont fixés sur True, ce qui vous permet de les traiter exactement comme nous l'avons fait dans notre exemple précédent.

Afficher des colonnes d'entrées multiples

Les contrôles Liste présentent un avantage supplémentaire par rapport aux contrôles Liste modifiable car ils peuvent afficher des colonnes multiples d'informations. Cette fonction est contrôlée par la propriété Columns du contrôle.

Passons à la pratique ! Les colonnes multiples

1 Arrêtez le programme et faites réapparaître la fenêtre Propriétés.

2   Tapez 2 dans la propriété **Columns** :

3   Relancez le programme :

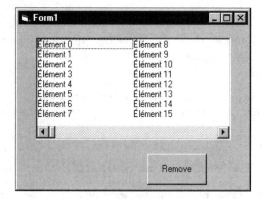

Fonctionnement

Le programme fonctionne exactement comme avant, mais maintenant, les informations de la liste sont réparties sur deux colonnes et non plus sur une. La barre de défilement qui se trouvait sur le côté droit de la liste se situe maintenant en bas, ce qui vous permet de faire défiler les colonnes de gauche à droite plutôt que de haut en bas.

> La propriété `Columns` détermine le nombre de colonnes visibles simultanément dans la liste et non pas le nombre total réel de colonnes. Au moment de l'exécution, vous pouvez changer la valeur de la propriété `Columns` pour modifier la largeur de la colonne. Mais vous pouvez la faire revenir à `0`, ce qui ramène la liste sur une seule colonne et ceci seulement au moment de la création, puisque cela nécessite une barre de défilement verticale et non pas horizontale.

Utiliser les contrôles Liste modifiable de Visual Basic

Les contrôles **Liste modifiable** sont les cousins germains des contrôles **Liste**. Ils offrent tous deux des possibilités similaires. Les éléments peuvent être supprimés avec la méthode `RemoveItem`, ajoutés avec la méthode `AddItem`, vidés avec la méthode `Clear` et triés en fixant la propriété **Sorted** sur **True**. Les contrôles **Liste modifiable** possèdent également une propriété **List** qui n'est en fait qu'un tableau contenant les éléments de la liste. Mais il n'y a pas de propriété **Selected** : sélectionner un élément dans la liste le transfère simplement dans la boîte d'édition de texte.

Mais si ces deux contrôles se ressemblent tant, quels sont les avantages de chacun ?

- ❏ Une **liste modifiable** permet à votre utilisateur de disposer d'une zone pour saisir des données et lui donne la possibilité de voir une liste de suggestions. Les listes modifiables sont généralement utilisées lorsque vous voulez placer une zone de texte destinée à la saisie utilisateur, tout en montrant une liste de toutes les options possibles.

- ❏ D'autre part, une **liste** ressemble beaucoup à une grille sans colonnes. La liste est affichée et l'utilisateur ne peut sélectionner d'éléments que dans cette liste. Il n'y a pas de zone destinée à la saisie de données.

Il existe trois types de listes modifiables : **modifiable déroulante, modifiable simple et liste déroulante**. Le type peut être choisi en modifiant la propriété Style du contrôle lorsqu'il se trouve sur la feuille, comme nous l'avons vu au début du chapitre. A présent, nous allons créer quelques listes modifiables et les voir en action.

Passons à la pratique ! Créer des listes modifiables

1 Démarrez un autre nouveau projet et lorsque la feuille par défaut apparaît, sélectionnez le contrôle **Liste** modifiable dans la boîte à outils et dessinez-le sur la feuille. Si vous essayez de modifier la hauteur de la boîte, elle se rapetisse d'une ligne supplémentaire.

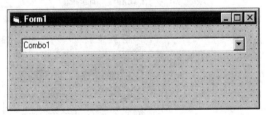

2   Et maintenant, affichez la fenêtre **Code** de l'événement `Load` de la feuille. Ajoutez-lui le code habituel, pour qu'il ressemble à ça :

```
Private Sub Form_Load()

    Do While Combo1.ListCount < 500
        Combo1.AddItem "Élément " & Combo1.ListCount
    Loop

End Sub
```

3   Exécutez le programme. Lorsque la feuille se charge, vous pouvez soit saisir du texte dans la zone appropriée de la liste modifiable, soit cliquer sur la flèche orientée vers le bas pour afficher la liste de toutes les options possibles :

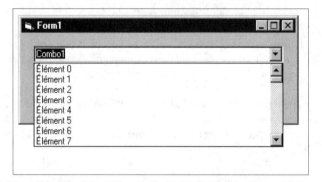

4   Arrêtez le programme. Faites apparaître la fenêtre **Propriétés** de la liste modifiable et trouvez la propriété **Style**. Modifiez le style de la liste modifiable déroulante par défaut en **1-Simple Combo**.

5 La liste modifiable disparaît automatiquement de la feuille. A présent, redimensionnez-la pour qu'elle ressemble à cela :

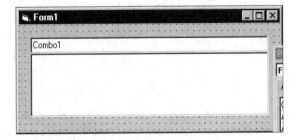

6 Relancez le programme. Vous pouvez toujours taper n'importe quel texte dans la liste modifiable, ou sélectionner un élément dans la liste. Mais au contraire de la dernière fois, elle reste affichée.

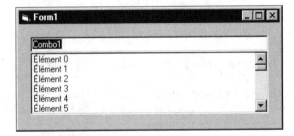

7 Ceci est une liste modifiable simple. Vous devez donc dimensionner la liste au moment de la création de manière qu'au moins les premiers éléments soient visibles. Sinon, vos utilisateurs ne pourront rien y sélectionner.

8 Arrêtez le programme et cette fois changez la propriété **Style** en **2-Dropdown List**. Ce type de liste modifiable a l'air tout à fait identique à la première liste modifiable déroulante :

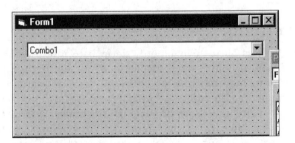

9 Relancez le programme. La liste modifiable ne vous permettra que de sélectionner les éléments de la liste : vous ne pouvez pas y saisir de texte.

243

10   Tapez la lettre É. La liste modifiable trouvera automatiquement l'entrée suivante commençant par É et l'affichera. Si vous continuez à presser É, l'entrée suivante s'affichera et ainsi de suite.

> Bien sûr, ceci ne fonctionne que dans ce cas, car toutes les entrées de la liste commencent par la lettre **É**. Si elles commençaient par la lettre **A**, vous auriez dû presser **A** pour faire défiler les éléments !

Événements et propriétés de la liste modifiable

Bien qu'il existe de grandes similitudes entre les listes modifiables et les listes, il y a également quelques différences entre les événements et les propriétés qu'elles supportent toutes deux. Jetons d'abord un coup d'œil sur les événements.

Cliquer et modifier

Une liste modifiable est composée de deux parties : une boîte de saisie de texte et une liste déroulante. Elle possède donc plusieurs événements qui sont identiques à ceux des zones de texte. Par exemple, elle est dotée d'un événement Change que vous pouvez utiliser pour vérifier que l'utilisateur a effectivement modifié le texte dans la zone de texte. Il faut noter que l'événement Change ne survient que lorsque l'utilisateur tape quelque chose dans la partie zone de texte de la liste modifiable. Lorsqu'il sélectionne un nouvel élément dans une liste, c'est l'événement Click qui survient.

Dérouler la liste

DropDown est l'un des autres événements de la liste modifiable et il vous permet de détecter le moment où l'utilisateur clique sur la flèche et provoque l'apparition de la liste déroulante. Vous pouvez l'utiliser pour modifier les éléments de la liste de manière dynamique pendant l'exécution de votre programme. Par exemple, si l'utilisateur peut entrer des éléments dans d'autres contrôles, vous pouvez construire une liste de valeurs destinées à la liste modifiable et qui s'affichera uniquement lorsqu'il l'ouvrira, au lieu de passer votre temps à le faire à chaque fois que les autres contrôles changent. Bien sûr, cela n'est intéressant que dans le cas d'une liste modifiable déroulante ou d'une liste déroulante. Dans un contrôle Liste modifiable simple, la liste est toujours visible et il n'y a pas d'événement DropDown.

Supprimer le texte

La propriété `Text` ajoutée à une liste modifiable fait d'une pierre deux coups. Elle vous permet de voir non seulement quel élément a été sélectionné par l'utilisateur, mais également si ce dernier a tapé quelque chose au lieu de faire une sélection. Vous pouvez utiliser cette propriété pour voir ce qu'il a saisi :

```
sNouvelleEntrée = Combo1.Text    'ce que l'utilisateur a tapé dans la zone de texte de la
liste modifiable
```

Les listes modifiables possèdent également une propriété `List` et une propriété `ListIndex` qui contient l'index de l'élément sélectionné. La propriété `ListCount` donne le nombre d'éléments de la liste. Mais elles ne possèdent pas de tableau de propriété `Selected` qui est pourtant très pratique lorsque l'utilisateur veut faire des sélections multiples. Puisque les listes modifiables ne vous permettent que de choisir un élément à la fois, cette propriété n'est pas vraiment nécessaire ; vérifiez juste la propriété `Text` pour voir ce que l'utilisateur veut faire.

Définir la sélection

Les listes et les listes modifiables vous permettent de modifier par programme la propriété Index utile au repérage de l'élément sélectionné. Tout ce que vous avez à faire, c'est d'assigner la valeur appropriée à la propriété `ListIndex`. Par exemple, pour sélectionner le troisième élément dans une liste modifiable appelée `Combo1` vous pouvez utiliser :

```
Combo1.ListIndex = 2
```

Ceci vous permet de définir la sélection d'un élément particulier lorsque votre programme démarre (dans l'événement `Form_Load`) ou à n'importe quel moment par la suite.

Rappelez-vous que `ListIndex` commence toujours à zéro et que si aucun élément n'a été sélectionné, elle sera égale à `-1`. Si vous voulez faire une boucle dans la liste, rappelez-vous également que la propriété `ListCount` donne le nombre exact d'éléments de la liste, soit un de plus que l'index du dernier élément. Donc, pour itérer sur la liste, vous devez utiliser :

```
For nLoop = 0 To Combo1.ListCount - 1
sCetElément= Combo1.List(nLoop)
Next
```

`TopIndex` est l'une des autres propriétés des deux listes. Lorsque la liste est trop longue pour être affichée en entier dans le contrôle, Visual Basic y ajoute des barres de défilement. `TopIndex` contient l'index de l'élément qui se trouve actuellement en haut de la liste. Elle vous permet également de faire défiler vous-même la liste. La propriété `ListIndex` sélectionne l'élément précisé et le fait défiler pour l'afficher, ce qui est très pratique. Quant à `TopIndex`, elle ne sélectionne pas l'élément. Par exemple, la ligne suivante utilise la propriété `TopIndex` pour faire défiler la liste de `10` éléments vers le bas :

```
Combo1.TopIndex = Combo1.TopIndex + 10
```

> Si vous voulez détecter le moment où l'utilisateur fait défiler la liste, vous pouvez utiliser l'événement `Scroll`. Personnellement, je ne trouve pas cela très utile, mais vous serez peut-être d'un avis contraire.

Détecter la souris et le clavier dans les listes

Vous voudrez parfois réagir aux **événements de la souris** dans vos listes. Comme la plupart des autres contrôles, les listes vous permettent de détecter des événements MouseDown et MouseUp. Vos utilisateurs peuvent cliquer sur la souris et la faire glisser pour faire défiler les entrées d'une liste ; ces événements vous permettent donc de voir où votre souris est en train de pointer et de détecter les points sur lesquels l'utilisateur presse et relâche un bouton. Nous aborderons les différentes manières d'utiliser les événements de la souris ultérieurement dans ce manuel.

Il existe aussi des événements qui surviennent lorsqu'une touche est pressée, ce à quoi vous pouvez réagir. En y ajoutant du code, vous pouvez vous faire une idée un peu plus précise de ce que l'utilisateur est en train de faire avec votre liste. En voici un simple exemple.

Passons à la pratique ! Détecter les événements de la souris et des touches Maj, Ctrl et Alt

Pour cet exemple, nous utiliserons le projet List.vbp que nous avons déjà crée. Si vous avez oublié de l'enregistrer, revenez au premier exemple de ce chapitre pour créer la feuille avec une liste et ajoutez le code Form_Load qui le remplit de certaines valeurs.

1   Ouvrez le projet List.vbp.

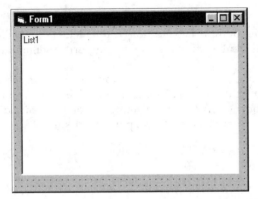

2   Double-cliquez sur la liste pour ouvrir son gestionnaire d'événement Click dans la fenêtre Code et détruisez-en le code.

3   En haut à gauche de la fenêtre Code, sélectionnez l'événement MouseUp et tapez le code suivant :

```
Projet1 - Form1 (Code)
List1                                          MouseUp
Private Sub List1_MouseUp(Button As Integer, Shift As Integer, X As Single, Y As Single)
Dim sMsg As String

    sMsg = "Vous avez cliqué dans la liste"
    If Button = vbRightButton Then sMsg = sMsg & "en utilisant le bouton droit de la souris"
    sMsg = sMsg & vbCrLf & "au point" & X & "horizontal et " & Y & "vertical."
    If Shift > 0 Then
        sMsg = sMsg & vbCrLf & "Vous avez pressé les touches"
        If Shift And 1 Then sMsg = sMsg & "Maj"
        If Shift And 2 Then sMsg = sMsg & "Ctrl"
        If Shift And 4 Then sMsg = sMsg & "Alt"
        sMsg = sMsg & "touche(s) ."
    End If

    MsgBox sMsg

End Sub
```

4 Exécutez le programme, pressez la combinaison de touches *Maj, Alt* et *Ctrl* et en les maintenant enfoncées, cliquez du bouton droit sur la liste. Vous obtenez un message comme celui-ci :

```
Projet1                                            ✕
   Vous avez cliqué dans la liste en utilisant le bouton droit de la souris
   au point 3195 horizontal et 1050 vertical.
   Vous avez pressé les touches Maj Ctrl Alt

                        [  OK  ]
```

Fonctionnement

Et bien, nous avons encore introduit de nouveaux concepts alors que vous pensiez être arrivés à la fin du chapitre ! Le code a probablement l'air un peu étrange, car en même temps que nous avons introduit l'événement MouseUp, nous avons inclus un soupçon d'**arithmétique binaire**. Examinons le code. Tout d'abord, remarquons que l'événement MouseUp possède plusieurs paramètres. Windows les fixe à certaines valeurs avant d'appeler notre code d'événement.

```
Private Sub List1_MouseUp(Button As Integer, Shift As Integer,
        ⬐X As Single, Y As Single)
```

Le premier nous indique quel bouton de la souris a été cliqué. Nous pouvons le comparer aux constantes intégrées de Visual Basic vbLeftButton, vbRightButton et vbMiddleButton qui nous indiquent lequel a été cliqué.

Constante du bouton	Valeur	Description
VbLeftButton	1	Le bouton gauche a été cliqué
VbRightButton	2	Le bouton droit a été cliqué
VbMiddleButton	4	Le bouton du milieu a été cliqué

Dans notre code, nous verrons si le bouton droit a été cliqué et nous insérerons du texte dans la chaîne de message sMsg pour montrer que nous en avons pris bonne note :

```
sMsg = "Vous avez cliqué dans la liste"
If Button = vbRightButton Then sMsg = sMsg & " en utilisant le bouton droit de la souris"
```

Le deuxième argument de l'événement MouseUp nous indique si les touches *Maj*, *Alt* ou *Ctrl* ont été maintenues enfoncées en même temps. C'est un petit peu plus compliqué et nous y reviendrons donc dans une minute.

Les deux autres arguments sont les coordonnées relatives X et Y à partir desquelles nous avons cliqué dans la liste. Nous pouvons donc continuer notre routine en les rassemblant et en les plaçant dans une chaîne prête à être mise dans notre boîte de message :

```
sMsg = sMsg & vbCrLf & "au point " & X & " horizontale " & Y & " verticale."
```

Au cas où vous vous demanderiez à quoi sert vbCrLf *, elle crée tout simplement une coupure de ligne dans le texte.*

Pour découvrir si les touches *Maj*, *Alt* ou *Ctrl* étaient maintenues enfoncées lorsque la souris a été cliquée, nous pouvons vérifier la valeur du paramètre Shift (*Maj*) dans l'événement MouseUp. Le problème est que l'utilisateur peut enfoncer plusieurs boutons, donc nous ne pouvons le tester comme c'est le cas avec le paramètre Button.

Visual Basic définit trois valeurs de **masques de niveau bit**, que nous utiliserons avec Shift :

Constante (Shift)	Valeur	Description
VbShiftMask	1	La touche *Maj* a été enfoncée.
VbCtrlMask	2	La touche *Ctrl* a été enfoncée.
VbAltMask	4	La touche *Alt* a été enfoncée.

Donc, si les deux touches *Maj* et *Alt* étaient enfoncées, la valeur serait de 1 + 4 = 5. Si seule la touche *Ctrl* était enfoncée, la valeur serait 2. Nous pourrions tester toutes les combinaisons possibles, mais il existe un moyen bien plus facile d'opérer.

Introduction à l'arithmétique binaire et opérations de niveau Bit

Nous pouvons stocker plusieurs "valeurs" dans une seule variable si chaque valeur doit être égale à Oui ou Non, ou à Vrai ou Faux. Vous savez peut-être que les ordinateurs utilisent des **nombres binaires** pour stocker les données : toute valeur contenue dans la mémoire consiste donc uniquement en un ensemble de uns et de zéros. En voici un exemple :

Lorsque vous travaillez au niveau Bit, vous allez généralement de la droite vers la gauche et dans ce cas, les bits de poids 1, 4, 6 et 7 sont fixes (c'est-à-dire qu'ils sont égaux à 1). En ajoutant les valeurs équivalentes 2 + 16 + 64 + 128, nous voyons que notre "variable" stocke la valeur 210. La valeur maximale que nous pouvons stocker sur huit bits est 255, mais nous pouvons toujours utiliser davantage de bits.

Le truc avec l'arithmétique binaire est de considérer que notre variable ne stocke que des uns et des zéros et non pas un nombre comme 210. Nous pouvons mettre chaque bit à 1 et l'effacer (retour à zéro) en sélectionnant des opérateurs spécifiques ou simplement en ajoutant ou en soustrayant des nombres. Les deux opérateurs de niveau bit les plus utilisés sont AND et OR. Ils prennent les deux valeurs, en examinent chaque bit et retournent ensuite une autre valeur basée sur la comparaison bit à bit des deux valeurs.

Pour chacun des bits comparés, le résultat d'un OU (OR) est 1 si l'un des deux bits comparés ou les deux sont égaux à 1. En ce qui concerne l'opérateur ET (AND), le résultat est 1 si et seulement si les deux bits comparés sont égaux à 1.
Donc, lorsque Windows fixe la valeur du paramètre Shift, il le fait avec l'opérateur OR. Par exemple, si la touche *Alt* est enfoncée, il utilise le code Shift = Shift OR 4 juste pour positionner à 1 le bit 2, comme ci-dessous :

```
)0000 OR )0100 = )0100
```

L'intérêt, c'est que, si les autres bits étaient déjà fixés, ils ne changeront pas. Ainsi, si les bits de poids 0 et 1 avaient été préalablement positionnés (ce qui signifie que les touches *Shift* et *Ctrl* ont été enfoncées), nous aurions obtenu :

```
)0011 OR )0100 = )0111
```

Et voilà comment nous pouvons vérifier chaque bit et donc chacune des touches « mortes » du clavier. Ceci explique pourquoi ces constantes sont souvent appelées **valeurs de masque** (sous-entendu : masque binaire). Pour voir si un bit spécifique est fixé, nous utilisons AND avec la constante de masque adéquate, dont le rôle est de masquer les autres bits. Elle ne fait que positionner le bit résultant si les deux bits originaux sont à 1, donc l'expression Shift AND 1 effacera tous les autres bits, sans modifier celui qui indique que la touche *Maj* a été pressée, comme cela :

```
)0101 AND )0001 = )0001
```

C'est pourquoi les constantes de masques sont 1, 2 et 4 et non pas 1, 2 et 3.

Donc, si nous observons le code que nous utilisons, vous pouvez voir que chaque instruction If...Then ne sera vraie (c'est-à-dire que sa valeur ne sera pas égale à zéro) que si ce bit particulier est fixé dans le paramètre Shift. Par conséquent, nous pouvons dire si cette touche a été pressée :

```
If Shift > 0 Then
    sMsg = sMsg & vbCrLf & "Vous avez pressé les touches"
    If Shift And 1 Then sMsg = sMsg & "Maj "
    If Shift And 2 Then sMsg = sMsg & "Ctrl "
    If Shift And 4 Then sMsg = sMsg & "Alt "
    sMsg = sMsg & "key(s)."
End If
MsgBox sMsg
```

En fait, comme vous l'avez compris maintenant d'après leurs valeurs, les constantes de l'argument `Button` fonctionnent également de la même manière. Néanmoins, un seul bouton de souris peut être cliqué à la fois, donc nous n'obtiendrons jamais qu'un seul de ces bits dans la valeur `Button`. C'est pourquoi nous pouvons explicitement tester la valeur en utilisant les constantes, au lieu d'avoir à faire intervenir un opérateur `AND`.

Réagir aux souris et aux touches

Mais pourquoi devons-nous nous préoccuper de ce qui se passe dans l'événement `MouseUp` ? Et bien comme vous l'avez vu plus tôt, l'événement `Click` ne nous dit rien de ce qui se passe réellement dans notre liste. L'utilisateur peut cliquer en utilisant la souris ou le clavier (en faisant défiler les flèches et en pressant la barre Espace).

Et pourtant, l'événement `MouseUp` nous en dit encore plus. A présent, nous pouvons réagir de différentes manières, en fonction des touches qui ont été enfoncées et du bouton que l'utilisateur a pressé. Par exemple, nous pouvons décider d'afficher un menu raccourci lorsqu'ils cliquent du bouton droit, ou lorsqu'il appuie simultanément sur la touche *Maj* et sur la barre Espace.

Vous verrez comment utiliser les menus dans Visual Basic dans le chapitre 10.

Nous pouvons utiliser les autres événements de la liste `KeyDown` et `KeyUp` pour tenter de détecter les touches pressées et non pas les clics de souris. Elles permettent également au paramètre `Shift` d'afficher les autres touches qui ont été enfoncées au même moment. Bien sûr, ces événements de touches ne nous donnent pas de paramètre `Button`, ni de coordonnées X et Y.

Pas d'événements de souris dans les listes modifiables

Remarquez que les événements de souris ne sont *pas* disponibles avec la liste modifiable. Ce n'est pas un réel problème. Les listes présentent des informations à l'utilisateur et donc la possibilité de détecter les événements de souris peut être relativement pratique pour afficher des informations relatives aux éléments sans vraiment les sélectionner. Les listes modifiables d'autre part, n'utilisent qu'une liste pour présenter les choix valides à l'utilisateur.

Résumé

Dans ce chapitre, nous avons étudié comment utiliser les listes et les listes modifiables pour présenter l'information aux utilisateurs de manière simple, structurée et facilement compréhensible. Il existe différents types de listes et de listes modifiables qui peuvent être précisés en fixant différentes propriétés pour le contrôle. Nous avons également vu comment l'arithmétique binaire nous permet d'examiner les valeurs de chaque bit d'une variable, au lieu de les considérer comme une seule valeur entière.

Et plus précisément, vous avez appris à :

- ❑ Créer et remplir les différents types de listes
- ❑ Détecter les éléments sélectionnés
- ❑ Sélectionner et supprimer les entrées multiples
- ❑ Détecter les événements de souris et des touches
- ❑ Les bases de l'arithmétique binaire

Nous savons à présent travailler avec les contrôles Visual Basic et écrire nos propres routines de code, afin de gérer ces contrôles...et nos utilisateurs. Dans le chapitre suivant, nous étudierons de nouveaux aspects du travail avec Visual Basic. Et bien sûr, vous découvrirez les contrôles et les méthodes que nous avons introduits jusqu'ici dans ce manuel combinées avec ces nouvelles techniques.

Que diriez-vous d'essayer ?

1 Placez sur une feuille une zone de liste dans laquelle vous ajouterez, en mode création, les lettres capitales de l'alphabet, grâce à la propriété List de cette zone.

2 Placez sur une feuille une zone de liste dans laquelle vous ajouterez cette fois les lettres capitales de l'alphabet en phase d'exécution, grâce à la méthode AddItem de cette zone.

3 Modifiez la zone de liste créée dans l'exercice précédent en réglant cette fois la propriété IntegralHeight sur False. Vous remarquerez que la dernière ligne de données est coupée au milieu. Les listes modifiables possèdent-elles également une propriété IntegralHeight ?

4 Ajoutez une liste modifiable et changez la propriété Style en liste modifiable DropDown. L'utilisateur sera ainsi en mesure de saisir ce qu'il souhaite dans la partie texte de la liste modifiable, sans que cela affecte les éléments répertoriés dans la liste. Comment pourriez-vous ajouter à la liste ce que l'utilisateur a entré dans la partie texte de la liste modifiable ?

5 Quelle est la différence entre les événements Change et Click d'une liste modifiable ?

Créer vos propres objets

Jusqu'à présent, nous avons concentré notre étude de la programmation en Visual Basic sur la conception d'une interface utilisateur. Nous avons par exemple écrit du code et utilisé des variables destinées à traiter des données temporaires de l'application, telles que celles que votre utilisateur a pu donner au programme par l'intermédiaire de l'interface. Mais ce n'est là qu'une fraction des potentiels de VB qui est un outil de développement orienté objet. Dans ce chapitre, nous aborderons donc l'univers grisant des objets et de la **programmation orientée objet (POO)**.

Si vous lisez un tant soit peu la presse spécialisée, vous pouvez croire que la programmation orientée objet est vraiment inaccesible, que c'est un domaine réservé à l'élite des programmeurs. Et vous auriez tort car les logiciels de développement orienté objet facilitent la création d'applications. Un outil de développement tel que Visual Basic met les techniques de programmation orientée objet à votre portée.

La POO est de nos jours un fait acquis et c'est sur elle que s'appuient la plupart des programmeurs professionnels pour concevoir leurs applications. En fait, même si vous n'avez pas encore pu vraiment vous en apercevoir, presque tout ce que vous faites dans Visual Basic, que vous écriviez du code orienté objet ou non, est centré autour des objets et de la programmation orientée objet. Ce chapitre vous aidera à comprendre pourquoi. Nous y aborderons les points suivants :

- ❑ Définition réelle de la programmation orientée objet
- ❑ Signification de la programmation orientée objet dans Visual Basic
- ❑ Définition des classes et des objets et initiation à leur création et leur utilisation
- ❑ Ajout de méthodes, propriétés et événements à vos propres objets et classes d'objets
- ❑ Introduction à l'écriture d'applications orientées objet

Il faut néanmoins que je vous avertisse. Même si les techniques de programmation orientée objet sont assez simples à maîtriser, ce chapitre et ce manuel ne peuvent toutefois pas en couvrir tous les aspects et vous transformer en expert en la matière. Si vous voulez approfondir ce sujet, pourquoi ne pas vous référer à mon prochain ouvrage, **Beginning Objects With Visual Basic**, également publié chez Wrox Press ?

Qu'est-ce que la programmation orientée objet ?

Un peu de théorie pure et dure. Jusqu'à présent, nous avons abordé la programmation de façon traditionnelle. Il n'y a pas de mal à cela puisque les programmes que nous avons créés étaient assez petits et donc pas vraiment adaptés à l'utilisation de méthodes de développement poussées telles que la programmation orientée objet. Cette façon traditionnelle de programmer, appelée **développement structuré de logiciel**, implique l'identification des données utilisées par une application, ainsi que la manière dont elle va les utiliser. Elle produit une interface utilisateur destinée à obtenir et à afficher ces données ; elle permet ensuite d'écrire des sous-routines et des fonctions qui traiterons ces données. Cela paraît plutôt simple. Là où ça se complique, c'est lorsqu'il faut aborder un problème et le décomposer en séquences faciles à gérer, séquences qui peuvent alors être transformées à leur tour en petites sous-routines et fonctions elles-mêmes facilement gérables.

La programmation orientée objet fonctionne un peu différemment. En programmation structurée, la manière dont les applications sont construites et dont elles maintiennent leur cohésion (au niveau du code) n'a pas grand-chose à voir avec le monde réel. Prenons par exemple une application de gestion des fiches de paye. Lorsqu'un nouvel employé arrive, il faut l'entrer dans le système. Si nous abordons ceci du point de vue de la programmation structurée, il nous faudra probablement créer une nouvelle feuille contenant ses coordonnées, l'appeler « feuille du nouvel employé » et écrire un code qui copiera les informations de cette feuille dans une base de données située sur le réseau de l'entreprise. Nous aurions sans doute également une feuille d'impression des fiches de paye permettant à l'utilisateur de sélectionner les employés à payer et contenant un code qui appellerait les informations de la base de données tout en les préparant à l'impression.

Comme vous pouvez le voir, c'est là une approche assez technique qui se concentre davantage sur les processus informatiques que sur ceux qui se produisent dans l'entreprise pour laquelle vous concevez une application. La programmation orientée objet va simplifier tout ça.

En programmation orientée objet, vous écrivez un programme basé sur des objets du monde réel. Si par exemple vous écriviez un progiciel de paiement des salaires, les objets auxquels vous auriez affaire seraient les services et les employés. Chacun de ces objets possèderait des propriétés. Chaque employé serait par exemple doté d'un nom et d'un numéro, et chaque service possèderait un emplacement et un chef. De plus, le service responsable des salaires pourrait vouloir appliquer des méthodes à ces objets. Une fois par mois, il pourrait appliquer une méthode paiement aux objets Employés. Les programmes orientés objet sont conçus sur le même principe : vous décidez des objets dont vous avez besoin, des propriétés dont vous voulez les doter, et des méthodes que vous voulez leur appliquer.

Comme vous pouvez le constater, cette approche est plus en rapport avec les situations du monde réel auxquelles nous sommes confrontés. Dans cette application, les employés sont traités comme des objets auxquels sont liés d'autres objets, les services.

La programmation structurée a tendance à nous faire percevoir les données et les procédés comme deux entités distinctes, complètement différentes des objets et des procédés que nous essayons d'automatiser. Grâce à la programmation orientée objet, nous pouvons rassembler nos données et fonctionnalités dans un groupe Objets relativement proches de leurs cousins du monde réel. Les employés ont un nom et une adresse qui sont donc les propriétés de nos objets, les données. Les employés peuvent être embauchés ou licenciés, ce sont donc là les méthodes d'un objet employé, la fonctionnalité.

En décomposant l'application en objets que vous allez ensuite développer, vous obtenez une solution technique très proche du problème que vous rencontrez dans le monde réel pour lequel vous êtes en train de programmer. Votre application sera également très précise, possèdera un code très compréhensible et vous n'aurez aucune difficulté à en assurer le support technique. Vous comprendrez donc pourquoi de plus en plus d'entreprises se tournent vers ce type de conception de logiciel.

Les objets dans Visual Basic

Vous vous demandez sans doute ce que toute cette théorie a à voir avec Visual Basic. Réfléchissez un instant. Lorsque vous décidez de placer une zone de texte sur votre feuille, est-ce que vous appelez un sous-programme pour créer cette zone de texte, un autre pour le positionner sur la feuille et un autre encore pour fixer sa valeur initiale ? Faites-vous sans cesse appel à une fonction pour déterminer la présence de données entrées par l'utilisateur et leur valeur ? Non, bien sûr.

Ce que vous faites, c'est placer un contrôle zone de texte (un objet) sur votre feuille et utiliser ses propriétés pour modifier son apparence et son comportement. Lorsque l'utilisateur y saisit des données, vous en êtes informé grâce à des événements tels que Change et KeyPress. Vous avez donc déjà, sans même vous en rendre compte, fait de la programmation orientée objet.

Ce chapitre ne traite pourtant pas de l'utilisation des objets inclus dans VB. Même si le contrôle zone de texte est un gadget sympa, il ne représente jamais qu'une partie infime d'une application de fiches de paye. Visual Basic vous permet de créer vos propres objets, de leur attribuer des propriétés et méthodes et de les utiliser dans votre code de la même façon que les objets et contrôles (deux choses différentes, mais nous y reviendrons plus tard) inclus dans VB.

Le mécanisme que Visual Basic vous offre à cet effet est le **module de classe** qui vous permet de définir les propriétés et méthodes d'un objet spécifique. Vous pouvez ensuite utiliser le code de ce module de classe pour créer des objets. Ce n'est pas très clair, je sais. Permettez-moi donc une métaphore.

Une classe est comme un moule à gâteau. Un moule donne sa forme au gâteau, ainsi que certaines propriétés mais vous ne pouvez pas manger le moule. Il vous faut de la pâte dans votre moule pour obtenir un gâteau comestible. Les classes fonctionnent sur le même principe. Elles contiennent un modèle de code et de données avec lesquels vous pouvez créer des objets utilisables. Certaines personnes utilisent les termes classe et objet sans discrimination alors qu'il s'agit de deux choses bien différentes. Les objets sont des classes « vivantes » tout comme une variable entière pourrait être considérée comme un exemplaire « vivant » du type Integer. Le diagramme suivant vous montre le rapport existant entre classes et objets.

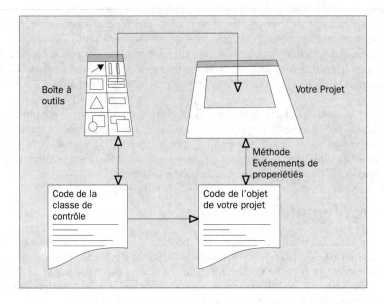

Ces objets possèdent tous des caractéristiques communes :

❑ Ils ont tous une fonction suffisamment définie pour être compréhensible tout en restant suffisamment flexible pour être utile. Un contrôle bouton fait se produire quelque chose mais son apparence et son comportement varient selon la façon dont nous avons réglé ses propriétés et le code que nous utilisons pour le faire réagir à ses événements.

❑ Ils dialoguent avec le monde extérieur au moyen des propriétés, méthodes et événements qui y sont définis. Cette combinaison est appelée l'**interface** et elle représente tout ce que l'utilisateur a besoin de savoir pour pouvoir utiliser convenablement ces propriétés, méthodes et événements dans ses projets.

❑ Vous pouvez en utiliser autant que vous voulez dans un seul projet et vous pouvez même avoir plusieurs exemplaires du même objet.

❑ Vous n'avez pas besoin de savoir ce qui se passe au sein du code d'un objet pour pouvoir l'utiliser. Les objets constituent une bonne manière de cacher à l'utilisateur la façon dont une tâche est exécutée et dont elle traite ses données.

❑ Comme l'utilisateur ne voit que l'objet contrôle, vous pouvez modifier la façon dont il fonctionne sans affecter les programmes qui l'utilisent, pour autant que l'interface reste cohérente.

En fait, voilà de bons critères à prendre en compte dans la conception des objets. Les programmeurs qui ont conçu les contrôles de la boîte à outils que nous avons déjà étudiés, ont sans aucun doute utilisé des principes similaires pour développer des contrôles aussi utiles que la zone de liste par exemple.

Créer vos propres objets

Nous avons tous des problèmes de programmation différents à résoudre. Certes, les objets génériques offerts par Visual Basic et disponibles en contrôles ActiveX sont géniaux, mais vous aurez souvent besoin d'objets plus spécifiquement adaptés à vos besoins.

Imaginons par exemple que vous travailliez pour une société disposant de multiples sources de données telles que ses clients, son service de support technique, etc. Vous souhaitez regrouper tout cela dans une base de données pour une consultation ultérieure. Même si ces données ont toutes des formats différents, leurs sources auront un certain nombre de points en commun :

- ❑ Elles se trouvent toutes dans des fichiers d'un genre ou d'un autre

- ❑ Elles possèdent toutes plusieurs champs différents

- ❑ La ponctuation qui sépare ces champs est similaire : virgules, guillemets, espaces, etc.

- ❑ Elles sont toutes destinées à un fichier de base de données

Ces sources ont donc suffisamment de points communs pour suggérer la création d'un seul contrôle de transfert de données, adaptable à chaque type. Vous pourriez adapter les propriétés de votre contrôle au type de données importées et spécifier la base de données de destination. Dès lors, une simple méthode du type :

```
DataImportObject.TrouverCeTruc
```

déclencherait la récupération des données et leur transfert vers la base de données.

Cela vous paraît peut-être trop beau pour être vrai. Pourtant ça l'est. Vous pouvez vraiment créer ce genre d'objet avec Visual Basic. Le seul inconvénient c'est qu'il ne suffit pas d'imaginer le type d'objet dont vous avez besoin et d'attendre qu'une bonne fée vienne l'ajouter à votre boîte à outils. Il vous faudra créer et écrire vous-même tout le code de l'objet en question. L'avantage c'est qu'une fois que vous l'aurez fait, vous pourrez le réutiliser à volonté sans avoir à revenir une seule fois à son code. Et en plus, d'autres programmeurs peuvent également l'utiliser dans leurs propres projets. Vous voilà devenu un « vendeur de composants logiciels », en voie de devenir millionnaire.

Les modèles d'objets que vous avez vous-même créés sont appelés **modules de classe**. En fait, ils ressemblent énormément à des contrôles personnalisés, l'aspect graphique en moins. Ils disposent de propriétés permettant l'accès à leurs données et d'autres permettant la modification de leur comportement. Ils peuvent également posséder des méthodes que vous pouvez appeler pour effectuer certaines tâches. Et, de même que les contrôles disponibles dans Visual Basic sont inutiles tant qu'ils ne sont pas placés sur une feuille, ces modules de classe ne sont d'aucune utilité si vous ne les transformez pas en objets au moment de l'exécution. Ce sont donc des modèles d'objets, les briques de la programmation orientée objet. Enfin, vous serez amené à réutiliser bien des fois ces modules de classe et les concepts que vous avez suivis pour les créer lorsque vous vous mettrez à concevoir vos propres contrôles ActiveX. Ces derniers vous font passer à l'étape supérieure de la programmation orientée objet et nous nous y consacrerons dans le chapitre 18. Pour l'instant, commençons à la base.

Les modules de classe

Dans les exercices que nous avons effectués jusqu'à présent, chaque fois que nous avions une séquence de code à exécuter de manière répétitive, nous avions créé un sous-programme ou une fonction indépendante et nous y avons fait appel lorsqu'il ou elle était nécessaire dans notre projet. Si nous souhaitions que cette séquence de code soit disponible dans plusieurs feuilles ou soit réutilisable dans d'autres projets, nous l'avions placée dans son propre module.

Le code d'un module de classe n'est quant à lui jamais exécuté directement. Le module de classe fait office de modèle pour objets. L'instruction New vous permet de créer des objets à partir de classes. Comme vous pouvez le constater, pour pouvoir implémenter une classe, il faut y créer un objet.

Ici, l'objet est créé à partir de la classe MaClasse, et la variable d'objet MonObjet sert de référence pour l'utiliser :

```
Dim MonObjet as New MaClasse
```

Ceci place donc un objet appelé MonObjet dans votre programme. Cette instruction veut dire : « créer une variable MonObjet basée sur le modèle intitulé MaClasse ». Si la classe MaClasse était la classe d'importation des données dont nous avons parlé plus haut, nous pourrions alors utiliser ses méthodes, par exemple :

```
monObjet.TrouverCeTruc
```

A partir d'ici, il est très semblable à n'importe quel autre contrôle. Par exemple :

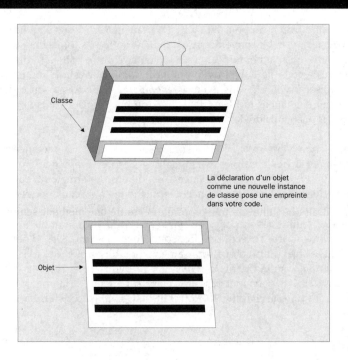

Classe

La déclaration d'un objet comme une nouvelle instance de classe pose une empreinte dans votre code.

Objet

*Vous entendrez souvent dire qu'un objet est une **instance** ou une **occurrence** de la classe lorsque l'on parle de la création d'un objet à partir d'une classe.*

La fenêtre des Propriétés illustre particulièrement bien le rapport entre un objet et sa classe. Dans le cas du contrôle Liste modifiable situé en haut de la fenêtre, vous verrez ceci :

Ceci est le nom de l'objet lui-même. En terme de Programmation Orientée Objet, c'est une instance de cette classe.

Ceci est la classe dont provient l'objet. Dans le cas de contrôles visuels, il s'agit du nom du contrôle comme il apparaît dans la boîte à outils.

Dans un projet, vous pouvez créer un nombre illimité d'objets à partir d'une même classe, tout comme vous pouvez créer autant de contrôles que vous le désirez en utilisant la même icône de la boîte à outils. Le comportement de chaque instance d'une même classe dépend de la façon dont vous avez défini ses propriétés et dont vous utilisez ses méthodes, exactement comme pour les contrôles.

Les méthodes et propriétés d'une classe

Vous aurez sans doute constaté que, lorsque vous travaillez avec des objets dans Visual Basic (et je parle ici d'objets contrôles), la frontière entre **propriétés** et **méthodes** devient floue. Prenez l'exemple de ces deux instructions :

```
Form1.Visible = True    'fixe la propriété Visible sur True
Form1.Show              'appelle la méthode Show
```

La distinction qui voudrait que l'une soit une propriété et l'autre une méthode semble arbitraire. Pourquoi ne pas avoir :

```
Form1.RendreInvisible    'appelle une méthode imaginaire RendreInvisible
Form1.Cacher = True      'fixe une propriété imaginaire Cacher sur True
```

Le fait est qu'au sein du code de cette classe Form, ces deux jeux d'instructions seraient gérés de manière quasi identique. Si vous choisissez une propriété, vous invoquez un gestionnaire d'événements Property Let qui rendra la feuille invisible si nécessaire. Comme vous le verrez plus tard, ce dernier peut exécuter une séquence de code au sein de l'objet. Appeler la méthode Show exécutera directement une séquence de code similaire, mais cette fois sans passer par un gestionnaire d'événements associé à une propriété :

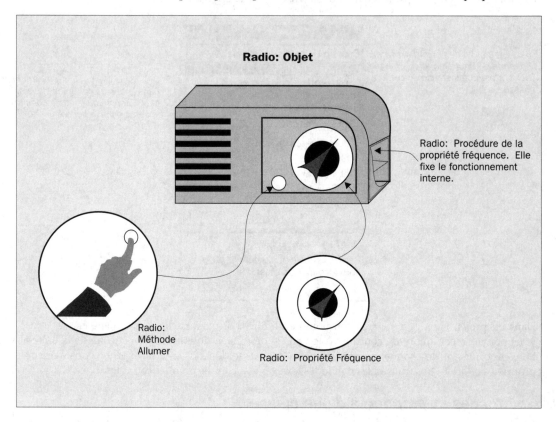

En résumé, une classe possède des **procédures de méthodes** et des **procédures de propriétés**, que vous pouvez utiliser pour faire presque tout ce que vous voulez. C'est en fin de compte à vous seul en tant que programmeur qu'incombe le choix d'implémenter une méthode RendreInvisible plutôt qu'une méthode Show, ou d'utiliser une propriété Cacher à la place d'une propriété Visible. Malheureusement, ce genre d'écart risque de déplaire aux autres programmeurs susceptibles d'utiliser vos objets. Ils s'attendront sans doute aux propriétés et méthodes « standards » que l'on retrouve dans les autres objets et contrôles de Windows.

Mais assez de théorie, il est temps de voir une classe dans le feu de l'action et de passer à la pratique en en créant une.

Créer des classes

Dans ce paragraphe, nous verrons comment créer une classe qui déplacera une petite boîte à l'écran. Mais avant d'aller plus loin, laissez-moi vous conter une histoire.

Lorsque Microsoft décida d'inclure pour la première fois des modules de classe dans Visual Basic 4, c'était de vilaines petites choses qui ne ressemblaient jamais qu'à un module de code quelque peu déroutant. Mais tout a changé à l'arrivée de VB5. Les modules de classe devinrent de puissants éléments capables de supporter presque tout ce que vous pouviez vous attendre à retrouver dans un système de programmation orienté objet.

Vous pouviez par exemple créer des contrôles qui pouvaient être introduits dans des environnements de développement Visual Basic (ainsi que d'autres langages) et qui avaient l'apparence de contrôles ordinaires. Leurs propriétés apparaissaient dans la fenêtre de propriétés et leurs événements dans la liste déroulante de la fenêtre de code.

Là où les objets de Visual Basic 5 représentaient un progrès majeur par rapport à leurs équivalents dans VB4, VB6 apporte peu de différences. Beaucoup d'eau est néanmoins passée sous les ponts depuis lors et la programmation orientée objet est la tendance générale de nos jours en Visual Basic, alors qu'autrefois elle était considérée comme un super gadget. Vous devez maîtriser complètement ce domaine, surtout si vous avez l'intention de programmer pour un environnement d'entreprise.

> *Si vous avez la chance de posséder une version de Visual Basic contenant le générateur de ici classes (il est inclus dans l'édition professionnelle), nombre des choses que nous allons aborder vous seront facilitées. Le générateur de classes vous aide à créer votre classe d'objets au travers de boîtes de dialogue simples et concises où il vous demande quel type de classe vous voulez créer, puis il la crée pour vous ! N'est-ce pas merveilleux ? Mais nous allons tout de même tout faire manuellement cette fois-ci car il vaut mieux que vous appreniez à faire ce genre de chose par vous-même. De cette façon, vous comprendrez tout bien mieux !*

Passons à la pratique ! Créer une classe d'objet

Bon, alors, ce que nous allons faire ici, c'est créer une classe pour « conditionner » une boîte à l'écran. Ceci nous permettra plus tard de placer une boîte sur notre feuille, de la supprimer, de la déplacer et ainsi de suite, tout ça rien qu'en utilisant les propriétés et les méthodes de cette classe. Sympa, non ? Alors, allons-y...

1   Tout d'abord, il vous faut créer un nouveau projet de type **Exe standard**. Ensuite, jetez un œil au menu **Projet** :

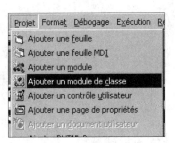

2 Vous pouvez ajouter un module de classe en choisissant **Ajouter un module de classe** dans la liste. Essayez et une boîte de dialogue apparaîtra :

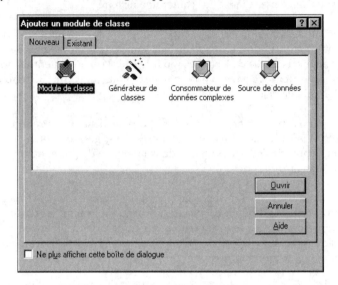

Ne paniquez pas si votre écran n'est pas identique à celui-ci. Ce n'est dû qu'aux différences minimes entre les éditions de Visual Basic que nous utilisons. Vous remarquerez que je possède l'option Générateur de classes mais comme je l'ai déjà dit, nous ne l'utiliserons pas ici.

3 Choisissez **Module de classe** et cliquez sur **Ouvrir**. Le module de code de votre nouveau module de classe devrait apparaître à l'écran :

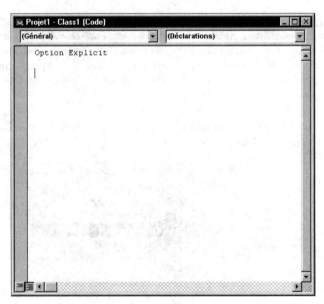

Si vous regardez dans la fenêtre **Explorateur de projet**, vous verrez que votre nouvelle classe d'objet y est répertoriée sous le nom de **Class1** :

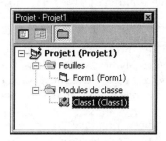

4   Puisque nous voulons créer une classe **Boite** que nous pourrons transformer au moment de l'exécution en un objet **Boîte** visible sur notre feuille, nous devrions lui trouver un meilleur nom. Nous la rebaptiserons donc `clsBoite`. « cls » est là pour nous rappeler que nous avons affaire à une classe d'objet. En donnant des noms de ce genre à vos classes et à vos variables, vous facilitez la lecture et la compréhension de votre code.

Assurez-vous donc que les propriétés de votre **Class1** sont bien affichées dans la fenêtre **Propriétés** et changez la propriété **Name** en **clsBoite** :

Les attributs Public et Private

Maintenant que nous avons créé notre classe `boite` et que nous l'avons rebaptisée en conséquence, nous pouvons y ajouter des propriétés.

Quatre propriétés sont essentielles au dessin d'une boîte : ses coordonnées en haut et à gauche (nous les appellerons X et Y), sa largeur et sa hauteur (que nous appellerons `Largeur` et `Hauteur` respectivement).

Nous devons également décider si ces propriétés seront publiques ou privées (**Public** ou **Private**). Réfléchissons-y un peu.

> En résumé, une propriété publique est utilisable par tout autre code appartenant à la même classe, tandis qu'une propriété privée n'est utilisable que dans l'application où elle est définie.

Pour l'instant, arrêtons-nous aux propriétés publiques. Comparons la déclaration d'une propriété publique à celle d'une *variable* publique (comme nous l'avons vu dans le chapitre 5). Une variable publique d'une classe d'objet se comporte exactement comme toute autre variable publique mais lorsque vous la traitez en code, elle vous donne l'impression d'être une propriété !

Si par exemple nous déclarions notre propriété X comme *variable* publique, et que nous déclarions plus tard un objet appelé MaBoîte basé sur cette classe, nous pourrions avoir une ligne de code comme celle-ci :

```
MaBoite.X = 1000
```

Comme vous pouvez le voir, la référence à X ressemble à toute référence faite à une propriété normale de tout autre objet ou contrôle. La différence réside dans le fait que nous laissons l'utilisateur de notre objet choisir la valeur de X.

Si nous avions en revanche déclaré X comme *propriété* publique, elle aurait exactement la même allure, mais serait en fait complètement différente. Dans le cas d'une propriété, une séquence de code est exécutée chaque fois que la propriété est accédée (c'est-à-dire modifiée). Cette séquence nous permet de décider si nous acceptons la valeur choisie par l'utilisateur et sinon d'y remédier. La différence entre une propriété et une variable est donc que la première possède une séquence de code (que nous avons écrite) qui contrôle ce qui se passe chaque fois que nous (ou tout autre code) tentons d'y accéder.

Utiliser des propriétés au lieu de variables publiques pour accéder aux données d'une classe vous permet de vous assurer qu'aucune donnée corrompue n'entre dans cette classe puisque vous pouvez écrire un code de validation à cet effet dans le code de votre propriété.

Les propriétés sont en fait bien plus utiles lorsque vous souhaitez qu'une action quelconque se produise chaque fois qu'un utilisateur les lit ou y écrit. Par exemple, la mise à jour de la propriété Color d'un objet zone de texte personnalisée pourrait nécessiter la modification immédiate de l'apparence de l'objet à l'écran, ce qui serait impossible avec une variable. En revanche, chaque modification de la valeur d'une propriété pourrait amener le code que nous avons écrit à appeler une autre méthode pour modifier la couleur de notre zone de texte personnalisée.

Nous allons déclarer nos propriétés comme publiques. Allons-y !

Passons à la pratique ! Ajouter une propriété à une classe

1   Nous allons ajouter nos quatre propriétés publiques de classe en ajoutant du code dans la fenêtre de code de notre classe Boite. Il nous faut toutefois d'abord déclarer les variables où nous allons ranger les valeurs de ces propriétés. Entrez le code suivant dans la fenêtre de code sous la section (Général) (Déclarations) :

```
Option Explicit

Private mvarX As Integer
```

Nous déclarons ces variables privées car nous voulons qu'elles soient locales à ce module de classe.

2   Ajoutons maintenant le code de notre propriété publique X :

```
Public Property Let X(ByVal vData As Integer)
    mvarX = vData
End Property

Public Property Get X() As Integer
    X = mvarX
End Property
```

VB ajoutera des lignes entre ces définitions en même temps que vous les saisissez.

Fonctionnement

Certes, vous ne pouvez pas encore exécuter ce code (il ne ferait rien du tout) mais nous allons tout de même faire une petite pause pour expliquer ce que nous venons de faire. La première ligne, Option Explicit, est là pour que nous puissions nous assurer que nous avons correctement orthographié le nom de nos variables. Elle nous enverra un message d'erreur si ce n'est pas le cas. La deuxième ligne déclare la variable dans laquelle nous allons ranger la coordonnée X de notre boîte :

```
Private mvarX As Integer
```

Comme vous pouvez le constater, nos propriétés sont ici Public et nos variables sont Private. Rappelez-vous que les séquences de code publiques sont accessibles par n'importe quel code en dehors de la classe, tandis que les sous-programmes privés d'un module de classe ne peuvent être appelés qu'à partir d'une autre séquence de code du même module de classe. Les variables privées de notre classe ne peuvent être examinées ou modifiées que par du code de cette classe, à l'exclusion de code externe.

La déclaration de cette variable privée ne définit toutefois pas cette propriété. Ce sont les deux sous-programmes Property Let X et Property Get X qui la définissent pour vous. Pour mieux comprendre leur fonctionnement, il faut se placer en dehors de l'objet et penser à la façon dont cette propriété sera utilisée. Lorsque vous attribuerez une nouvelle valeur à une propriété, vous le ferez de cette façon :

```
Dim MaBoite As New clsBoite
MaBoite.X = 100
```

Nous assignons ici la valeur 100 à notre nouvelle propriété X. Entrons à nouveau dans notre objet et voyons ce qui s'y passe. Lorsque nous attribuons une nouvelle valeur à notre propriété, nous appelons en fait le sous-programme Property Let X :

265

```
Public Property Let X(ByVal vData As Integer)
    mvarX = vData
End Property
```

La première ligne de code du sous-programme passe la valeur 100 en tant que paramètre vData (ce qui est entre parenthèses) au sous-programme. vData est donc maintenant égal à 100. La seconde ligne de code place le contenu de vData dans la variable locale mvarX que nous avons déclarée au début de notre programme. La variable mvarX est donc elle aussi égale à 100. Vous suivez toujours ? Tout va bien, nous avons placé en sûreté une valeur pour notre propriété. Mais comment la récupérons-nous ? C'est ici que la propriété Property Get X entre en jeu. Regardons une fois de plus comment nous allons utiliser cette nouvelle propriété de notre objet au sein du code.

```
Nouvelle_Position = MaBoite.X
```

Cette ligne attribue la valeur contenue en MaBoite.X à la variable Nouvelle_Position. Cette ligne appelle en fait le sous-programme Property Get X :

```
Public Property Get X() As Integer
    X = mvarX
End Property
```

Notez que dans la première ligne, Property Get X déclare un type de données entier. Ceci nous indique que lorsqu'elle sera lue, cette propriété rendra une valeur de type entier. La ligne suivante assigne la valeur que nous avions donnée à mvarX dans Property Let X à notre sous-programme afin qu'il puisse retourner une valeur.

Songez aux contrôles que vous placez sur une feuille. Dans votre code, vous pouvez attribuer des valeurs à certaines propriétés et lire la valeur de certaines autres. Certaines propriétés possèdent des valeurs modifiables et lisibles. Lorsque vous définissez les propriétés de votre module de classe, vous devez inclure un code qui gère les modifications de la valeur d'une propriété et un autre qui en gère la lecture. Ce sont les routines Property Let et Property Get.

❑ La routine Property Let est le code appelé lorsque quelqu'un essaye d'attribuer une valeur à la propriété, X dans ce cas. Elle fonctionne de la même manière qu'un sous-programme ordinaire ; elle passe un paramètre, la valeur que l'utilisateur désire attribuer à la propriété. C'est alors à votre code de stocker cette valeur quelque part (en général dans une variable privée au sein de la classe).

❑ La routine Property Get constitue, quant à elle, le code exécuté lorsque quelqu'un essaye de lire la valeur attribuée à la propriété. Elle retourne donc une valeur, comme le fait une fonction dans Visual Basic. Dans ce cas-ci, la valeur est extraite de la variable privée définie précédemment dans cette classe et est retournée de la même façon qu'une fonction le ferait.

Ces deux sous-programmes fonctionnent à merveille avec des types de données standards tels que des variants, des chaînes, des entiers, etc. Si en revanche, vous devez définir une propriété pour contenir un objet, il vous faudra alors plutôt une routine Property Set.

La seule différence qui existe entre ces deux routines est la manière dont le paramètre d'une procédure de propriété est défini et dont il est appelé depuis notre programme. Dans ce cas, le paramètre est un **objet**, et il faut donc le déclarer comme tel. Nous pourrions par exemple avoir une propriété définissant la police à utiliser pour le texte d'une feuille :

```
Public Property Set Font(ByVal Nouvelle_Police As StdFont)
    mvarPolice = Nouvelle_Police
End Property
```

Pour régler la propriété Font de l'objet de notre application, nous lui envoyons un objet Font. Et pour nous assurer que VB sait que nous désirons utiliser la procédure Property Set, nous ajoutons le mot clé Set lorsque nous fixons la propriété :

```
Dim maPolice As New StdFont   'StdFont est le nom donné par VB à un objet Font
maPolice.Name = "Courier"
maPolice.Bold = True
Set MonObjet.Font = maPolice'appelle la procédure Property Set
```

Ce qui est intéressant ici, c'est que nous utilisons la classe d'une autre personne pour créer un objet Font à passer à notre classe maPolice ! Dans ce cas-ci la classe est StdFont et elle appartient à Visual Basic. Vous apprendrez à donner vie à des classes de ce genre dans ce chapitre.

Passons à la pratique ! Retourner des valeurs provenant de nos nouvelles propriétés

Nous sommes maintenant prêt à ajouter plusieurs propriétés à notre boîte, à leur attribuer des valeurs que nous afficherons à l'écran.

1   Ajoutez ces lignes de code surlignées à la section (Général) (Déclarations) :

```
Option Explicit

Private mvarX As Integer
Private mvarY As Integer
Private mvarLargeur As Integer
Private mvarHauteur As Integer
```

2   Après avoir déclaré les variables que nous allons utiliser, nous pouvons entrer le reste du code. Allez à la fin d'une procédure existante dans la fenêtre de code du module de classe et tapez-y les lignes suivantes :

```
Public Property Let Y(ByVal vData As Integer)
    mvarY = vData
End Property

Public Property Get Y() As Integer
    Y = mvarY
End Property

Public Property Let Largeur(ByVal vData As Integer)
    mvarLargeur = vData
End Property
```

```
Public Property Get Largeur() As Integer
    Largeur = mvarLargeur
End Property

Public Property Let Hauteur(ByVal vData As Integer)
    mvarHauteur = vData
End Property

Public Property Get Hauteur() As Integer
    Hauteur = mvarHauteur
End Property
```

3   Enregistrez ce code sous le nom de `clsBoite.cls` pour ne pas perdre le fruit de votre dur labeur.

Notre classe est quasiment prête à l'emploi. Elle possède toutes les propriétés dont nous aurons besoin et il ne lui manque plus que deux méthodes : une pour dessiner la boîte (`DessinerBoite`) et une autre pour la supprimer (`SupprimerBoite`). Dans les deux cas, ces méthodes n'auront à traiter qu'un seul paramètre : l'objet sur lequel nous voulons dessiner (une feuille ou un contrôle dessin par exemple). Un objet générique fera donc l'affaire.

Passons à la pratique ! Ajouter des méthodes à une classe

1   Ajouter des méthodes à une classe est aussi simple que d'y ajouter des propriétés. Si votre fenêtre de code n'est pas encore ouverte, ouvrez-la et ajoutez le code de la méthode `DessinerBoite` à la classe, à la fin du code source :

```
Public Sub DessinerBoite(Canvas As Object)

    Canvas.Line (mvarX, mvarY)-(mvarX + mvarLargeur, mvarY +
      ↳ mvarHauteur), , B

End Sub
```

Ce code appelle la méthode `Line` standard en VB et utilise notre paramètre `Canvas`. (Nous reviendrons plus en détail à la méthode `Line` dans le chapitre 12 sur les graphiques. Ne vous préoccupez donc pas trop de la façon dont elle fonctionne pour l'instant) Ce paramètre est une simple référence à un objet qui sera spécifié lorsque la méthode sera appelée par notre code. `Line` est une méthode de l'objet feuille (et d'autres contrôles et objets) et elle dessinera une boîte sur la feuille si nous y incluons le paramètre B (B pour boîte).

2   Nous ajouterons ensuite une méthode `SupprimerBoite` à cette classe :

```
Public Sub SupprimerBoite(Canvas As Object)

    Canvas.Line (mvarX, mvarY)-(mvarX + mvarLargeur, mvarY +
      ↳ mvarHauteur), Canvas.BackColor, B

End Sub
```

3 Votre classe d'objet **Boîte** est maintenant complètement prête à l'emploi. Nous y ajouterons encore un peu de code plus tard pour la tester, mais pour l'instant enregistrons ce fichier sous le nom `clsBoite.cls`, car nous y reviendrons dans ce chapitre.

Fonctionnement

Voyons un peu comment ces méthodes fonctionnent, à commencer par la méthode `DessinerBoite` :

```
Public Sub DessinerBoite(Canvas As Object)

Canvas.Line (mvarX, mvarY)-(mvarX + mvarLargeur, mvarY +
    ↳ mvarHauteur), , B

End Sub
```

Remarquez tout d'abord que cette méthode est déclarée `Public`. Lorsqu'une méthode ou une variable est déclarée publique dans une feuille, un module ou un module de classe, elle est accessible par tout code externe au module. Dans le cas de méthodes d'objets, c'est exactement ce que nous souhaitons, puisque cela nous permettra d'utiliser les méthodes d'un objet où qu'il soit utilisé. Toutefois, si elles sont déclarées privées, on dit alors qu'elles sont des **Membres privés** de cette classe. La portée des modules de classe fonctionne de la même manière que dans les feuilles et les modules standards. C'est pour cette raison que ces variables étaient accompagnées du préfixe `m`, comme par exemple dans `mvarX` : c'est la contraction de variable membre.

Nous utilisons aussi le paramètre `B` de la méthode `Line`. Il nous permet de créer une boîte en exploitant les coordonnées fournies en paramètre pour tracer l'une des diagonales de la boîte.

Nous passons la feuille sur laquelle nous voulons dessiner dans la ligne `Canvas As Object`. Ceci nous permet d'utiliser la méthode `Line` pour dessiner notre boîte. Cette méthode utilise à son tour les variables de la classe au niveau du module pour déterminer l'emplacement où nous voulons dessiner la boîte. Ce sont là les mêmes variables que celles où nous avions stocké les valeurs des propriétés de l'objet.

La méthode `SupprimerBoite` fonctionne de la même manière :

```
Public Sub SupprimerBoite(Canvas As Object)

    Canvas.Line (mvarX, mvarY)-(mvarX + mvarLargeur, mvarY +
        ↳ mvarHauteur), Canvas.BackColor, B

End Sub
```

Mais cette fois, elle dessine notre boîte de la même couleur que celle du fond de notre feuille et ce, en utilisant la propriété `BackColor` de la feuille. Ceci la rend en fait invisible à l'écran. Un truc simple, mais efficace.

269

Créer des instances de classe

Rappelez-vous que, de même qu'un entier n'est jamais qu'un type de donnée, une classe n'est jamais qu'un modèle. Si vous voulez travailler avec un entier dans votre code, il vous faudra déclarer une variable à Visual Basic et lui indiquer qu'elle contiendra des valeurs de type entier :

```
Dim monAge As Integer
```

Le même principe s'applique en quelque sorte aux classes. Comme nous l'avons déjà mentionné, pour pouvoir utiliser une classe, il faut créer un objet basé sur cette classe. Reprenons notre exemple de classe `Boite`. Nous allons créer un objet `Boite` et le dessiner sur une feuille.

Passons à la pratique ! Créer un objet Boite

1 Si le projet du dernier exercice est encore chargé, vous n'aurez qu'à double-cliquer sur la feuille pour appeler la fenêtre de code. Sinon, vous n'avez qu'à créer un nouveau projet **Exe standard**, y ajouter le module de classe sur lequel nous venons de travailler (vous l'aviez enregistré, non ?) en choisissant **Ajouter un module de classe** dans le menu **Projet**, puis en cliquant sur l'onglet **Existant** de la boîte de dialogue qui apparaît et finalement en retrouvant la classe enregistrée.

2 Appelez la fenêtre de code de votre feuille en utilisant l'Explorateur de projets. Déroulez la liste modifiable des événements et choisissez l'événement `Click` ; nous allons écrire une séquence de code qui traitera notre objet lorsque la feuille sera cliquée :

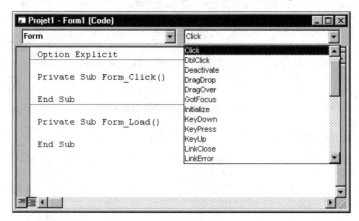

3 Avant d'avoir accès à tout le code de la classe **clsBoite**, il faut que nous la transformions en objet. Une simple instruction `Dim` fera l'affaire. Ajoutez donc la ligne suivante à l'événement `Click` de votre feuille :

```
Dim Une_Boite As New clsBoite
```

Ceci indique à Visual Basic de créer une nouvelle variable d'objet appelée `Une_Boite` qui contiendra une nouvelle instance de la classe **clsBoite**. Le mot clé `New` est important puisque sans lui, VB ne ferait que créer une copie d'un objet `clsBoite` existant. Lorsque vous essayeriez d'y faire référence, vous obtiendriez alors un message d'erreur.

4   Maintenant que nous avons créé notre objet, nous pouvons y ajouter quelques lignes de code afin d'établir la valeur de certaines de ses propriétés et appeler sa méthode `DessinerBoite`. Ajoutez les lignes suivantes à l'événement `Click` de votre feuille :

```
Private Sub Form_Click()

    Dim Une_Boite As New clsBoite

    With Une_Boite

        .X = 0
        .Y = 0
        .Largeur = 1000
        .Hauteur = 1000
        .DessinerBoite Me

    End With

End Sub
```

5   Et voilà, c'est prêt ! Exécutez le programme, cliquez sur votre feuille, notre boîte apparaît et tout ça sous le contrôle d'une classe que nous avons définie avec seulement deux lignes de code :

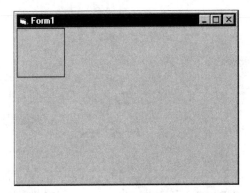

Fonctionnement

Le mot clé `With` marque le début d'une séquence de code traitant un seul objet, `Une_Boite` dans ce cas-ci. Au sein de cette séquence, si nous voulons appeler une méthode appartenant à l'objet ou traiter l'une de ses propriétés, il nous faudra faire précéder le nom de cette méthode ou de cette propriété d'un « . » (point).

Les quatre premières lignes de notre séquence de code établissent les propriétés X, Y, Largeur et Hauteur de notre objet Une_Boite qui définissent la position et la taille de la boîte qui va être dessinée. La ligne suivante appelle la méthode DessinerBoite. Rappelez-vous que cette méthode prend un objet comme paramètre et y dessine. Dans cet exemple, l'objet que nous passons en paramètre s'appelle Me, ce qui n'est autre qu'un moyen rapide de se référer à notre feuille actuelle, celle dont le code événementiel est actuellement exécuté.

Mais attendez ! Et la méthode SupprimerBoite alors ? Nous pourrions démontrer la versatilité des objets et de leurs classes en créant une boucle d'appels de DessinerBoite et de SupprimerBoite et animer ainsi notre boîte... On essaie ?

Passons à la pratique ! Animer notre boîte

1 Arrêtez l'exécution de votre programme et double-cliquez sur votre feuille pour en appeler la fenêtre de code. Ajoutez la déclaration d'entier suivante en haut du code de l'événement Click :

```
Private Sub Form_Click()

    Dim Une_Boite As New clsBoite
    Dim nIndex As Integer
```

2 Modifiez la séquence de code With de ce sous-programme pour qu'elle comporte une boucle. Votre gestionnaire d'événements devrait avoir cette allure (n'oubliez pas d'enlever la ligne .X = 0):

```
With Une_Boite

    .Y = 0
    .Largeur = 1000
    .Hauteur = 1000

    For nIndex = 0 To 1000
        .SupprimerBoite Me
        .X = nIndex
        .DessinerBoite Me
    Next

End With

End Sub
```

3 Exécutez le programme à nouveau. Lorsque vous cliquerez sur la feuille au moment de l'exécution, vous verrez la boîte glisser sur la feuille ! Et cela avec un minimum de code puisque le gros du travail est déjà bien rangé au sein de la classe.

Blinder le code pour protéger vos propriétés

En utilisant ces propriétés, vous pouvez protéger vos objets des valeurs en dehors de la plage. Le code que nous avons créé a cette allure générale :

```
Public Property Let X(vData As Integer)
    mvarX = vData
End Property
```

Pour autant que l'utilisateur fournisse une valeur de type entier valable, la valeur interne de la propriété, `mvarX` sera ajustée à cette valeur. L'utilisateur ne peut pas lui donner la valeur `"Coucou tout le monde !"`, puisque le paramètre a été déclaré de type `Integer`, et il obtiendrait un message d'erreur de compilation dans son projet.

Mais que se passerait-il s'il lui donnait la valeur `-7983` ? Où apparaîtrait donc notre boîte ? Elle ne serait certainement pas visible sur notre feuille. Nous pouvons éviter ce genre de situation en rejetant toute valeur qui nous déplaît :

```
Public Property Let X(vData As Integer)
    If vData > 0 Then mvarX = vData
End Property
```

Notre objet ignorera maintenant toute valeur négative attribuée à la propriété `X`.

Propriétés en lecture seule

Nous pouvons également faire en sorte que nos propriétés soient **en lecture seule** si nécessaire. Cela ne présente aucun intérêt pour les propriétés `X` et `Y` mais pourrait être utile si nous désirions calculer une valeur telle que la longueur d'une diagonale au sein de notre objet. Dans ce cas, nous laisserions nos utilisateurs lire la longueur de l'objet mais nous ne leur permettrions pas de la modifier.

Pour ce faire, il nous faut supprimer complètement le sous-programme `Property Let`. Sans lui, l'utilisateur ne peut modifier la valeur de la propriété mais le sous-programme `Property Get` lui permet toujours d'en obtenir la valeur existante.

Les paramètres optionnels

Les méthodes d'un objet et même les procédures d'une propriété peuvent posséder des **paramètres optionnels**. Voyons ce qui pourrait motiver ce choix.

Ne serait-ce pas merveilleux si la méthode `DessinerBoite` de la classe `clsBoite` nous permettait de choisir la couleur de notre boîte ? Cela non seulement élargirait nos potentiels artistiques mais nous permettrait aussi de nous débarrasser complètement du sous-programme `SupprimerBoite`. En lieu et place, nous n'aurions qu'à invoquer encore une fois la méthode `DessinerBoite` et utiliser la couleur de fond de notre feuille pour rendre notre boîte invisible.

Nous pourrions également conserver la définition de l'interface de notre objet (nous avons vu précédemment à quel point cela était important) en laissant en place la définition de la méthode mais en appelant notre nouvelle version de `DessinerBoite` directement depuis cette méthode sans lui attribuer de paramètre de couleur. De cette façon, les versions antérieures de notre méthode `DessinerBoite` fonctionneraient encore.

1 Arrêtez l'exécution de votre programme. Double-cliquez sur **clsBoite** dans l'Explorateur de projets pour appeler la fenêtre de code de cette classe. Observez encore une fois les méthodes `DessinerBoite` et `SupprimerBoite` :

```
Public Sub DessinerBoite(Canvas As Object)

     Canvas.Line (mvarX, mvarY)-(mvarX + mvarLargeur, mvarY +
     ↳ mvarHauteur), , B

End Sub

Public Sub SupprimerBoite(Canvas As Object)

     Canvas.Line (mvarX, mvarY)-(mvarX + mvarLargeur, mvarY +
     ↳ mvarHauteur), Canvas.BackColor, B

End Sub
```

Ces deux méthodes sont fondamentalement identiques. La seule différence est que `SupprimerBoite` définit une couleur lorsqu'elle efface la boîte alors que `DessinerBoite` n'en fait rien.

2 Mettez le code de `SupprimerBoite` en surbrillance à l'aide de la souris. Supprimez-le en pressant la touche *Suppr*.

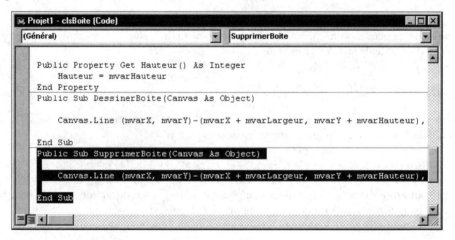

3 Nous allons maintenant apporter quelques modifications à notre méthode `DessinerBoite` pour que la couleur qu'elle utilise soit un paramètre optionnel. Modifiez votre code de cette manière :

```
Public Sub DessinerBoite(Canvas As Object, Optional lColor As Long)

    If IsMissing(lColor) Then
       Canvas.Line (mvarX, mvarY)-(mvarX + mvarLargeur, mvarY +
```

```
                     ↳ mvarHauteur), , B
        Else
            Canvas.Line (mvarX, mvarY)-(mvarX + mvarLargeur, mvarY +
                     ↳ mvarHauteur), lColor, B
        End If

    End Sub
```

4 À ce stade (sans le sous-programme `SupprimerBoite`), le programme ne peut être compilé car l'événement `Click` de notre feuille fait toujours référence à `SupprimerBoite`. Pour rectifier la situation, effacez la ligne de référence à `SupprimerBoite` et remplacez-la par la ligne mise en surbrillance ci-dessous :

```
Private Sub Form_Click()

    Dim Une_Boite As New clsBoite
    Dim nIndex As Integer

    With Une_Boite

        .Y = 0
        .Largeur = 1000
        .Hauteur = 1000

        For nIndex = 0 To 1000
            .DessinerBoite Me, Me.BackColor
            .X = nIndex
            .DessinerBoite Me
        Next

    End With

End Sub
```

5 Exécutez maintenant votre programme. Il n'y a pas de différence visible, mais la taille du programme s'en voit quelque peu réduite. Ceci a peu d'impact sur un programme aussi petit que le nôtre mais pourrait faire toute la différence dans le cas d'un plus gros objet réutilisé plusieurs fois dans le programme.

6 Si ce n'est déjà fait, enregistrez votre projet car nous le réutiliserons dans la partie suivante.

Fonctionnement

Nous avons maintenant un paramètre supplémentaire, `lColor`, dans notre déclaration `DessinerBoite`. Toutefois, puisqu'il est précédé du mot `Optional`, le programmeur n'a pas à lui attribuer de valeur lorsqu'il appelle cette méthode dans son code :

```
Public Sub DessinerBoite(Canvas As Object, Optional lColor As Long)
```

Mais alors, comment peut-on déterminer dans une méthode si le programmeur a utilisé un paramètre optionnel ? Grâce à la fonction `IsMissing()`. Cette fonction de VB vous indiquera si oui ou non, ou dans ce cas-ci `True` ou `False`, un paramètre optionnel a été passé à votre code.

Dans notre méthode, nous avons la ligne suivante :

```
If IsMissing(lColor) Then
```

Autrement dit, si le paramètre optionnel n'a pas été passé à la procédure, `IsMissing` retourne une valeur `True`. Dans le cas contraire, `IsMissing` rend une valeur `False`. Vous pouvez dès lors écrire un code qui se comportera différemment selon que le paramètre a été passé ou pas. Dans notre exemple, si ce paramètre avait été passé, la méthode `Line` l'utiliserait pour spécifier une couleur. Dans le cas contraire la même méthode serait appelée sans aucune couleur.

Il nous reste à noter un point important concernant les paramètres optionnels. Ils doivent toujours être les **derniers** paramètres spécifiés dans la déclaration d'un sous-programme. L'exemple suivant conduirait à une erreur de compilation :

```
Public Sub MaRoutine(Optional sName As String, nAge As Integer )
```

Tandis que cette ligne serait compilée sans encombre :

```
Public Sub MaRoutine(nAge As Integer, Optional sName As String )
```

Avertissement

L'utilisation de paramètres optionnels est à double tranchant. Certes, ils offrent plus de flexibilité, mais ils sont également plus exigeants pour votre unité centrale. Et ils peuvent également se retourner contre vous...

L'un des objectifs de la programmation orientée objet et de la programmation structurée était de simplifier la lecture, la compréhension, le développement et la maintenance de votre code. Malheureusement, les paramètres optionnels vous enlèvent les filets de protection en vous permettant d'écrire du code en figure libre (*Oh, je crois bien que j'utiliserais ce paramètre ici... Oh, je n'en ai pas vraiment besoin là...*).

Lorsque vous utilisez des paramètres optionnels, vous pouvez facilement vous emmêler les pinceaux, surtout lors du débogage. J'ai vu bien des projets dans lesquels les programmeurs utilisaient ces possibilités de VB pour ensuite adopter une approche « pifométrique » du débogage, ajoutant un paramètre ici, en omettant un là, tout ça dans l'espoir que leur code fonctionne.

Certaines des fonctionnalités de VB sont idéales pour créer vos propres composants et objets génériques et réutilisables mais elles sont à utiliser avec précaution au quotidien. Prenez le temps de peser le pour et le contre lors de la mise en œuvre de fonctionnalités avancées de VB. Dans notre exemple précédent, les paramètres optionnels présentaient l'avantage de réduire la longueur de notre code. Mais ce dernier aurait été bien plus lisible si nous avions conservé le sous-programme `SupprimerBoite`.

La règle de base est donc d'utiliser votre bon sens et les paramètres optionnels avec précaution.

VB supporte maintenant le passage de paramètres indéfinis. Ceci permet de passer un tableau de paramètres de taille variable à une procédure. Je ne leur ai pas encore trouvé d'usage pratique et dès lors ne vous les mentionne qu'en passant.

Utiliser les événements

L'une des innovations de Visual Basic 5 était la possibilité de définir vos propres **événements**. Cette caractéristique existe encore dans Visual Basic 6. Rappelez-vous de notre classe Boite. Quels événements auriez-vous aimé y incorporer ? Un événement Draw nous permettant de mettre à jour un autre élément chaque fois que la boîte est dessinée ? Ou pourquoi pas un événement Move qui nous permettrait de jeter un coup d'œil à nos propriétés et de nous assurer que la boîte n'est pas allée se placer hors de l'écran ? Ce ne sont là que quelques unes des nombreuses possibilités qui vous sont offertes. Et, en plus, elles sont faciles à mettre en pratique. Mettons-nous donc au travail sans plus attendre.

Passons à la pratique ! Définir et générer un événement

1 Nous commencerons par définir l'événement Draw. Comme cet événement sera déclenché chaque fois que la boîte est dessinée, il faut que nous songions aux informations dont toute personne réagissant à l'événement voudrait disposer. Il y a de fortes chances que ce soient les coordonnées X et Y de la boîte. Nous les déclarerons donc en paramètres. Ouvrez la fenêtre de code de votre projet actuel et ajoutez la ligne de code suivante dans la section (Général) (Déclarations) de votre module de classe :

```
Option Explicit
Private mvarX As Integer
Private mvarY As Integer
Private mvarLargeur As Integer
Private mvarHauteur As Integer
Public Event Draw(X As Integer, Y As Integer)
```

Celle-ci définit l'événement mais ne nous indique pas quand notre événement doit être déclenché ou généré.

2 Nous voulons que notre nouvel événement Draw soit généré chaque fois que la boîte est dessinée sur la feuille. Il nous faut donc ajouter quelques lignes supplémentaires à notre sous-programme préexistant. Retrouvez le sous-programme DessinerBoite dans votre module de classe et ajoutez une ligne de code en bas de cette méthode pour forcer l'occurrence d'un événement Draw. Ajoutez la ligne de code en surbrillance ci-dessous au code de votre méthode :

```
Public Sub DessinerBoite(Canvas As Object, Optional lColor As Long)

    If IsMissing(lColor) Then
        Canvas.Line (mvarX, mvarY)-(mvarX + mvarLargeur, mvarY +
            ↳ mvarHauteur), , B
    Else
        Canvas.Line (mvarX, mvarY)-(mvarX + mvarLargeur, mvarY +
            ↳ mvarHauteur), lColor, B
    End If

    RaiseEvent Draw(mvarX, mvarY)

End Sub
```

3 Revenons à l'événement `Click` de notre feuille. Nous devons y apporter quelques modifications. Tout d'abord, dans la procédure `Sub Form_Click()`, supprimez la ligne qui crée notre objet `Une_Boite` dans l'événement `Click`. Ajoutez ensuite la ligne suivante dans la section **(Général) (Déclarations)** de votre feuille. Votre code devrait maintenant avoir l'allure suivante :

```
Private WithEvents Une_Boite As clsBoite

Private Sub Form_Click()

    'supprime la ligne
    Dim nIndex As Integer

    With Une_Boite
    ...
```

4 Ajoutez encore la ligne de code suivante à l'événement `Form_Load` comme ceci :

```
Private Sub Form_Load()

    Set Une_Boite = New clsBoite

End Sub
```

Plutôt simple. Lorsque notre feuille est chargée, l'objet `Une_Boite` est créé et le reste de notre code devrait être exécuté sans aucune autre modification.

Nous pouvons maintenant ajouter le gestionnaire d'événements. «. Comment ? », vous entends-je dire. Comment pouvons-nous maintenant associer un gestionnaire à un événement que nous venons de créer ? « Big Brother », ça vous dit quelque chose ?

5 Ouvrez la liste modifiable de votre objet située dans la fenêtre de code :

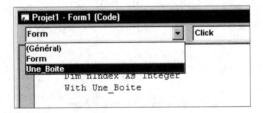

6 Visual Basic a observé tout ce que vous venez de faire. Il a suivi votre création de l'objet `WithEvents` dans la section **(Déclarations)** de la feuille. Il vous a vu définir l'objet et ses événements. Il a donc tout prévu et vous permet de sélectionner cet événement dans la liste modifiable de votre objet au sein de la fenêtre de code.

278

Allez-y :

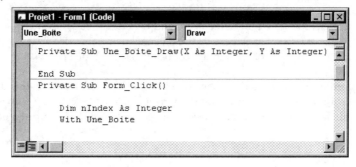

Dès que vous choisissez cet objet, la liste modifiable inclut l'événement Draw que vous venez de définir. Vous pouvez maintenant y écrire le code associé.

7 Rajoutons une instruction Print afin d'afficher les coordonnées de notre boîte dans la fenêtre de débogage (c'est-à-dire la fenêtre d'**Exécution** réduite bien sagement dans un coin pendant l'exécution). Cette instruction vous permet ainsi d'être informé de ce qui se passe dans votre projet :

```
Private Sub Une_Boite_Draw(X As Integer, Y As Integer)

    Debug.Print "La boîte vient d'être dessinée à " & X & ", " & Y

End Sub
```

8 Et enfin, exécutez votre programme. Cliquez sur votre feuille et vous verrez que la boîte glisse sur l'écran. Et pendant ce temps-là, derrière votre feuille, la fenêtre d'**Exécution** (ou fenêtre de débogage) affiche du texte en réponse à l'événement Draw de votre boîte :

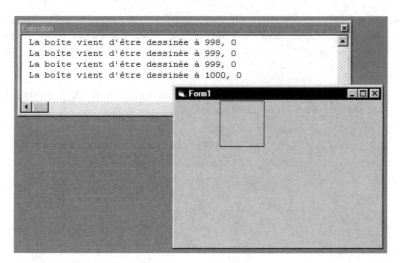

279

Fonctionnement

Nous venons juste d'utiliser la méthode `RaiseEvent` pour indiquer à Visual Basic que quelque chose vient de se produire et...« est-ce qu'il pourrait générer un événement, merci bien ». Tout ce qu'il nous restait à faire était de spécifier l'événement en question, (ici `Draw`), avec ses paramètres. Dans notre exemple, nous avons passé au gestionnaire de l'événement `Draw` les valeurs des deux variables de propriété, `mvarX` et `mvarY`, qui contenaient les coordonnées X et Y de la boîte.

Pour pouvoir gérer les événements d'un objet que nous avons créé, nous devons déclarer l'objet de façon un tant soit peu différente. Il nous faut tout d'abord le déclarer `Private` au niveau Feuille ou Module, mais pas au sein de la routine. Il nous faut ensuite utiliser le mot clé `WithEvents` au lieu de `Dim` :

```
Private WithEvents Une_Boite As clsBoite
```

Nous avons donc ôté la déclaration `Dim` du gestionnaire d'événements `Form_Click` et l'avons remplacée par une ligne de code dans la section (**Déclarations**) de notre feuille. Cette nouvelle déclaration utilise le mot clé `WithEvents` pour indiquer à Visual Basic que nous déclarons un objet possédant des événements pour lesquels nous désirons écrire un gestionnaire.

Remarquez aussi que nous avons supprimé le mot clé `New` dans notre instruction `WithEvents`. Lorsque vous écrivez :

```
Dim Une_Boite As New clsBoite
```

vous indiquez en fait à Visual Basic que vous allez utiliser un objet basé sur la classe `clsBoite` et vous lui ordonnez aussi de lui réserver de la mémoire et de le créer. Malheureusement, étant donné les restrictions de VB, ceci est impossible avec le mot clé `WithEvents`. A la place, nous devons créer l'objet nous-même en ajoutant une ligne de code à l'événement `Form_Load` et en laissant Visual Basic faire le reste.

Et enfin, nous avons ajouté une instruction d'affichage (`Print`) à notre nouvel événement pour vérifier ce qui s'y passait en phase d'exécution. Et voilà tout !

Félicitations ! Dans ce chapitre relativement court, vous avez créé votre propre classe d'objets graphiques, vous y avez ajouté des propriétés et des méthodes, un événement personnalisé et écrit un gestionnaire d'événement pour ce dernier. Tout ça rendrait fou un apprenti développeur C++ en moins d'un quart d'heure. Allez, applaudissez-vous !

Mais sérieusement, nous avons abordé beaucoup de sujets différents dans ce chapitre et vous craignez peut-être de tout oublier. Après tout, créer ses propres événements est un peu troublant. Faisons donc un bref récapitulatif.

- ❏ Déclarez vos événements avec `Public Event`
- ❏ Générez-les avec `RaiseEvent`
- ❏ Créez vos objets avec `Dim WithEvents`, et n'utilisez pas `New`
- ❏ Assurez-vous de créer vos objets avec le code suivant :

  ```
  Set <objet> = New <class>
  ```

- ❏ Écrivez le code de votre gestionnaire d'événements comme pour un contrôle

Détruire des objets

Enfin, après avoir bricolé, c'est toujours une bonne idée de faire un peu de ménage. Certes, nous n'avons pas fait beaucoup de désordre dans notre exemple et il ne vous semble peut-être pas nécessaire d'être aussi méticuleux. Mais imaginez que nous ayons créé des centaines d'objets. De même que ce n'est pas une très bonne idée de laisser votre linge sale s'accumuler sur le sol si vous voulez rester en bons termes avec le reste de votre famille, dans une longue application, une fois que vous n'avez plus besoin d'un objet, il vaut mieux le détruire. Si vous ne détruisez pas ces objets, ils occuperont de la mémoire, ce qui peut réduire les performances de votre application. Débarrassez-vous-en donc en utilisant le code suivant :

```
Set <Objet> = Nothing
```

L'événement `Unload` de votre feuille constitue l'endroit idéal pour détruire des objets. Si vous voulez ajouter cette caractéristique à notre exemple d'application, vous n'avez qu'à y ajouter la ligne de code suivante :

```
Private Sub Form_Unload(Cancel As Integer)
        Set Une_Boite = Nothing
End Sub
```

Maintenant que nous avons tout bien rangé, nous pouvons achever notre visite éclair des objets et des classes.

Résumé

L'univers de la programmation orientée objet est immense et fascinant. Dans ce chapitre, nous avons vu comment créer une classe et y ajouter des propriétés, des méthodes et des événements. Armé de ces connaissances, vous pouvez vous lancer dans le monde enivrant des composants ActiveX, de la conception orientée objet et plus encore. Le point le plus important à retenir est que les objets sont maintenant des faits acquis en VB et que, utilisés correctement, ils contribueront grandement à la création d'élégantes applications. Néanmoins, pour couvrir de manière exhaustive l'ensemble des techniques nécessaires à la conception et à la création d'une application orientée objet, il nous faudrait bien plus d'un chapitre.

Dans ce chapitre, nous avons abordé les points suivants :

- ❑ Les objets dans Visual Basic
- ❑ Les contrôles comme types d'objets spéciaux
- ❑ La création d'une classe simple
- ❑ L'implémentation des procédures et des méthodes d'une propriété
- ❑ L'utilisation d'une classe dans le code
- ❑ La création d'événements personnalisés
- ❑ La génération d'un événement
- ❑ La déclaration d'un objet avec `WithEvents`

La programmation orientée objet nous permet d'écrire des programmes bien pensés. Dans le chapitre suivant, nous étudierons plus en profondeur la conception de ces programmes en vue de leur écriture.

Que diriez-vous d'essayer ?

Dans cette série d'exercices, nous reprenons où nous en étions restés avec `clsBoite`, en créant ici une classe qui imite un feu de circulation.

1 Démarrez cette série d'exercices en créant une classe FeuDeCirculation appelée `clsFeuDeCirculation`. Pour l'instant, cela consiste juste à ajouter un module de classe à un projet et à en définir sa propriété Name.

2 Notre classe FeuDeCirculation dessinera un feu de circulation sur une feuille et allumera ou éteindra différentes lumières (rouge, orange ou verte) en réponse aux clics de l'utilisateur sur l'une des séries de boutons de commande. Poursuivons la conception de cette classe en ajoutant les propriétés suivantes : LaHauteur, LaLargeur, X et Y, qui sont toutes de type `Integer`, ainsi que FeuRouge, FeuOrange et FeuVert, qui sont, elles, de type `Boolean`. Intégrez ensuite les méthodes suivantes : DessinerFeu, EffacerFeu, FeuOK, FeuStop et FeuPrudence. Chacune d'elles devrait accepter un seul argument : l'objet sur lequel nous allons dessiner le feu, c'est-à-dire la feuille. Appelez cet objet Schéma. Ajoutez enfin une dernière méthode appelée Allumé, qui fonctionnera, elle, avec deux arguments : un argument objet nommé Schéma et un argument entier intitulé Interval.

3 Écrivez du code dans l'événement Initialize de la classe, afin de définir les valeurs par défaut pour LaHauteur, LaLargeur, X et Y. Saisissez ensuite du code pour les méthodes DessinerFeu et EffacerFeu. La première est censée dessiner un feu de circulation (3 carrés alignés verticalement, par exemple) et la seconde, retirer ce feu de la feuille. FeuOK, FeuStop et FeuPrudence devront « allumer » respectivement les lumières verte, rouge et orange, tout en « éteignant » les autres.

4 Créez une feuille avec cinq boutons de commande. Affectez-leur les légendes suivantes : **Créer un feu**, **OK**, **Stop**, **Prudence** et **Détruire le feu**. Déclarez une nouvelle instance de la classe, puis faites en sorte que chaque bouton déclenche la méthode appropriée de la classe, afin que celle-ci joue son rôle.

5 Modifiez enfin la classe FeuDeCirculation en vue d'exécuter un cycle automatique : placez une minuterie sur la feuille et faites le nécessaire pour que le feu passe de façon cyclique du rouge au vert puis au orange. Vous devrez ajouter du code à la méthode Allumé de la classe.

Débogage et conception

Ce chapitre traite des difficultés rencontrées par le programmeur dans un monde imprévisible. Jusqu'à présent, notre approche de la programmation en Visual Basic était relativement naïve puisque nous avons supposé que vous ne commettriez jamais d'erreur, que les utilisateurs auraient un comportement impeccable et que vous auriez tout votre temps. Assez rêvé. Voyons ce que nous pouvons faire pour améliorer nos chances de produire dans les délais qui nous sont imposés un programme qui fonctionne dans la vraie vie.

Dans ce chapitre, nous aborderons les points suivants :

❑ Organisation du code en petits blocs réutilisables afin de réduire les erreurs possibles et d'améliorer votre productivité

❑ Écriture d'un code dont le support technique soit facile à assurer (c'est-à-dire facile à modifier lorsque vous y reviendrez plus tard)

❑ Gestion d'événements imprévus au moment de l'exécution sans que votre programme plante

❑ Débogage des programmes qui ne fonctionnent pas

Écrire des programmes qui fonctionnent

Pour écrire un code qui fonctionne, il vous faut tout d'abord concevoir un bon plan. Vous devez ensuite écrire votre code de telle sorte qu'il y ait le moins d'erreurs possibles et qu'elles soient facilement identifiables. Et enfin, il faut que vous puissiez retrouver toutes les erreurs qui se produisent pour les corriger, au risque sinon d'avoir à les résoudre au moment de l'exécution.

Concevoir des programmes sûrs

Plus un programme est long et plus vous êtes susceptible d'y avoir introduit des bogues. Pensez-y : si vous écriviez un programme de trois lignes qui se contentait de prendre un nombre donné par l'utilisateur, de vérifier qu'il s'agissait bien d'un nombre puis de l'afficher à l'écran, le tester serait un jeu d'enfant. Vous pourriez même déclarer à vos utilisateurs que ce système ne contient absolument aucun bogue. Et effectivement, avec trois lignes de code, ce n'est pas bien compliqué.

Prenons maintenant un autre exemple : vous venez de passer neuf heures d'affilée à taper approximativement 900 lignes de code. Ce code prend un nombre donné par l'utilisateur, cherche le nombre correspondant dans une base de données, charge plusieurs enregistrements afin d'effectuer quelques calculs, multiplie le nombre original par le nombre d'enregistrements trouvés, y ajoute votre âge en minutes et affiche le résultat à l'écran tout en jouant la Marseillaise ! Vous pensez toujours pouvoir garantir l'absence de bogue ? Non, et c'est bien ce qui me semblait.

Vous pourriez tester maintes et maintes fois ce code, le faire tester par d'autres personnes qui comme vous le testeraient en exécutant le programme encore et encore pendant des jours entiers et n'y trouver aucune erreur. Et puis le grand jour arrive, vous vendez le programme à un client qui, par erreur, entre une décimale alors que tout le monde supposait qu'on n'y entrerait que des nombres entiers. Résultat des courses, votre programme plante et vous vous retrouvez avec un client très mécontent et peu disposé à vous faire un chèque.

Où est donc le problème ? Si nous pouvons garantir que trois lignes de code fonctionneront sans problème, pourquoi ne peut-on pas en dire autant de 6, 12, 24, 58 voire 900 lignes ? C'est à cause de ce qu'on appelle la **cohésion**Notre premier exemple n'a que trois lignes de code et n'exécute qu'une seule fonction : il prend un nombre, vérifie qu'il est valide et l'affiche si la vérification se déroule sans problème. Notre deuxième exemple, en revanche, exécute une série de fonctions complètement différentes : il prend un nombre, recherche des enregistrements, fait de l'algèbre et joue de la musique.

Le premier sous-programme a une très forte cohésion. C'est un tout petit programme qui se résume à une seule procédure d'exécution d'une fonction unique. La cohésion de notre second programme est en revanche des plus faibles. Tout le programme est dépendant de l'opération d'un seul de ses éléments. Imaginez que votre maison ne possède qu'un seul circuit électrique et un seul fusible pour toutes les prises. Chaque fois qu'une prise sauterait, toute la maison subirait une panne d'électricité. C'est pour cette raison que chaque zone d'une maison est habituellement équipée de son propre circuit. Ainsi, lorsqu'un circuit tombe en panne, le reste de la maison peut continuer à fonctionner normalement et la tâche de l'électricien est simplifiée puisqu'il n'a qu'à se concentrer sur une seule zone pour trouver la source du problème.

Pour améliorer vos chances de succès, il est donc préférable d'écrire des programmes composés de petits blocs de code ayant chacun une forte cohésion. Dans votre programme, chacun de ces blocs doit se concentrer sur une seule tâche et y exceller. Si votre programme de 900 lignes avait été écrit en dix-huit sous-programmes de 50 lignes, il aurait été plus simple à gérer. Vous auriez pu vérifier et déboguer chacun de ces sous-programmes individuellement plutôt que la totalité de votre long programme !

Et pour être encore plus efficace, vous devriez concevoir et écrire votre programme comme un ensemble d'objets, chacun de ces objets étant composé de petites séquences de code concises.

Les programmes Visual Basic peuvent être décomposés en entités élémentaires. Il peut s'agir de **procédures (Sub)** ou de **fonctions (Function).** Ceci permet de faciliter l'exploitation du programme tout en limitant les risques d'erreur.

Concevoir des programmes efficaces

L'utilisation de modules et la création de bibliothèques de sous-programmes utiles permettent d'améliorer grandement l'efficacité de votre programmation et d'éviter de nombreuses erreurs. En plaçant le code que vous utilisez fréquemment dans des modules distincts ou, mieux encore, dans des classes d'objets réutilisables, vous pouvez économiser des heures entières de frappe et de conception. Ce code peut alors fonctionner dans un projet unique ou dans tous les projets sur lesquels vous travaillez.

Si vous avez, par exemple, une application riche en données et dotée de nombreux champs de saisie d'information, vous pouvez désirer vérifier les données entrées dans chaque champ au moment même où elles sont tapées par l'utilisateur. Il serait donc logique de placer votre sous-programme de vérification des données dans un seul sous-programme central, plutôt que de le réécrire dans le gestionnaire d'événements de chaque contrôle.

Une fois que vous avez écrit ce sous-programme de vérification de données, vous pouvez l'attacher à d'autres projets qui requièrent la vérification des données entrées sans avoir à le réécrire.

Planifier l'imprévisible

Vous pouvez concevoir et structurer votre programme le mieux possible, il arrivera toujours des événements imprévus ou si rares que vous n'auriez jamais imaginé que votre programme y serait confronté. Comme dirait le pessimiste, le monde est plein de catastrophes en attente. Les utilisateurs tapent des combinaisons de touches étranges, les lecteurs de disquettes tombent en panne de manière inexpliquée (mettez-y une disquette d'abord, ça aide...), les réseaux se paralysent mystérieusement. La liste de possibilités est sans fin. Une seule chose est sûre, c'est que si votre programme plante, ce sera de votre faute, même si une météorite a choisi d'achever sa course sur le serveur.

Ce n'est donc pas une mauvaise idée de construire un code qui tente de traiter l'imprévu. Visual Basic vous aide dans cette tâche en vous permettant de traiter à votre manière les erreurs susceptibles de se produire pendant l'exécution, plutôt que de baisser les bras et de laisser votre programme planter immédiatement.

Créer du code qui fonctionne

« Désolé, nous avons un virus sur nos ordinateurs... Nos ordinateurs sont en panne, nous ne pourrons pas accéder à votre dossier avant lundi... Non, non, c'est une panne d'ordinateur, on ne peut rien faire, on les fait réparer dès que possible. » Tout ceci vous rappelle quelque chose ? Ce sont là des excuses assez fréquentes que vous avez probablement déjà entendues si vous êtes en contact avec des organismes qui utilisent des ordinateurs. Chaque fois qu'une banque déduit trop d'argent, qu'un catalogue de vente par correspondance perd votre commande, que la comptabilité prélève trop ou pas assez de charges sur votre salaire, c'est toujours la faute de l'ordinateur.

En fait, les *ordinateurs* commettent très peu d'erreurs. Un ordinateur fait toujours ce qu'on lui demande de faire. Si, dans un système de facture, vous dites à l'ordinateur que la somme totale à payer par le client est le coût total des produits *moins* la TVA, ce n'est pas l'ordinateur qui se trompe, c'est vous ! Comment pouvons-nous dès lors enlever tous les bogues des applications que nous écrivons ?

La réponse est simple : c'est impossible. Plus vous ajoutez de contrôles à votre application Visual Basic, plus vous écrivez de code pour réagir aux événements et plus les chances que vous ayez introduit des bogues dans votre système sont élevées. Et vous pouvez être sûr que ces bogues feront tout ce qu'ils peuvent pour rester cachés jusqu'à ce que :

- ❑ Vous ayez besoin que le programme exécute une tâche de toute urgence
- ❑ Vous fassiez une démonstration de votre programme à un acheteur éventuel
- ❑ Vous laissiez quelqu'un d'autre utiliser votre programme

Les différents trucs et astuces que vous apprendrez ici ne peuvent pas vous garantir que vous ne diffuserez jamais un système contenant des bogues. Le débogage et la programmation structurée ne sont pas des filets de protection pour programmeurs, ce sont des techniques destinées à limiter les dégâts. Si vous êtes un programmeur salarié, estimez-vous heureux de faire partie d'une des rares professions ou vous pouvez commettre des erreurs sans risquer de graves répercussions. Dieu merci, vous n'êtes pas médecin ! Attention toutefois à ne pas commettre trop d'erreurs, sinon vos employeurs pourraient y réfléchir à deux fois avant de signer votre chèque à la fin du mois !

Écrire du code compréhensible

En fin de compte, la meilleure façon de réduire le nombre de bogues présents dans un système, c'est de le concevoir correctement. Mais, bon, ce manuel traite de la programmation et tous les programmeurs, moi y compris, détestent écrire des milliers d'organigrammes et des tonnes de texte expliquant ce qu'un système est censé faire. Nous préférons plonger dans le vif de l'action et écrire du code tout de suite. Donc, nous allons nous concentrer sur la façon de réduire le nombre de bogues et d'écrire du beau code plutôt que d'aborder la conception du système parfait. Il y a déjà beaucoup d'excellents ouvrages qui traitent de la conception des systèmes. Laissons donc aux analystes le soin d'analyser et amusons-nous !

Même dans le plus simple des systèmes, votre code peut adopter des centaines de possibilités différentes en réponse à une action effectuée par l'utilisateur, que cette action soit prévue ou pas. Il est donc impossible de se souvenir constamment de toutes ces possibilités lorsque vous développez votre programme. La décomposition de votre programme en petites séquences de code faciles à gérer ou même en objets réutilisables constitue une excellente façon d'aborder les problèmes de programmation.

Dans le chapitre 4, vous avez appris à créer de petites sous-routines pouvant être utilisées pour effectuer des tâches spécifiques en réponse à certaines conditions :

```
If nChoix = 1 Then
        FaisCeci
Else
        FaisCela
EndIf
```

Dans cet exemple, `FaisCeci` et `FaisCela` sont les sous-routines appelées selon la valeur de nChoix. C'est ce qu'on appelle la **programmation structurée**. Ce type de programmation facilite le suivi de votre code et son contrôle. Comme je l'ai déjà mentionné dans le chapitre 2, Visual Basic vous permet aussi d'utiliser la POO (la programmation orientée objet, semblable à la programmation structurée mais bien plus puissante). Comme vous vous en rendrez compte à la fin de ce chapitre, développer votre application d'un point de vue POO vous permet d'économiser des heures et des heures de débogage.

> *Et pour rassurer les quelques programmeurs en C++ égarés, nous admettrons tout de suite que Visual Basic n'est en fait pas vraiment un langage de POO. Mais c'est un langage basé sur l'objet et qui, dès lors nous permet d'embrasser certaines des techniques les plus utiles de la POO.*

Passer des paramètres à des procédures et à des fonctions

Les procédures et les fonctions n'ont pas à accepter de paramètres. « *Fais-le !* » est tout ce que vous avez à dire à une procédure chargée d'effacer les entrées d'un contrôle zone de liste. De même, une fonction chargée d'afficher l'heure et la date du jour peut rendre une valeur sans l'aide de paramètres. Toutefois, les procédures et fonctions un tant soit peu flexibles accepteront tout un ensemble de paramètres.

Prenons l'exemple d'une procédure générale chargée de centrer une feuille à l'écran. Vous pouvez définir une variable objet pour une feuille et la passer à la procédure :

```
Public Sub CentrerFeuille(frmCetteFeuille As Form)
```

Vous pouvez alors appeler cette procédure depuis n'importe quel code d'événement :

```
Sub Form_Load()
   CentrerFeuille Me
End Sub
```

Souvent, il vous faudra passer plusieurs paramètres au même sous-programme. Vous pourriez par exemple, avoir à créer un sous-programme qui écrive et transmette des données à une base de données. Dans ce cas, il serait utile de passer chaque donnée que vous voulez transmettre sous forme de paramètre :

```
Public Sub EcrireDonnéesEmployé (sNomEmployé as String, nRéfDépartment
    ↳as Integer, nAge as Integer)
    :
    :
End Sub
```

Il y a deux façons de passer des paramètres à des fonctions et à des procédures. La méthode la plus simple est celle que nous avons vue jusqu'à présent : **le passage par référence**. La seconde méthode est appelée **le passage par valeur** et offre des avantages en ce qui concerne la protection de vos données. Elle est toutefois un peu plus complexe.

Passer des paramètres par référence

Lorsque vous passez par référence, vous déclarez votre paramètre entre parenthèses après le nom du sous-programme ou de la fonction :

```
Public Sub AfficherEmployé(nRéfEmployé As Integer)
```

Le paramètre `nRéfEmployé` est ici passé par référence. C'est la forme par défaut de tous les paramètres en Visual Basic. Concrètement, cela signifie que si nous avons du code dans le sous-programme qui modifie le paramètre, comme `nRéfEmployé = 100` par exemple, la valeur originale du paramètre qui est passé à `AfficherEmployé` sera elle aussi modifiée. Ce peut être très utile mais également des plus ennuyeux si vous l'oubliez. Mettons tout ça en pratique dans du vrai code.

Passons à la pratique ! Les problèmes du passage par référence

1 Créez un nouveau projet Visual Basic et ôtez la feuille par défaut qui apparaît en sélectionnant **Supprimer Form1** dans le menu **Projet**.

2 Créez un nouveau module de code. Lorsque la fenêtre de code apparaît, tapez-y la procédure suivante :

```
Private Sub SouRou(nNombre as Integer)

    nNombre = 9999

End Sub
```

Ceci établit une sous-routine appelée `SouRou` qui met la valeur du paramètre qu'il reçoit à 9999.

3 Placez le curseur sur la ligne suivant `End Sub` et insérez la sous-routine `Main()` suivante :

```
Public Sub Main()

        Dim nAge As Integer
        nAge = 24
        MsgBox "L'âge est de" & nAge
        SouRou nAge
        MsgBox "L'âge est maintenant de " & nAge

End Sub
```

4 Lorsque vous avez fini de taper votre code, exécutez le programme. Une boîte de message apparaît et vous indique que la valeur actuelle de la variable nAge est 24.

5 Lorsque vous cliquez sur **OK** dans la boîte de message, la ligne de code suivante appelle la procédure SouRou. Une boîte de message apparaît alors et vous indique que nAge est maintenant égal à 9999.

Ceci met en évidence l'un des problèmes associés au passage par référence. La procédure a accès à la variable originale et, dès lors, toute modification affectant le paramètre affecte la variable originale qui avait été passée.

Cela peut pourtant se révéler utile. C'est une façon pratique de faire en sorte qu'une fonction retourne plusieurs valeurs à un programme appelant. Vous mettez toutes les valeurs en paramètres et pouvez ainsi modifier chacune d'entre elles au sein de votre fonction.

Passons à la pratique ! Le passage des variables par valeur

Modifions notre exemple précédent afin de passer une variable par valeur plutôt que par référence.

1 Trouvez la procédure SouRou que vous venez de taper.

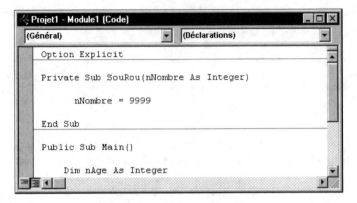

2   Modifiez la ligne de `Sub SouRou` en haut de cette façon :

```
Private Sub SouRou(ByVal nNombre as Integer)
```

3   Relancez le programme.

La boîte de message présente maintenant la même valeur que celle de la variable nAge avant et après le clic du bouton **OK**. C'est exactement ce que passer un paramètre par valeur signifie : il passe la valeur du paramètre et non la variable initiale.

Réduire la quantité de bogues en utilisant le passage par valeur

L'argument principal en faveur de l'utilisation du passage par valeur (ou ByVal) chaque fois que c'est possible est qu'il réduit les probabilités de présence de bogues. Il suffit que votre concentration se relâche pendant quelques secondes pour que vous attribuiez par erreur une valeur à un paramètre passé par référence. Et cette petite erreur peut avoir un effet en cascade lorsque cette valeur est retransmise au code qui avait appelé la procédure ou retransmise à d'autres sous-routines et ainsi de suite.

Vous serez également confronté au mot clé `ByVal` lorsque nous aborderons les **appels API** plus loin dans ce manuel. Lorsque vous utilisez les API Windows, passer un paramètre par valeur lorsque vous souhaitiez le passer par référence ou vice versa peut faire planter votre ordinateur ou, plus probablement, celui de votre client.

Le seul inconvénient de `ByVal` est qu'il consomme plus de ressources que le passage par référence. Au lieu de se contenter d'envoyer l'adresse de la variable à la procédure, Visual Basic doit tout d'abord recopier la variable dans une autre zone de mémoire puis passer l'adresse de cette variable. Passer des variables par valeur peut dès lors ralentir votre code et lui faire consommer plus de mémoire en phase d'exécution.

Construire une bibliothèque de procédures

Un des aspects les plus intéressants des modules en Visual Basic, c'est que vous pouvez les utiliser pour créer **une bibliothèque de code**. Nous avons vu précédemment comment écrire des sous-programmes (procédures et fonctions y compris) de telle sorte qu'ils soient réutilisables.

Une bibliothèque de code est une collection de modules contenant tous les sous-programmes utiles que vous pouvez souder à de nouvelles applications quand vous le désirez. En théorie, ce code aura été complètement testé au moment de sa création et, le souder à d'autre applications peut non seulement réduire le temps pris par l'écriture du code mais aussi la quantité potentielle de bogues présents dans votre système. Une fois que des procédures utiles ont été placées dans des modules spécifiques, vous pouvez ajouter ces modules à d'autres projets et réutiliser ces procédures à volonté.

Pour établir une bibliothèque de code efficace, il faut que vous vous posiez un certain nombre de questions à chaque fois que vous écrivez du code dans vos programmes :

❑ Pouvez-vous concevoir une autre utilisation pour cette procédure dans d'autres applications ?

❑ Est-ce que votre code suppose quoi que ce soit ? Dépend-il par exemple de variables globales, de feuilles ou de contrôles ayant un nom spécifique ? Si c'est le cas, modifiez-le !

❑ Comment pouvez-vous rendre votre procédure la plus sûre possible ? Ajoutez-y des vérifications d'erreurs, du code pour vérifier les paramètres, pour traiter les erreurs ou appeler un sous-programme de gestion d'erreurs situé dans une autre de vos bibliothèques.

Le principe fondamental de Visual Basic, c'est que vous devez essayer de construire vos applications à partir de composants lorsque c'est possible ce qui ne sous-entend pas l'utilisation de beaux contrôles personnalisés. Vous pouvez créer votre propre bibliothèque de composants et l'utiliser comme module de classe réutilisable et ce, à partir de quelques feuilles et modules.

Gérer les erreurs pendant l'exécution

Les applications ne sont jamais parfaites et les utilisateurs encore moins. Dans tout long programme que vous écrivez, il y aura toujours des erreurs de logique susceptibles de faire planter votre système. Des événements imprévisibles tels que certaines combinaisons de touches tapées par l'utilisateur peuvent également se produire.

Dieu merci, Visual Basic comprend des pièges à erreurs extrêmement puissants. Il y a véritablement des centaines d'erreurs possibles que Visual Basic peut repérer et traiter. Nous ne les décrirons pas ici toutes en détail, cela prendrait bien trop de temps. Au lieu de cela, nous aborderons les méthodes générales utilisées pour piéger et traiter ces erreurs.

Mettons tout de suite les choses au point, le terme erreur dans Visual Basic ne possède pas les connotations négatives généralement associées à ce mot. Les erreurs représentent la manière dont le système vous indique qu'un ensemble d'événements imprévus s'est produit dans votre code. Grâce à la façon informative dont Visual Basic vous tient au courant des événements qui surviennent, une erreur tient plus à une demande de réponse qu'à une invitation à changer de carrière.

L'objet Err

Lorsque votre code se retrouve confronté à quelque chose auquel il ne s'attendait pas, il ne peut pas fonctionner normalement. Les programmes n'ont pas de liberté de pensée, ils se contentent de faire ce qu'on leur demande. Afin de résoudre un problème créé par une erreur, il faut pouvoir identifier le type d'erreur en question. Votre programme peut traiter certaines erreurs directement, si vous y écrivez une procédure qui résout le problème. D'autres erreurs sont si graves qu'elles n'offrent aucune chance de salut. Il faut donc faire le tri.

Visual Basic comprend un objet appelé Err qui possède de nombreuses propriétés vous permettant de découvrir le code d'une erreur, son origine, le message qui l'accompagne et ainsi de suite. Ces propriétés sont à la base d'une stratégie de gestion des erreurs. Une fois que nous avons identifié le type d'erreur, nous pouvons décider si oui ou non nous allons la traiter.

Voici les propriétés du gestionnaire d'erreurs qui nous intéressent :

Propriété	Description
Number	Valeur par défaut. Une liste de nombres correspondant à des erreurs différentes.
Description	Brève description de l'erreur. Destinée plus à informer l'utilisateur qu'à être utilisée dans votre code.
Source	Identifie le nom de l'objet qui a produit l'erreur. Une autre propriété à caractère essentiellement informatif.

Il est clair que du point de vue du code, c'est la propriété **Number** qui est importante. Voyons maintenant comment piéger une erreur pour pouvoir la traiter.

La commande On Error

Si vous tapiez quoi que ce soit dans la ligne de code suivante, le message d'erreur **Division par zéro** serait affiché à l'écran.

La commande On Error vous permet d'ordonner à Visual Basic où aller en cas d'erreur. Toutes les fonctions où vous souhaitez piéger des erreurs doivent posséder une commande On Error. La syntaxe de la commande On Error est des plus simples :

```
On Error GoTo <étiquette>
```

Ici, <étiquette> indique la ligne où il faut aller.

Pour indiquer à Visual Basic que nous utilisons un contrôle Étiquette pour identifier un endroit du code, il faut ajouter deux points (:) à la fin de l'étiquette. Prenez par exemple la procédure suivante :

```
Public Sub Division()
    On Error GoTo GestionErreur
    Print 12 / 0
    Exit Sub

GestionErreur :
    MsgBox Str(Err.Number) & " : " & Err.Description, , "Erreur"

End Sub
```

Le code de ce petit gestionnaire d'erreurs se contente d'afficher les détails de l'erreur dans une boîte de message. La première ligne, On Error GoTo GestionErreur, indique à Visual Basic qu'en cas d'erreur, il doit aller (GoTo) au contrôle Étiquette GestionErreur (gestionnaire d'erreurs), défini plus loin dans la procédure. Observez maintenant le code qui suit GestionErreur :. Il crée une boîte de message qui contient les propriétés **Number** et une description de l'erreur en question. Ce sont deux propriétés de l'objet Err. Elles sont activées automatiquement par Visual Basic dès qu'une erreur se produit. Après l'apparition de la boîte de message, le sous-programme s'achève :

Avez-vous remarqué la ligne Exit Sub située au-dessus de l'étiquette GestionErreur : ? Normalement, Visual Basic progresse à travers le code d'une sous-routine ligne par ligne et de haut en bas. Il est bien évident que vous ne souhaitiez pas démarrer le gestionnaire d'erreurs s'il n'y avait pas d'erreur. Dès lors, Exit Sub est là pour vous permettre de quitter le sous-programme sans afficher une boîte de message inutile.

Une fois que la procédure s'achève et que l'exécution du programme reprend à la ligne de code qui l'avait appelée, le gestionnaire d'erreurs est automatiquement désactivé. Il faut donc que vous utilisiez une instruction On Error dans toutes les procédures où vous souhaitez gérer les erreurs vous-même.

S'il n'y a *pas* de gestionnaire d'erreurs dans la procédure, Visual Basic quitte cette procédure et utilise le code de gestion d'erreurs de la procédure ou du code qui avait appelé cette procédure. Visual Basic remonte ainsi de procédure en procédure jusqu'à ce qu'il trouve une instruction On Error ou qu'il soit à court de procédures à examiner. Dans ce cas, il se tourne vers son propre code de gestion d'erreurs interne et arrête l'exécution de votre programme.

Utiliser On Error GoTo 0 *dans votre code a pour effet de désactiver le gestionnaire d'erreurs. Ceci peut être utile si vous désirez gérer vous-même certaines erreurs dans une partie de la procédure et laisser Visual Basic traiter les autres. Il est toutefois préférable que vous gériez toutes les erreurs vous-même.*

Gérer efficacement les erreurs

Les erreurs constituent une partie essentielle de la communication entre le programme et l'ordinateur. Bien utilisées, elles deviennent de très puissants outils. Prenons un exemple où la gestion d'erreurs représente un élément essentiel du succès d'un programme.

Imaginons que vous créiez un module et que vous le laissiez aussi général que possible afin de pouvoir le réutiliser. Ce module effectue une recherche sur votre feuille afin d'imprimer les valeurs actuelles de tous les contrôles possédant une propriété de texte dans leur fenêtre d'**Exécution**. Ce n'est là qu'un exemple. Une fois que vous avez saisi le texte, vous pouvez en faire ce que vous voulez.

Nous ne voulons pas passer le nom de chaque contrôle sur notre feuille à notre module car ce serait assez pénible. Nous passerons plutôt la feuille en tant que variable objet et laisserons le code faire le tri des contrôles à la recherche de ceux qui contiennent une propriété Text.

La gestion d'erreurs entre en jeu pour la simple raison que tous les objets ne contiennent pas de propriété Text. Lorsque vous obtenez une erreur, vous pouvez examiner le nombre qui y correspond dans l'objet Err. Si le nombre rendu est 438 (**L'objet ne contient pas cette propriété ou méthode**) vous pouvez passer au contrôle suivant sur la feuille. Si d'autres erreurs surviennent, le sous-programme s'arrête. Vous pouvez dès lors utiliser une seule instruction de répétition pour passer la totalité de la feuille en revue.

Nous pouvons utiliser une instruction If...Then pour examiner le numéro de l'erreur. Si nous ajoutons également une instruction Resume Next à notre gestionnaire d'erreurs, nous pouvons demander à Visual Basic d'ignorer une erreur et de continuer sa recherche. Ce code aurait donc cette allure :

```
Public Sub RechercheTexte(frmFeuilleActuelle As Form)

    On Error GoTo PropriétéNonGérée

    Dim objContrôle As Control
    Dim nRéaction As Integer

    For Each objContrôle In frmFeuilleActuelle.Controls
        Debug.Print objContrôle.Text
    Next
```

```
Exit Sub

PropriétéNonGérée :
    If Err.Number = 438 Then Resume Next

End Sub
```

Si vous ajoutez ce code à votre projet, vous n'avez qu'à écrire `RechercheTexte` suivi du nom de la feuille désirée pour appeler cette procédure. `RechercheTexte Me` suffit si vous voulez l'utiliser sur votre feuille actuelle.

Ajouter la gestion d'erreurs à vos applications

L'objet `Err` possède d'autres propriétés, mais elles sont bien au-delà du niveau débutant. Toutefois, si vous avez l'intention de commercialiser vos applications, il faut que vous preniez en considération quelques aspects de la gestion d'erreurs :

❑ Tout d'abord, les erreurs se produisent toujours quand vous vous y attendez le moins et ce, quel que soit le nombre de fois où vous avez testé votre application. La règle d'or est que si vous écrivez un code pour un événement qui implique un tant soit peu des contrôles et propriétés, ajoutez un gestionnaire d'erreurs. Ce n'est pas une mauvaise idée de passer un peu de temps à écrire un sous-programme de gestion d'erreurs générique que vous pouvez appeler depuis n'importe quel gestionnaire d'erreurs de votre programme. Ce sous-programme pourrait alors traiter des erreurs spécifiques susceptibles d'apparaître dans votre application. Les autres erreurs seraient traitées par un code générique.

❑ Chaque erreur doit pouvoir être traitée pendant l'exécution. Après tout, l'apparition d'une boîte de message avant le rédémarrage du programme est plus agréable et plus utile que celle du message d'erreur que Visual Basic affiche avant de planter.

❑ Si vous travaillez avec des bases de données, écrivez un code qui fasse en sorte que toutes les transactions en cours soient reprises en cas d'erreur.

❑ Ne sous-estimez jamais vos utilisateurs et encore moins les dégâts qu'une seule erreur fatale peut causer à votre réputation et à la confiance qu'ils avaient en votre application.

Sus aux bogues !

Soyons franc, la programmation informatique peut être des plus pénibles. Évidemment, quand tout va bien, la vie est belle. Vous tapez du code, créez votre feuille, exécutez le programme et tout fonctionne dès le premier essai. La réalité est malheureusement généralement tout autre. Mais je ne voudrais pas avoir l'air pessimiste...

En réalité, vous commencerez sans doute à taper votre code et Visual Basic se mettra à émettre des signaux sonores, à vous envoyer des messages agaçants vous informant que vous avez oublié une parenthèse ou mal orthographié un de ses mots clé. Si vous avez suivi à la lettre tous nos exercices pratiques, vous avez probablement déjà été confronté à ce genre de situation.

Les outils de débogage de Visual Basic

Pour les programmeurs, l'un des avantages du BASIC est la facilité avec laquelle on peut démonter ses programmes. Étant donné que c'est essentiellement un système interprété, le code que vous écrivez n'est jamais laissé à la merci de l'ordinateur. Il est en fait passé à un autre programme, un interprète, qui utilisera votre programme pour indiquer à l'ordinateur ce qu'il doit faire. Il est donc fréquent de trouver des outils de débogage inclus dans ces interprètes qui sont constamment au fait de l'état de votre programme. Si vous avez une question, ils auront sûrement la réponse.

Si les outils de débogage BASIC représentaient une aubaine pour les programmeurs, Visual Basic est une véritable bonne fée puisqu'il vous aide non seulement à déterminer ce qui se passe au moment de l'exécution mais qu'il vous assiste aussi dans votre débogage grâce à son vérificateur automatique de syntaxe et à ses nombreux assistants qui remplissent les blancs et vous aident à vous souvenir des mots clés et de la syntaxe pendant que vous écrivez votre code. Vous avez probablement déjà vu ces assistants en action au cours des exercices que nous avons effectués. Mais afin de répondre à vos questions et de compléter notre connaissance, examinons la façon dont Visual Basic vous aide à écrire votre code.

Vous aider à écrire du code

Choisissez **Options...** dans le menu **Outils**. Vous connaissez déjà la boîte de dialogue qui apparaît. Elle vous permet de modifier et de personnaliser la façon de travailler de Visual Basic :

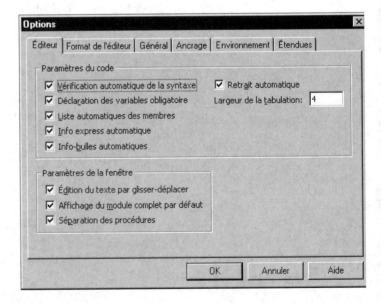

Les éléments qui nous intéressent le plus ici sont ceux situés à gauche de **Paramètres du code**. La plupart des programmeurs C++ possèdent une série d'options au sein de leur compilateur qui leur permet de décider jusqu'où pourra aller leur compilateur lorsqu'il s'agira de produire des erreurs et à quel point il tiendra compte de leur style d'écriture de code. Les options que vous voyez ici servent sensiblement à la même chose.

Certes, si vous sélectionnez toutes ces options au début de votre apprentissage Visual Basic, votre environnement de développement deviendra excessivement maniaque. Mais, faites-moi confiance, vous prendrez par la même occasion de bonnes habitudes qui vous aideront lorsque vous en serez à un stade de développement plus avancé. Passons donc en revue ces options.

Passons à la pratique ! La vérification automatique de la syntaxe

La **Vérification automatique de la syntaxe** est l'option de base par excellence. C'est un véritable cadeau lorsque vous apprenez Visual Basic. Elle met en évidence les erreurs susceptibles d'interrompre la compilation de votre programme et ce, au moment même où vous écrivez votre code. Voyons ce que cela signifie concrètement.

1 Créez un nouveau projet, mais avant de faire quoi que ce soit, sélectionnez **Options...** dans le menu **Outils**, décochez l'option **Vérification automatique de la syntaxe** et fermez la boîte de dialogue :

☐ Vérification automatique de la syntaxe

2 Double-cliquez sur la feuille pour appeler la fenêtre de code et écrivez le code suivant dans l'événement `Load` :

```
Form1.Left=
```

Une fois **Vérification automatique de la syntaxe** désactivée, appuyez sur la touche *Entrée*. Visual Basic colore en rouge la ligne de code pour vous indiquer qu'elle pose problème. Il ne vous donnera toutefois pas plus d'information sur l'erreur et vous laissera même continuer à écrire du code. Si vous étiez dans une transe créative au moment d'écrire votre code, vous pourriez facilement ne pas remarquer cette erreur. Et vous pourriez être brutalement ramené à la réalité par un message d'erreur lorsque vous appuieriez sur *F5* pour exécuter votre petit chef-d'œuvre.

3 Retournez à votre boîte de dialogue **Options** et réactivez **Vérification automatique de la syntaxe**. Revenez maintenant à votre code. Réécrivez-en les derniers caractères. Cette fois-ci, dès que vous appuyez sur la touche *Entrée* dans la fenêtre de code, Visual Basic se plaint immédiatement. Il vous donne également plus d'information quant à la nature du problème et place même le curseur sur la ligne de code contenant le bogue. Vous pouvez alors corriger votre erreur et alléger ainsi la tâche de votre compilateur.

Dans ce cas-ci, l'erreur était assez simple. Visual Basic attendait quelque chose après le signe =. Pour VB, `Form1.Left=` ne veut rien dire s'il n'y a rien à droite du signe =.

299

Passons à la pratique ! Tenir vos variables à jour

Nous avons déjà rencontré l'élément suivant de la boîte de dialogue Options dans le chapitre 5 lorsque nous avons abordé les variables. Il s'agit de Déclaration des variables obligatoire. Cette option vous aide à tenir vos variables à jour en vous forçant à les déclarer avant de pouvoir les utiliser. Elle vous permet également d'éviter de sérieuses erreurs. Jetez un coup d'œil à l'exemple suivant :

1 Sélectionnez Options... dans le menu Outils, décochez l'option Déclaration des variables obligatoire et fermez la boîte de dialogue :

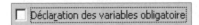

2 Ouvrez un nouveau projet. Double-cliquez sur la feuille lorsqu'elle apparaît. Tapez le code suivant dans l'événement Load. Prêtez attention à la mauvaise orthographe de MaValuer (avec e et u inversés) et respectez-la lorsque vous écrivez la fin de la ligne de code de MsgBox. Tout s'expliquera, je vous le promets :

```
Private Sub Form_Load()

    MaValeur = InputBox("Entrez votre prénom ")
    MsgBox "Coucou, " & MaValuer

End Sub
```

3 Exécutez votre programme et tapez un nom :

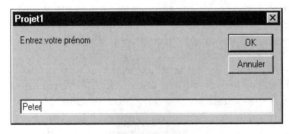

4 Ça ne marche pas vraiment. Dans un long programme de plusieurs centaines de lignes, il pourrait être ardu de découvrir pourquoi. Ce code est censé vous demander votre nom et afficher « Coucou, » suivi du nom que vous avez entré. Mais comme vous pouvez le constater, il y a une erreur quelque part. Cliquez sur OK et arrêtez l'exécution de votre programme.

5 Le problème réside dans le fait que votre code utilise la fonction `InputBox` de Visual Basic pour demander à l'utilisateur d'entrer son nom et stocke cette donnée dans la variable `MaValeur`. Malheureusement, l'instruction de la boîte de message qui suit affiche le contenu de `MaValuer`, orthographié avec ue au lieu de u. Pour émuler l'option **Déclaration des variables obligatoire**, vous n'avez qu'à retourner à la section **(Général) (Déclarations)** et y ajouter la ligne `Option Explicit` (puisque c'est tout ce que cette option effectue) :

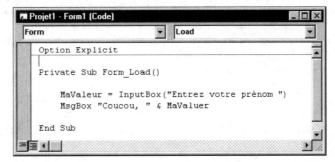

6 Relancez votre programme. Au moment de la compilation, le système vous renvoie le message suivant :

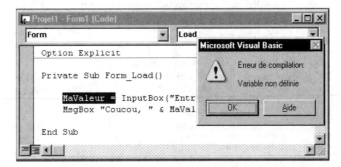

Ce message concerne tout d'abord la variable `MaValeur` (avec un eu) puisque nous ne l'avions déclarée nulle part. Puis la variable `MaValuer` pour la même raison (à condition que vous ayez inclus une instruction de déclaration `Dim MaValeur`). Ce problème était assez fréquent dans les premières versions de BASIC. Ce n'est fort heureusement pas le cas avec Visual Basic. Même si cela rend votre programmation rigide, utilisez l'option **Déclaration des variables obligatoire**, cela en vaut la peine.

> Comme nous l'avons vu dans le chapitre 4, cette option de Visual Basic présente néanmoins un petit problème. Lorsque vous sélectionnez l'option **Déclaration des variables obligatoire**, Visual Basic insère les mots `Option Explicit` au début de chaque *nouvelle* feuille, *nouveau* module ou *nouvelle* classe d'objet que vous créez. Malheureusement, il ne le fait pas pour les feuilles *existantes* de votre projet. Pour ces dernières, il vous faudra insérer `Option Explicit` manuellement.

Disposer d'informations immédiates sur le fonctionnement du code

L'une des caractéristiques les plus intéressantes de Visual Basic 6 est qu'il vous fournit des informations utiles au moment où vous écrivez votre code. Des centaines de propriétés, méthodes, fonctions et autres objets sont disponibles en Visual Basic et il y a donc probablement des millions de façons différentes de les combiner. Cela représente beaucoup d'informations pour une seule tête.

L'environnement de développement des versions précédentes de VB n'était pas d'une grande aide en matière d'écriture de code, ce qui avait pour effet de faciliter l'apparition d'erreurs et de bogues. Les programmeurs étaient obligés de passer des heures entières à feuilleter des manuels ou de se tourner vers l'aide en-ligne afin de se remettre en mémoire le fonctionnement d'une commande X ou l'orthographe correcte d'un paramètre Y. Les options suivantes résolvent presque complètement ce problème et permettent de réduire le nombre d'erreurs de compilation au moment de l'exécution de l'application :

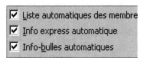

Malgré leurs noms quelque peu obscurs, ces options sont assez simples à comprendre. Si vous sélectionnez <u>L</u>iste automatique des membres, chaque fois que vous écrivez un code concernant un objet ou une classe d'objet, Visual Basic vous présente une liste flottante juste sous la ligne de code sur laquelle vous travaillez qui vous montre les différentes méthodes et propriétés associées à cet objet ou classe d'objet, comme montré ci-dessous :

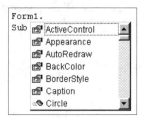

Vous ferez souvent appel à cette liste pour vous rafraîchir la mémoire. D'autre part, si vous désirez vous éviter un maximum de frappe, vous pouvez cliquer sur l'un des éléments de cette liste ou encore utiliser les flèches afin de sélectionner une option. Appuyez ensuite sur la touche *Tab* ou sur la barre d'*espace* et Visual Basic remplit votre code.

> *Si vous appuyez sur la touche Entrée, vous avancerez d'une ligne. En général, ce n'est pas ce que vous souhaitez faire. Habituez-vous donc à sélectionner une propriété ou une méthode avec les flèches (ou en tapant suffisamment de lettres pour spécifier celle que vous désirez) et à ensuite taper un espace. Pensez que Visual Basic a tapé le nom de la propriété ou méthode pour vous et tout ce que vous avez à faire c'est de taper l'espace précédant le prochain mot clé.*

L'option <u>I</u>nfo express automatique est semblable à l'option <u>L</u>iste automatique des membres mais elle vous présente une liste vous montrant la syntaxe de la méthode que vous utilisez. Le même récapitulatif que vous obtiendriez dans l'aide en-ligne :

```
MsgBox
MsgBox(Prompt, [Buttons As VbMsgBoxStyle = vbOKOnly], [Title], [HelpFile], [Context])
As VbMsgBoxResult
```

Je dois bien avouer qu'au départ, je trouvais cette option ennuyeuse et agaçante car elle peut vous empêcher de voir le reste du code de votre module. Mais une fois que vous vous y serez habitué, vous vous rendrez compte qu'il s'agit d'une des plus puissantes formes d'aide de Visual Basic.

Notez que si vous décidez de désactiver ces accessoires, vous pouvez toujours y faire appel en cas d'urgence en appuyant sur *Ctrl+I* pour **I**nfo express automatique et sur *Ctrl+J* pour **L**iste automatique des membres.

Le dernier élément, Info-**b**ulles automatiques, fonctionne sur le même principe que les deux précédents. Il est utilisé lors de la déclaration des variables et vous offre une liste de types de données correspondantes qui peuvent être utilisées dans votre déclaration :

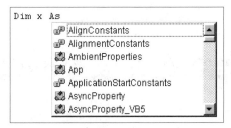

Déboguer pendant l'exécution

En plus de tous ces accessoires merveilleux disponibles en mode conception et destinés à réduire le risque d'erreur, Visual Basic vous offre également toute une panoplie d'outils destinés à vous aider à identifier les problèmes au moment de l'exécution.

Ces outils entrent en action lorsque vous faites une pause dans l'application ou lorsque vous la placez en mode **arrêt**. Avant d'aller plus loin, voyons comment placer notre programme dans cet état. Il existe en fait plusieurs façons d'y parvenir.

La première méthode, celle que vous utiliserez probablement au départ, fonctionne automatiquement. Si un problème grave survient dans votre code, votre programme se met en mode arrêt et affiche généralement un message d'erreur.

Pour utiliser ce mode vous-même, vous pouvez sélectionner Arrêt dans le menu Exécution ou cliquer sur le bouton arrêt de la barre d'outils. Vous pouvez également appuyer sur *Ctrl+Break*.

> *Vous pouvez aussi inclure une instruction* Stop *dans votre code, ce qui forcera Visual Basic à entrer en mode arrêt à cet endroit. Mais, comme nous le verrons plus tard, il y a de meilleures façons d'arrêter votre code à un endroit particulier.*

Lorsque le programme est en mode arrêt, les boutons Exécution et Fin sont activés tandis que le bouton Arrêt est désactivé puisque l'application est déjà en mode arrêt :

Une fois que le programme est dans ce mode, nous pouvons commencer à analyser ce qui se passe à l'intérieur du code.

La fenêtre d'exécution

La fenêtre d'exécution représente votre lieu de travail en mode arrêt. Elle vous permet d'exécuter des commandes *ad hoc*, d'examiner et de changer le contenu de variables, bref de tripoter tout ce qui se trouve dans votre application à l'endroit où elle s'est arrêtée.

Elle a l'air plutôt inoffensive, non ? Voyons un peu ce qui se cache sous l'allure débonnaire de cette boîte de dialogue.

Passons à la pratique ! Utiliser la fenêtre d'exécution

1 Créez une nouvelle application **Exe standard** et démarrez-la sans y ajouter de code. Après une petite pause pendant que la compilation de votre programme s'opère, la feuille mère de votre application apparaît :

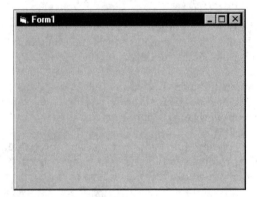

2 Placez votre programme en mode arrêt soit en choisissant **Arrêt** dans le menu **Exécution**, soit en appuyant sur *Ctrl+Break* , soit encore en cliquant sur l'icône **Arrêt** de la barre d'outils. De cette façon, nous pouvons accéder à la fenêtre d'**Exécution** . Votre disque dur devrait alors se mettre à tourner comme un fou avant que la fenêtre d'exécution n'apparaisse. (Si par hasard votre environnement est réglé de façon différente et que la fenêtre d'exécution n'apparaît pas toute seule, vous pouvez l'appeler en la choisissant dans le menu **Afficher** ou en appuyant sur *Ctrl+G*).

3 À ce moment, votre programme est un peu comme un patient sur la table d'opération du chirurgien. La fenêtre d'exécution fait office de scalpel et vous permet d'ouvrir votre programme inconscient, de déplacer des organes, d'explorer et de toucher pour voir ce qui se passe. Essayez par exemple de taper le code suivant dans cette fenêtre et appuyez sur *Entrée* :

```
Print "Coucou !"
```

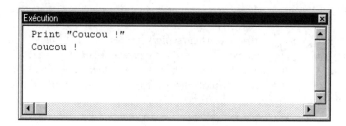

Vous pouvez toutefois faire bien plus qu'exécuter de simples méthodes telles que `Print` dans votre fenêtre d'exécution. Vous pouvez également mettre à jour les différentes propriétés et variables que votre code peut utiliser à l'endroit où il s'est arrêté. Jetons un coup d'œil aux propriétés de notre feuille pour voir ce que cela implique concrètement.

4 En ce moment, la feuille de votre application est sans doute en arrière-plan ou même icônisée dans la barre des tâches de Windows. Agrandissons-la. Tapez ce code dans votre fenêtre d'exécution et appuyez sur *Entrée*.

```
Form1.Windowstate = vbMaximized
```

Dès que vous appuyez sur la touche *Entrée* de votre clavier, la feuille de votre application est restaurée et occupe tout l'écran, comme prévu. Si la fenêtre d'exécution disparaît à ce moment-là, vous pouvez la rappeler tout simplement en appuyant sur *Ctrl+G*. Si par contre votre feuille est icônisée, il se peut que vous ayez à la choisir dans la barre de tâche afin de l'agrandir.

Comme vous pouvez le constater, la fenêtre d'exécution vous permet de taper des commandes de la même façon que la fenêtre de code en mode conception. La seule différence est assez évidente : dans la fenêtre d'exécution, ces commandes sont mises en application immédiatement, et le résultat est instantanément visible à l'écran.

La fenêtre d'exécution vous permet d'appeler des méthodes simples (telles que `Print`), ainsi que tout autre sous-programme ou fonction de votre application. Il est très utile de pouvoir afficher la valeur d'une variable ou une propriété et vous pouvez même utiliser le point d'interrogation (?) à la place de `Print` :

```
? sMaValeur
```

est identique à :

```
Print sMaValeur
```

Cependant, vous ne pouvez entrer qu'une seule ligne de code à exécuter dans cette fenêtre. Vous pourriez, par exemple, souhaiter faire une liste de toutes les valeurs présentes dans un tableau appelé `aCeci` (bien plus simple que de taper une commande `Print` pour chacune d'entre elles). Pour cela, il faut que vous utilisiez une instruction de répétition `For...Next`, mais il faut aussi que vous utilisiez (:) (deux points) dans votre syntaxe afin de pouvoir placer cette instruction sur la même ligne :

```
For nBoucle = 1 to 100  : Print aCeci(nBoucle)  : Next
```

Visual Basic vous permet de placer plusieurs instructions sur une même ligne à condition que vous les sépariez par deux points. C'est malheureusement mal accepté dans un code normal car cela en complique la lecture. Cela peut également amener des commandes ou instructions d'un seul mot à être traitées comme des étiquettes de ligne si elles sont placées au début d'une ligne à instructions multiples.

Malgré ces restrictions, vous vous apercevrez rapidement combien la fenêtre d'exécution est un outil de débogage puissant et utile. Et vous y ferez appel en de nombreuses occasions.

Les espions

Certes, vous pouvez utiliser la commande `Print` pour afficher le contenu d'une variable ou d'une propriété dans la fenêtre d'exécution. Mais la fenêtre Espions est encore plus souple.

En résumé, pendant l'exécution, la fenêtre Espions affiche le contenu de toute variable, propriété ou expression que vous y placez. Elle peut également être utilisée pour arrêter votre programme si une condition spécifique se produit. Vous pourriez par exemple souhaiter mettre votre application en mode Arrêt après son cinquantième passage en boucle. Passons à la pratique.

Passons à la pratique ! Utiliser la fenêtre Espions

1 Créez, comme d'habitude, un nouveau projet **Exe standard**. Lorsque la feuille par défaut apparaît, double-cliquez dessus pour appeler l'éditeur de code. Choisissez l'événement `Paint` :

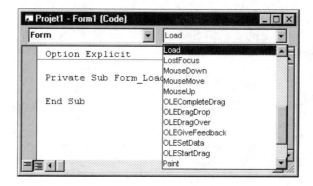

2   Nous allons ici ajouter une petite boucle qui affiche du texte sur la feuille chaque fois que Windows décide que la feuille a besoin d'être colorée (c'est-à-dire lorsqu'elle apparaît pour la première fois, lorsqu'elle est masquée, démasquée, redimensionnée et ainsi de suite). Ajoutez le code suivant au gestionnaire de l'événement :

```
Private Sub Form_Paint()

    Dim nCompteur As Integer

    For nCOmpteur = 1 To 25
        Print nCompteur
    Next

End Sub
```

3   Exécutez le programme et vous verrez une liste de nombres apparaître sur votre feuille :

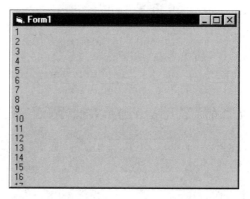

4   En utilisant un espion, nous pouvons arrêter le programme à un endroit choisi, lorsque `nCompteur` est supérieur à `10`, par exemple. Stoppez l'exécution du programme et retournez à votre fenêtre de code.

5   Double-cliquez sur la ligne For de nCompteur pour mettre la variable en surbrillance. Cliquez du bouton droit de la souris et un menu contextuel apparaît. Choisissez-y **Ajouter un espion...**

6   La boîte de dialogue **Ajouter un espion...** apparaît et vous demande ce que vous désirez faire exactement. Les deux zones les plus importantes sont la zone de texte **Expression** en haut et l'encadré **Type d'espion** en bas. En modifiant l'expression et le type d'espion, vous pouvez indiquer à VB de surveiller le contenu d'une variable en mode arrêt, de stopper l'exécution du programme lorsqu'une variable atteint une certaine valeur ou de stopper l'exécution du programme chaque fois que cette variable change.

Si nous nous contentions de surveiller l'expression pour, peut-être, garder un œil sur le contenu d'une variable en phase d'exécution, nous n'aurions pas à modifier la zone de texte **Expression** (et nous la laisserions telle quelle, affichant le nom de la variable). Mais en fait, nous souhaitons arrêter le programme dès que le compteur atteint 10, autrement dit, dès que le programme passe par la boucle pour la dixième fois. Modifions donc **Expression** de la façon suivante :

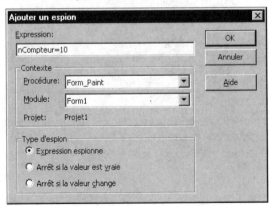

Ceci veut dire que l'expression que nous recherchons est « nCompteur est égal à 10 ».

7   Lorsque le compteur atteint 10, nous voulons que le programme passe en mode arrêt (dans une véritable application, nous pourrions souhaiter cette transition afin de pouvoir appeler la fenêtre d'exécution et d'observer l'état du programme). Pour ce faire il faut que nous changions le type d'espion et que nous choisissions **Arrêt si la valeur est vraie** , puis que nous cliquions sur **OK** :

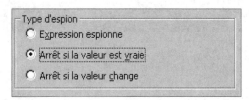

8   Dès que vous avez effectué ces modifications, la boîte de dialogue **Ajouter un Espion** disparaît et est remplacée par la fenêtre **Espions**. Cette dernière vous montre la liste de tous les espions en activité :

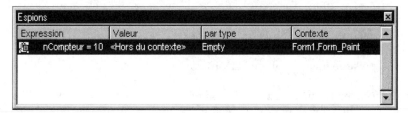

La fenêtre **Espions** vous montre l'expression, sa valeur actuelle, le type de donnée de l'expression et le contexte dans lequel elle devient active. Vous remarquerez qu'en ce moment, la **Valeur** affichée est **<Hors du contexte>** et la section **par type** affiche **Empty** . L'expression est hors contexte parce que le programme n'est pas en exécution, autrement dit, elle n'est pas valable puisqu'elle se situe en dehors de la plage. Le fait qu'elle ne soit pas valable ne veut pas dire qu'elle n'existe pas vraiment à ce moment. Elle est également considérée comme vide (empty).

9   Exécutez maintenant votre programme :

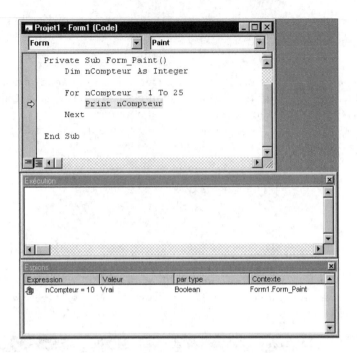

La fenêtre **Espions** est activée lorsque le programme s'arrête (au dixième passage en boucle). Vous remarquerez que la valeur affichée de l'expression est maintenant `Vrai`. Pourquoi ? Ne devrait-elle pas être `10` puisque nous observons la variable compteur `nCompteur` ? Eh bien, en un mot, non.

Lorsque vous avez confié à votre espion sa mission, vous avez dit à Visual Basic que l'expression à surveiller était `nCompteur = 10`, ce qui est une comparaison booléenne (de type vrai/faux). Lorsque `nCompteur` est égal à `10` l'expression est considérée comme vraie. Autrement elle est fausse. Et c'est exactement ce que pense la fenêtre **Espions** et c'est pour cela qu'elle affiche `Boolean` dans sa section **par type** et **Vrai** dans sa **Valeur**.

Avez-vous prêté attention aux autres événements qui se sont produits lorsque le programme s'est arrêté ? Regardez la fenêtre de code et vous verrez que la ligne de code suivante, la prochaine à être exécutée, est mise en surbrillance. Dans ce cas-ci, il s'agit de l'instruction `Print`. C'est normal. Lorsqu'un programme entre en mode arrêt, Visual Basic met toujours en surbrillance la prochaine ligne de code à exécuter. Vous auriez aussi dû remarquer que la fenêtre **d'exécution** est apparue également, au cas où vous souhaiteriez en apprendre un peu plus sur l'état de votre programme.

Laissons notre programme arrêté pour l'instant. C'est la situation idéale pour étudier le mode « pas à pas » offert par Visual Basic.

Passons à la pratique ! Le mode « pas à pas »

Lorsque votre programme est dans cet état, vous avez le choix entre plusieurs possibilités. Vous pouvez mettre un terme définitif à son exécution, continuer à exécuter le programme normalement, ou prendre le contrôle et progresser « pas à pas » dans votre code, une ligne à la fois. Ceci vous permet de vous familiariser avec ce que fait une section de code. C'est également une technique très utile de débogage.

1 En supposant que vous ayez suivi notre exercice précédent, votre programme devrait être en mode arrêt avec la ligne `Print` de notre boucle `Print` mise en surbrillance :

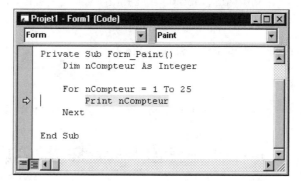

2 Débarrassons-nous de l'espion qui y était auparavant. Pour ce faire, double-cliquez sur l'icône d'instruction de la fenêtre **Espions** et choisissez **Supprimer un espion** dans le menu flottant qui apparaît :

3 A sa place, nous allons ajouter un simple espion à la variable `nCompteur`, de telle sorte que lorsque nous progressons pas à pas dans nos lignes de code, nous puissions observer ce qui s'y passe exactement.

Comme auparavant, double-cliquez sur l'expression `nCompteur` dans la fenêtre de code. Cliquez ensuite du bouton droit pour appeler le menu flottant que nous utiliserons pour ajouter un espion. La boîte de dialogue **Ajouter un espion** apparaîtra comme auparavant.

4 Cette fois-ci, ne changez rien à cette boîte de dialogue. Tout ce que nous voulons faire c'est garder un œil sur la variable `nCompteur` alors que nous progressons pas à pas dans notre code. Cliquez sur le bouton **OK**. La fenêtre **Espions** se mettra à jour et vous montrera la nouvelle expression de l'espion. Cette fois-ci, elle vous montre que nous avons affaire à une variable de type entier appelée `nCompteur` et dont la valeur actuelle est `10`.

5 Déroulez le menu **Affichage** et cliquez sur **Barre d'outils**. Choisissez **Débogage** dans le sous-menu qui apparaît :

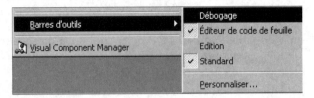

La barre d'outils de **Débogage** et toutes ses icônes de mode de progression « pas à pas » apparaît et nous allons l'utiliser dans notre code.

6 Cliquez sur l'icône Pas à pas détaillé.

Vous noterez que la mise en surbrillance passe à la ligne de code suivante : l'instruction Next.

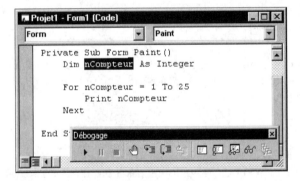

Cliquez encore une fois et la surbrillance revient sur l'instruction Print, c'est-à-dire la prochaine instruction à exécuter. Si vous regardez la fenêtre **Espions**, vous verrez qu'elle a mis à jour la valeur de nCompteur. Continuez à cliquer et voyez comme le code modifie la valeur de nCompteur alors que le programme s'exécute.

Utiliser les info-bulles de valeur des variables

Il existe en Visual Basic une autre façon pratique d'obtenir la valeur de vos variables lorsque votre programme est en mode arrêt. Si vous choisissez le nom d'une variable dans la fenêtre de code alors que cette variable est en contexte, une **info-bulle** vous en donnera la valeur. Nous avons par exemple arrêté notre code au cours de l'événement Form_Load qui remplit une zone de liste avec des valeurs.

Double-cliquez sur le nom de la variable et attendez...

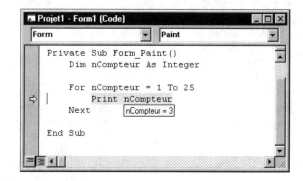

Les options Pas à pas

La barre d'outils de débogage vous fournit les options nécessaires au mode « pas à pas » :

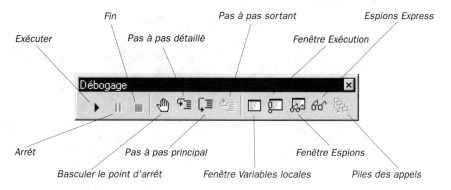

Vous devriez reconnaître les trois premières icônes. Ce sont les mêmes que celles de la barre d'outils **Standard**. Elles servent à exécuter, arrêter ou terminer un programme. Les icônes situées à droite de la barre d'outils contrôlent les différentes fenêtres de débogage. Elles servent à appeler la fenêtre des variables locales (nous y reviendrons plus tard), la fenêtre **Exécution**, la fenêtre **Espions** et la fenêtre **Espion Express** .

Mais les icônes qui nous intéressent plus particulièrement ici sont situées au centre de la barre d'outils. La première vous permet de basculer les points d'arrêt de votre code, les endroits où votre programme passera du mode d'exécution en mode d'arrêt, quoi qu'il arrive. Nous étudierons les points d'arrêt plus en détail dans un moment.

Les trois icônes suivantes sont les icônes de progression « pas à pas ». La première est l'icône **Pas à pas détaillé**. C'est aussi celle qui est le plus souvent utilisée. Elle exécute la ligne de code mise en surbrillance et passe à la ligne de code suivante. Vous venez juste de l'utiliser. Vous pouvez également faire exactement la même chose en appuyant sur *F8*.

A sa droite se trouve l'icône **Pas à pas principal**. Imaginez qu'au lieu d'avoir une boucle simple comme celle que nous avions ici, vous aviez une boucle qui exécutait une série de sous-programmes et de fonctions que vous aviez écrits vous-même. Si vous utilisiez la méthode **Pas à pas détaillé**, chaque fois que vous cliqueriez sur l'icône, la fenêtre de **code** changerait et vous montrerait le code du sous-programme mis en surbrillance avant d'y passer ligne par ligne. Au bout d'un moment, cela deviendrait quelque peu pénible, particulièrement si vous étiez satisfait car le sous-programme en question avait été parfaitement débogué. C'est là que l'icône **Pas à pas principal** entre en jeu. Si vous cliquez sur cette icône ou que vous appuyez sur *Maj+F8*, vous pouvez exécuter le sous-programme en question d'une traite, sans avoir à y aller ligne par ligne.

La dernière de ces icônes, l'icône **Pas à pas sortant** fait exactement l'action opposée de l'icône **Pas à pas détaillé**. Dans l'hypothèse mentionnée ci-dessus, si vous étiez entré dans le sous-programme par mégarde, vous pourriez cliquer sur **Pas à pas sortant**, et le code serait exécuté normalement jusqu'à la fin du sous-programme. Le programme se remettrait alors en mode arrêt.

Contrôler l'ordre de la progression pas à pas"

Avant d'aller plus loin, cliquez sur le menu **Débogage**. Vous y trouverez trois autres commandes liées à ce que nous venons de voir. Ces commandes ne sont toutefois pas représentées par des icônes sur la barre d'outils de **Débogage** :

Même si les commandes de progression « pas à pas » vous permettent d'exécuter le code au ralenti, elles ne vous permettent pas de contrôler quelle ligne exécuter ensuite ou pendant combien de temps il faut exécuter le code.

Les commandes **Exécuter jusqu'au curseur**, **Définir l'instruction suivante** et **Afficher l'instruction suivante** du menu **Débogage** vous permettent de briser ces contraintes. Elles sont aussi très simples à utiliser.

Comme son nom l'indique, la commande **Exécuter jusqu'au curseur** indique à Visual Basic que vous souhaitez exécuter le programme jusqu'à la ligne où se trouve le curseur et puis repasser en mode arrêt. Pour utiliser cette commande, cliquez sur une ligne de code, puis choisissez cette option dans le menu **Débogage** ou appuyez sur *Ctrl+F8*.

Toutefois, les programmes sont parfois si longs que l'on se perd facilement dans leur fenêtre de code (et on se retrouve bien loin de la ligne de code en cours). En choisissant **Afficher l'instruction suivante**, vous pouvez éviter ce problème. Cette commande ordonne à la fenêtre de code de vous montrer la prochaine ligne de code à exécuter.

Il arrive aussi parfois que les choses n'aillent pas comme prévu et que la ligne de code que Visual Basic s'apprête à exécuter ne soit pas celle que vous désirez. Dans ce cas, tout ce que vous avez à faire, c'est de cliquer sur la ligne que vous désirez exécuter ensuite et puis, soit d'appuyer sur *Ctrl+F9*, soit de choisir **Dé_finir l'instruction suivante** dans le menu **Débogage**. La ligne de code dans laquelle se trouve le curseur est automatiquement mise en surbrillance ce qui vous permet d'exécuter le programme ou d'y progresser « pas à pas » à partir de ce point.

Il est assez difficile de se rendre compte des possibilités offertes par tous ces accessoires dans un programme aussi petit que celui que nous utilisons en ce moment. Ces accessoires sont plus adaptés à de plus longs programmes. Vous pouvez, si vous le souhaitez charger l'un des modèles de programme inclus dans Visual Basic afin de vous familiariser davantage avec les outils de débogage que nous avons étudiés et voir les effets qu'ils ont sur le code.

Les points d'arrêt

Lorsque nous avons abordé les espions, nous avons vu que certains d'entre eux pouvaient placer un programme en mode arrêt lorsqu'une certaine expression était vraie. Nous avions utilisé :

```
nCompteur = 10
```

Il arrive parfois que vous souhaitiez arrêter un programme à un endroit donné et ce quelles que soient les autres circonstances. Récemment, par exemple, je travaillais au développement d'un jeu vidéo. Il y avait un bogue dans le code qui ne se produisait que lorsque le dernier personnage mourrait et que le code d'affichage des scores apparaissait. La façon la plus pratique d'analyser ce code était d'y insérer un **point d'arrêt** et puis de jouer à ce jeu.

Les points d'arrêt stoppent votre programme quoi qu'il arrive. Donc, après avoir joué un certain temps et avoir atteint la fin du niveau, le point d'arrêt a été amorcé et nous avons pu accéder au code et analyser ce qui n'allait pas.

Les points d'arrêt, tout comme les autres outils de débogage de Visual Basic, sont très faciles à utiliser. Il n'y a qu'à cliquer sur une ligne de code puis choisir **Basculer le point d'arrêt** dans le menu **Débogage**. Vous pouvez aussi cliquer sur l'icône **Arrêt** de la barre d'outils de débogage ou appuyer sur *F9* ou encore cliquer sur la barre grise située à gauche de la ligne de code. Le résultat est le même : cette ligne de code change de couleur pour vous indiquer qu'un point d'arrêt y a été inséré.

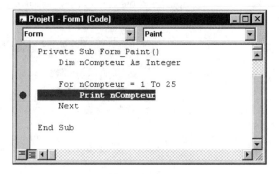

Lorsque le programme atteint cette ligne de code au moment de l'exécution, il passe automatiquement en mode arrêt. Ceci vous permet de le décortiquer dans la fenêtre d'exécution, d'y ajouter des espions, de progresser à travers le code « pas à pas » et ainsi de suite.

Prenez l'habitude d'utiliser des points d'arrêt. Ils sont très utiles lorsque tout ne va pas comme prévu.

La fenêtre de variables locales

Ce qui serait merveilleux, c'est qu'il y ait une façon de voir toutes les variables présentes dans un sous-programme ainsi que leurs valeurs sans avoir à recourir aux espions ou aux points d'arrêt. Et bien oui : Visual Basic y a pensé et vous offre la fenêtre de variables locales.

Passons à la pratique ! Utiliser la fenêtre de variables locales

1   Ouvrez un nouveau projet Visual Basic et écrivez le code suivant dans l'événement `Paint` de votre feuille :

```
Private Sub Form_Paint()

    Dim nCompteur As Integer
    Dim nTotal As Long

    For nCompteur = 1 To 25
        nTotal = nTotal + nCompteur
    Next

    Print "Le total est égal à " & nTotal

End Sub
```

2   Placez un point d'arrêt sur la ligne de l'instruction `Print` et exécutez le programme. Il calcule le nombre total d'exécutions d'une boucle. Mais lorsqu'il a fini, le point d'arrêt stoppe le programme.

3   Lorsque votre programme se trouve en mode arrêt cliquez sur l'icône de la fenêtre de variables locales de la barre d'outils de débogage ou choisissez fenêtre de variables locales dans le menu **Afficher**. Elle apparaît et vous montre toutes les variables situées dans cette partie du code où le programme s'est arrêté :

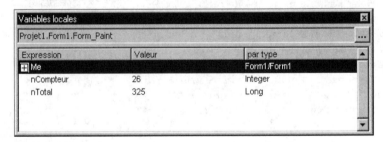

C'est non seulement plus simple que de placer des tas d'espions mais cela vous permet aussi de voir instantanément tous les objets locaux, tels que l'objet `Me` en haut de la fenêtre, ainsi que les variables. Vous pouvez cliquer sur le « + » placé à côté de `Me` (qui fait référence à la feuille ou à l'objet actuellement activé) et observer toutes les propriétés et leurs paramètres :

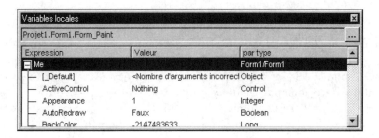

Vous pouvez même modifier toutes les propriétés et les variables si vous le souhaitez : il n'y a qu'à cliquer sur la valeur en question et taper une nouvelle valeur. C'est aussi simple que ça et très efficace.

Résumé

Dans ce chapitre, vous avez découvert des outils qui pourront vous aider à obtenir des programmes fonctionnels. Il n'y a malheureusement pas de panacée contre les bogues et les erreurs. Il existe toutefois toute une série d'opérations que vous pouvez effectuer pour y arriver. Au cours des chapitres suivants et pendant votre propre expérience de programmation, vous vous familiariserez complètement avec ces outils de débogage ainsi qu'avec les autres accessoires de gestion des erreurs présents dans Visual Basic. Vous finirez même par en être complètement dépendant.

Les règles d'or à suivre pour produire des programmes fonctionnels sont, en résumé :

❑ Décomposer son programme en éléments monotâches

❑ Utiliser du code testé et vérifié autant que possible et construire une bibliothèque de sous-programmes à cet effet

❑ Placer des pièges à erreurs dans son programme pour lui permettre de survivre dans un environnement réel

❑ Être prêt à déboguer son code et à utiliser les outils offerts par Visual Basic

Que diriez-vous d'essayer ?

1 Bien avant l'existence des fenêtres de débogage et des expressions espionnes, les programmeurs employaient d'autres techniques pour savoir ce qui se déroulait en arrière-plan de leurs applications. Créez un nouveau projet avec une feuille, deux boutons de commande et deux étiquettes. Dans la procédure événement `Click` de `Command1`, utilisez une boucle (`For...Next` me paraît bien) pour compter de 1 à 1000 et affichez le compteur sous forme de légende pour `Label1`. Dans la procédure événement `Click` de `Command2`, utilisez une boucle (`For...Next` me semble bien) pour compter de 1000 à 1 et affichez le compteur sous forme de légende pour `Label2`.

Astuce : veillez bien à inclure `DoEvents` *dans la boucle, de façon que les légendes d'étiquettes affichent des totaux à jour.*

2 Utilisez une expression espionne pour consulter la variable de contrôle de la boucle pour `Command1`.

3 Définissez une expression espionne qui suspende le programme lorsque la variable de contrôle de la boucle de `Command2` atteint 383.

4 Grâce à la fenêtre Exécution et à des instructions `Debug.Print`, affichez la valeur de la variable de contrôle de la boucle de `Command1`.

5 Ajoutez à la feuille une zone de texte que vous utiliserez pour afficher la valeur du compteur de la boucle de `Command2`.

Astuce : avant de vous lancer dans cet exercice, retirez l'expression espionne pour la variable `Counter`.

Travailler avec les menus

Il fut un temps où les menus étaient le fin du fin des interfaces graphiques utilisateur. Lorsque DOS n'était pas encore très perfectionné, par exemple, seul le système de menus permettait à un utilisateur de se déplacer au sein de l'application. Aux débuts de Windows, les menus constituaient une sorte d'itinéraire qu'il était facile de suivre à tout moment pour passer d'un composant à l'autre du programme. À l'heure actuelle, ils ont perdu de leur importance. Les utilisateurs d'applications modernes aux multiples fenêtres travaillent désormais plus volontiers avec les boutons, icônes et barres d'outils. Les menus n'en conservent pas moins un rôle essentiel. Les utilisateurs attendent de ces éléments qu'ils proposent les mêmes fonctionnalités que les barres d'outils et qu'ils permettent d'accéder à des fonctions de contrôle du programme.

Comment concevoir que l'on puisse charger et enregistrer des fichiers, modifier la configuration de l'imprimante ou quitter une application si cette dernière ne possède même pas de menu Fichier ? Et comment accéderions-nous aux diverses options du programme sans le sacro-saint menu Edition ou un objet équivalent ?

Dans ce chapitre, nous aborderons les points suivants :

- ❑ Présentation habituelle d'un véritable menu Windows
- ❑ Conception de menus simples avec le créateur de menus
- ❑ Ajout d'options à un menu déroulant
- ❑ Utilisation des raccourcis clavier et des touches d'accès rapide
- ❑ Menus en cascade
- ❑ Création de menus dynamiques
- ❑ Ajout de code à des événements de menus

Les menus : une notion déjà familière

Pour peu que vous ayez déjà travaillé avec un ordinateur, les menus ne vous sont pas inconnus. Pour les utilisateurs de Windows, ils sont mêmes indispensables. Certes, ce monde est le paradis des interfaces graphiques utilisateur, des icônes à pointer et à cliquer et des programmes qui réagissent à la moindre action sur la souris ; cependant, rien ne vaut une bonne liste d'options proposées sous forme textuelle qui permette d'accéder aux puissantes fonctionnalités de l'application.

Un formidable menu Windows

Ce livre a été réalisé sous Word, l'archétype même d'une application Windows à de nombreux égards. Il suffit de se pencher sur la façon dont les programmeurs d'applications Microsoft ont mis en œuvre ce produit pour tirer de nombreux enseignements sur une création réussie de programmes Windows.

Prenons par exemple la barre de menus de Word :

Chaque mot qui y figure représente un groupe de fonctions. Cliquez par exemple sur l'option Fichier, et vous ferez apparaître des **éléments de menu** relatifs aux tâches que vous pouvez effectuer avec des fichiers informatiques.

Dans ce chapitre, nous découvrirons les deux types de menus proposés par Visual Basic : les **menus déroulants** et les **menus popup**. Nous verrons comment les créer, les contrôler et, d'une manière générale, comment les utiliser dans les applications. Sachez qu'apparemment, tous les programmes Windows possèdent un contrôle en commun : la barre de menus. Vous pouvez choisir de ne pas en tenir compte, à vos risques et périls, mais si vous en faites bon usage, vos utilisateurs vous en seront éternellement reconnaissants !

Les menus déroulants

Il s'agit du type standard de menu, de surcroît le plus facile à développer. Sous sa forme la plus élémentaire, il suffit de retenir certaines catégories de fonctions pour le programme, telles que la gestion de fichiers, l'édition et les options de l'application, et de placer les noms de ces catégories sur une barre de menus. La seule chose à faire ensuite est d'ajouter des fonctions à chacune d'elles sous la forme d'éléments de menus qui se déroulent lors d'un clic sur le titre du menu, comme Fichier ou Edition.

Voyons maintenant la procédure à suivre pour obtenir un produit final de ce type :

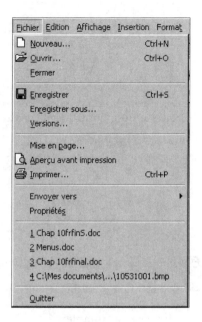

N'ayez surtout aucune inquiétude ! Nous aborderons chaque phase du travail étape par étape.

Le fonctionnement des menus déroulants

Si vous êtes un programmeur familier d'un autre langage que Visual Basic, l'idée de devoir intégrer de tels menus aux applications vous inquiète peut-être un peu. « Comment savoir si le pointeur de la souris se trouve sur un titre de menu ? » ou « Comment placer une liste de menu sur la feuille et redessiner cette dernière après la suppression du menu ? » sont autant de questions qui vous donnent déjà probablement des sueurs froides. Ne vous faites pourtant aucun souci : Visual Basic, ou plus précisément Windows, se charge de tout.

Comme les boutons de commande et les zones de liste, les menus sont des contrôles. Une fois le contrôle du menu configuré, il n'y a plus qu'à s'intéresser à la gestion des événements déclenchés par chaque élément du menu (tout comme lorsque vous utilisez un bouton de commande). Windows assure automatiquement la conception graphique des menus, la régénération des parties cachées de la feuille après disparition d'un menu, l'affichage et le positionnement des sous-menus, etc. En fait, les menus constituent l'un des contrôles les plus simples au sein de Visual Basic, l'étape la plus longue étant de saisir tout le texte qui les compose.

Concevoir un menu avec le créateur de menus

Contrairement aux autres contrôles, celui du menu ne se trouve pas dans la boîte à outils standard de Windows. Microsoft a en effet choisi de placer l'icône correspondante sur la barre d'outils principale de Visual Basic :

Une autre solution consiste à passer par la commande
Créateur de menus dans le menu Outils :

Le créateur de menus de Visual Basic

La conception d'un menu s'effectue
par l'intermédiaire d'une boîte de
dialogue assez complexe :
le **créateur de menus**. Pour l'ouvrir,
cliquez simplement sur son icône si une
feuille est affichée :

> Quand aucune feuille n'est affichée à l'écran, l'icône du créateur de menus est
> désactivée. Il n'y a ainsi aucun doute possible sur le travail en cours dans
> l'environnement de développement : Visual Basic ajoute le menu créé à la feuille
> actuellement sélectionnée.

Passons à la pratique ! Créer un menu élémentaire

La plupart des applications Windows comportent un menu Fichier qui permet aux utilisateurs
d'ouvrir des fichiers, d'enregistrer des données, de quitter le programme, etc. En fait, concevoir un
menu avec le créateur de menus de Visual Basic n'est pas compliqué. C'est ce que nous allons voir
dès maintenant.

1   Démarrez un nouveau projet **Exe standard** dans Visual Basic et assurez-vous que la feuille est affichée.

2   Cliquez sur l'icône du créateur de menus dans la barre d'outils Visual Basic.

3   Dans la boîte de dialogue qui apparaît, entrez &Fichier dans la propriété Ca<u>p</u>tion et mnuFichier dans la propriété Na<u>m</u>e :

> Comme dans toute autre légende de contrôle, l'ajout du caractère **&** avant une lettre transforme cette dernière en touche d'accès rapide pour l'élément de menu concerné. Vous pouvez choisir n'importe quelle lettre du mot, même s'il ne s'agit pas de l'initiale. Pour reprendre l'exemple de Fichier, il est généralement possible d'ouvrir ce menu en appuyant simultanément sur *Alt* et *F*. L'utilisateur connaît la combinaison à employer, car à l'écran figure en fait **F̲ichier**, avec le **F** souligné. Pour arriver à un tel résultat, il suffit d'indiquer dans le créateur de menus que la légende de l'élément Fichier est **&Fichier**.

4   Appuyez sur *Entrée*. Visual Basic stocke l'élément de menu dans la zone de liste située en bas de la boîte de dialogue et met la ligne suivante en surbrillance :

5 Utilisez la même méthode pour entrer les éléments de menus <u>O</u>uvrir et En<u>r</u>egistrer sous.... Tapez tout d'abord **&Ouvrir** dans le champ **Caption**, et **mnuOuvrir** dans le champ **Name**. Saisissez ensuite **En&registrer sous...** (sans oublier l'espace) comme légende et enfin **mnuEnregistrer sous** comme nom. **Caption** et **Name** sont les deux seules propriétés que vous devez obligatoirement renseigner lors de la création d'un menu. Les autres sont facultatives ; nous y reviendrons un peu plus tard.

6   Si vous cliquez maintenant sur le bouton OK, Visual Basic vérifie la boîte de dialogue pour s'assurer que les propriétés sont correctement définies. S'il ne détecte aucune erreur, il crée une nouvelle structure de menus sur la feuille affichée, c'est-à-dire Form1 dans le cas présent :

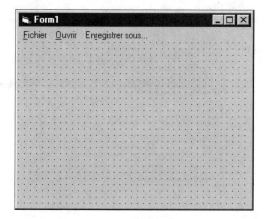

Félicitations ! Vous venez de créer votre premier menu Visual Basic ! Vous n'avez pas trop souffert, n'est-ce pas ?

> Si vous appuyez sur *Entrée* sans préciser auparavant d'élément de menu, vous créez un article de menu vierge et Visual Basic affiche un message d'erreur : **Le contrôle Menu doit avoir un nom.** Il est par conséquent fortement recommandé d'ajouter un nom d'élément !

Passons à la pratique ! Créer un menu déroulant

Il faut bien l'avouer, le menu que nous venons de créer n'est pas exactement un classique des productions Windows. Idéalement, les options Ouvrir et Enregistrer sous... ne devraient pas être visibles à ce stade, mais figurer au contraire comme éléments déroulants qui n'apparaîtraient qu'à la suite d'un clic sur le mot Fichier.

Remédions vite à cela en créant une véritable liste déroulante d'options à partir d'un seul titre de menu.

1   Cliquez de nouveau sur l'icône du créateur de menus (ou appuyez sur *Ctrl* et *E*), afin de rouvrir la boîte de dialogue du menu et d'afficher la liste des éléments de menus créés. Sélectionnez l'article &Ouvrir et cliquez sur la flèche orientée vers la droite dans la petite barre d'outils :

2 L'option **&Ouvrir** est décalée vers la droite. Vous savez ainsi qu'elle est désormais subordonnée à l'option **&Fichier** :

3 Faites de même pour l'élément **En&registrer sous...**.

4 Pour visualiser la structure de menus produite, cliquez sur **OK**.

5 La feuille comporte désormais un seul élément dans sa barre de menus : l'option **Fichier**. Cliquez sur ce titre pour afficher le menu qui en dépend :

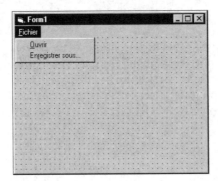

Pour obtenir une structure régulière, il faut aligner les éléments de menus : on parle de **délinéer***.*

Passons à la pratique ! Modifier la structure de menus

Bien sûr, lorsque vous vous lancerez dans l'écriture de vos propres applications, vous vous heurterez souvent, à un moment ou un autre du processus de développement, à quelques difficultés auxquelles vous échappez dans les rubriques « Passons à la pratique ! ». Il est notamment facile d'oublier des éléments de menus ou de les placer dans le désordre. Heureusement, le créateur de menus de Visual Basic permet de faire machine arrière et d'apporter des modifications.

1 Cliquez sur l'icône du créateur de menus. La feuille correspondante apparaît, affichant le menu qui vient d'être conçu :

2 À droite des quatre flèches se trouvent trois autres boutons de commande : Su̲ivant, I̲nsérer et Suppr̲imer. Intéressons-nous au rôle de chacun :

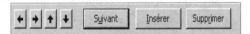

3 Sélectionnez le premier élément de la liste, **&Fichier**, afin de le mettre en surbrillance. Cliquez sur le bouton Su̲ivant : c'est désormais l'élément suivant de la liste qui apparaît en surbrillance, à savoir **&Ouvrir**. Lorsque vous atteignez le bas du menu, Su̲ivant crée un nouvel élément vierge qui permet d'ajouter une autre option de menu.

4 Sélectionnez maintenant l'élément **En&registrer sous...** Si vous cliquez sur le bouton I̲nsérer, cette option **En&registrer sous...** est décalée d'une ligne vers le bas, et un nouvel élément est ajouté juste au-dessus. Essayez. Vous remarquez alors que le retrait nécessaire est automatiquement appliqué :

5 Le bouton **Supprimer** a un rôle exactement inverse à celui du bouton **Insérer**, puisqu'il retire l'élément sélectionné de la liste. Essayez. Le nouvel élément vierge disparaît et **En&registrer sous...** retrouve sa position originale :

6 Nous avons déjà vu comment la flèche orientée vers la droite déplace les éléments dans la structure de menus. Les flèches dirigées vers la gauche, le haut et le bas fonctionnent de la même manière. Cliquez sur l'élément de menu **&Ouvrir**, puis sur la flèche orientée vers la gauche.

7 L'élément se décale vers la gauche. Si vous cliquiez sur **OK** à ce stade, vous auriez, d'une part, un menu **Fichier** et, d'autre part, un menu **Ouvrir** auquel serait subordonné l'élément **Enregistrer sous...** Ceci dit, ne cliquez pas sur **OK** pour l'instant.

8 Assurez-vous que l'élément **&Ouvrir** est toujours sélectionné et cliquez sur la flèche orientée vers le haut, afin de placer l'article en tête de liste. Conséquence sur le menu final : **Ouvrir** apparaît désormais avant **Fichier** dans la barre de menus.

9 Pour rétablir la disposition d'origine, cliquez sur la flèche droite, puis sur celle orientée vers le bas.

Les menus et éléments de menus imbriqués

Nos menus commencent enfin à se rapprocher de l'apparence qu'ils devraient avoir au final. Pour améliorer leur présentation, une autre option consiste à disposer les éléments de menus en listes subordonnées à d'autres articles. On appelle ce procédé **imbrication de menus**. Regardez le menu suivant :

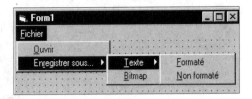

Vous pouvez créer au maximum cinq niveaux de retrait, mais la plupart des spécialistes recommandent de ne pas dépasser deux. Évitez également de placer les commandes fréquemment utilisées dans des sous-menus ; cela risquerait d'agacer vraiment les utilisateurs. Lançons-nous donc dans la création d'un menu imbriqué.

Passons à la pratique ! Menus imbriqués

Les menus imbriqués se créent de la même manière que les menus normaux : vous ajoutez simplement de nouveaux éléments à la liste et les décalez à la droite de celui dont ils doivent dépendre.

1 Dans le créateur de menus, sélectionnez l'élément **En&registrer sous...** et cliquez sur le bouton **Su̲ivant** pour créer un nouvel article.

2 Entrez comme légende de ce nouvel élément **&Texte** et comme nom de menu **mnuTexte**.

3 Répétez cette procédure pour créer trois articles supplémentaires en définissant leurs légendes et noms comme suit :

&Bitmap   mnuBitmap

&Formaté   mnuFormaté

&Non formaté   mnuNonFormaté

4   L'ordre de ces éléments est incorrect, dans la mesure où nous souhaitons faire figurer Formaté et Non formaté directement sous l'élément Texte. Sélectionnez l'article &Formaté et cliquez sur la flèche orientée vers le haut :

5   Faites de même pour l'élément Non formaté.

6   Il faut désormais mettre ces nouveaux éléments de menu en retrait, afin de les faire apparaître comme sous-menus imbriqués d'autres articles. Sélectionnez chacun de ces quatre éléments et cliquez sur la flèche droite :

7   Les quatre nouveaux éléments se présentent sous la forme d'un sous-menu de l'article En&registrer sous... La prochaine étape consiste à placer les éléments Formaté et Non formaté dans un sous-menu de l'article &Texte.

8   Appliquez un retrait supplémentaire vers la droite aux éléments Formaté et Non formaté :

9   Si vous cliquez sur OK, vous obtenez la structure de menus souhaitée :

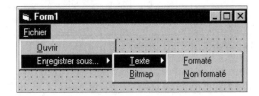

Les propriétés d'un menu

Nous l'avons dit précédemment, un menu est un contrôle ; comme tout autre contrôle Visual Basic, vous pouvez donc en modifier la présentation et le comportement en intervenant sur ses propriétés.

La méthode habituelle qui consiste à cliquer sur une icône de la boîte à outils ne permet pas d'accéder au contrôle du menu ; de même, il est impossible d'accéder à ses propriétés à partir de la fenêtre **Propriétés**. Celles-ci sont en effet affichées en permanence dans la boîte de dialogue **Créateur de menus** :

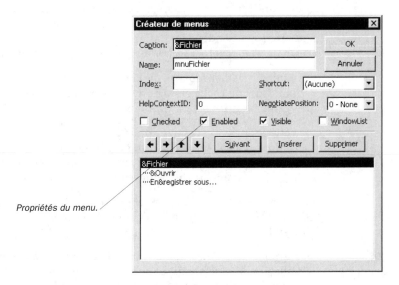

Propriétés du menu.

Lors de la conception de menus, il faut normalement commencer par créer un élément de menu, puis définir ses propriétés, avant de passer à l'article suivant. Jusqu'à présent, nous avons uniquement travaillé avec les propriétés **Caption** et **Name**, qui sont obligatoires. Pour parer au plus pressé, nous ne nous sommes pas arrêtés sur la partie centrale de la boîte de dialogue, mais il est temps d'y revenir et de nous intéresser au rôle de ces propriétés.

Les propriétés peuvent être définies lors de la conception, par l'intermédiaire de la boîte de dialogue **Créateur de menus**, ou en phase d'exécution à partir du code. Voici une brève présentation de ces différentes propriétés :

Nom	Description
Caption	Texte du menu que verra l'utilisateur.
Name	Nom que vous utiliserez dans le code pour accéder à ce menu et identifier le code d'événement associé à chaque élément de menu.
Index	Utilisé pour former des groupes de contrôles de menus. Il s'agit des cas où plusieurs éléments de menus ont la même propriété Name : la valeur de la propriété Index permet d'adresser chaque article individuellement.
Shortcut	Le menu peut être ouvert d'un clic de souris sur son nom, comme à l'accoutumée, ou par un raccourci clavier ; Ctrl+C, par exemple, revient généralement au même que de cliquer sur l'élément de menu Copier.
WindowList	S'utilise pour les applications MDI (Multiple Document Interface). Celles-ci se composent d'une feuille principale dans laquelle évoluent plusieurs autres feuilles dites feuilles filles (c'est le cas par exemple de la fenêtre principale de Word et de ses fenêtre filles documents). La propriété WindowList indique à Visual Basic qu'il doit afficher les légendes des fenêtres secondaires dans cet élément de menu.
Checked	Cliquer sur cette propriété ou la fixer à True dans le code fait apparaître une **coche** en regard de l'élément de menu. Cela se révèle très utile pour les listes d'options.
Enabled	Si cette propriété est activée ou réglée sur True, l'utilisateur peut sélectionner l'élément de menu. La paramétrer sur False, en revanche, en décochant la case, fait apparaître l'élément de menu en **grisé**, empêchant par conséquent l'utilisateur de le sélectionner.
Visible	Cliquer sur cette case pour fixer la propriété à True rend l'élément de menu visible au cours de l'exécution. Décocher la case le rend invisible.
NegotiatePosition	Contrôle, le cas échéant, l'endroit où apparaîtra le menu lors de l'utilisation d'objets ActiveX incorporés. Vous en apprendrez plus à ce sujet dans un chapitre ultérieur consacré à la fonction OLE.

La propriété Name

La deuxième propriété, Name, devrait désormais vous être familière. C'est celle qui vous permet de choisir le nom que vous utiliserez dans votre code pour faire référence à un élément de menu.

Supposons que vous ayez un menu intitulé Fichier. Si vous lui avez attribué le nom mnuFichier, vous pouvez employer le code suivant pour changer une quelconque propriété de cet élément de menu :

```
mnuFichier.< nom de la propriété > = <valeur>
```

Lors de la conception de menus, l'une des principales préoccupations est de déterminer le nom de chacun. Tout élément de menu étant un contrôle, il doit avoir ses propres légende et nom. Dans une structure de menus importante, comme celle de Word 97 ou même de Visual Basic, attribuer un nom unique à chaque contrôle peut devenir un véritable casse-tête.

Ce problème peut être abordé de deux manières. La première solution, d'ailleurs recommandée par le Guide Visual Basic des programmeurs, consiste à créer des **groupes de contrôle** des éléments de menu : chaque article subordonné à un titre donné a le même nom et fait partie d'un groupe de contrôle à l'intitulé commun.

L'autre approche consiste à affecter à chaque titre de menu un nom commençant par mnu et finissant par l'intitulé du menu. Le titre de menu **Fichier**, par exemple, aurait comme nom mnuFichier. Le nom attribué ensuite à chaque élément du menu se compose du nom du titre (*in extenso* ou abrégé), suivi d'une version courte de la légende. Une option **Enregistrer sous...** qui se trouverait sous le titre **Fichier** serait ainsi appelée mnuFichierEnregistrerSous. Cette approche est vraiment très simple et ne devrait donc pas vous donner de maux de tête !

La propriété Index

Inde<u>x</u> est une autre propriété courante dont le but est d'identifier un élément de menu qui fait partie d'un groupe de contrôles. Elle permet de configurer un nombre particulier d'éléments de menu qui porteront tous le même nom. Elle sera illustrée de façon concrète au chapitre 15 (Variables objets) : nous utiliserons alors cette propriété pour créer des menus avec du code, comme la liste des derniers documents ouverts que Word affiche dans le menu <u>F</u>ichier :

```
1 C:\Mes documents\...\Chap 10frfin5.doc
2 C:\Mes documents\Chapitre 10\Menus.doc
3 C:\Mes documents\...\Chap 10frfinal.doc
4 C:\Mes documents\...\10531001.bmp
```

Activer des éléments de menus

La propriété <u>E</u>nabled détermine si une option est ou non utilisable. Lorsqu'elle est réglée sur False, cette option apparaît en grisé. La propriété <u>V</u>isible indique quant à elle si un élément de menu donné doit figurer dans le menu.

Prenez cet écran :

Pour tous ces éléments, la propriété Enabled est fixée à False.

Éléments de menu désactivés et éléments non visibles. Vous ne pouvez bien sûr pas voir ces derniers, mais cela témoigne précisément de l'efficacité du paramétrage.

Plus loin dans ce chapitre, vous verrez comment créer des menus popup. Concevoir un menu non visible permet de produire des menus que l'utilisateur verra uniquement lorsque vous déciderez de les faire apparaître à l'écran par l'intermédiaire d'un code. Vous pouvez aussi employer les propriétés Enabled et Visible pour sécuriser, en quelque sorte, l'accès à vos programmes. Il est ainsi possible de désactiver ou de rendre invisibles des éléments de menus que vous ne voulez pas mettre à la disposition de certains utilisateurs.

Affecter un raccourci clavier

La propriété Shortcut est assez nouvelle. Les touches d'accès rapide créées grâce au caractère & dans leur légende ne valent que si l'élément de menu correspondant est visible ; dans le cas contraire, appuyer sur *Alt* et la lettre appropriée reste sans effet. Reprenons l'exemple des menus créés précédemment.

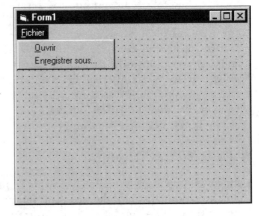

L'élément Ouvrir a été créé avec une propriété texte &Ouvrir. Le O de Ouvrir est souligné dans l'intitulé, indiquant que le menu est accessible par la combinaison de touches *Alt+O*. Cela fonctionne toutefois uniquement lorsque le menu Fichier est déroulé et visible. La propriété Shortcut permet de réaliser cette action même si le menu est invisible.

En affectant une combinaison de touches à Shortcut, vous pouvez en fait ouvrir l'option du menu où que vous soyez dans le programme, en tapant simplement le raccourci clavier. Peut-être avez-vous déjà utilisé certains des raccourcis les plus courants de Visual Basic : *Ctrl+X* pour couper quelque chose et *Ctrl+V* pour le coller, par exemple. Nous vous conseillons de conserver les raccourcis standard, car ils fonctionnent lorsque l'élément de menu voulu n'est pas ouvert. Votre code pourra remplir son rôle au moment où l'utilisateur s'y attendra le moins.

Passons à la pratique ! Affecter un raccourci clavier

L'affectation d'un raccourci clavier à un élément de menu se résume à un simple pointage et à un clic : il suffit de pointer la flèche située à droite de la liste modifiable Shortcut et de cliquer l'une des combinaisons de touches proposées. Essayons sans tarder. Nous allons créer un menu Edition et affecter tous les raccourcis standard d'édition à ses éléments, afin d'obtenir le résultat suivant :

1 Éditez le menu conçu précédemment ou recommencez la procédure et créez la structure de menus ci-dessous :

2 Nous devons associer des raccourcis aux éléments **C**ouper, **C**op**i**er et **C**o**l**ler, à savoir, respectivement : *Ctrl+X, Ctrl+C* et *Ctrl+V.*

3 Sélectionnez l'élément **C**ouper et cliquez sur la flèche descendante en regard de la liste modifiable **S**hortcut. Faites défiler la liste jusqu'à localiser *Ctrl+X* que vous allez sélectionner en cliquant dessus avec la souris :

4   La boîte de dialogue Créateur de menus répercute la modification en montrant que le Shortcut sélectionné est *Ctrl+X* :

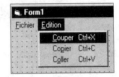

5   En adoptant la même méthode, sélectionnez la combinaison *Ctrl+C* pour l'élément de menu Copier, et *Ctrl+V* pour Coller. Il s'agit des raccourcis standard recommandés par Microsoft pour les articles du menu Edition.

6   Une fois tous les raccourcis définis, cliquez sur le bouton OK dans le créateur de menus et admirez le nouveau menu Edition :

7   Enregistrez maintenant le projet sous le nom `Menu.vbp`. Nous le réutiliserons ultérieurement pour ajouter du code et observer le fonctionnement de ces raccourcis.

> **Sachez qu'il est impossible d'affecter un raccourci clavier à un élément de menu qui n'est pas en retrait.**

Les séparateurs de menus

Les derniers composants de menus auxquels nous devons nous intéresser sont les **séparateurs**. Lorsqu'un menu déroulant comporte de nombreux éléments, il devient judicieux d'associer ces derniers en groupes logiques. Dans le menu Fichier de Visual Basic, par exemple, les options ont été rassemblées en fonction de l'objet auquel elles s'appliquent : projet ou fichier.

Passons à la pratique ! Ajouter des séparateurs

Les séparateurs sont aussi faciles à créer que tout autre élément de menu. Il suffit d'entrer un trait d'union dans le champ Ca<u>p</u>tion, et un nom simpliste comme mnuTiret1 dans la propriété Na<u>m</u>e. Visual Basic interprète automatiquement les éléments de menus avec un trait d'union dans le champ Ca<u>p</u>tion comme une ligne de séparation.

1   Si le dernier projet est toujours ouvert, cliquez sur l'icône du créateur de menus dans la barre d'outils. Dans le cas contraire, ouvrez le projet Menu.vbp dans Visual Basic et cliquez sur l'icône du créateur de menus une fois que la feuille principale apparaît à l'écran.

2   Ajoutez une option Q<u>u</u>itter en bas du menu <u>F</u>ichier présenté. Sélectionnez pour cela l'élément existant &Edition, puis cliquez sur le bouton <u>I</u>nsérer. N'oubliez pas de mettre ce nouvel article en retrait :

3   Il serait appréciable qu'au moment de l'exécution, l'option Q<u>u</u>itter soit isolée dans une zone particulière. Il faut pour cela ajouter un trait de séparation juste au-dessus. Sélectionnez par conséquent l'entrée &Quitter dans la liste, puis cliquez sur le bouton <u>I</u>nsérer (ou appuyez sur *Alt+I*) :

4   Pour la **Caption** de la ligne séparatrice, entrez simplement un trait d'union. Seule difficulté à ce stade : vous devez attribuer à chaque tiret un nom unique. Dans la propriété **Name**, tapez **mnuFichierTiret1**, afin d'indiquer qu'il s'agit du premier séparateur au sein du menu **Fichier**.

5   Cliquez sur **OK** pour terminer la procédure, enregistrez votre travail et admirez le menu **Fichier** sur votre feuille :

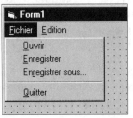

Une vraie merveille, non ? Désormais, nous maîtrisons bien la présentation des menus ; il est donc temps de passer à autre chose et de voir ce qui arrive effectivement lorsqu'un utilisateur sélectionne l'une des options du menu.

Ajouter du code aux éléments de menus

Dans leur état actuel, nos menus ne permettent malheureusement pas d'accomplir la moindre tâche. Seul du code pourra leur donner vie. Sélectionner un élément de menu déclenche un événement `Click`. En tant que développeur, vous pouvez y répondre en ajoutant du code. Pour faire apparaître la fenêtre **Code** d'un élément de menu particulier, cliquez sur ce dernier, dans la feuille, en mode création :

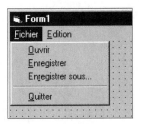

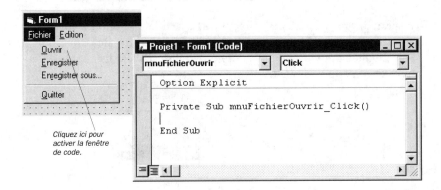

Cliquez ici pour activer la fenêtre de code.

Passons à la pratique ! Ajouter du code aux éléments de menus

Il est aussi facile d'ajouter du code d'événement à un élément de menu que du code à un contrôle normal.

1 Ouvrez le projet Menu.vbp avec lequel nous avons travaillé précédemment. Nous avons déjà créé des raccourcis pour les entrées du menu **Edition**. Le temps est venu de les faire passer à l'action.

2 Sélectionnez l'élément **Couper** dans le menu **Edition**. Normalement, la fenêtre de code apparaît et Visual Basic vous invite à entrer du code pour répondre à l'événement Click de cet article de menu :

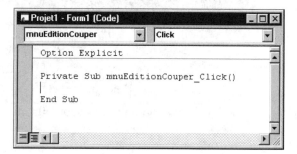

3 Ajoutons maintenant du code qui entraîne l'apparition d'un message à la suite d'un clic sur cet élément de menu. Modifiez l'événement mnuEditionCouper_Click() comme suit :

```
Private Sub mnuEditionCouper_Click()

    MsgBox "Vous avez sélectionné Couper dans le menu Edition"

End Sub
```

4 Exécutez le programme. Sélectionnez **Couper** dans le menu **Edition** ; le message que vous venez d'ajouter s'affiche. Vous pouvez également tester le raccourci : appuyez sur *Ctrl+X* sans ouvrir le menu **Edition**, et vous obtiendrez le même résultat. N'oubliez pas ensuite d'enregistrer le projet.

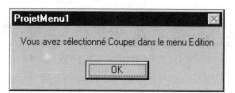

Dans ces quelques pages, nous n'avons traité que des menus déroulants. Il est temps, désormais, de nous intéresser au deuxième type de menu : les menus popup.

Les menus popup

Après avoir créé une structure de menus, vous n'êtes pas obligé de vous en tenir simplement à des menus déroulants. Visual Basic propose en effet une commande qui permet de faire apparaître un menu n'importe où à l'écran, dès que vous le souhaitez.

Qu'est-ce qu'un menu popup ?

Peut-être avez-vous quelques appréhensions, mais un menu popup est en fait exactement la même chose qu'un menu normal, à ceci près qu'il peut apparaître à un endroit quelconque de l'écran que vous aurez choisi. Prenons un exemple :

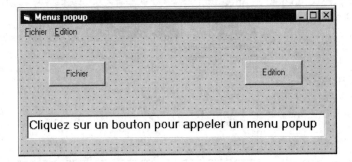

Nous avons ici un programme avec une feuille unique et une disposition des menus très familière. Cette feuille comporte également des boutons de commande, dont les légendes correspondent aux intitulés des menus. Cliquer sur l'un de ces boutons fait apparaître au-dessous le menu approprié :

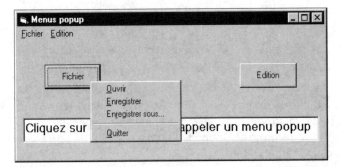

Passons à la pratique ! Créer un menu popup

La commande qui génère ce type de menu s'appelle tout simplement `PopupMenu`.

1   Placez un bouton de commande dans la feuille du `Menu.vbp` et nommez-le **Fichier** :

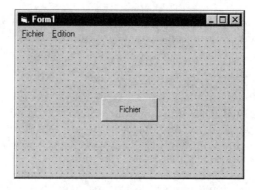

2   Double-cliquez sur le bouton pour ouvrir la fenêtre de code, puis entrez cette ligne de code :

```
Private Sub Command1_Click()

PopupMenu mnuFichier, vbPopupMenuLeftAlign

End Sub
```

3   Exécutez l'application et cliquez sur le bouton que vous venez de créer. Apparaît alors à côté du pointeur de la souris le menu **Fichier**, qui est normalement associé à la barre de menus. Un jeu d'enfant !

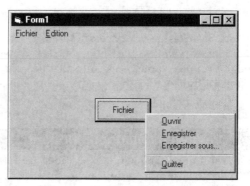

Ne prenez pas la peine, cette fois, de sauvegarder le projet, car nous allons retravailler sur cet exemple très bientôt.

Nous venons donc d'écrire du code dans le programme pour qu'un clic sur un bouton de la feuille fasse apparaître un menu. Sachez qu'il aurait été tout aussi simple de déclencher l'affichage du menu par un clic du bouton droit de la souris. Nous entrons ici dans l'univers des menus contextuels, formidable caractéristique de Windows 95 et au-delà (mais vous le savez sûrement).

Intéressons-nous néanmoins au rôle exact du code et à son mode de fonctionnement.

Fonctionnement

Le code appelle simplement la commande `PopupMenu` dans Visual Basic et lui indique le nom du menu que vous souhaitez faire apparaître. Le nom que nous avons défini dans le créateur de menus pour le menu F̲ichier, `mnuFichier`, est également celui que nous associerons à la commande `PopupMenu`.

Juste après le nom du menu, vous devez passer un paramètre numérique appelé **indicateur de positionnement** que Visual Basic utilisera pour déterminer le mode d'affichage du menu. Pour la clarté de votre code, il vaut mieux utiliser les constantes intrinsèques de VB6 `vbPopupMenuLeftAlign`, `vbPopupMenuRightAlign` et `vbPopupMenuCenterAlign` plutôt que des valeurs explicites.

Dans le cas présent, `vbPopupMenuLeftAlign` indique que nous voulons faire apparaître le bord gauche du menu au niveau des coordonnées courantes de la souris. Nous aurions tout à fait pu choisir `vbPopupMenuCenterAlign` ou `vbPopupMenuRightAlign` pour centrer le menu ou en aligner le bord droit par rapport à la position actuelle du pointeur. Tout dépend de vos préférences personnelles et de l'espace disponible pour l'affichage du menu.

Il n'y a rien d'autre à ajouter. Vous cliquez sur le bouton, et le menu s'affiche à l'endroit où se trouve alors le pointeur de la souris. Il est toutefois possible de faire apparaître le menu popup ailleurs qu'à l'emplacement du pointeur. Vous auriez en effet pu indiquer à Visual Basic la position exacte du menu sur la feuille en ajoutant des coordonnées X et Y à la commande `PopupMenu`. Si vous aviez voulu faire apparaître le menu dans l'alignement parfait du bouton sur la feuille, par exemple, vous auriez tapé cette commande :

```
PopupMenu mnuFichier, vbPopupMenuLeftAlign, Command1.Left, Command1.Top
```

Nous donnons ici à Visual Basic les coordonnées supérieures et gauches à utiliser pour l'affichage du menu ; il s'agit des mêmes valeurs que celles entrées dans les propriétés `Top` et `Left` des boutons de commande. Si vous tapiez ces informations et que vous exécutiez ensuite le programme, le menu apparaîtrait dans l'alignement parfait du coin supérieur gauche du bouton, sur la feuille.

Passons à la pratique ! Créer un menu popup flottant

Ce premier menu popup est un peu fade. Qui aurait l'idée, en effet, de placer des boutons en plein centre d'une feuille ? Concevons plutôt un joli menu flottant qui apparaît à la suite d'un clic du bouton droit de la souris.

1 Commencez par supprimer le bouton de commande que vous venez d'ajouter au `Menu.vbp`, ainsi que la ligne de code supplémentaire saisie dans la fenêtre de code.

2 Dans la fenêtre de code, déroulez la liste des événements et localisez `MouseUp`. Pour qu'un clic du bouton droit puisse déclencher l'affichage du menu à l'écran lors de l'exécution, nous devons ajouter du code à cet événement :

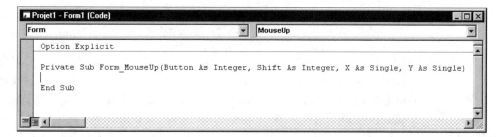

3 À ce stade, l'événement `MouseUp` est déclenché à chaque fois que l'utilisateur clique avec l'un des boutons de la souris (quel qu'il soit) au-dessus de la feuille. Par conséquent, nous devons encore contrôler le bouton qui a été activé. Vous vous rappelez peut-être du chapitre 7 qui expliquait qu'un paramètre `Button` était affecté à l'événement `MouseUp`. Ce paramètre était réglé sur `vbLeftButton` (1) si le bouton relâché était celui de gauche, et sur `vbRightButton` (2) s'il s'agissait du bouton droit. Une instruction `If` élémentaire s'impose donc. Ajoutons la ligne suivante :

```
Private Sub Form_MouseUp(Button As Integer, Shift As Integer, X As Single,
          ↳ Y As Single)

    If Button = vbRightButton Then

End Sub
```

4 Tout ce qui reste à faire désormais est d'appeler la commande `PopupMenu`, comme précédemment, afin de faire apparaître le menu souhaité :

```
Private Sub Form_MouseUp(Button As Integer, Shift As Integer, X As Single,
          ↳ Y As Single)

    If Button = vbRightButton Then
        PopupMenu mnuFichier, vbPopupMenuLeftAlign
    End If

End Sub
```

5 Exécutez l'application et cliquez du bouton droit dans la feuille. Le menu popup apparaît :

6   Il reste juste un petit point que nous n'avons pas encore abordé. Dans notre programme, l'intitulé du menu est visible avant même que l'utilisateur clique du bouton droit. Il est néanmoins très rare, dans la plupart des applications, de voir un menu contextuel trôner fièrement dans la barre de menus ; généralement, seul un clic du bouton droit à un certain endroit de la feuille peut les révéler au grand jour.

Si le programme est en cours d'exécution, arrêtez-le, ouvrez le créateur de menus, sélectionnez l'élément &Fichier et désactivez la propriété Visible :

7   Relancez l'application :

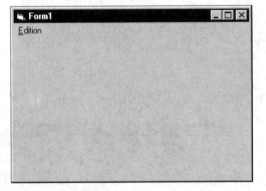

8   Alors que le programme s'exécute, le menu Fichier a totalement disparu de l'écran (en fait, il n'est plus visible nulle part, même en mode création). Si toutefois, vous cliquez du bouton droit, il apparaît à l'emplacement du pointeur de la souris, exactement comme vous l'espériez :

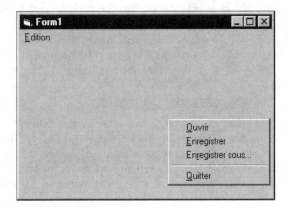

Voilà qui me semble parfait !

Les menus dynamiques

De même qu'il est possible de créer et de changer une structure de menus au moment de la conception grâce au créateur de menus, de même, vous pouvez concevoir de nouveaux éléments de menus lors de l'exécution. Il s'agit d'une formidable opportunité pour créer des menus dynamiques, comme le menu Fichier de Visual Basic qui affiche automatiquement les quatre derniers projets sur lesquels vous avez travaillé dans l'application, vous évitant ainsi de devoir parcourir le disque dur avec la boîte de dialogue Ouvrir :

Ajouter des éléments de menus au cours de l'exécution

Tous les menus dynamiques de ce type sont étroitement liés à des groupes de contrôles. Ces derniers sont semblables aux tableaux ordinaires traités au chapitre 6, à ceci près que les éléments sont cette fois des contrôles, et non des nombres ou des chaînes.

Présentation rapide des groupes de contrôles

Caractéristique formidable, Visual Basic permet d'affecter des contrôles entiers à des variables, comme s'il s'agissait de simples nombres. Il stocke toutes les informations relatives au contrôle, notamment l'ensemble de ses propriétés et méthodes, dans une petite boîte appelée variable objet. Vous pouvez ouvrir cette boîte et utiliser le contrôle à tout moment ; néanmoins, comme chaque variable, il est possible de l'appeler par le nom de la boîte mais pas par son nom réel.

*En fait, ce que nous stockons dans la variable objet est un **pointeur** vers l'objet lui-même. Mais ne vous faites aucun souci à ce propos. Visual Basic se charge de toutes les tâches de fond à notre place.*

Votre première confrontation avec les groupes de contrôles a lieu lorsque vous copiez des contrôles sur une feuille. Si cette dernière comporte déjà un contrôle appelé Command1 et que vous copiez-collez celui-ci sur cette même feuille par le biais de menus popup, Visual Basic affiche le message suivant :

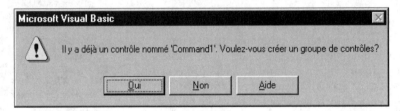

Lorsque vous tentez de coller un contrôle qui porte le même nom qu'un contrôle existant, Visual Basic suppose que vous désirez créer un groupe de contrôles. Si vous cliquez Oui, VB intitule ces deux boutons Command1, mais définit respectivement 0 et 1 pour leur propriété Index. À l'avenir, à chaque ajout d'un nouveau bouton Command1, VB incrémentera ce numéro comme il se doit, mais sans vous en informer, car le groupe de contrôles existe déjà.

Supposons que vous vouliez désormais définir les légendes de cinq boutons dans le code. Vous pourriez procéder comme suit :

```
Dim nIndex As Integer

For nIndex = 0 To 4
    Command1(nIndex).Caption = "Numéro " & nIndex
Next nIndex
```

Tous les boutons portent le nom Command1, mais leur position dans le groupe de contrôles créé par Visual Basic permet d'identifier chacun d'eux.

Tout cela vous paraît peut-être un peu compliqué et demande effectivement une pointe d'imagination. Au fil des chapitres, nous nous intéresserons de plus en plus aux variables objets, avec lesquelles vous pourrez donc vous familiariser progressivement. Pour l'instant, considérez-les simplement comme des boîtes pour les contrôles.

Il est possible d'effectuer les mêmes opérations avec les éléments de menus au cours de l'exécution. Nous verrons dans le prochain chapitre, en abordant les boîtes de dialogue relatives aux fichiers, que cela peut être très utile pour concevoir des entités comme la liste des fichiers récemment employés qui figure dans le menu Fichier.

Lançons-nous maintenant dans la création de menus dynamiques.

Passons à la pratique ! Créer des éléments de menus dynamiques

1 Ouvrez un nouveau projet Visual Basic et créez un menu aussi simple que celui représenté ci-après :

Vous remarquerez que la propriété Index est réglée sur 0 pour l'élément &Ouvrir. Nous créons ainsi un groupe de contrôles. Faites de même pour votre menu et fermez le créateur de menus.

2 Cliquez sur l'élément Ouvrir dans le menu Fichier de votre feuille, afin d'afficher la fenêtre de code.

3 Nous avons déjà parlé de boutons de commande ; nous avions alors é que vous vouliez créer un ensemble de boutons sur une feuille en mode création qui portaient tous le même nom et se distinguaient les uns des autres uniquement par un nombre dans la propriété Index. Avec ce nouveau menu, vous allez découvrir comment créer cette fois de nouveaux éléments de menus au cours de l'exécution.

C'est en fait assez simple. Il suffit d'utiliser la commande Load, qui charge juste un autre exemplaire (une copie) de l'élément en mémoire et l'intègre dans le groupe de contrôles. Si vous tentez de charger un nouveau menu avec un numéro d'index qui n'a pas encore été employé, vous créez un nouvel élément de menu. Essayez en apportant les modifications suivantes au code dans l'événement Click de l'article Ouvrir :

```
Private Sub mnuFichierOuvrir_Click(Index As Integer)

    Load mnuFichierOuvrir (Index + 1)

End Sub
```

4 Si vous exécutez maintenant le programme et que vous cliquez sur l'élément Ouvrir dans le menu Fichier, vous remarquerez que ce dernier comporte dans sa partie supérieure un nouvel élément Ouvrir. Chaque clic sur cet élément en fera apparaître un autre :

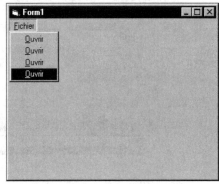

Fonctionnement

Lorsqu'une valeur d'index est spécifiée pour un contrôle ou un élément de menu, un nouveau paramètre est défini pour les événements : Index. Il s'agit du numéro d'index du contrôle qui déclenche l'événement. Tous les contrôles partageant le même gestionnaire d'événements, il est possible d'écrire du code qui se réfère à cette propriété Index et détermine exactement le contrôle concerné. Dans notre cas, néanmoins, nous n'en ajoutons qu'un et appelons la commande Load, destinée à charger un nouvel élément dans le groupe de contrôles.

Conséquence, le dernier élément Ouvrir du menu doit rester sélectionné ; sinon, en effet, le code tente de charger un élément de menu avec un index déjà existant et provoque alors une erreur en phase d'exécution, à moins que vous n'ayez déjà défini des procédures pour pallier ce genre de dysfonctionnement.

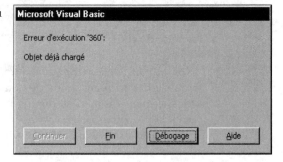

Dans un prochain chapitre, nous nous intéresserons aux collections, qui peuvent s'avérer réellement précieuses si vous devez produire du code pour gérer intelligemment ce genre de situation.

Pour une conception adaptée

Quelle que soit votre opinion sur Windows (pas trop mauvaise, espérons-le), il est au moins un point incontestable : nous devons viser une homogénéité maximale de l'interface utilisateur entre les différentes applications.

Microsoft a publié des directives sur la présentation requise des programmes Windows. La version Windows 95 comporte de nombreux changements qu'il vaut mieux s'efforcer de respecter. La meilleure source d'information n'est autre que *The Windows Interface Guidelines for Software Design* (Microsoft Press 1995)

> *Plusieurs autres livres consacrés à ce sujet traitent de la conception des interfaces graphiques utilisateur (GUI). Tout ouvrage dont le titre inclut le sigle GUI devrait pouvoir vous servir. N'hésitez pas à aller faire un tour en librairie si cela vous intéresse.*

Dans le cas des menus, n'oubliez pas ce principe essentiel : plus ils sont proches des applications auxquelles sont habitués les utilisateurs, plus ces derniers trouveront votre programme facile à utiliser.

Résumé

Les menus sont des outils très utiles, tant pour le développeur (vous) que pour les utilisateurs des applications. Dans ce chapitre, vous avez appris à :

- ❑ Créer de nouveaux menus *ex nihilo*
- ❑ Imbriquer des menus et sous-menus
- ❑ Changer l'ordre des éléments de menus
- ❑ Ajouter une barre de séparation aux menus
- ❑ Ajouter du code aux menus
- ❑ Transformer un menu standard en menu popup
- ❑ Intituler des menus de manière standard

Dans le prochain chapitre, nous nous intéresserons aux boîtes de dialogue, fenêtres d'informations qui apparaissent sur demande et assurent de nombreuses fonctions. Certaines d'entre elles, comme les boîtes de dialogue courantes que nous utilisons pour enregistrer et charger des fichiers, 'affichent à la suite d'une sélection dans un menu.

Que diriez-vous d'essayer ?

1   Combien y a-t-il de touches de raccourci disponibles dans le créateur de menus ?

2   Essayez d'affecter la même touche de raccourci à plusieurs options de menus. Que se passe-t-il ?

3   Créez une feuille avec un menu contenant un élément : un groupe de contrôles (sa propriété Index n'est donc pas vide). Placez sur la feuille un bouton de commande qui crée un autre membre du groupe de contrôles lorsque l'utilisateur clique dessus.

4   Modifiez le dernier exercice en créant un autre bouton de commande qui retire les membres du groupe de contrôles du menu lorsque l'utilisateur clique dessus.

5   Créez une feuille qui affiche un menu popup quand l'utilisateur clique du bouton droit à un endroit quelconque de cette feuille.

Les boîtes de dialogue

Les boîtes de dialogue constituent un moyen pratique d'obtenir des informations de la part de vos utilisateurs et de leur en donner. Elles servent à focaliser l'attention de l'utilisateur sur le travail en cours et sont donc très utiles dans les applications Windows.

Il existe différents types de boîtes de dialogue, chacune adaptée à un but particulier. Dans ce chapitre, nous les examinerons toutes et étudierons la manière et le moment de les utiliser.

Dans ce chapitre, nous aborderons les points suivants :

- ❑ Qu'est-ce qu'une boîte de dialogue
- ❑ Quand utiliser les boîtes de dialogue
- ❑ La modalité
- ❑ Les boîtes de message
- ❑ Les boîtes de saisie
- ❑ Les boîtes de dialogue communes
- ❑ Les boîtes de dialogue personnalisées

Introduction aux boîtes de dialogue

Si vous fréquentez un programmeur Windows, ou si vous feuilletez un magazine sur Windows, vous rencontrerez très rapidement le terme **boîte de dialogue**. Les boîtes de dialogue sont de petites fenêtres qui apparaissent de temps en temps dans Visual Basic et dans Windows en général pour vous donner un message d'erreur ou vous demander des informations supplémentaires relatives à une certaine opération.

Par exemple, si vous essayez de quitter Word sans avoir enregistré votre fichier, vous verrez apparaître ceci :

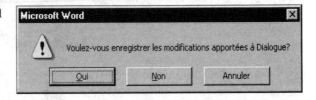

Nous avons déjà très brièvement utilisé des boîtes de message, des boîtes de saisie et des boîtes de dialogue communes dans les chapitres précédents. Je vous avais promis de vous expliquer tout ça plus tard et voilà : nous y sommes !

Bien que les boîtes de dialogue soient communes à tous les programmes, leur apparence peut être complètement différente selon leur type. Mais toutes ne sont pourtant que des variations des quatre types de base.

Les boîtes de message

Les boîtes de message sont très utiles pour alerter l'utilisateur et lui demander une réponse. Voilà un exemple de boîte de message :

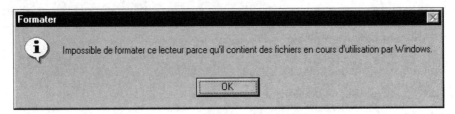

Dans Visual Basic, les boîtes de message sont appelées par `MsgBox` et il en existe deux sortes :

❑ En tant qu'**instruction,** les boîtes de message affichent le texte que l'utilisateur doit valider en cliquant sur l'un des boutons également affichés.

❑ En tant que **fonction**, les boîtes de message donnent l'identité du bouton sur lequel l'utilisateur a cliqué. Ainsi, lorsque vous utilisez `MsgBox` comme fonction, vous devez utiliser cette syntaxe :

```
Returnval = MsgBox("Bonjour ", vbYesNo)
```

Les boîtes de saisie

Dans Visual Basic, les boîtes de saisie sont appelées par `InputBox`. Une boîte de saisie contient un message qui permet à l'utilisateur d'entrer une ligne de texte :

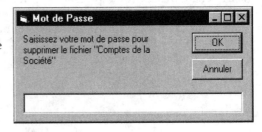

Les boîtes de saisie sont vraiment utiles lorsqu'il s'agit d'obtenir rapidement des informations auprès de l'utilisateur.

Les boîtes de dialogue communes

Les boîtes de dialogue communes comportent différentes boîtes de dialogue standard Windows relatives aux paramètres du système. Par exemple :

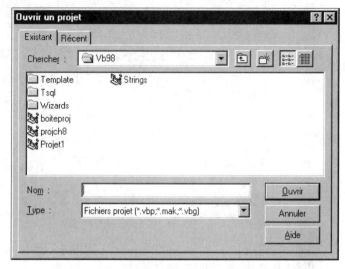

Les boîtes de dialogue communes peuvent être appelées dans VB à l'aide de la commande `CommonDialog1.Showxxxxx` une fois que le contrôle Boîte de dialogue commune a été ajouté à la feuille. La partie `xxxxx` détermine le type de boîtes de dialogue communes affichées. Vous pouvez utiliser des boîtes de dialogue communes dans différents buts, y compris pour l'impression, l'enregistrement d'un fichier, son ouverture, la modification des couleurs ou d'une police, etc.

Les boîtes de dialogue personnalisées

Les boîtes de dialogue personnalisées sont des feuilles standard Visual Basic dédiées à un seul message ou à une seule fonction et conçues pour ressembler à une boîte de message. En programmation, elles sont nommées `frmYourName`, par exemple, ce qui est une feuille d'utilisateur développée par vous-même et à laquelle vous avez attribué un nom. Si vous démarrez votre propre entreprise, appelée par exemple Hamster Shareware, vous pourriez développer une feuille qui ressemblerait à ça (vous reconnaissez les boutons de commande VB situés en bas dans le coin droit) :

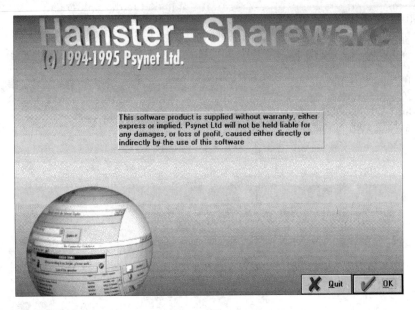

Dans ce chapitre, nous examinerons chaque type de boîte de dialogue et nous apprendrons à les utiliser dans des applications.

Quand utiliser les boîtes de dialogue

Bien que les boîtes de dialogue représentent une partie importante de la boîte à outils d'un programmeur, elles sont très différentes des feuilles et des fenêtres auxquelles vous êtes habitué.

Généralement, les feuilles sont utilisées pour gérer des données fondamentales pour votre application, car votre programme a effectivement été écrit dans ce but. Dans une base de données client par exemple, vos feuilles affichent les détails d'un client, ou les obtiennent auprès de l'utilisateur. Les boîtes de dialogue sont également utilisées pour obtenir des informations sur le fonctionnement du programme lui-même et pas forcément sur les données qu'il traite :

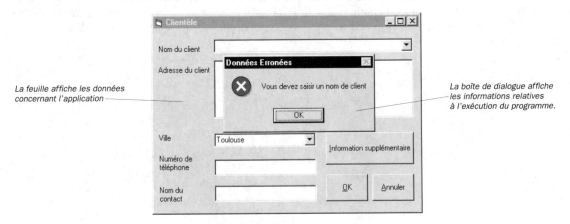

La feuille affiche les données concernant l'application

La boîte de dialogue affiche les informations relatives à l'exécution du programme.

Prenons un autre exemple : si votre utilisateur a décidé que la police utilisée dans votre application avait besoin d'être changée, vous afficheriez alors une boîte de dialogue de police. Cela n'affecte en rien le fonctionnement de votre programme : cela contrôle juste la manière dont le programme lui-même fonctionne.

Les boîtes de dialogue vous permettent d'afficher et d'obtenir des informations relatives à ce que votre programme est en train de faire, d'afficher des messages d'erreurs ou d'avertir l'utilisateur s'il est en train de faire quelque chose de potentiellement dangereux. Mais il ne faut pas trop habituer l'utilisateur à obtenir des informations relatives aux données du programme car il s'attend à voir des feuilles appropriées à cela. Rien ne vous empêche cependant d'utiliser des boîtes de dialogue pour obtenir des données. L'idée qui sous-tend cependant Windows est de tout conserver selon la norme. On peut énoncer la règle (très) générale suivante : utilisez des boîtes de dialogue pour les informations relatives aux programmes ou au système et utilisez les feuilles pour les données du programme.

Les boîtes de message

La forme la plus simple de boîte de dialogue dans Visual Basic est appelée **boîte de message** et nous allons bien l'examiner, car elle est très importante dans le fonctionnement quotidien de la plupart des programmes Visual Basic.

Les composants d'une boîte de message

Commençons par regarder une boîte de message type :

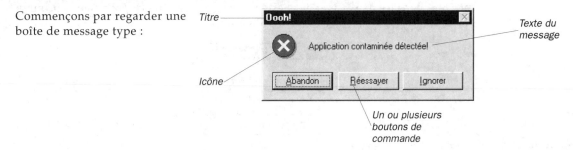

Toutes ces caractéristiques de la boîte de message peuvent être définies à l'aide d'une seule petite ligne de code, avec la commande `MsgBox`.

Les boîtes de message s'imposent lorsque vous devez envoyer à l'utilisateur un message simple, comme un message d'erreur ou un avertissement. Lorsque vous fermez un fichier dans Word, par exemple, une boîte de message apparaîtra contenant les boutons <u>O</u>ui, <u>N</u>on et **Annuler** et vous demandant si vous voulez enregistrer les modifications apportées au fichier.

Passons à la pratique ! Créer une boîte de message simple

Créons une boîte de message simple qui pourrait s'afficher lorsque l'utilisateur cliquerait sur **Quitter** dans votre application et qui demanderait confirmation pour fermer le programme.

1   Chargez Visual Basic et créez un nouveau projet standard.

2 Nous allons nous débarrasser de la feuille de ce projet et simplement utiliser un message à la place. Supprimez la feuille du projet en sélectionnant <u>S</u>upprimer Form1 dans le menu <u>P</u>rojet.

3 Puis, ajoutez un nouveau module en sélectionnant <u>P</u>rojet, Ajouter <u>M</u>odule puis tapez le code suivant dans la fenêtre de code lorsque vous avez ouvert un nouveau module :

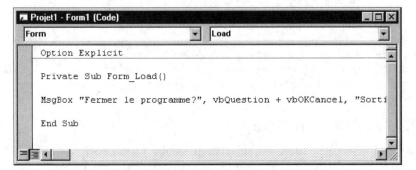

```vb
Option Explicit

Private Sub Form_Load()

MsgBox "Fermer le programme?", vbQuestion + vbOKCancel, "Sorti

End Sub
```

4 Et maintenant, lancez le programme. Vous verrez une boîte de message apparaître vous demandant si vous voulez fermer le programme. A ce moment pourtant, que vous cliquiez sur OK ou sur Annuler, cela aura le même effet : le programme s'arrêtera dans les deux cas. Vous verrez comment résoudre ce problème dans un petit moment. Et voilà le message que vous devriez voir :

Fonctionnement

La boîte de message que vous venez juste de réaliser est du type le plus simple : elle a été créée à partir d'un appel à MsgBox. Mais le programme n'a aucun moyen de savoir quel bouton a été cliqué : la boîte de message prend simplement le clic du bouton dans la foulée, se ferme, et comme il n'y a pas de feuille, ni d'autre code dans le projet, elle emporte le programme avec elle.

Lorsqu'une boîte de message est ouverte, votre programme s'arrêtera de fonctionner et attendra votre réponse. Une fois que vous avez cliqué sur l'un des boutons, l'exécution revient sur la ligne de votre code faisant suite à l'instruction MsgBox. Dans notre cas, il n'y a rien d'autre, donc le programme se termine.

Examinons le code que vous venez juste de saisir. MsgBox est la commande Visual Basic qui affiche un message (pas vraiment surprenant). Rappelez-vous qu'il existe deux types d'appel à MsgBox dans Visual Basic : l'un est sous forme de procédure (celle que nous avons utilisée ici) et l'autre sous forme de fonction. Vous vous souvenez également que la fonction vous renvoie un nombre qui vous permet de voir quel bouton a été pressé.

Immédiatement après la commande `MsgBox` se trouve une chaîne de caractères :

```
"Fermer le programme ?"
```

Voilà le message que nous voulons voir s'afficher.

Il existe deux constantes de messages Visual Basic utilisées pour préciser l'icône qui apparaîtra dans la boîte et les boutons qui seront disponibles pour l'utilisateur : `vbQuestion` et `vbOKCancel`.

```
vbQuestion + vbOKCancel
```

Quelques-unes de ces constantes sont à votre disposition ; nous en verrons la liste complète dans un moment. Dans cet exemple particulier, nous disons à Visual Basic d'afficher une boîte de message avec une icône point d'interrogation (indiqué par `vbQuestion`), ainsi que les boutons OK et Annuler (indiqués par `vbOKCancel`).

La dernière partie de la commande consiste en une autre chaîne de caractères :

```
"Sortie"
```

Examinons encore une fois la écran et vous remarquerez que ce texte est utilisé pour la barre de titre de la boîte de message.

Longueur du message

Si vous placez un message trop long, Windows le divisera automatiquement en plusieurs lignes, mais cette propriété certes très pratique peut malgré tout rendre la boîte de message quelque peu illisible. Si vous voulez définir les sauts de ligne vous-même, vous pouvez insérer un caractère `chr$(10)` comme cela :

```
MsgBox "Ceci est un " & chr$(10) & "message multi-ligne."
```

Et vous obtenez la boîte de message suivante :

La fonction `chr$()` renvoie le caractère associé au numéro entre parenthèses (reportez-vous au chapitre 3 pour les codes ASCII). Quant à `chr$(10)`, elle renvoie un caractère de changement de ligne qui entraîne le début d'une nouvelle ligne.

> Et comme c'est souvent le cas dans Visual Basic, il y a en fait une constante prédéfinie qui vous évite de taper toutes ces instructions encombrantes `chr$()`. La constante `vbCrLf` équivaut exactement à taper `chr$(10) & chr$(13)`, mais sans risquer de l'écrire dans le mauvais sens et d'aboutir ainsi à d'étranges résultats dans votre programme.

Sélectionner le type de boîtes de message

Je viens de parler des constantes des boîtes de message Visual Basic. Vous pouvez les utiliser pour déterminer l'icône et les boutons qui vont apparaître dans la boîte de message. Trouvez simplement la constante de l'icône désirée et ajoutez la constante du bouton dans votre code.

Nous allons bien les examiner et nous étudierons également la manière de les utiliser dans les messages, mais tout d'abord, vérifions les listes suivantes :

Options des boutons de la boîte de message

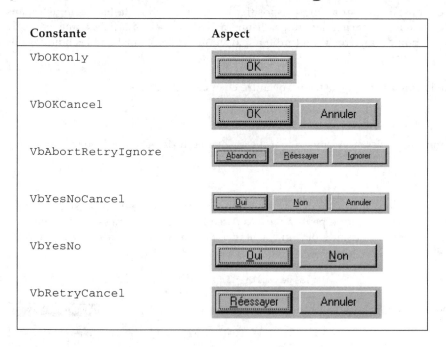

Constante	Aspect
VbOKOnly	OK
VbOKCancel	OK · Annuler
VbAbortRetryIgnore	Abandon · Réessayer · Ignorer
VbYesNoCancel	Oui · Non · Annuler
VbYesNo	Oui · Non
VbRetryCancel	Réessayer · Annuler

Options des icônes de la boîte de message

Constante	Aspect
VbCritical	✖
VbQuestion	?

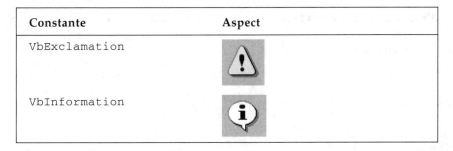

Constante	Aspect
VbExclamation	
VbInformation	

Construire le paramètre MsgBox

Pour afficher une boîte de message particulière, étudiez d'abord le tableau ci-dessus et choisissez-y ce que vous voulez. Pour notre exemple, nous voulons des boutons **OK** et **Annuler**. La constante que nous devions donc utiliser était vbOKCancel. Choisissez ensuite l'icône désirée dans le tableau correspondant. Nous voulions une icône d'interrogation et nous avons donc utilisé la constante vbQuestion. Vous n'avez qu'à additionner les deux constantes (vbOKCancel + vbQuestion) et voilà, vous avez ce que vous vouliez : une boîte de message munie des boutons **OK** et **Annuler** et d'une icône d'interrogation !

La fonction MsgBox

J'ai dit auparavant qu'en utilisant la fonction MsgBox, il était possible de trouver quel bouton avait été pressé. Vous pouvez utiliser cette information pour effectuer l'action appropriée dans votre programme en fonction du bouton cliqué.

L'événement de la feuille QueryUnload survient juste avant le déchargement d'une feuille. Nous pourrions donc utiliser la fonction boîte de message ici. Par exemple, nous pourrions mettre une boîte de message avec des boutons **Oui** et **Non**, puis répondre en fonction du bouton cliqué par l'utilisateur. Et comme cette fois, nous utilisons une fonction et non pas une sous-routine, la syntaxe de MsgBox est quelque peu différente. Nous devons donc maintenant mettre les paramètres entre parenthèses.

L'événement QueryUnload *diffère de l'événement* Unload *car il survient avant que la feuille ne se décharge et non pas après. Cette différence peut paraître insignifiante, mais elle peut faire toute la différence au moment de la fermeture de la boîte de message.*

Passons à la pratique ! La fonction MsgBox

1   Créez un nouveau projet standard Visual Basic.

2   Comme d'habitude, détruisez la feuille et créez un module à la place.

3   Entrez ce code dans la fenêtre de code qui est apparue :

```
Public Sub Main()

  Dim iResponse As Integer

  iResponse = MsgBox("Cliquez sur l'un des boutons ",
       ↳vbAbortRetryIgnore + vbInformation, "Cliquez-moi")
  MsgBox "Vous avez cliqué sur le code de bouton " & iResponse

End Sub
```

4   Et maintenant exécutez le programme. Le premier message est une fonction qui vous demande de cliquer sur l'un des boutons :

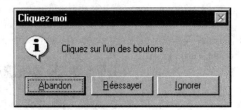

5   La valeur du bouton sur lequel vous avez cliqué est alors assignée à la variable iResponse. Cette dernière est alors imprimée comme faisant partie de la deuxième instruction MsgBox :

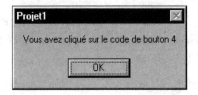

Fonctionnement

Le numéro du bouton sur lequel vous avez cliqué correspond à d'autres constantes intrinsèques de Visual Basic :

Valeur	Nom	Constantes
1	OK	VbOK
2	Cancel	VbCANCEL
3	Abort	VbABORT
4	Retry	VbRETRY

Valeur	Nom	Constantes
5	Ignore	VbIGNORE
6	Yes	VbYES
7	No	VbNO

Comme vous l'avez probablement deviné, vous pouvez, à partir de cette liste, vérifier la valeur retournée en utilisant soit les numéros montrés, soit les constantes intégrées de Visual Basic. Cette dernière possibilité est évidemment une bien meilleure idée puisque cela rend votre code immédiatement compréhensible à n'importe quel programme, ainsi qu'à vous-même lorsque vous reviendrez à votre code pour le modifier.

> Si vous vous retrouvez fréquemment en train de taper des instructions MsgBox qui comportent des icônes et des boutons identiques mais un texte différent, pourquoi ne pas définir une sous-routine globale pour les traiter ? C'est l'utilisation la plus courante d'une routine d'erreur globale, comme celle montrée ci-dessous :

```
Public Sub ErrorMessage (ByVal sError as String)

      MsgBox sError, vbCritical, "Erreur"

End Sub
```

> De cette manière, tout votre code de message d'erreur est conservé à un seul endroit et vous n'avez pas à vous inquiéter de savoir si votre numéro de MsgBox est le bon, ou si vous devez conserver le même titre d'une boîte de message à l'autre. Cela facilite également la maintenance de votre code. Si vous devez modifier le gestionnaire d'erreurs, faites-le dans un seul module et non pas dans chaque module. Ainsi, si un utilisateur vous demande de placer tous les messages d'erreurs dans un fichier texte du disque dur, vous n'aurez plus qu'à rajouter quelques lignes de code à une seule routine, plutôt qu'à une centaine, voire plus. Vous devez placer ce type de routine globale dans son propre module .BAS.

La modalité

Par défaut, toutes les boîtes de message sont **modales par rapport à l'application**. Cela signifie que pendant qu'une boîte de message est visible, aucune autre fenêtre de votre application ne peut avoir le focus. L'utilisateur doit répondre au message avant de pouvoir faire quoi que ce soit d'autre dans cette application. Mais il peut toujours passer à d'autres applications en cliquant sur la barre des tâches ou en utilisant *Alt+Tab*.

Si vous avez une boîte de message très importante et que vous souhaitez qu'elle ait la priorité sur tout le reste (y compris sur les autres programmes Windows), ce que vous voulez vraiment est une boîte de dialogue **modale par rapport au système**. Cela vous donnera une boîte de message qui restera visible, même si l'utilisateur passe à une autre application.

La modalité du système est sélectionnée en ajoutant encore une constante Visual Basic à ce paramètre. Dans ce cas, la constante est vbSystemModal.

Passons à la pratique ! Créer une boîte de message modale système

1   Démarrez un nouveau projet dans Visual Basic.

2   Double-cliquez sur la feuille par défaut pour afficher la fenêtre de code avec l'événement Form_Load.

3   Ajoutez la ligne de code suivante à l'événement Load :

```
Private Sub Form_Load()

  Msgbox "Ceci est une boîte de message modale système. Essayez de cliquer sur une
autre feuille ", vbSystemModal

End Sub
```

4   Exécutez le programme. Juste avant que la feuille par défaut n'apparaisse, une boîte de message surgit. C'est une boîte de dialogue modale système : elle signifie que vous ne pouvez rien faire d'autre dans l'application jusqu'à ce que vous cliquiez sur le bouton OK et elle reste également en plein milieu de l'écran lorsque vous passez à d'autres applications.

Ce type de boîte de message est parfait pour les messages d'erreurs vraiment graves, puisque quel que soit l'endroit où se trouve l'utilisateur dans Windows, il ne pourra pas y échapper.

Dans Windows 3.x, les boîtes de dialogue modales système vous empêchaient de passer d'application en application. Vous n'aviez pas d'autre choix que de voir la boîte de message. Windows 95, en revanche, exécute chaque application dans son propre espace de mémoire protégé, l'isolant efficacement des autres applications que vous êtes en train d'exécuter. Vous ne pouvez interférer avec le système pour stopper d'autres applications comme vous pouviez le faire dans les versions précédentes de Windows. Voilà une bonne nouvelle pour ceux d'entre nous qui ont déjà vu une application ratée détruire tout le système.

Les boîtes de saisie

Les boîtes de message sont parfaites lorsque vous voulez transmettre des informations à l'utilisateur et le forcer à appuyer sur un seul bouton ; mais que se passe-t-il lorsque vous devez obtenir plus d'informations ? Eh bien, c'est là que la boîte de saisie trouve son utilité.

Les boîtes de saisie sont étroitement liées aux boîtes de message puisqu'elles aussi sont d'apparence et d'utilisation simples et qu'elles aussi peuvent afficher un message à l'utilisateur. La différence est qu'une boîte de saisie peut accepter des données provenant de l'utilisateur :

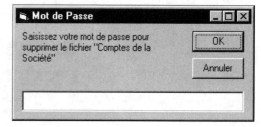

Quand utiliser les boîtes de saisie

Malgré leur apparente facilité d'utilisation, les boîtes de saisie sont très rarement utilisées dans les applications dernier cri. Les principales raisons en sont très simples :

❑ Les boîtes de saisie ne peuvent pas être programmées : il n'existe donc aucun moyen de valider les données entrées par un utilisateur jusqu'à ce qu'il ait effectivement terminer de les saisir. Par exemple, si vous utilisez une feuille standard, vous pourriez y placer une zone de texte et ajouter du code aux événements KeyPress ou Change pour vérifier que l'utilisateur fait bien ce qu'il faut. Ce qui est impossible à faire avec une boîte de saisie.

❑ Elles permettent uniquement à l'utilisateur d'entrer une seule information. Les programmeurs ont généralement besoin de plus que ça et utilisent donc une feuille personnalisée à la place.

❑ Et en fait, elles ne sont pas si terribles que ça. Lorsque vous développez sous Windows, vous devez finalement avoir la même attitude que quand vous achetez des vêtements à la mode : vous ne voulez pas porter les mêmes vieilleries que les autres. Et les boîtes de dialogue personnalisées sont un cran au-dessus des boîtes préconstruites.

Malgré leurs inconvénients, les boîtes de saisie constituent un moyen rapide et facile d'obtenir une seule information de votre utilisateur. Cela vaut donc la peine que nous nous y penchions.

Passons à la pratique ! Une boîte de saisie

1 Démarrez un nouveau projet dans Visual Basic, supprimez la feuille et créez un module comme d'habitude.

2 Tapez les lignes suivantes dans la fenêtre de code :

```
Public Sub Main ()

Dim sReturnString As String
sReturnString = InputBox$("Entrez votre nom", "Votre nom", "Fred")
MsgBox "Bonjour ! " & sReturnString, vbOK, "Bonjour"

End Sub
```

3   Exécutez le programme et vous devriez voir la boîte de saisie apparaître exactement comme cela :

4   Le nom par défaut, Fred, est mis en surbrillance dans la boîte de saisie. Si vous ne voulez pas le modifier, cliquez juste sur OK et regardez ce qui se passe.

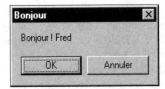

Fonctionnement

Et maintenant, le premier choc. Bien que la boîte de saisie et la boîte de message proviennent toutes deux de la même famille de commandes, vous ne pouvez pas dire à Visual Basic d'afficher une icône, ni lui indiquer quels boutons afficher.

Les paramètres que vous pouvez saisir sont relativement simples. C'est l'exemple que nous venons de voir :

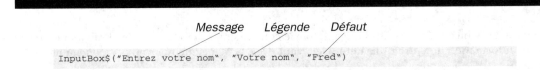

Message   Légende   Défaut

```
InputBox$("Entrez votre nom", "Votre nom", "Fred")
```

Le premier bloc de texte constitue l'invite, dans ce cas, c'est "Entrez votre nom". Dans une boîte de message, il s'agit de ce que l'on nomme « l'invite ». Puis, vient le titre qui est le même que celui de la boîte de message. Et finalement, le troisième paramètre est considéré comme le paramètre par défaut. Et voilà la valeur qui est automatiquement affichée dans la boîte de saisie lorsqu'elle se charge.

Positionner votre boîte de saisie

Il existe deux autres paramètres que nous n'avons pas utilisés dans l'exemple ci-dessus : X et Y. Ce sont les coordonnées du futur emplacement de votre boîte de saisie. Dans un souci de précision, je dirais que les coordonnées X et Y se mesurent en twips, mais c'est un sujet que nous traiterons plus en détails dans le chapitre suivant.

Si Autofill *est enclenché, vous aurez remarqué qu'il existe deux paramètres supplémentaires appelés* Helpfile *et* Context*. Ils sont à utiliser avec les fichiers d'aide de votre application, mais ne font pas partie du domaine traité dans un manuel pour débutants. Donc, ignorez-les pour le moment.*

Tout ce que vous avez besoin de savoir pour l'instant, c'est que X est un nombre qui commence à 0 et qui augmente au fur et à mesure que les coordonnées se déplacent vers le coin droit de l'écran. La valeur maximale dépend de la résolution de l'écran. La coordonnée Y commence à 0 en haut de l'écran et augmente au fur et à mesure qu'elle descend vers le bas de l'écran.

Passons à la pratique ! Positionner la boîte de saisie

1 Essayez d'ajouter 0,0 après le troisième paramètre dans la commande de la boîte de saisie ci-dessus :

```
InputBox$("Entrez votre nom ", "Votre nom ", "Fred",0,0 )
```

2 Relancez le programme pour voir ce qui se passe. La boîte de saisie apparaît maintenant dans le coin supérieur gauche de l'écran.

Types de données et boîtes de saisie

Comme avec la boîte de message, il existe deux commandes de boîtes de saisie, mais cette fois, les deux sont des fonctions – l'une renvoie une valeur de type chaîne prête à aller directement dans une variable de type chaîne, tandis que l'autre renvoie un Variant :

❑ InputBox$ - qui renvoie une chaîne appropriée à votre code

❑ InputBox – qui renvoie une information de type Variant

Si vous voulez obtenir des chiffres ou des dates, vous devrez utiliser InputBox. Par exemple :

```
Private Sub Form_Load ()

    Dim varValeur As Variant
    Dim nAge As Integer

    varValeur = InputBox("Entrez votre âge ", "Age", "23")
    If IsNumeric(varValeur) Then
        nAge = Val(varValeur)
    Else
        MsgBox "Non, non, non – entrez un chiffre!", ,
            ↳"Erreur de l'utilisateur "

    End If

End Sub
```

Les boîtes de dialogue communes

Avez-vous déjà remarqué que dans tous les programmes Windows, la même boîte de dialogue apparaît lorsque vous essayez de charger ou d'enregistrer quelque chose ? Avez-vous également remarqué que dans la plupart des programmes, les boîtes de dialogue Police, Couleur et Imprimante sont identiques ?

La raison à cela en est la bibliothèque commune de boîtes de dialogue. Toutes les fonctions de Windows qui permettent à des programmes comme Visual Basic de créer des fenêtres, de déplacer des graphiques, de modifier les couleurs, etc., sont stockées dans des fichiers appelés bibliothèques à liens dynamiques, ou DLL. La boîte de dialogue commune DLL en est un exemple. Dans Visual Basic 6, se trouve un contrôle personnalisé OLE, Comdlg32.ocx, qui facilite l'utilisation des fonctions de cette DLL.

> *Une DLL est un ensemble de fonctions et de procédures généralement écrites en C ou en C++ que vous pouvez utiliser dans vos programmes pour accéder à des fonctionnalités de Windows qui ne sont normalement pas disponibles. En fait, l'utilisation des DLL n'est pas forcément simple, donc Visual Basic a inclus la plupart des fonctions des DLL dans les contrôles ActiveX. Comdlg32.ocx vous permet d'utiliser très facilement les fonctions de Comdlg32.dll. Au lieu d'employer d'étranges instructions de déclarations et beaucoup de code, vous pouvez maintenant appeler les fonctions DLL simplement en modifiant leurs propriétés. Nous examinerons plus tard comment utiliser les DLL qui ne possèdent pas leur propre contrôle ActiveX lorsque nous nous immergerons dans le monde des API Windows.*

Utiliser les boîtes de dialogue communes

Le contrôle Boîte de dialogue commune offre cinq boîtes de dialogue communes qui permettent d'ouvrir les fichiers, de les enregistrer, de les imprimer, d'en choisir les couleurs et les polices. Il existe également une sixième fonction du contrôle qui ne donne pas réellement de boîte de dialogue, mais qui démarre le moteur d'aide en-ligne de Windows. Je ne le compte donc pas comme une boîte de dialogue commune en tant que telle, bien que ce soit une fonctionnalité de ce contrôle.

Les boîtes de dialogue n'influencent en rien votre application ou ses données. Elles reçoivent tout simplement les choix de l'utilisateur et renvoient les valeurs de ces choix à votre programme *via* les propriétés du contrôle Boîte de dialogue commune.

En fait, la programmation des boîtes de dialogue communes se rapproche d'un exercice ésotérique. Bien qu'il y ait cinq manifestations de la boîte de dialogue commune, il n'existe qu'un seul contrôle Boîte de dialogue commune. Ce contrôle unique est doté de différentes méthodes Show qui appellent chaque boîte de dialogue :

Nom	Méthode
Ouvrir Fichier	ShowOpen
Enregistrer Fichier	ShowSave
Couleur	ShowColor
Police	ShowFont
Imprimer	ShowPrinter
Aide	ShowHelp

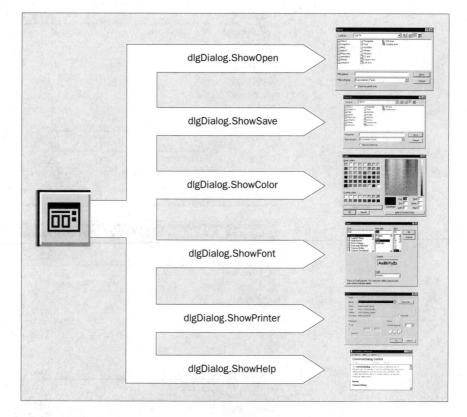

Tout d'abord, les boîtes de dialogue communes peuvent avoir l'air un peu étranges. Il y a tellement de contrôles auxquels il faut penser qu'il doit sûrement y avoir beaucoup de code là-dedans ! C'est ce qui fait la vraie beauté des boîtes de dialogue communes : elles peuvent donner une énorme quantité d'informations et de fonctionnalités à votre utilisateur, mais ne nécessitent qu'une petite quantité de code de votre part.

Les boîtes de dialogue Ouvrir et Enregistrer Fichier

Les boîtes de dialogue communes Ouvrir et Enregistrer fichier sont identiques à la fois dans leur apparence et dans leur fonction. Elles affichent toutes deux des listes de lecteurs, de répertoires et de fichiers et permettent à l'utilisateur de se déplacer dans le disque dur à la recherche d'un nom de fichier. Il existe également une zone de saisie de texte dans laquelle le nom de fichier sélectionné est affiché ou dans laquelle un nouveau nom de fichier peut être entré. Finalement, à la droite de la boîte de dialogue, se trouvent des boutons du type OK et Annuler qui permettent à l'utilisateur d'accepter ou d'annuler leur choix.

Et voilà la boîte de dialogue commune Ouvrir en action :

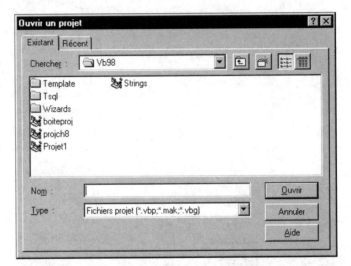

Et voilà la boîte de dialogue commune Enregistrer à son tour en action :

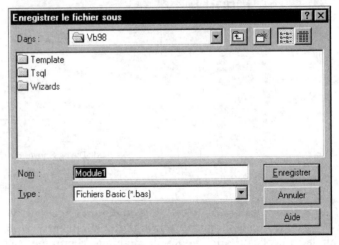

Voyons comment elles sont utilisées dans un programme qui affiche une boîte de dialogue d'ouverture de fichier.

Passons à la pratique ! Une boîte de dialogue d'ouverture de fichier

1 Créez un nouveau projet.

2 Assurez-vous qu'il comporte bien le contrôle Boîte de dialogue commune.

Si vous ne voyez pas son icône dans la boîte à outils, vous pouvez l'ajouter en sélectionnant **C**omposants... dans le menu **P**rojet et en vérifiant l'option **Microsoft Common Dialog Control 6.0** :

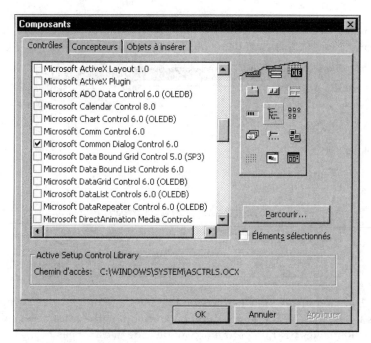

3 Placez l'icône de boîte de dialogue commune sur la feuille. Elle ressemble tout à fait au contrôle Minuterie en ce qu'elle se trouve juste sur la feuille et ne peut pas être redimensionnée. Au moment de l'exécution, elle n'apparaît pas non plus sur la feuille, donc peu importe l'endroit où vous la placez.

4 Faites apparaître la feuille de code de la fenêtre et tapez le code suivant dans l'événement `Load` :

```
Private Sub Form_Load()

    On Error GoTo ErreurDialogue
```

```
    With CommonDialog1

        .CancelError = True
        .Filter = "Executables (*.exe)|*.exe|Com Files
            ↳ (*.com)|*.com|Batch Files (*.bat)|*.bat"
        .FilterIndex = 1
        .DialogTitle = "Choisissez le programme à utiliser"
        .ShowOpen

        MsgBox "Vous avez sélectionné " & .filename

    End With

ErreurDialogue:

End Sub
```

5   Si vous exécutez le programme maintenant, une boîte de dialogue d'ouverture de fichier apparaîtra et vous demandera de sélectionner le nom d'un fichier :

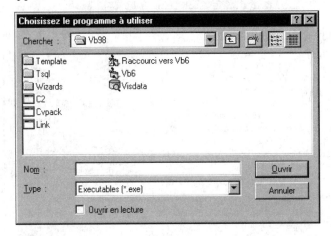

6   La liste déroulante située en bas de la boîte de dialogue vous permet de sélectionner les types de fichiers que vous voulez voir apparaître dans la liste. C'est beaucoup de fonctionnalités pour un petit morceau de code, n'est-ce pas ?

Fonctionnement

Afin de décider laquelle des six boîtes de dialogue communes vous allez sélectionner et comment tout cela devrait fonctionner, vous devez passer en revue les propriétés du contrôle et les définir de manière adéquate avant de lancer la boîte de dialogue.

Dans les quelques pages qui suivent, nous traiterons chacune de ces propriétés en profondeur ; mais pour l'instant, une partie de ce code nécessite notre attention. C'est le bloc `With...End With` que nous utilisons pour passer en revue les propriétés :

```
With CommonDialog1

 .CancelError = True
 .Filter = "Executables (*.exe)|*.exe|Com Files
      ↳ (*.com)|*.com|Batch Files (*.bat)|*.bat"
 .FilterIndex = 1
 .DialogTitle = "Choisissez le programme à utiliser"
 .ShowOpen

 MsgBox "Vous avez sélectionné " & .filename

End With
```

Dire à l'avance à quelle instruction se rapporte `With CommonDialog1` présente un avantage : nous n'avons pas besoin de retaper `CommonDialog1` avant chaque propriété que nous avons à définir. Visual Basic suppose que chaque propriété mentionnée dans le bloc `With CommonDialog1` se rapporte à l'objet `CommonDialog1`.

L'utilisation de `With...End With` non seulement vous évite de taper, mais en décalant le code à l'intérieur du bloc, vous permet de rendre ainsi beaucoup plus lisible et aussi plus rapide (Visual Basic n'a plus à se représenter quelle ligne de code traite quel objet puisque vous le lui avez déjà dit). Il n'y a rien de plus fatigant que de lire des lignes et des lignes de :

```
dlgDialogue.Propriété =
dlgDialogue.Propriété =
dlgDialogue.Propriété =
dlgDialogue.Propriété =
```

Paramétrer la boîte de dialogue d'ouverture de fichier

Le contrôle Boîte de dialogue commune ne ressemble pas aux autres contrôles de Visual Basic car il ne possède aucun événement. A la place, vous interagissez avec lui en y fixant diverses propriétés et en utilisant les méthodes `Show`. Comme avec la plupart des contrôles, vous pouvez fixer les propriétés au moment de la création, de l'exécution, ou des deux.

Fixer les propriétés au moment de la création

Au moment de la création, vous avez le choix entre deux options pour fixer les propriétés. Vous pouvez appuyer sur *F4* et faire apparaître la fenêtre habituelle des Propriétés :

Cette fenêtre n'est pas d'une grande aide car elle affiche sans distinction les propriétés de toutes les boîtes de dialogue communes, alors qu'en réalité certaines propriétés ne s'appliquent qu'à certaines boîtes de dialogue, tandis que d'autres tombent dans la catégorie « euh, qu'est-ce que ça vient faire là… ».

Pour vous faciliter la vie, Visual Basic vous offre une belle petite boîte de dialogue à onglets qui organise les propriétés-clés par boîte de dialogue. Vous l'atteignez en double-cliquant sur la propriété (**Personnalisé**) de la fenêtre Propriétés ou en cliquant du bouton droit sur le contrôle lui-même et en sélectionnant **P**ropriétés.

Et voilà à quoi ressemble cette boîte de dialogue :

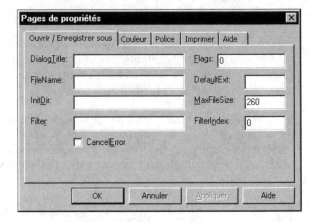

Mais le problème lorsqu'on fixe les propriétés de la boîte de dialogue commune au moment de la création, est qu'elle se verrouille alors en une seule boîte de dialogue. Or tout l'intérêt du contrôle Boîte de dialogue commune est qu'il vous donne six contrôles pour le prix d'un. Cela vaut donc la peine de garder toutes vos options et de ne pas réserver ce contrôle pour un seul type de boîte de dialogue. A la place, il vaut mieux faire ses choix en code.

Fixer des propriétés avec du code

Avant que nous nous occupions d'implémenter le code de mise au point de la boîte de dialogue, voyons quelles propriétés doivent être fixées pour les boîtes de dialogue communes d'ouverture et d'enregistrement :

Propriété	Description
FileName	Le nom entier du fichier sélectionné, c'est-à-dire `C:\Temp\LisezMoi.Doc`. Cette propriété est ce que vous voyez lorsque le fichier a été sélectionné pour être ouvert. Vous fixez rarement ce code directement.
FileTitle	Le nom du fichier sélectionné, mais sans le chemin, c'est-à-dire `LisezMoi.Doc`

Propriété	Description
Filter	Définit les types de fichiers que la boîte de dialogue va montrer. En résumé, vous devez entrer des caractères génériques avec la description de chacun. Par exemple, `dlg.Filter = "Text	*.txt	Icons	*.ico"`. Ceci sélectionne les types de fichiers à afficher dans la liste modifiable en bas de la boîte de dialogue. Pour maintenir l'utilisateur éveillé, fixez cela avant d'appeler la boîte de dialogue.
FilterIndex	Définit le filtre initial à utiliser. Nous avons déjà fixé trois valeurs de filtre pour les fichiers `.exe`, `.com` et `.bat`. Nous avons ensuite fixé `FilterIndex` à 1 avant d'afficher la boîte de dialogue qui a alors affiché uniquement les fichiers qui correspondaient au premier filtre, c'est-à-dire les fichiers `*.exe`, les exécutables. Le régler sur 2 n'afficherait que les fichiers `.com` dans la liste de fichiers, etc.
Flags	Gère le fonctionnement réel de la boîte de dialogue : nous l'étudierons plus tard dans ce chapitre.
InitDir	Spécifie le répertoire initial pour le faire apparaître dans la boîte de dialogue. Ceci suggère à votre utilisateur l'endroit d'où les fichiers devraient provenir.
MaxFileSize	Vous permet d'indiquer à la boîte de dialogue le nombre maximal de caractères que vous voulez voir apparaître pour un nom de fichier.
DialogTitle	En fait, c'est la même chose que la propriété `Caption` d'une feuille.
CancelError	Fixez cela sur True pour déclencher une erreur d'exécution si l'utilisateur presse le bouton **Annuler**. Nous pouvons gérer cette erreur dans notre code si nous utilisons l'instruction `On Error`.

Sélectionner les types de fichiers adéquats

Dans notre précédent exemple de programme, nous avons fixé les propriétés `Filter` et `FilterIndex` de la boîte de dialogue d'ouverture pour contrôler ces types de fichiers énumérés dans la boîte de dialogue :

```
.Filter = "Executables (*.exe)|*.exe|Com Files
    ↳ (*.com)|*.com|Batch Files (*.bat)|*.bat"
.FilterIndex = 1
```

`Filter` contient une chaîne de caractères dans laquelle chaque élément est séparé par un signe `|`.

> Sur la plupart des claviers, le symbole `|` est composé de deux tirets verticaux l'un sur l'autre. Si vous venez d'un environnement UNIX, vous le connaissez sous le nom de *pipe*.

Tout d'abord, vous entrez une description du type de fichier, par exemple : Com Files (*.com). Ces descriptions sont celles qui vont apparaître dans la zone de liste déroulante en bas de la boîte de dialogue. Après chaque description, vous devez alors entrer le caractère étoile pour les fichiers qui correspondent à cette description. Dans ce cas, c'est simplement *.com. Alors que vous sélectionnez les descriptions dans cette zone de liste déroulante, la liste de fichiers change et ne montre plus que les fichiers correspondant à votre demande.

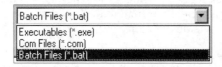

La propriété FilterIndex est un nombre situé entre 1 et le nombre d'éléments du filtre. Elle définit le filtre par défaut ou de démarrage qui doit être utilisé. Dans cet exemple, j'ai utilisé FilterIndex = 1. Le filtre par défaut à utiliser sera donc le premier, Executables (*.exe).

Nommer la boîte de dialogue

A la place de la propriété normale Caption, les boîtes de dialogue communes utilisent la propriété DialogTitle pour afficher le message dans la barre de titres. La ligne suivante l'installe :

```
.DialogTitle = "Choisissez le programme pour ouvrir"
```

Si vous ne fixez pas cette propriété pour votre boîte de dialogue, Visual Basic affichera automatiquement un titre qu'il estime approprié.

Sélectionner et lancer la boîte de dialogue

Finalement, la boîte de dialogue apparaît grâce à la méthode Show appropriée. Par exemple, .ShowOpen montre la boîte de dialogue d'ouverture, .ShowSave montre celle d'enregistrement, etc. Une liste complète de ces méthodes Show a déjà été donnée dans ce manuel.

Lorsque l'utilisateur a sélectionné un nom de fichier, ce dernier est renvoyé dans la propriété FileName de la boîte de dialogue commune.

Gérer les erreurs avec les boîtes de dialogue communes

Nous avons fixé la propriété CancelError sur True au début du code :

```
On Error GoTo ErreurDialogue

With CommonDialog1

.CancelError = True
```

Cela signifie que si **Annuler** est cliqué, cela déclenchera une erreur Visual Basic.

> Cela ne s'applique qu'aux boutons **Annuler** que vous trouverez dans les boîtes de dialogue communes et non pas aux boutons **Annuler** des boîtes de message ou de saisie.

378

Les dernières lignes de code de cet exemple sont conçues pour piéger les erreurs quelles qu'elles soient :

```
ErreurDialogue:

End Sub
```

Et pourquoi devons-nous faire cela ? Eh bien cela implique que lorsque l'utilisateur cliquera sur **Annuler** dans la boîte de dialogue commune, un événement d'erreur se déclenchera, incitant le code `ErreurDialogue` à prendre le contrôle de la procédure principale et à quitter le programme. Si nous n'avions pas fixé `CancelError` sur True et que nous avions mis un gestionnaire d'erreurs, si l'utilisateur avait annulé la boîte de dialogue, nous n'aurions eu aucun moyen de savoir sur quel bouton il avait cliqué pour s'en débarrasser. Nous aurions alors besoin d'une ou de deux conditions pour vérifier la validité de la valeur retournée. Cette exploitation systématique des gestionnaires d'erreurs simplifie grandement la lecture et la maintenance du code, tout en permettant de voir d'un seul coup d'œil ce qui se passe.

La boîte de dialogue Couleur

La boîte de dialogue Couleur est encore plus simple à paramétrer que les boîtes de dialogue de fichiers. Son but est de permettre à l'utilisateur de sélectionner et d'afficher des couleurs à partir de la palette disponible sur un ordinateur particulier.

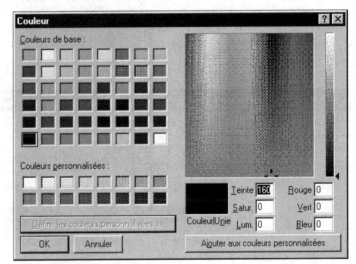

Propriétés de la boîte de dialogue Couleur

Voici les propriétés de la boîte de dialogue Couleur que nous pouvons contrôler dans Visual Basic :

Propriété	Description
Color	Contient la valeur de l'entier long de la couleur sélectionnée par l'utilisateur.
Flags	Voir la partie suivante de ce chapitre pour plus de détails sur les valeurs flag les plus communes.
CancelError	Fixez `CancelError` sur True pour déclencher une erreur d'exécution si l'utilisateur clique sur le bouton **Annuler** de la boîte de dialogue.

Pour faire apparaître la boîte de dialogue Couleur, utilisez la méthode `ShowColor` du contrôle Boîte de dialogue commune sur votre feuille.

La couleur réelle sélectionnée est retournée à la propriété `Color` de la boîte de dialogue. Vous pouvez la déplacer directement de cet endroit jusqu'aux propriétés Couleur de n'importe quel contrôle dont vous voulez modifier la couleur.

En terme de fonctionnalité, la boîte de dialogue Couleur est en fait un peu plus puissante que les autres. Le bouton Ajouter aux couleurs personnalisées, par exemple, vous permet de créer vos propres couleurs et de les ajouter à la palette Windows.

Appeler la boîte de dialogue Couleur dans votre code

Lorsque vous utilisez la boîte de dialogue Couleur, vous devez d'abord placer le chiffre 1 dans la propriété `Flags` pour l'initialiser et ensuite utiliser la méthode `ShowColor` sur le contrôle lui-même. Nous examinerons la propriété `Flags` de manière plus détaillée ultérieurement dans ce chapitre. Mais en gros, vous pouvez alimenter des valeurs de la propriété `Flags` pour modifier l'apparence et le comportement par défaut de n'importe laquelle de ces boîtes de dialogue communes. Par exemple, dans la boîte de dialogue Police, vous pouvez utiliser la propriété `Flags` pour l'obliger à ne vous montrer que les polices propres à l'affichage, ou que les polices propres à l'imprimante. Mais comme je l'ai déjà dit, ne vous inquiétez pas trop pour le moment. Nous verrons tout ça plus tard.

Passons à la pratique ! Utiliser la boîte de dialogue Couleur

Bien. Il est maintenant temps de jeter un œil sur la manière exacte dont fonctionne la boîte de dialogue Couleur dans le monde réel.

1   Démarrez un nouveau projet dans VB et placez une zone d'image et une boîte de dialogue commune sur la feuille pour qu'elle ressemble à la écran suivante :

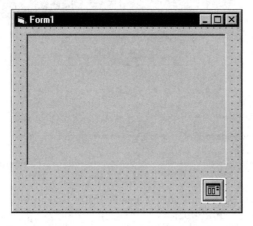

> Rappel : Il est possible que, selon la version de Visual Basic que vous utilisez et sa configuration, votre boîte à outils ne comporte pas de contrôle Boîte de dialogue commune. Afin de résoudre cette difficulté, utilisez les éléments **Composants** et **Références** de votre menu **Projet** pour vous assurer que vous disposez bien des contrôles Boîte de dialogue commune dans ce projet.

2   Voilà ce que nous voulons faire ici : lorsque l'utilisateur clique sur la zone d'image pendant l'exécution, la boîte de dialogue Couleur devrait surgir et lui permettre de choisir la couleur à utiliser en arrière-plan de la zone d'image. Il serait donc à présent temps d'ouvrir la fenêtre de code et de trouver l'événement Click de la zone d'image :

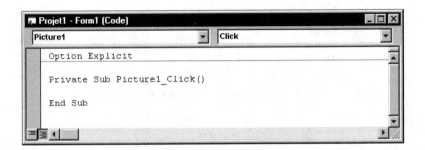

3   Notre première tâche est d'indiquer à la boîte de dialogue commune ce qu'elle doit faire lorsque le bouton **Annuler** est cliqué. En théorie, ce serait merveilleux que cette action déclenche une erreur qu'il serait possible de mettre dans un piège, que la boîte de dialogue place ensuite un gestionnaire d'erreurs dans notre code pour la traiter comme il convient. Comme vous l'avez déjà vu, tout ceci est assez simple à faire. Modifiez l'événement Click de manière qu'il ressemble à cela :

```
Private Sub Picture1_Click()

    CommonDialog1.CancelError = True
    On Error GoTo Aucune_Couleur_Choisie

    'Arrête de piéger les erreurs
    On  Error GoTo 0

    'Fin normale de procédure
        Exit Sub
    Aucune_Couleur_Choisie:
        MsgBox "Aucune couleur sélectionnée - c'était juste pour que vous le sachiez ",
            ↳ vbInformation, "Annulé"

End Sub
```

4   Il suffit ensuite de faire apparaître la boîte de dialogue, puis d'utiliser la couleur sélectionnée dans la zone d'image. Ne paniquez pas : comme d'habitude, Visual Basic rend ce genre de choses beaucoup plus facile à faire qu'il n'y paraît.

Ajoutez quelques lignes de code à l'événement pour qu'il ressemble maintenant à ce qui suit :

```
Private Sub Picture1_Click()
    CommonDialog1.CancelError = True
    On Error GoTo Aucune_Couleur_Choisie

    CommonDialog1.Flags = cdlCCFullOpen
    CommonDialog1.ShowColor

    Picture1.BackColor = CommonDialog1.Color

    ' Arrête de piéger les erreurs
        On Error GoTo 0

    'Un peu plus de code
        Exit Sub
    Aucune_Couleur_Choisie:
        MsgBox " Aucune couleur sélectionnée - c'était juste pour que vous le sachiez ", _
        ⮑ vbInformation, "Annulé"

End Sub
```

5   A présent, essayez. Lancez le programme et observez ce qui se passe lorsque vous cliquez sur la zone d'image :

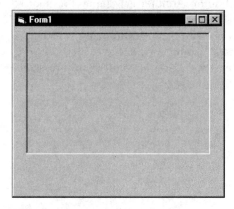

Comme vous pouvez le voir, nous avons réussi à changer la couleur d'arrière-plan de la zone d'image pour qu'elle soit identique à celle de la fenêtre de la boîte de dialogue.

6   Et enfin, avant que nous continuions, enregistrez votre application sous Color.vbp puisque nous allons l'utiliser dans l'exemple suivant.

N'oubliez pas que les couleurs sont l'une des choses dont votre utilisateur peut très facilement se lasser. Grâce à Windows 95, il peut très aisément choisir les couleurs qu'il veut utiliser sur son bureau et dans les applications. Si vous les changez constamment, cela peut devenir très rapidement ennuyeux.

C'est pourquoi il vaut mieux faire une utilisation raisonnable de la boîte de dialogue Couleur dans votre application pour permettre à l'utilisateur de modifier les couleurs des différentes parties des données qu'il est en train d'employer, au lieu d'y recourir pour changer l'apparence de toute l'application. Visual Basic fournit un très grand nombre de constantes de couleurs que vous verrez dans le chapitre 12 sur les graphiques, ce qui vous permet d'employer le système actuel de couleurs pour vos contrôles, vos feuilles, etc.

Fonctionnement

Le code de cet exemple est vraiment très simple.

```
CommonDialog1.CancelError = True
On Error GoTo Aucune_Couleur_Choisie
```

Nous avons commencé par ajouter un peu de gestion d'erreurs : nous avons dit au contrôle Boîte de dialogue commune que si l'utilisateur l'annulait, la boîte de dialogue devrait déclencher une erreur possible à piéger, c'est-à-dire une erreur qui serait acheminée sur un gestionnaire d'erreurs local situé sur la ligne suivante de code.

Si l'utilisateur annule réellement la boîte de dialogue, le gestionnaire d'erreurs situé en haut de l'événement Click ne fait rien de plus qu'afficher un message à l'utilisateur en lui indiquant ce qui se passe. Mais qu'il annule ou pas, les lignes On Error GoTo 0 neutralisent la gestion d'erreur avant la fin de la sous-routine.

Nous avons ensuite ajouté un peu de fonctionnalité à ce programme :

```
CommonDialog1.Flags = cdlCCFullOpen
```

Nous avons fixé la propriété Flags de la boîte de dialogue afin que, au moment de son apparition pendant l'exécution, l'utilisateur voie une boîte de dialogue complète et non pas une boîte de dialogue réduite. Puis nous avons appelé la méthode ShowColor pour faire apparaître la boîte de dialogue :

```
CommonDialog1.ShowColor
```

En supposant que l'utilisateur n'annulera pas la boîte de dialogue, la ligne de code qui s'exécutera ensuite mettra en place BackColor de la zone d'image grâce à la valeur de la propriété Color de la boîte de dialogue commune, qui est la couleur choisie par l'utilisateur :

```
Picture1.BackColor = CommonDialog1.Color
```

La boîte de dialogue Police

La boîte de dialogue Police permet à l'utilisateur d'accéder à la liste des polices propres à l'imprimante, à celle des polices propres à l'affichage ou aux deux listes à la fois. Vous pouvez aussi utiliser la propriété `Flags` de la boîte de dialogue pour délimiter exactement les types de polices à afficher dans cette boîte de dialogue, par exemple, uniquement les polices propres à l'imprimante ou uniquement celles propres à l'affichage :

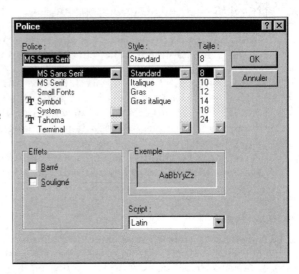

Les propriétés de la boîte de dialogue Police

Voici les propriétés de la boîte de dialogue Police que nous pouvons contrôler dans Visual Basic :

Propriété	Description
Color	Contient la valeur longue de l'entier de la couleur sélectionnée par l'utilisateur dans la boîte de dialogue.
FontBold	Vraie si l'utilisateur a sélectionné **Gras** dans la boîte de dialogue, Fausse sinon.
FontItalic	Vraie si l'utilisateur a sélectionné **Italique** dans la boîte de dialogue.
FontStrikeThru	Vraie si l'utilisateur a sélectionné **Barré** dans la boîte de dialogue.
FontUnderLine	Vraie si l'utilisateur a sélectionné **Souligné** dans la boîte de dialogue.
FontName	A votre avis ?
Max	Précise la taille en points des plus grandes polices
Min	Précise la taille en points des plus petites polices
FontSize	Contient la taille de la police sélectionnée
Flags	Voir la partie suivante de ce chapitre relative à quelques valeurs utiles de la propriété `Flags`.
CancelError	Fixez sur True pour provoquer une erreur d'exécution chaque fois que l'utilisateur clique sur le bouton **Annuler** de la boîte de dialogue commune. Ceci peut être géré au niveau du code par une instruction `On Error`.

Vous pouvez déterminer la liste de polices à afficher en chargeant soit un nombre, soit une constante intégrée VB dans la propriété `Flags`. Les nombres que vous devez placer dans cette propriété sont :

Constante	Valeur	Effet
CdlCFPrinterFonts	&H2	N'affiche que les polices imprimables.
CdlCFScreenFonts	&H1	N'affiche que les polices propres à l'affichage, qui peuvent ne pas être prises en charge par l'imprimante.
CdlCFBoth	&H3	Affiche à la fois les polices propres à l'imprimante et celles propres à l'affichage.
CdlCFScalableOnly	&H20000	N'affiche que les polices dimensionnables comme les polices TrueType installées sur votre ordinateur.

A l'époque des imprimantes laser et du vrai *What You See Is What You Get* (aussi connu sous l'acronyme WYSIWYG), il est relativement important de noter que ces options ne sont pas toutes identifiables. Par exemple, la frontière entre une police propre à l'affichage et une police propre à l'imprimante devient quelque peu floue lorsque vous disposez d'une imprimante capable de produire tout ce que vous désirez. Néanmoins, ceci peut ne pas être le cas de vos utilisateurs dont certains utilisent encore des imprimantes matricielles. Ne l'oubliez pas.

La méthode `ShowFont` fait alors apparaître la boîte de dialogue.

> **Si vous ne fixez pas la propriété `Flags` sur l'une de ces valeurs avant d'afficher la boîte de dialogue Police, un message d'erreur apparaîtra : « Aucune police n'existe ».**

Si vous voulez pouvoir sélectionner une couleur de police, il vous faut ajouter 256 à la valeur de la propriété `Flags`. Sinon, vous ne pourrez pas sélectionner de couleur, mais uniquement un nom de police, son style et sa taille.

Lorsque l'utilisateur sort de la boîte de dialogue, votre code peut vérifier la propriété `Color` et les valeurs des propriétés `Font` pour découvrir ce que l'utilisateur a effectivement choisi.

Passons à la pratique ! Utiliser la boîte de dialogue Police

1   Ouvrez le projet `Color.vbp` s'il n'est pas encore ouvert dans votre environnement Visual Basic et commencez par placer un bouton de commande sur la feuille :

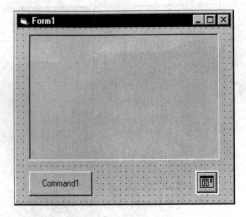

2 Cette fois, nous allons nous occuper de l'événement `Click` du bouton de commande. Il y a un peu plus de code que la dernière fois, mais cela reste simple. Ajoutez du code de sorte que l'événement `Click` du bouton ressemble à cela :

```
Private Sub Command1_Click()

    CommonDialog1.CancelError = True
    On Error GoTo Aucune_Police_Choisie

    CommonDialog1.Flags = 1
    CommonDialog1.ShowFont

    With Picture1.Font

        .Bold = CommonDialog1.FontBold
        .Italic = CommonDialog1.FontItalic
        .Name = CommonDialog1.FontName
        .Size = CommonDialog1.FontSize
        .Strikethrough = CommonDialog1.FontStrikethru
        .Underline = CommonDialog1.FontUnderline

    End With
    Picture1.Print "Ceci est un exemple "

    On Error GoTo 0
    Exit Sub

Aucune_Police_Choisie:
    MsgBox "Aucune police n'a été choisie ", vbInformation, "Annulé"

End Sub
```

Ne vous inquiétez pas de ce volume impressionnant de code : en fait, cela revient au même que le bloc de code que nous avons précédemment écrit. La seule différence (à part le fait que nous avons affaire ici à une boîte de dialogue Police et non pas à une boîte de dialogue Couleur) est qu'il traite plus de propriétés.

3   Exécutez le programme et observez son fonctionnement... après avoir cliqué sur le bouton de commande, la boîte de dialogue Police apparaît. Si vous sélectionnez une police, un style et une taille et que vous cliquez ensuite sur le bouton **OK**, du texte apparaîtra alors dans la zone d'image avec tous les attributs que vous avez sélectionnés :

Fonctionnement

Ici, le code fixe juste les valeurs des propriétés `FontBold`, `FontItalic`, `FontName`, `FontSize`, `FontStrikeThru` et `FontUnderline` de la boîte de dialogue commune dans les propriétés correspondantes de l'objet police attaché à la zone d'image. C'est aussi simple que ça.

La boîte de dialogue Impression

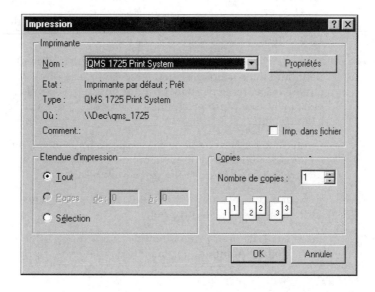

La boîte de dialogue Impression permet à l'utilisateur de déterminer non seulement les données qu'il désire imprimer, mais également le fonctionnement de l'imprimante. Ceci comprend la résolution et la vitesse à laquelle l'imprimante doit imprimer, l'imprimante ou le pilote d'imprimante à utiliser et même s'il faut ou non ignorer totalement l'imprimante et imprimer directement sur un fichier du disque dur. Et juste pour compliquer votre application, la boîte de dialogue permet même à l'utilisateur de préciser le nombre d'exemplaires à imprimer et s'ils doivent être assemblés ou non. Cette dernière option n'est disponible que sur certaines imprimantes. Autre chose : si vous utilisez cette boîte de dialogue pour sélectionner une nouvelle imprimante, le paramétrage de l'imprimante par défaut changera pour tout Windows. A moins de nous plonger dans les API et de créer notre propre boîte de dialogue Impression, il n'existe vraiment pas d'autre solution.

Propriétés de la boîte de dialogue Impression

Voici les propriétés de la boîte de dialogue Impression que nous pouvons utiliser dans Visual Basic :

Propriété	Description
Copies	Contient à la fois la valeur initiale et celle entrée par l'utilisateur pour le nombre d'exemplaires à imprimer.
FromPage	Contient le numéro de la première page à imprimer. Peut être fixée par code avant l'affichage de la boîte de dialogue, ou par l'utilisateur en tapant un numéro.
Max	Contient le nombre maximal d'exemplaires que l'utilisateur peut sélectionner.
Min	Contient le nombre minimal d'exemplaires que l'utilisateur peut sélectionner.
PrinterDefault	Si vous fixez cette valeur sur True, tous les changements que l'utilisateur peut faire dans la boîte de dialogue Configuration de l'impression sont enregistrés comme permanents dans votre système. Ils affecteront également tout autre programme avec lequel vous voudriez utiliser l'imprimante.
ToPage	Contient le numéro de la dernière page à imprimer. Vous pouvez également le fixer avant que la boîte de dialogue n'apparaisse pour donner à votre utilisateur un paramètre par défaut.
Flags	Reportez-vous à la partie suivante de ce chapitre pour plus de valeurs flag utiles destinées à cette propriété.
CancelError	Fixez sur True pour provoquer une erreur d'exécution si l'utilisateur clique sur le bouton **Annuler** dans la boîte de dialogue Imprimer.

Au contraire des boîtes de dialogue Police et Couleur, la boîte de dialogue Impression n'a pas besoin d'avoir quoi que ce soit dans sa propriété `Flags`, même s'il est assez courant d'y fixer des valeurs pour modifier le comportement par défaut de la boîte de dialogue et pour limiter les options de l'utilisateur à celles supportées par votre code. Tout ce que vous devez faire pour afficher cette boîte de dialogue est d'exécuter la méthode `ShowPrinter`.

Trois propriétés sont utilisées pour retourner les sélections de l'utilisateur à votre programme : `Copies`, `FromPage` et `ToPage`. Afin de donner à l'utilisateur des valeurs par défaut, vous pouvez fixer ces propriétés avant d'afficher la boîte de dialogue Imprimer.

La propriété Flags des boîtes de dialogue communes

La propriété `Flags` constitue une manière utile de contrôler les opérations des boîtes de dialogue communes et des informations qu'elles présentent à vos utilisateurs. En tout, il existe 48 valeurs différentes que vous pouvez utiliser pour la propriété `Flags` et elles peuvent être combinées pour vous donner certains effets personnalisés des plus bizarres. Néanmoins, de ces 48, seule une poignée peut vraiment être souvent utilisée.

Dans le tableau ci-dessous, vous trouverez les flags les plus utiles ainsi que les constantes VB que vous pouvez utiliser conjointement avec ces dernières :

Nom	Boîte de dialogue	Description
cdlPDPrintSetup	Impression	Affiche la boîte de dialogue Configuration de l'impression au lieu de la boîte de dialogue Impression.
cdlPDNoSelection	Impression	Empêche vos utilisateurs d'imprimer uniquement la sélection courante du texte. Cette caractéristique peut engendrer le développement de lignes de code supplémentaires que l'on n'a pas toujours envie d'écrire.
cdlPDHidePrintToFile	Impression	Masque la case à cocher Imprimer de votre fichier pour les mêmes raisons que ci-dessus.
cdlCCPreventFullOpen	Couleur	Empêche l'utilisateur de définir ses propres couleurs personnalisées.
cdCClFullOpen	Couleur	Démarre la boîte de dialogue avec la fenêtre des couleurs personnalisées déjà ouverte.
cdlCFWYSIWYG	Police	N'affiche que les polices disponibles à la fois sur l'imprimante et à l'affichage. Vous pouvez également avoir besoin de l'ajouter à `cdlCF_BOTH` et à `cdlCFScalableOnly`.

Le tableau continue sur la page suivante

Nom	Boîte de dialogue	Description
cdlCFBoth	Police	Énumère toutes les polices propres à l'impression et à l'affichage.
cdlCFScalableOnly	Police	Ne montre que les polices qui peuvent être redimensionnées, habituellement les polices TrueType.
cdlCFPrinterFonts	Police	N'énumère que les polices propres à l'impression.
cdlCFScreenFonts	Police	N'énumère que les polices qui peuvent être affichées.
cdlOFNAllowMultiselect	Fichier	Permet à l'utilisateur de sélectionner plusieurs fichiers dans une boîte de dialogue Fichier.
cdlOFNFileMustExist	Fichier	L'utilisateur ne peut entrer que le nom d'un fichier existant.
cdlOFNOverwritePrompt	Fichier	Dans la boîte de dialogue Enregistrer sous, si l'utilisateur sélectionne un fichier qui existe déjà, la boîte de dialogue demandera alors à l'utilisateur s'il veut vraiment remplacer ce fichier.

Les boîtes de dialogue personnalisées

Au lieu d'utiliser des boîtes de message, de saisie et des boîtes de dialogue communes, vous pouvez adopter l'attitude « faites-le vous-même » et créer vos boîtes de dialogue exactement comme vous créez n'importe quelle feuille dans votre application. Cette approche présente à la fois des avantages et des inconvénients.

Du côté des avantages, puisque vous concevez la feuille que vous allez utiliser comme boîte de dialogue, vous pouvez vous assurer qu'elle conserve les mêmes couleurs et les mêmes standards d'interface que les autres feuilles de votre application. Puisque c'est 100% fait maison, vous êtes libre d'y mettre toutes les icônes, les contrôles, le texte ou les graphiques que vous voulez. Votre imagination est la seule limite.

En revanche, les inconvénients sont énormes. Chaque feuille de votre application utilise des ressources du système, comme la mémoire et le temps du processeur lorsque votre programme fonctionne. Et il faut peu de boîtes de dialogue personnalisées pour qu'une action aussi simple que la tentative d'exécution d'une application provoque l'arrêt d'une machine relativement peu puissante.

Passons à la pratique ! Créer une boîte de dialogue personnalisée

Grâce à la nature orientée objet de Visual Basic, vous pouvez facilement créer une boîte de dialogue réutilisable, exactement comme lorsque Microsoft vous fournit une boîte de message standard comme boîte de dialogue préconstruite et réutilisable.

Ce que nous allons essayer de faire ici est d'écrire une boîte de dialogue de connexion très simple. Je dis « simple » parce qu'elle ne vérifiera pas vraiment que l'utilisateur peut ou non se connecter, elle prendra juste le nom de l'utilisateur et son mot de passe et les retournera au code appelant. De cette manière, la boîte de dialogue de connexion est réutilisable et c'est ce que nous demandons à une boîte de dialogue. Si nous devions mettre du code de base de données, nous attacherions alors cette boîte de dialogue à une base de données spécifique, ou au moins à une structure de base de données et c'est ce qui élimine toute idée de réutilisation du code.

Voyons un peu.

1 Commencez un nouveau projet Visual Basic. La feuille par défaut qui apparaît va être notre boîte de dialogue. Ajoutez-y quelques boutons, étiquettes et zones de texte en vous rappelant de saisir les légendes et de supprimer les propriétés texte, pour qu'elle ressemble à la écran ci-dessous :

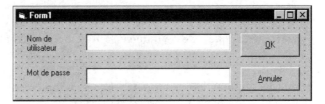

2 Réglez la propriété **PasswordChar** de la zone de texte du mot de passe sur *, sinon, votre boîte de dialogue de connexion ne servira à rien puisque n'importe qui pourrait voir le mot de passe de votre utilisateur. Fixez également le **BorderStyle** de la feuille sur 3 pour qu'elle se présente comme une boîte de dialogue. Et enfin, fixez la **StartupPosition** de manière que la boîte de dialogue apparaisse toujours au centre de l'écran au moment de l'exécution.

3 Lorsque la boîte de dialogue s'exécute, votre utilisateur s'attendra certainement à pouvoir presser la touche *Retour* pour faire la même chose qu'un clic sur le bouton **OK** et sur la touche *Echap* pour obtenir la même action qu'un clic sur le bouton **Annuler**. Rappelez-vous des boutons de commande. Vous devez fixer la propriété **Default** du bouton **OK** et la propriété **Annuler** du bouton **Annuler** sur **True** afin de les faire fonctionner comme prévu.

4 Il est temps d'écrire un peu de code pour faire vivre la boîte de dialogue. Cependant, pour que mon code fonctionne sur votre boîte de dialogue, assurez-vous que vous avez fixé le nom de la feuille sur `frmConnexion`, le nom de la zone de texte du nom de l'utilisateur sur `txtNomUtilisateur` et celui de la zone de texte du mot de passe sur `txtMotDePasse`. J'ai fixé le nom de mon bouton <u>O</u>K sur `cmdOK` et celui du bouton <u>A</u>nnuler sur `cmdAnnuler`, ce qui peut également vous aider à éviter toute confusion. C'est également une très bonne habitude de programmation.

5 Le gros du code que nous allons écrire se trouvera dans la méthode que nous pourrons utiliser pour appeler la boîte de dialogue et retourner les détails de la valeur entrée. Mais nous devons encore ajouter un peu de code aux composants de la boîte de dialogue elle-même pour la feuille. Et le plus important, nous devons faire fonctionner ces boutons.

Double-cliquez sur le bouton <u>O</u>K pour faire apparaître son événement `Click` et ajoutez une seule ligne de code pour qu'il ressemble à ça :

```
Private Sub cmdOK_Click()

    frmConnexion.Hide

End Sub
```

Ne soyez pas choqué : c'est vraiment tout ce dont nous avons besoin pour le bouton <u>O</u>K !

6 Le bouton <u>A</u>nnuler possède deux lignes supplémentaires de code. Éditez son événement `Click` pour qu'il ressemble à ça :

```
Private Sub cmdAnnuler_Click()

    txtNomUtilisateur = ""
    txtMotDePasse = ""
    frmConnexion.Hide

End Sub
```

Cette fois, nous avons deux lignes de code qui vont servir à nettoyer les zones de texte. Pensez-y. C'est une boîte de dialogue de connexion et il existe donc deux cas dans lesquels vous vous attendez à ce que votre utilisateur n'aille pas plus loin : lorsqu'il n'a entré aucune information, ou lorsqu'il a cliqué sur <u>O</u>K. Bien sûr, vous pourriez ajouter du code plus tard pour vérifier s'il a eu accès à votre système et éventuellement lui en refuser l'accès. En ce qui nous concerne, cliquer sur <u>A</u>nnuler revient au même que de donner un nom d'utilisateur et un mot de passe.

7 Il est temps d'écrire ces méthodes magiques qui feront agir la boîte de dialogue comme une entité indépendante. Dans la fenêtre de code de la feuille, tapez la routine suivante. Souvenez-vous que ce n'est pas un événement de la feuille, donc vous aurez à taper TOUTES les lignes que je vous montre ci-dessous :

```
Public Sub ObtenirInfo(sNomUtilisateur As String, sMotDePasse As String)

    frmConnexion.Show vbModal

    sNomUtilisateur = txtNomUtilisateur
    sMotDePasse = txtMotDePasse
    Unload frmConnexion

End Sub
```

Ce n'était pas trop compliqué, vous en conviendrez. Ce code fonctionne exactement comme il faut et fait tout ce que nous voulons qu'il fasse, comme vous le verrez dans un moment.

8 Ajoutez un module en utilisant le menu Projet. Lorsque la fenêtre de code apparaît, tapez-y tout ça :

```
Sub Main()

    Dim sNomUtilisateur As String
    Dim sMotDePasse As String

    frmConnexion.ObtenirInfo sNomUtilisateur, sMotDePasse

    If sNomUtilisateur = "" Then
        MsgBox "L'utilisateur a annulé l'action ou a échoué à se connecter ",
vbInformation,
            ↳ "Connexion abandonnée"
    Else
        MsgBox "Utilisateur " & sNomUtilisateur & " connecté avec le mot de passe " &
            ↳ sMotDePasse, vbInformation, "Mot de passe accepté"
    End If

End Sub
```

9 Il reste encore une chose à faire avant d'exécuter le programme. Sélectionnez **Propriétés de Projet1** dans le menu Projet et fixez **Objet de démarrage** sur **Sub Main**, afin que cette sous-routine que nous venons juste de taper soit la première chose à s'exécuter lorsque vous lancez l'exécution :

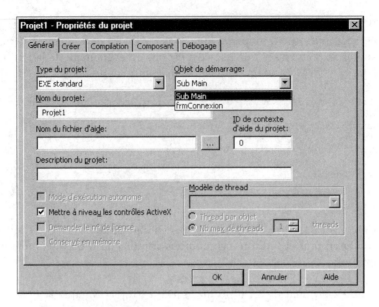

10 Une fois que c'est fait, cliquez sur le bouton **OK** et exécutez votre projet. La boîte de dialogue de connexion apparaîtra comme prévu et vous n'aurez plus qu'à y entrer votre nom d'utilisateur et votre mot de passe :

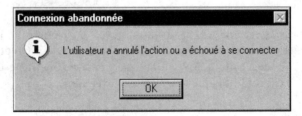

11 Cliquez ensuite sur **OK**, ou sur **Annuler** et la feuille disparaîtra. Le code que vous avez écrit dans la sous-routine Main affichera alors une boîte de message qui vous dira exactement ce que vous avez fait :

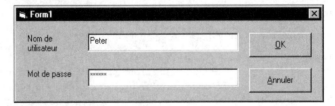

Fonctionnement

Le code des boutons **OK** et **Annuler** parle de lui-même, donc, nous allons commencer par examiner la routine qui retire le nom d'utilisateur et le mot de passe :

```
Public Sub ObtenirInfo(sNomUtilisateur As String, sMotDePasse As String)

    frmConnexion.Show vbModal

    sNomUtilisateur = txtNomUtilisateur
    sMotDePasse = txtMotDePasse
    Unload frmConnexion

End Sub
```

La première ligne, frmConnexion.Show vbModal, montre la feuille comme une feuille modale. C'est une caractéristique que nous allons exploiter à notre avantage. Si vous affichez une feuille modale dans votre code comme cela, la routine s'arrêtera. La ligne suivante de code ne s'exécutera que si la feuille est masquée (repensez à ces instructions Hide de l'événement Click des boutons OK et Annuler).

Donc, une fois que l'utilisateur clique sur un bouton de la feuille et que la feuille est masquée, le code peut continuer. Les paramètres sNomUtilisateur et sMotDePasse sont passés par référence à la routine, ce qui signifie que nous avons tout à fait le droit de les modifier en n'importe quelle autre valeur : le code appelant verra lui aussi ces modifications. Dans ce cas, nous n'avons qu'à copier dans deux paramètres tout ce qui se trouve dans les zones de texte de la feuille de connexion, puis à décharger la feuille.

La routine principale prend la saisie de l'utilisateur, vérifie qu'il a bien tapé quelque chose dans la boîte de dialogue et accepte cette saisie :

```
Sub Main()

    Dim sNomUtilisateur As String
    Dim sMotDePasse As String

    frmConnexion.ObtenirInfo sNomUtilisateur, sMotDePasse

    If sNomUtilisateur = "" Then
        MsgBox "L'utilisateur a annulé l'opération ou a échoué à se connecter ",
vbInformation,
            ↳ "Connexion abandonnée"
    Else
        MsgBox "Utilisateur " & sNomUtilisateur & " connecté avec le mot de passe " &
            ↳ sMotDePasse, vbInformation, "Connexion acceptée"
    End If

End Sub
```

Ce code fixe tout d'abord deux variables (sNomUtilisateur et sMotDePasse) destinées à contenir le nom d'utilisateur et le mot de passe, puis va appeler notre méthode ObtenirInfo que nous avons ajoutée à la feuille, en passant les nouvelles variables du nom d'utilisateur et du mot de passe comme paramètres. Vous vous rappelez comment cette méthode définit ces paramètres passés par référence ? Eh bien, en ce qui concerne la routine que vous voyez ici, cela signifie que lorsque la méthode est terminée, sNomUtilisateur et sMotDePasse contiendront le nom et le mot de passe que l'utilisateur a utilisés pour se connecter. Sinon, si l'utilisateur a annulé l'action, ces deux variables seront vides.

Le reste du code ne fait que vérifier que l'utilisateur a effectivement ajouté un nom et un mot de passe ou s'il a annulé et affiche alors le message approprié.

Un dernier point : avez-vous remarqué que la légende de la feuille de connexion était à peine visible ? Pourquoi ne pas ajouter un autre paramètre à la routine ObtenirInfo *qui précise la légende à montrer dans la boîte de dialogue de connexion ? Écrivez ensuite un petit peu plus de code dans cette même routine pour fixer réellement la légende de la feuille. Ce n'est pas très compliqué, donc pourquoi ne pas essayer ?*

Écrire votre propre traitement de texte

C'est le bon moment pour récapituler dans un seul projet certaines des choses que nous avons récemment traitées. Ce projet est un bloc-notes très rudimentaire. Nous traiterons des menus, des fonctions chaînes et des boîtes de dialogue personnalisées, ainsi que de quelque chose de tout nouveau : la gestion des fichiers.

Je vais être honnête avec vous : je déteste les fichiers disque. Ils sont vieillots, difficiles et demandent beaucoup d'écriture de commandes de syntaxe archaïque. En résumé, ils représentent tout ce que vous vouliez éviter en utilisant Visual Basic.

La bonne nouvelle c'est qu'avec l'avènement des contrôles de base de données et des contrôles liés que nous traiterons brièvement, vous devrez travailler de moins en moins souvent avec des fichiers disque bruts. Et cela paraît logique de laisser Visual Basic ou Access faire le gros du boulot à votre place. Cela dit, il existe des moments, je l'admets, où vous devrez remonter vos manches et ouvrir vous-même ces saletés de fichiers disque. Dans le prochain paragraphe, nous examinerons brièvement leur fonctionnement. En ce qui concerne notre projet, nous utiliserons juste le type le plus simple et peut-être en sortirons-nous indemne…

Gérer des fichiers

Il existe trois types de fichiers disque :

❑ Les **fichiers séquentiels** stockent d'importants volumes de données comme une chaîne de caractères ANSI. Ce sont vos fichiers texte de base qui possèdent l'extension .txt. Il n'y a presque pas d'informations relatives au formatage, juste des lettres. Ces types de fichiers sont surtout utiles lorsque l'application qui les utilise travaille avec leur contenu comme un bloc stupide, sans avoir à en interpréter le sens.

❑ Les **fichiers à accès aléatoires** ne contiennent eux aussi que du texte, mais avec un peu plus de structure. Vous pouvez définir la structure qui peut vous indiquer ce que signifie la chaîne de caractères. Un fichier de noms et d'adresses constitue un très bon exemple de ce type de fichier et, à condition que vous suiviez votre propre modèle à la lettre près, vous pouvez repêcher des données dans ce fichier sans avoir à reprendre la totalité des informations pour trouver ce que cela signifie. L'accent est mis ici sur votre capacité à vous organiser. Heureusement, les contrôles de base de données existent ce qui allège quelque peu le fardeau de toute cette organisation.

❑ Les **fichiers binaires** sont des fichiers dans lesquels les enregistrements n'ont pas de longueur fixe. Ce sont donc des fichiers à accès aléatoires, mais sans le système structuré de champs qui vous permet de savoir ce qui se passe. Cela a l'air tragique et ça l'est puisque vous devez lire tous les enregistrements et trouver manuellement celui dont vous avez besoin. Mais l'avantage que possèdent ces fichiers par rapport aux fichiers à accès aléatoires est qu'ils sont plus petits.

Vous serez ravi d'apprendre que nous n'allons regarder en détail que les fichiers séquentiels. Le processus d'ouverture et de fermeture d'un fichier est le même dans les trois cas et, à mon avis, si vous commencez à jouer avec les fichiers aléatoires et binaires, vous n'aurez que ce que vous méritez !

Ouvrir des fichiers séquentiels

Un fichier disque existe en lui-même indépendamment de votre application. Afin de lire ou d'écrire des fichiers, vous devez établir une connexion entre votre code et le fichier situé sur le disque ce qui permet ainsi au système d'exploitation de situer physiquement votre fichier. Afin de préparer ce fichier, vous devez l'ouvrir en utilisant la commande Open dotée des paramètres corrects.

Cette commande a besoin de savoir quel fichier vous voulez ouvrir, ce que vous allez en faire et quel numéro de référence vous voulez lui attribuer lorsque vous l'utilisez. Donc, vous direz généralement :

```
Open Textfile.txt For Input As #intNuméroFichier
```

Visual Basic nomme ce numéro le numéro du fichier, mais n'importe quel programmeur digne de ce nom l'appelle par son vrai nom : le **descripteur de fichier**. C'est ce que Windows utilise pour communiquer avec le fichier pendant toute la durée de son ouverture. C'est le nom sur lequel vous et Windows vous êtes mis d'accord pour vous référer à ce fichier. Le descripteur est une information unique qui se rapporte à l'endroit réel de stockage du fichier sur le disque et qui permet au système d'exploitation de travailler avec les fichiers de manière efficace et sûre. Si cela peut faciliter votre compréhension, vous pouvez mettre le signe # en face du numéro lorsque vous utilisez les descripteurs de fichier dans Visual Basic. Vous pouvez utiliser un numéro spécifique, comme 1, dans votre code, mais vous devez alors faire attention de ne pas le réutiliser pour un autre fichier durant toute la durée d'exploitation de l'application. Il vaut mieux employer une variable et récupérer le résultat de la fonction FreeFile pour disposer d'un descripteur de fichier disponible. Son utilisation est très simple :

```
Dim intNuméroFichier as Integer
intNuméroFichier = FreeFile
Open Textfile.txt For Input As #intNuméroFichier
```

Dans l'instruction Open ci-dessus, nous avons indiqué à Visual Basic que nous voulons ouvrir le fichier pour Input. Cela signifie que nous voulons saisir dans notre programme à partir du fichier et non dans l'autre sens. Si nous avions voulu écrire des données à partir du programme dans ce fichier, nous aurions dit For Output ici. Vous pouvez également ajouter quelque chose à un fichier existant en utilisant For Append.

Écrire des données à partir d'un fichier

Il existe trois versions de la fonction `Input` :

- ❏ `Input (number, filenumber)` dans laquelle `number` est le numéro des caractères que vous désirez et `filenumber` est votre descripteur de fichier. Vous pouvez les placer tous deux dans un Variant :

```
varInputFromFile = Input (100, #intFichier)
```

- ❏ Utiliser la fonction `LOF()` constitue un bon moyen de prendre tout le fichier et de le mettre dans une variable. Si vous passez le descripteur de fichier à cette fonction, il retournera la longueur du fichier. Et si vous mettez ensuite cette donnée dans la commande `Input`, vous gagnez le gros lot !

```
varLeGrosLot = Input (LOF(#intFichier), #intFichier)
```

- ❏ `Input #` suivi du descripteur de fichier et d'une liste des noms de variables dans lesquelles vous voulez placer les données. Cette fonction suppose que les données sont séparées par des virgules, ce qui permet à Visual Basic de dire où commence et où se termine telle ou telle donnée. Vous pouvez avoir une longue liste de variables si vous le désirez, mais cette méthode est à l'origine de tous les problèmes qui apparaissent lorsque vous tentez de donner un sens à toute la masse d'informations contenues dans un fichier :

```
Input #intFichier, sName, nPhoneNumber
```

- ❏ `Line Input` lit une ligne de texte à la fois et la met dans une variable. Une ligne, c'est un morceau de texte se terminant par un retour chariot et combiné avec un caractère de changement de ligne (`chr(13)` + `chr(10)`). Une fois encore, cela suppose que vous sachiez ce que vous lisez avant que vous le lisiez. Cette fonction est une réminiscence de l'époque où les terminaux avaient l'habitude de mettre CR (pour « *Carriage Return* »)et LF (pour « *Line Feed* ») à la fin de chaque ligne. A présent, ceux-ci ne se trouvent qu'à la fin d'un paragraphe et vous pouvez donc avoir encore plus de données que ce que vous aviez demandé.

Écrire des données dans un fichier

Afin d'écrire des données dans un fichier, vous devez d'abord vous assurer que le fichier est ouvert en mode `Output` ou `Append`, selon que vous voulez ou non remplacer les données existantes ou ajouter quelque chose à la fin. Une fois que vous avez fait cela et que le descripteur est là qui attend, vous disposez de deux méthodes :

- ❏ L'instruction `Print` ne fait que décharger toutes les données de la variable dans un petit fichier comme celui-là :

```
Print #intNuméroFichier, Text1.Text
```

Ceci écrit le contenu du contrôle `Text1` dans le fichier avec le descripteur `#intNuméroFichier`.

❑ Si vous voulez mettre un peu de désordre dans tout ça et placer les données dans des parties spécifiques du fichier, en prévision peut-être de l'utilisation de la commande `Input #`, alors vous pouvez utiliser la commande `Write` :

```
Write #intNuméroFichier sName, nAddress
```

Ce code place les champs nom et adresse dans des fichiers séparés. Vous auriez tendance à l'utiliser dans une boucle.

Tout fermer

Une fois que vous en avez terminé avec ce fichier, vous ne devez pas oublier de le refermer. En fait, Visual Basic le fera pour vous lorsque votre programme s'arrêtera, mais c'est de la MAUVAISE programmation. Vos précieuses données vont se balader sans protection et utiliser vos ressources système, ce qui fait deux bonnes raisons d'éviter cette méthode. Il n'y a pas d'excuse à ne pas fermer les fichiers puisque l'une de ces instructions :

```
Close
```

fermera tous les fichiers ouverts. Si vous ne voulez pas tous les fermer, vous pouvez désigner des fichiers particuliers :

```
Close #intFichier1, #intFichier4, #intFichier7
```

Et maintenant que nous maîtrisons la base, allons-y et voyons comment tout cela fonctionne en pratique.

Passons à la pratique ! Votre propre traitement de texte

Nous allons créer un bloc-notes simple qui pourra lire des fichiers texte à partir d'une disquette.

1 Créez un nouveau projet dans VB et mettez une zone de texte sur la feuille par défaut.

2 Mettez la légende de la feuille sur **Bloc Notes** et appelez la feuille `frmBlocNotes`. Vous aurez également besoin de modifier les propriétés suivantes de la zone de texte pour qu'elle se comporte comme vous l'espérez, c'est-à-dire comme un éditeur de texte :

Nom de la propriété	Valeur
Text	<supprime tout le texte de cette propriété>
Multiline	True
Scrollbars	Both
Name	TxtBlocNotes

Votre feuille devrait maintenant ressembler à ça :

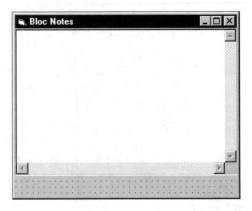

2   Nous devons ensuite construire la structure du menu. Chargez le créateur de menus et créez un menu qui ressemble à celui-ci :

Décochez la case **Enabled** des options **&Enregistrer** et **&Fermer**. Nous utiliserons du code pour activer ces commandes après le chargement d'un fichier. Nommez les éléments du menu selon leurs fonctions et le menu dans lequel ils apparaissent, par exemple, `mnuFichierOuvrir`.

3   Avant que nous puissions ajouter du code à ces éléments de menu, nous devons ajouter un contrôle Boîte de dialogue commune à cette feuille. Placez-le sur la feuille et appelez-le `cmOuvrirFichier` :

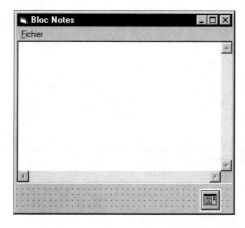

4   Pour que le code soit utile, nous devons fixer ses paramètres dans l'événement `Form_Load`. Ouvrez la fenêtre de code et tapez-y ce code :

```
Private Sub Form_Load()

' Définit le contrôle Boîte de dialogue commune pour qu'il ouvre un fichier texte
    With cmOuvrirFichier
        .CancelError = True
        .Filter = "Fichier texte (*.txt)|*.txt"
        .FilterIndex = 1
        .DialogTitle = "Sélectionnez un fichier texte "
    End With

End Sub
```

5   Et maintenant ajoutons le code nécessaire aux différentes options de menus. Ce code ouvre la boîte de dialogue commune et affiche dans la zone de texte un fichier texte situé sur le disque :

```
Private Sub mnuFichierOuvrir_Click()

    On Error GoTo er_FichierOuvrir
        Dim intFichier As Integer
        Dim intMessageRésultat As Integer
        If blnEstModife = True Then
          intMessageRésultat = MsgBox("Voulez-vous enregistrer les modifications ?",
                    ↳ vbQuestion + vbYesNo, "Fichier modifié ")
        If intMessageRésultat = vbYes Then
          Call mnuFichierEnregistrer_Click 'Enregistre le fichier
          cmOuvrirFichier.DialogTitle = "Sélectionnez un fichier"
        End If
      End If

    ' La boîte de dialogue commune a été placée dans l'événement de chargement de la
feuille
      cmOuvrirFichier.ShowOpen
```

401

```
' prendre le nom de fichier sélectionné par l'utilisateur et l'ouvre
    intFichier = FreeFile
    Open cmOuvrirFichier.filename For Input As intFichier

' lire tout le fichier dans la zone de texte
    txtBlocNotes.Text = Input(LOF(intFichier), intFichier)
    frmBlocNotes.Caption = "Bloc Notes " + cmOuvrirFichier.filename

' Fermer le fichier
    Close #intFichier

' Activer les éléments du menu Fermer et Enregistrer
    mnuFichierFermer.Enabled = True
    mnuFichierEnregistrer.Enabled = True
    Exit Sub

er_FichierOuvrir:

End Sub
```

6   Nous devons ensuite pouvoir enregistrer ce fichier. Pour ce faire, ouvrons la boîte de dialogue commune `cmOuvrirFichier` que nous avons fixée au début. La seule différence, à part l'utilisation de la méthode `ShowSave`, est la modification du titre de cette boîte de dialogue afin qu'il reflète son nouvel objet. Facile. Mais faites attention : une fois que vous aurez changé ce titre, la modification sera effective pendant le reste de votre programme. Lorsque votre utilisateur chargera un fichier, vous devrez remodifier le titre de la boîte de dialogue. Je vous montrerai comment faire et vous ne devriez alors plus avoir de problème pour modifier vous-même le code Ouvrir initial.

```
Private Sub mnuFichierEnregistrer_Click()

    On Error GoTo er_FichierEnregistrer
        Dim intFichier As Integer

    'Ouvrir une boîte de dialogue Enregistrer le fichier en utilisant les propriétés
précédentes,
    'sauf le titre

        cmOuvrirFichier.DialogTitle = "Enregistrez votre fichier texte "
        cmOuvrirFichier.ShowSave
        intFichier = FreeFile

    'Ouvrir remplacera un fichier existant pour OUTPUT
        Open cmOuvrirFichier.filename For Output As intFichier

    ' mettre toute la zone de texte dans le fichier
        Print #intFichier, txtBlocNotes.Text

    ' mettre maintenant à jour le nom du fichier dans la légende
        frmBlocNotes.Caption = "NoteBook " + cmOuvrirFichier.filename
        mnuFichierFermer.Enabled = True
        Close #intFichier
```

```
'Informer le programme que le fichier a été enregistré
    blnEstModife = False
    Exit Sub

er_FichierEnregistrer:

End Sub
```

7   Si l'utilisateur essaie de fermer sans enregistrer, une boîte de dialogue s'affiche alors lui demandant de confirmer son action. Notez que nous devons vider la zone de texte par la suite :

```
Private Sub mnuFichierFermer_Click()

    Dim intMessageRésultat As Integer

    ' Si le texte a été modifié, nous devons demander à l'utilisateur
    's'il veut enregistrer le fichier
    If blnEstModife = True Then
        intMessageRésultat = MsgBox("Voulez-vous enregistrer les modifications ?",
                ⮠ vbQuestion + vbYesNo, "Fichier modifié")
        If intMessageRésultat = vbYes Then
          Call mnuFichierEnregistrer_Click 'Enregistre le fichier
        End If
    End If

    ' redéfinir les menus, le texte et la barre de légende
        mnuFichierOuvrir.Enabled = True
        txtBlocNotes.Text = ""
        frmBlocNotes.Caption = "Bloc-notes"
        mnuFichierFermer.Enabled = False
        mnuFichierEnregistrer.Enabled = False
        blnEstModife = False

End Sub
```

8   Nous devons ajouter quelques lignes de code à l'événement de modification du bloc-notes pour que, lorsque la zone de texte a été modifiée ou mise à jour, le bouton Enregistrer du menu soit réactivé et que vous puissiez ainsi enregistrer votre travail :

```
Private Sub txtBlocNotes_Change()

  blnEstModife = True
  mnuFichierEnregistrer = True

  End Sub
```

9   Cette arborescence de menus est complétée par `End` dans l'événement `mnnuFichierQuitter Click` :

```
Private Sub mnnuFichierQuitter_Click()

        End

End Sub
```

10 Il ne nous reste plus qu'à ajouter une variable qui vérifiera que le document a été modifié avant que nous n'ouvrions, n'enregistrions, ou ne fermions un autre document et nous avons fait en sorte de le demander à l'utilisateur par l'intermédiaire d'une boîte de dialogue appropriée.

Nous utiliserons la variable `blnEstModife` et la fixerons sur `True` si le document a été modifié. Comme cette variable s'applique aux routines `Ouvrir`, `Enregistrer` et `Fermer`, elle doit pouvoir être accessible par toutes les routines et ne pas uniquement être locale pour l'une d'entre elles, nous la déclarerons donc dans la partie (Général) (Déclarations) après Option Explicit. Tout ce que vous avez à faire, c'est d'ajouter cette ligne de code :

```
Private blnEstModife As Boolean
```

11 Après tout ce dur labeur, exécutez le programme tel qu'il est. D'accord, ce n'est pas Word, mais c'est un début !

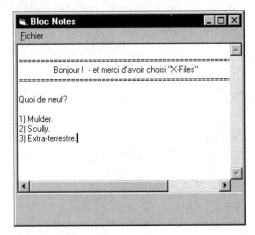

Vous disposez ainsi du canevas d'un programme qui permet de commencer à expérimenter de nouvelles propriétés, donc enregistrez-le. Pourquoi ne pas essayer de faire quelque chose vous-même ? Par exemple, vous pourriez ajouter de la couleur et avec une sélection de menus, faire en sorte que l'utilisateur choisisse des couleurs à utiliser dans la zone de texte. Ou vous pourriez ajouter une boîte de dialogue Police pour permettre à l'utilisateur de choisir sa police. Et si vous êtes vraiment courageux, pourquoi ne pas utiliser ce que nous avons appris précédemment sur la construction des boîtes de dialogue : vous pourriez ajouter une boîte simple de dialogue Rechercher qui afficherait une boîte de message montrant l'endroit de la zone de texte où une chaîne particulière survient (indice : vous pouvez utiliser la fonction `Instr` pour trouver une chaîne à l'intérieur d'une autre, reportez-vous à l'aide en-ligne pour plus d'informations).

Résumé

A présent, vous devriez être bien familiarisé avec les boîtes de dialogue. Vous avez appris à créer les vôtres et à utiliser les boîtes intégrées de VB dans vos applications. Nous avons traité :

- ❑ L'utilisation de la fonction et de la procédure `MsgBox` pour afficher une boîte de message

- ❑ L'utilisation des fonctions `InputBox` et `InputBox$` pour la saisie utilisateur

- ❑ Les boîtes de dialogue applicatives simples, modales et modales système

- ❑ L'utilisation des boîtes de dialogue communes pour ajouter des fonctionnalités et une touche professionnelle à votre programme

- ❑ La création de vos propres boîtes de dialogue personnalisées

Dans le chapitre suivant, nous commencerons à rassembler toutes les choses que nous avons apprises jusqu'ici dans des programmes plus substantiels et plus exigeants.

Que diriez-vous d'essayer ?

1   Créez un projet avec une seule feuille. Dans l'événement `Form_Load`, ajoutez des boucles `For...Next` imbriquées qui affichent 24 combinaisons de message. Ignorez pour l'instant l'argument modal. En cas de doute sur certains paramètres `MsgBox`, reportez-vous à la rubrique d'aide en ligne consacrée aux constantes `Msgbox`.

2   Notre utilisateur est une personne matinale. Utilisez la fonction `InputBox` pour lui demander s'il souhaite un thé ou un café. Définissez une valeur par défaut « Café » et placez la boîte de saisie (`InputBox`) dans le coin supérieur de l'écran. Pourquoi la boîte de saisie n'est-elle pas la méthode idéale pour interroger l'utilisateur ?

3   Modifiez l'exercice 1, afin d'inclure l'argument modal. Quelles sont les répercussions sur le comportement du message ?

4   Créez un projet avec une seule feuille, un bouton de commande et une boîte de dialogue commune. Lorsque l'utilisateur clique sur le bouton, ouvrez la boîte de dialogue afin de permettre à cette personne de changer la couleur d'arrière-plan (`BackColor`) de la feuille.

5   Créez un projet avec une seule feuille, un bouton de commande, une étiquette et une boîte de dialogue commune qui permette à l'utilisateur de modifier la taille de police de l'étiquette.

Astuce : prenez connaissance de cet avertissement donné dans l'aide en ligne de Visual Basic. Avant de recourir à la méthode `ShowFont`*, vous devez régler la propriété* `Flags` *de la boîte de dialogue commune sur l'une de ces trois constantes ou valeurs :* `cdlCFBoth` *ou* `&H3`*,* `cdlCFPrinterFonts` *ou* `&H2`*, ou* `cdlCFScreenFonts` *ou* `&H1`*. Si vous ne prenez pas cette précaution, un message s'affiche, vous informant qu'aucune police n'est installée, et une erreur se produit en phase d'exécution.*

Les graphiques

Les graphiques font vendre du logiciel. A quoi les gens prêtent-ils attention lorsqu'ils achètent des magazines informatiques ? Certes, ils lisent les critiques des nouveaux logiciels, que ce soient des tableurs ou des jeux vidéos. Peut-être trouveront-ils un article intéressant, mais que regardent-ils en premier ? Les captures d'écran, bien sûr. Les graphiques attirent l'attention et ce sont eux qui, en fin de compte, séduisent le consommateur. Il est dès lors important de leur consacrer un peu de temps. Leur création requiert néanmoins plus qu'un coup de baguette magique. Il faudra que vous appreniez à les afficher et à les positionner. D'autant plus que cela s'avèrera utile dans d'autres domaines de Visual Basic tels que la traduction en code de l'impression ou du déplacement de certains contrôles (puisque vous devez savoir comment est organisé l'écran).

Dans ce chapitre, nous aborderons donc les points suivants :

- ❏ La commande `Print`
- ❏ La gestion des couleurs dans Visual Basic
- ❏ Le fonctionnement des coordonnées à l'écran de Visual Basic
- ❏ Les quatre contrôles graphiques de Visual Basic
- ❏ Les méthodes graphiques et leurs utilisations
- ❏ Et quelques trucs pour créer des graphiques exceptionnels

Tout ce que vous devez savoir sur les graphiques

Visual Basic vous permet de créer des graphiques de deux façons :

- ❏ En utilisant ses **contrôles graphiques**. Ce sont des formes et des symboles prédéfinis qui sont dessinés sur votre feuille comme tout autre contrôle.
- ❏ A la volée à l'aide des **méthodes graphiques** de VB.

Nous aborderons ces deux techniques dans ce chapitre. Nous étudierons ensuite les différents systèmes de coordonnées utilisés par Visual Basic. Enfin, nous examinerons certains aspects techniques comme la création de vos propres couleurs, la définition de la brosse dans Windows et la façon de créer toutes sortes de lignes et de formes !

Les graphiques représentent un vaste sujet pour lequel Visual Basic vous offre de nombreux accessoires. Cependant, nous n'aborderons que brièvement chacune de ces sections et ce pour deux raisons :

❑ Dans Visual Basic, les graphiques sont relativement simples et intuitifs. Une fois que vous avez compris les concepts de base et que vous maîtrisez les outils à votre disposition, la meilleure façon d'apprendre, c'est d'expérimenter. A part quelques règles de base, il n'y a pas vraiment de bonne ou de mauvaise façon de travailler, ce qui compte, c'est l'effet que vous voulez créer.

❑ Comparé à d'autres outils de développement, Visual Basic n'est pas le plus rapide en ce qui concerne les graphiques. Et c'est probablement pour cela que si vous êtes programmeur Visual Basic, on vous demande de concevoir des applications plus terre à terre. Mais que cela ne vous empêche pas de vous amuser un peu de temps en temps...

Et même une application très sérieuse peut être astucieuse et originale. Mettons-nous donc au travail !

Afficher à l'écran

Si votre expérience en BASIC remonte à l'époque des TRS-80 et de la domination du PET de Commodore, vous vous souviendrez sans doute de cette bonne vieille commande Print. Pour les moins expérimentés d'entre nous, Print était alors (et est toujours d'ailleurs) une simple commande utilisée entre autres pour afficher un bloc de texte directement sur le périphérique de sortie, que ce soit un écran ou une imprimante. Et pour de nombreux débutants en BASIC, cette commande fut la première qu'ils apprirent.

Microsoft a non seulement conservé cette commande Print dans Visual Basic, mais a aussi étendu ses utilisations. Les premiers ordinateurs utilisaient deux modes pour afficher les informations : texte et graphique. Et les systèmes en Basic qui pouvaient imprimer en mode graphique ou dessiner en mode texte étaient plutôt rares.

Avec Visual Basic, vous travaillez constamment en mode graphique. L'utilité de la commande Print a dès lors été quelque peu étendue. Vous pouvez maintenant créer des animations rien qu'en modifiant certaines propriétés et en affichant du texte. Le texte peut également être imprimé dans toute une gamme de polices, styles, couleurs et tailles, rien qu'en modifiant certaines propriétés avant d'imprimer. La commande Print s'avère aussi très utile en phase de débogage, comme nous l'avons vu dans le chapitre 9.

Ecrivons donc quelques lignes de code pour découvrir le fonctionnement de cette commande Print.

Passons à la pratique ! Utiliser la méthode Print

Créons un programme simple qui « imprime » directement le résultat sur la feuille, à l'écran.

1   Démarrez un nouveau projet Visual Basic.

2   Lorsque votre feuille apparaît, double-cliquez dessus pour appeler la fenêtre Code contenant l'événement `Form_Load`.

3   Tapez-y les lignes de code suivantes :

```
Private Sub Form_Load ()
    Dim nNuméroLigne as Integer

    Form1.Show

    For nNuméroLigne = 1 to 10
        Form1.Print "Ceci est la ligne " & nNuméroLigne
    Next
End Sub
```

4   Exécutez votre programme et vous verrez votre boucle et votre commande `Print` en action. Il y a néanmoins un bogue très discret dans votre programme. Essayez de réduire puis d'agrandir votre fenêtre. Vous noterez que lorsqu'elle réapparaît, le texte que vous y aviez imprimé a disparu. Remédions donc à ce petit problème.

5   Arrêtez votre programme et appelez les propriétés de votre feuille. Choisissez la propriété **AutoRedraw** et donnez lui la valeur **True**. Lorsque vous exécuterez votre programme à nouveau, si vous réduisez et agrandissez votre fenêtre, vous ne perdrez plus le texte que vous y aviez affiché. C'est ce qu'on appelle **la rémanence graphique**, un sujet très important en ce qui concerne la gestion des graphiques dans Visual Basic et qui permet de maintenir la vitesse d'exécution de vos applications. Nous y reviendrons plus en détail un peu plus loin.

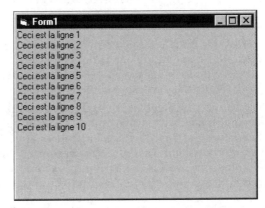

Fonctionnement

Le programme exécute dix fois une boucle de type `For...Next`, et à chaque fois, il utilise la commande `Print` pour afficher une ligne de texte. Cette ligne de texte est concaténée avec le numéro de la ligne. Vous noterez que chaque ligne de texte apparaît automatiquement sous la précédente. C'est là une fonction que `Print` effectue automatiquement pour vous, mais vous *pouvez* l'éviter comme nous allons le voir dans quelques instants.

La méthode `Print` ne peut être utilisée qu'avec les feuilles et les contrôles Zone d'image. Essayez par exemple d'ajouter un contrôle Zone d'image à votre feuille et modifiez l'instruction `Form1.Print` de la façon suivante :

```
Picture1.Print "Ceci est la ligne " & nNumeroLigne
```

Lorsque vous exécutez maintenant votre programme, le texte apparaît dans le contrôle Zone d'image et non plus sur la feuille. L'instruction `Print` doit toujours préciser l'objet sur lequel vous désirez imprimer, que ce soit une feuille (`Form`) ou un contrôle Zone d'image (`Picture`).

Introduction à AutoRedraw

Visual Basic épargne à ses utilisateurs les tâches banales qui constituent le quotidien des développeurs C/C++. L'une de ces tâches consiste à redessiner la feuille après sa réduction, puis son agrandissement. Visual Basic établit une liste interne de tous les contrôles présents sur la feuille ainsi qu'une autre liste contenant toutes les propriétés qui seront nécessaires pour redessiner la feuille telle qu'elle était à l'origine. Normalement, lorsque la feuille réapparaît, Windows envoie un message à votre programme lui indiquant que la feuille doit être redessinée. Ceci se traduit en Visual Basic par un événement `Paint`. Le seul inconvénient, c'est que lorsque vous imprimez sur votre feuille en utilisant la méthode `Print`, vous créez une image graphique locale que Visual Basic ne considère pas comme une composante de la feuille. Ce que vous avez ainsi affiché disparaît donc.

Microsoft s'en est fort heureusement rendue compte et y a remédié en offrant aux programmeurs la propriété **AutoRedraw**. Fixez sa valeur sur **True** et Visual Basic conservera une copie de tout ce que vous dessinez sur la feuille afin de pouvoir la redessiner sans même avoir à vous importuner avec du code supplémentaire.

Cette procédure est certes très utile, mais elle réduit la vitesse d'exécution de votre programme et utilise également un peu plus de mémoire que la normale. Cela vous amène donc à faire un choix : sacrifiez-vous mémoire et vitesse pour moins de code, ou écrivez-vous vous-même le code de l'événement `Paint` pour réduire au maximum la place occupée par votre application ?

La place occupée (ou encombrement) par une application consiste en l'espace qu'elle occupe sur le disque dur de votre utilisateur ainsi que la mémoire vive (RAM) et le temps de traitement dont elle aura besoin au moment de l'exécution. En règle générale, plus l'exécutable est petit et plus votre utilisateur sera content (pour autant, bien sûr, que votre application effectue tout ce qu'elle est censée faire).

Ce choix est vôtre et dépend entièrement du type d'application que vous écrivez. Toutefois, les applications que nous allons utiliser dans ce chapitre étant toutes relativement petites, nous donnerons la valeur **True** à AutoRedraw.

Mais que se passe-t-il donc dans les coulisses ? En fait, aucun programme Windows ne dessine directement sur le périphérique de sortie, mais une zone de la mémoire est attribuée à un bloc de données appelé contexte du périphérique et lui est attachée Ce bloc indique à Windows comment afficher l'information contenue dans la mémoire, dans quelle fenêtre, quelle partie de la mémoire et ainsi de suite.

> Lorsque la valeur d'**AutoRedraw** est **False**, l'image conservée dans la mémoire est celle de la fenêtre vide, c'est-à-dire, de la fenêtre et des contrôles graphiques (les contrôles normaux, tels que les zones de texte ne s'y trouvent pas ; en revanche, elle comprend les contrôles graphiques tels que les contrôles Etiquette et Ligne) que vous y avez dessinés en mode création. « Graphique », ici, signifie que ces contrôles n'acceptent pas de saisie de données au moment de l'exécution.
>
> Lorsque vous dessinez dans la fenêtre au moment de l'exécution, Visual Basic ne prend pas la peine de mettre à jour l'image de la feuille en mémoire. Lorsque, par contre, **AutoRedraw** a la valeur **True**, Visual Basic conserve en mémoire deux exemplaires de la feuille : celle qui est affichée et une image de sauvegarde contenant tous les changements effectués par votre code.
>
> Lorsque vous imprimez sur la feuille, vous dessinez en fait sur cet exemplaire sur lequel Visual Basic copie automatiquement les modifications que vous apportez sur l'image visible. Ceci nécessite donc plus de mémoire et ralentit la fréquence de rafraîchissement de l'écran puisque vous travaillez avec deux exemplaires de votre feuille et non pas un seul.

Imprimer les polices

La façon dont le texte apparaît dans votre application est contrôlée par l'objet Font (Police) qui est attaché à la plupart des contrôles visuels et à la feuille. Pour modifier le style du texte, il n'y a qu'à modifier les propriétés de cet objet. Pour changer, par exemple, la taille du texte, il faut modifier la propriété `Font.Size`. Essayons…

> Ne paniquez pas si vous êtes plus habitué aux techniques de Visual Basic 3 (où vous modifiez les propriétés `FontSize`, `FontBold`, etc.) : vous pouvez continuer à les utiliser. Ce ne serait toutefois pas une mauvaise idée de vous mettre à jour et d'utiliser l'objet **Font** de VB6 et ses propriétés : votre programme n'en sera que plus rapide.

Passons à la pratique ! Modifier les propriétés Font et Color

1 Si le programme précédent est encore en exécution, arrêtez–le. Si vous y aviez ajouté une zone d'image, supprimez-la.

2 Rappelez la fenêtre Code afin de voir l'événement `Form_Load()`.

3 Modifiez la boucle `For...Next` de la façon suivante :

```
For nNuméroLigne = 1 To 10
    Form1.Font.Size = Form1.Font.Size + nNuméroLigne
    Form1.ForeColor = QBColor(nNuméroLigne)
    Form1.Print nNuméroLigne;
Next
```

❑ Remarquez le point-virgule à la fin de l'avant dernière ligne.

4 Exécutez à nouveau votre programme. Et voici ce à quoi vous assisterez, et en Technicolor :

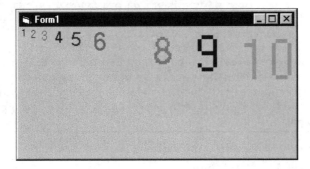

Fonctionnement

Il y a ici trois différences majeures par rapport à notre exemple précédent :

❑ Les nombres s'affichent les uns à côté des autres, au lieu d'apparaître sur des lignes séparées. Et ceci parce que le point-virgule que vous avez placé à la fin de la commande `Print` indique à Visual Basic que la prochaine séquence de texte doit être affichée sur la même ligne.

❑ La taille du texte s'accroît également à chaque chiffre et ceci parce que la première ligne de la boucle `For...Next` ajoute la valeur de la variable `nNuméroLigne` à la taille actuelle de la propriété `Size` de l'objet Font de votre feuille. Le texte s'élargit donc.

❑ La couleur de chaque chiffre est également différente. Visual Basic vous propose plusieurs façons de choisir et de modifier la couleur de vos graphiques, de vos contrôles et du texte. Dans notre exemple, la fonction QBColor est utilisée pour attribuer une valeur de couleur à la propriété ForeColor de votre feuille. Cette propriété (tout comme la propriété BackColor) accepte une valeur hexadécimale pour spécifier la couleur. Vous n'avez normalement pas à faire ceci manuellement, vous n'avez qu'à double-cliquer sur l'élément désiré de la fenêtre de propriétés et la palette de couleur de Visual Basic, que nous avons étudiée dans le chapitre 3, apparaît :

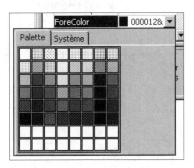

Nous aborderons cette palette et ses utilisations un peu plus tard. Pour l'instant, concentrons-nous sur la gestion des couleurs en code.

Spécifier les couleurs à l'écran

Visual Basic attribue un numéro à chacune des couleurs qu'il peut afficher à l'écran et vous permet de choisir de quatre façons différentes le numéro de la couleur que vous souhaitez attribuer à des objets comme des feuilles et du texte :

❑ Tout d'abord, vous pouvez directement attribuer un numéro ou choisir la couleur dans la palette du menu **Propriétés**. Le problème est que les numéros des couleurs sont tous hexadécimaux (en base 16, ou **hex**). Visual Basic vous propose donc des méthodes plus simples.

❑ La fonction QBColor vous permet de sélectionner l'une des 16 couleurs disponibles dans les versions précédentes de Basic.

❑ La fonction RGB produit une couleur en mélangeant du rouge, du vert et du bleu.

❑ Vous pouvez enfin utiliser l'une des constantes de couleur intrinsèques de Visual Basic telle que vbBlack ou vbBlue. Vous en obtiendrez la liste complète en sélectionnant **Color Constants** dans le système d'aide en ligne.

Avant de nous aventurer dans les numéros de couleurs et la base 16, étudions les méthodes les plus simples.

La fonction QBColor

Cette fonction est surtout destinée aux programmeurs BASIC habitués à l'environnement QBasic. Dans cet environnement, vous pouvez spécifier une couleur en utilisant des numéros à un seul chiffre : 1 pour bleu, 2 pour vert, 3 pour cyan, etc. La fonction QBColor vous permet d'utiliser les codes de couleur de QBasic sans avoir à les convertir manuellement en entiers longs. Vous n'avez qu'à utiliser la ligne de code suivante :

```
Form.ForeColor = QBColor(<Numéro de la couleur>)
```

Voici la liste de ces couleurs et des numéros correspondants :

Valeur	Couleur	Valeur	Couleur
0	Noir	8	Gris
1	Bleu	9	Bleu clair
2	Vert	10	Vert clair
3	Cyan	11	Cyan clair
4	Rouge	12	Rouge clair
5	Magenta	13	Magenta clair
6	Jaune	14	Jaune clair
7	Blanc	15	Blanc vif

Passons à la pratique ! La sélection QBColor

Nous pouvons adapter notre petit programme pour qu'il affiche toutes les couleurs proposées par cette fonction.

1 Modifiez la boucle For...Next de l'événement Form_Load afin qu'elle passe par toutes les couleurs de 1 à 15 :

```
For nNuméroLigne = 0 To 15
    Form1.ForeColor = QBColor(nNuméroLigne)
    Print nNuméroLigne;
Next
```

2 Double-cliquez sur la propriété **Font** dans la fenêtre de propriétés pour appeler la boîte de dialogue Police. Sélectionnez-y la taille de police 18. Vous pouvez aussi en profiter pour modifier le style de la police si vous le souhaitez, cela n'endommagera pas le programme :

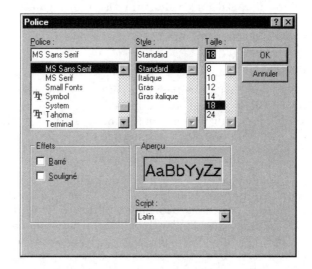

3   Exécutez votre programme. Il vous faudra peut-être redimensionner votre feuille au moment de l'exécution pour admirer ce texte dans toute sa splendeur :

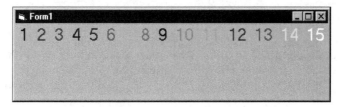

La notation hexadécimale

Je vous ai peut-être quelque peu alarmé lorsque j'ai mentionné la **notation hexadécimale**. Malheureusement, il faudra que vous appreniez la base 16 si vous voulez pouvoir attribuer directement des valeurs de couleur en Visual Basic. Mais ce n'est pas aussi difficile que ça en a l'air. Et c'est ce que je vais essayer de vous montrer.

Le système de numérotation prédominant en Occident est la notation décimale. Les nombres y sont formés à partir de dix chiffres (0 à 9).

Le système hexadécimal, par contre, utilise 16 chiffres (si vous avez appris le latin au lycée, vous l'aurez déjà compris). Il comprend non seulement les chiffres 0 à 9, mais aussi les lettres A à F :

Décimal	0	1	2	3	4	5	6	7	8	9	10	11	12	13	14	15
Hexadécimal	0	1	2	3	4	5	6	7	8	9	A	B	C	D	E	F

Les nombres décimaux peuvent être décomposés en colonnes. La colonne la plus à droite contient les unités, à sa gauche se trouve les dizaines, puis les centaines et ainsi de suite. Dès lors, le nombre 4524 se décompose comme suit : 4 pour les milliers, 5 pour les centaines, 2 pour les dizaines, et enfin 4 pour les unités.

Le système hexadécimal fonctionne de façon similaire. De droite à gauche, on trouve les unités, les « seizaines », les « deux cents cinquante sizaines » et ainsi de suite. Le nombre 9CD est dès lors égal à (9 x 256) + (12 x 16) + 13, autrement dit 2509 !

Pourquoi tant de hex ?

Les valeurs de couleur figurent dans des entiers longs et le nombre maximal pouvant être contenu dans un entier est FFFFFFFF écrit en base hexadécimale, ce qui est plus lisible que son équivalent décimal. En fait trois nombres distincts sont ainsi combinés en un entier long, chacun de ces nombres représentant la quantité exacte de rouge désirée (de 0 à 255), la quantité de vert (de 0 à 255, une fois de plus) et la quantité de bleu (idem).

Puisque chacune de ces options peut aller de 0 à 255, ou de 0 à FF en système hexadécimal, vous pouvez facilement inventer vos propres couleurs avec ce système. Le blanc possède par exemple le maximum de rouge, vert et bleu : sa valeur de couleur est donc FFFFFF. Dans Visual Basic, ceci se traduit par &HFFFFFF&. &H indique à Visual Basic que nous allons lui fournir un nombre hexadécimal, tandis que le & à la fin montre que cette valeur est contenue dans un entier long. Le rouge a la valeur &HFF&, le bleu &HFF0000&, et le vert se traduit par &HFF00&. Une feuille rouge vif se traduirait donc, en code par :

```
Form1.BackColor = &HFF&
```

La fonction RGB

Il se pourrait malgré tout que vous ne vous habituiez pas à cette notation hexadécimale : tous ces symboles étranges et ces &, quelle sale affaire ! Réjouissez-vous : en sacrifiant un peu de rapidité d'exécution, vous pouvez utiliser la fonction RGB qui produira pour vous ces nombres hexadécimaux.

Passons à la pratique ! Le système hexadécimal sans soucis grâce à RGB

Il est temps d'écrire une application. Nous utiliserons les barres de défilement de Visual Basic tant que nous y sommes. Le contrôle Barre de défilement est en effet des plus utiles pour traiter les valeurs de couleur, surtout pour la commande RGB de Visual Basic. Ne vous inquiétez pas, je vais y aller lentement. Je crois que vous vous apercevrez très vite que ces barres de défilement sont idéales pour ce genre de programme. Jetons-y un coup d'œil.

1 Créez un nouveau projet **Exe standard** et ajoutez quelques barres de défilement à votre feuille. Leur icône figure dans la boîte à outils :

Créez votre feuille de sorte qu'elle ait cet aspect :

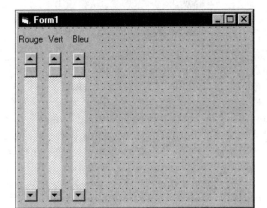

2   Ajoutez une zone d'image à droite de vos barres de défilement et placez une étiquette en-dessous. Nous allons utiliser les barres de défilement pour passer des valeurs à la commande RGB afin qu'elle modifie la couleur de la zone d'image pendant l'exécution. L'étiquette nous indiquera les valeurs choisies :

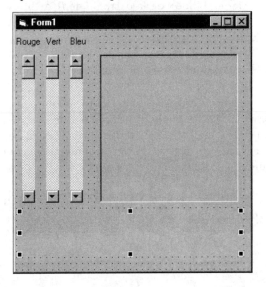

3   Vous me suivez toujours ? Comme vous le verrez plus tard, la commande RGB nous permet de préciser à Visual Basic la couleur à afficher en spécifiant la quantité de rouge, de vert et de bleu contenue dans cette couleur. Dans chaque cas, nous devons fournir à cette fonction une valeur entre 0 et 255. Nous pouvons faire en sorte que nos barres de défilement ne lui fournissent que des valeurs contenues dans cette fourchette en réglant leurs propriétés Min et Max. Utilisez la fenêtre de propriétés de chacune de vos barres pour régler leur valeur Min à 0 et leur valeur Max à 255 :

Index	
LargeChange	1
Left	1080
Max	255
Min	0
MouseIcon	(None)
MousePointer	0 - Default
RightToLeft	False

4 Nous avons presque fini. Tout ce qu'il nous reste à faire avant de pouvoir écrire du code, c'est de donner un nom à nos barres de défilement. Réfléchissons-y un peu. Ce que nous souhaitons, c'est qu'à chaque fois que leur curseur est déplacé, un événement destiné à déclencher la fonction RGB soit appelé pour déterminer la couleur de notre zone d'image. Nous pouvons y arriver de plusieurs façons. Nous pourrions écrire un sous-programme modifiant la couleur de notre zone d'image et donner à chaque barre de défilement un événement qui l'appellerait. Nous pourrions encore écrire ce code trois fois, une fois pour chaque barre. La meilleure façon est d'utiliser les services du groupe de contrôles Visual Basic. Rappelez-vous, nous l'avons déjà abordé dans ce manuel. Pour créer un groupe de contrôles, il n'y a qu'à établir la propriété Index de chaque barre de défilement et leur donner à toutes le même nom. Mettez l'Index de la barre de défilement de gauche à 0, la suivante à 1 et la dernière à 2. Ensuite, toujours dans votre fenêtre de propriétés, nommez toutes vos barres de défilement scrCouleur.

5 Nommez l'étiquette au bas de la feuille lblValeur et la zone d'image picCouleur.

6 Nous pouvons enfin écrire du code. Double-cliquez sur l'une des barres de défilement pour appeler la fenêtre Code et utilisez les menus déroulants des événements pour retrouver l'événement Change. Puisque nos barres se trouvent dans un groupe de contrôles, chaque fois que la valeur du curseur de l'une d'entre elles est modifiée, elles exécutent toutes le même événement Change.

7 Cet événement doit passer la valeur de chacune de nos barres à la fonction RGB. Modifiez votre code de la façon suivante :

```
Private Sub scrCouleur_Change(Index As Integer)

    Dim sCode As String

    With picCouleur

        .BackColor = RGB(scrCouleur(0), scrCouleur(1), scrCouleur(2))

    End With
    sCode = "picCouleur.BackColor = RGB(" & scrCouleur(0).Value & ", "
```

```
    sCode = scode & scrCouleur(1).Value & ", " & scrCouleur(2).Value & ")"

    lblValeur.Caption = sCode

End Sub
```

8 Enfin, exécutez votre programme est observez ce qu'il fait.

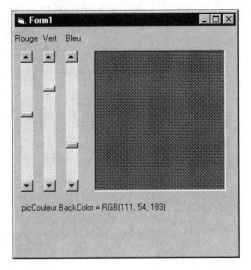

Fonctionnement

Au cours de l'événement `Change`, les valeurs de nos trois barres de défilement sont passées à la fonction `RGB`, définissant ainsi la couleur de notre zone d'image :

```
With picCouleur

    .BackColor = RGB(scrCouleur(0), scrCouleur(1), scrCouleur(2))

End With
```

Cette valeur en trois parties est obtenue en assemblant les trois valeurs `scrCouleur`, séparées par des virgules. La valeur ainsi rendue par la fonction est placée dans la propriété `BackColor` de la zone d'image ; la couleur de cette zone est dès lors modifiée pour refléter le choix de l'utilisateur.

Chaque couleur possède une valeur hexadécimale unique qui l'identifie et qui a été établie par la quantité requise de chaque couleur de base. Le reste du code affiche cette information dans l'étiquette au bas de la feuille.

Pour certaines valeurs, la couleur apparaissant dans la zone d'image n'est pas homogène, mais semble être constituée de petits points de couleurs différentes. Cet effet porte le nom de **tramage**.

421

Le tramage

Les couleurs visibles varient en fonction de la résolution de l'écran. La plupart des écrans VGA (Video Graphics Adapter) peuvent afficher 256 couleurs différentes à la fois. Ceci est dû à un problème de conception, même si certains considèrent qu'il s'agit-là d'une caractéristique distinctive ! Un petit calcul rapide aura néanmoins tôt fait de vous révéler que la fonction RGB peut aller jusqu'à donner les valeurs de 16777216 couleurs différentes.

Pour parer à cette éventualité, Windows a recours à ce que l'on appelle le **tramage**. Windows recherche la couleur désirée parmi celles disponibles. S'il y a un équivalent exact, cette couleur est affichée. Windows devra néanmoins bien des fois combiner au moins deux couleurs pour créer une couleur **personnalisée**. Cette dernière apparaîtra alors à l'écran comme une mosaïque de petits points de couleurs et de nuances différentes juxtaposés pour donner l'illusion d'une nouvelle couleur. Un peu comme un tableau de Seurat, mais à moindre coût !

Vous devez tenir compte des différents types d'écrans si vous avez l'intention de distribuer vos applications Visual Basic à d'autres utilisateurs et ordinateurs. Vous avez peut-être conçu votre application en utilisant le nec plus ultra de l'écran, le SVGA, mais s'il s'avère que votre utilisateur utilise quant à lui un moniteur limité à 16 couleurs, l'apparence et les couleurs de votre feuille risquent d'être complètement différentes.

Utiliser les constantes de couleurs intrinsèques

La possibilité offerte aux utilisateurs de personnaliser l'apparence de leur système constitue l'une des caractéristiques les plus enviées de toutes les interfaces graphiques utilisateur (GUI), Windows compris. Dans Windows 95 et 98, cela inclut la possibilité de modifier les coloris utilisés.

A bien y réfléchir, ceci est plutôt inquiétant. Après tout, si votre utilisateur peut choisir ses couleurs, votre application risque de sembler quelque peu dépareillée. Pire encore, votre utilisateur pourrait être daltonien et ne pas percevoir le gris, couleur de prédilection de toutes vos boîtes de dialogue. Ça vous parait peut-être tiré par les cheveux, mais vous seriez surpris d'entendre certaines des excuses fournies par certains utilisateurs pour dénigrer votre application lorsqu'ils n'en sont pas satisfaits !

Les couleurs intrinsèques vous offrent la solution miraculeuse à ce petit problème.

Grâce à ces petits bijoux, il n'est plus nécessaire d'indiquer à votre application d'utiliser le gris comme couleur de fond. Vous pouvez tout simplement indiquer à Visual Basic d'utiliser pour les fenêtres la couleur présélectionnée dans le système cible.

Tout ceci vous semble un peu confus ? Jetez un œil à la boîte de dialogue des couleurs qui apparaît lorsque vous cliquez sur la propriété BackColor, et que vous choisissez l'onglet Système :

En choisissant l'une de ces couleurs intrinsèques, vous vous assurez que votre application reste assortie au reste des couleurs présélectionnées par l'utilisateur pour son système.

Vous pouvez également décider de ces couleurs au niveau du code en utilisant des constantes de couleurs intrinsèques telles que `vbDesktop`, `vbActiveTitleBar`, etc. Vous pouvez obtenir une liste complète de toutes les constantes de couleurs disponibles dans Visual Basic en vous référant aux **Color Constants** dans le système d'aide en ligne.

Les systèmes de coordonnées

L'écran et les feuilles que vous y affichez sont composés de petits points. Lorsque vous dessinez un objet sur votre feuille, il faut que vous puissiez spécifier le ou les points sur lesquels vous désirez placer votre objet. C'est là que les coordonnées entrent en jeu.

Le coin supérieur gauche de l'écran possède les coordonnées 0,0. Ici, X = 0 et Y = 0. Plus vous allez vers la droite de l'écran, plus la valeur de X s'accroît, plus vous allez vers le bas de l'écran, plus la valeur de Y augmente.

Je me réfère souvent à l'écran, alors qu'en fait, dans Visual Basic, vous ne pouvez dessiner que sur des feuilles, des zones d'image ou des contrôles Dessin. Chaque élément possède son propre système de coordonnées et, dès lors, (0,0) sur une feuille n'a rien à voir avec (0,0) à l'écran. Chaque fois que vous dessinez un objet, utilisez le système de coordonnées par rapport au coin supérieur gauche de l'objet sur lequel vous dessinez.

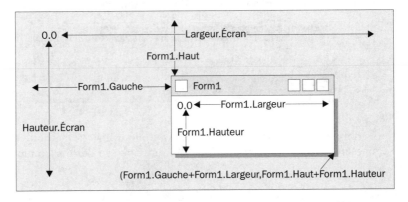

Vous ne pouvez néanmoins pas dessiner sur toutes les parties d'un objet, par exemple sur la barre de titre ou les bordures d'une feuille. Visual Basic 6 ne vous permet de dessiner que sur la zone **client** d'une feuille. Mais comment connaître l'étendue de cette zone ? Les objets que vous dessinez possèdent les deux propriétés suivantes : **ScaleHeight** et **ScaleWidth**. Elles vous indiquent la hauteur et la largeur maximale de la zone client de votre objet.

Passons à la pratique ! Placer une lettre au centre de votre feuille

1 Commencez un nouveau projet Visual Basic, appelez la fenêtre Code et choisissez l'événement `Form_Resize`.

2 Ajoutez le code suivant dans votre fenêtre Code :

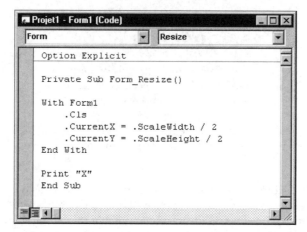

3 Exécutez votre programme et vous constaterez que la lettre X reste au centre de votre feuille même lorsque vous en modifiez les dimensions.

Fonctionnement

Étudions le fonctionnement de ce code. La première ligne utilise la méthode `Cls` (vous pouvez la concevoir comme une fonction de nettoyage de l'écran, avec ce dernier comme feuille) pour vider `Form1` :

```
With Form1

    .Cls
```

Chaque feuille possède un objet invisible appelé **curseur**. C'est le point où les instructions `Print` à venir afficheront le texte. Dès lors, lorsque vous réglez les propriétés `CurrentX` et `CurrentY`, le curseur se déplace sur le point que vous venez de spécifier.

Les propriétés `ScaleWidth` et `ScaleHeight` définissent les dimensions de la zone client. Donc, si vous attribuez à `CurrentX` et `CurrentY` une valeur correspondant à la moitié de la largeur et de la hauteur de votre zone client, le curseur se déplacera au centre de votre écran.

Twips, pixels, pouces et centimètres

Le système de coordonnées par défaut d'une feuille est en **twips** et chaque point y équivaut à un 567ème de centimètre. Si vous dessiniez sur votre feuille une ligne de 567 twips de long, elle mesurerait un centimètre une fois imprimée sur papier. C'est ce qu'on appelle un système de coordonnées **indépendant du périphérique** : peu importe que vous affichiez votre ligne sur un écran VGA standard, une imprimante, ou un écran des plus sophistiqués, elle mesurera toujours un centimètre une fois imprimée. Les twips sont particulièrement adaptés aux applications **WYSIWYG** comme les progiciels de publication assistée par ordinateur ou les logiciels de traitement de texte.

Mais en réalité, le système de coordonnées utilisant les **pixels** est bien plus utile puisque chaque unité de l'axe X ou Y de l'écran correspond exactement à un point ou pixel.

> Le système de coordonnées en pixels vous permet également de dessiner plus rapidement des graphiques à l'écran. Windows sait qu'un pixel équivaut à un point et n'a dès lors pas à se soucier de la conversion de vos coordonnées en un objet « dessinable ».

Vous pouvez modifier le système de coordonnées en vigueur sur votre feuille en appelant la fenêtre de propriétés et en cliquant sur la propriété ScaleMode :

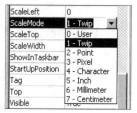

Changer le système de coordonnées prédéfini n'a pas d'impact immédiat sur votre application. Il faut néanmoins que vous en teniez compte lorsque vous traiterez les coordonnées dans votre code. En effet, une ligne qui mesurait auparavant 100 twips de long ne pourrait plus mesurer que 20 pixels, ce qui pourrait produire un effet tout à fait différent. La modification de la propriété ScaleMode de votre feuille n'affecte que les changements ultérieurs (les contrôles et les dessins préexistants ne sont ni redimensionnés ni redessinés). Pour cela, il vous faudrait écrire du code très poussé et dès lors d'un niveau bien supérieur à cette brève introduction aux graphiques.

Utiliser les graphiques

Maintenant que nous avons étudié les principes de base des graphiques, nous allons pouvoir commencer à dessiner des objets graphiques sur notre feuille. Visual Basic vous permet de vous y prendre de deux façons :

    ❑   Avec les **contrôles graphiques** qui sont semblables aux contrôles ordinaires de Visual Basic. Vous pouvez les placer sur votre feuille et les organiser de manière interactive en mode création. Deux de ces contrôles, les contrôles Dessin et Zone d'image, vous permettent de travailler avec différents fichiers d'images, tandis que le contrôle **Ligne (Line)** et le contrôle **Forme (Shape)** dessinent respectivement des lignes et des formes sur votre feuille (quelle surprise !).

❑ Avec les **méthodes graphiques** qui sont des commandes vous permettant de dessiner directement sur votre feuille au moment de l'exécution. Ce sont les méthodes Cls, Pset, Point, Line et Circle.

Dans certains cas, ces contrôles et méthodes graphiques sont interchangeables. Nous aborderons leurs avantages et inconvénients respectifs un peu plus loin, mais pour l'instant, jetons un coup d'œil aux contrôles graphiques.

Les contrôles Dessin et Zone d'image

Les contrôles graphiques les plus utilisées sont les contrôles Dessin et Zone d'image. Ils vous permettent de charger une image à partir de votre disque dur et de l'afficher à l'écran, soit en mode création, soit au moment de l'exécution. Ils sont idéaux pour embellir vos boîtes de dialogue ou fournir des animations à vos utilisateurs, dans le cas d'un jeu par exemple.

Charger des graphiques en mode création

Pour charger un graphique dans un contrôle Dessin ou Zone d'image, il suffit de saisir le nom de fichier du graphique dans la propriété Picture de l'objet en question. Le même principe s'applique à un objet feuille. Observez la fenêtre de propriétés des trois objets suivants :

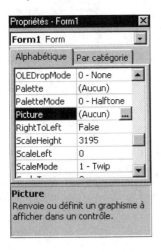 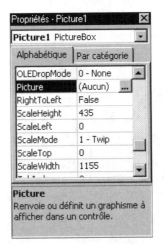 

Dans chaque cas, le processus est relativement similaire. Nous étudierons donc un seul cas en particulier. Le contrôle Dessin est un bon point de départ puisqu'il possède une propriété supplémentaire lui permettant d'agrandir l'image.

Passons à la pratique ! Charger et redimensionner un contrôle Dessin

1 Commencez un nouveau projet et double-cliquez sur l'icône du contrôle Dessin dans la boîte à outils afin d'en dessiner un sur votre feuille. Voici l'icône du contrôle Dessin :

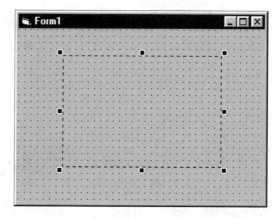

2 Sélectionnez le contrôle Dessin et appelez la fenêtre de Propriétés en appuyant sur *F4*. Choisissez la propriété Stretch et attribuez-lui la valeur True. Le plus simple est de double-cliquer dessus :

3 Choisissez maintenant la propriété Picture et double-cliquez dessus. Une boîte de dialogue vous demandant de sélectionner un fichier graphique apparaît alors. Allez dans votre répertoire Windows, ou naviguez dans le CD-Rom de Visual Basic pour obtenir une liste de fichiers graphiques BMP... Choisissez-en un et cliquez sur Ouvrir :

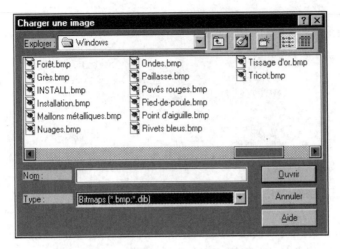

4 Cette image apparaît sur votre feuille, à l'intérieur du contrôle Dessin :

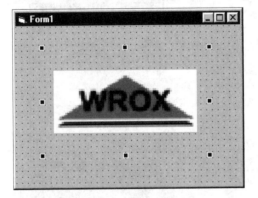

5 Redimensionnez ce contrôle en tirant sur ses poignées de redimensionnement (les petits carrés bleus qui l'entoure). Vous pouvez remarquer que l'image est elle-même modifiée :

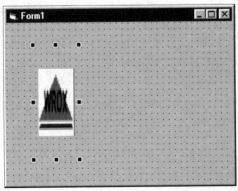

Charger des images pendant l'exécution

Vous imaginez peut-être qu'ajouter une image à un objet pendant l'exécution consiste à indiquer le bon chemin et le bon fichier à la propriété `Picture`. C'est malheureusement un peu plus compliqué que cela puisqu'il vous faudra également faire appel à la fonction `LoadPicture`.

En effet, la propriété `Picture` ne contient pas vraiment le nom du fichier graphique mais bien le graphique lui-même. C'est pour simplifier la fenêtre de Propriétés qu'en mode création, Visual Basic y affiche le nom du fichier. Mais c'est bel et bien l'information binaire contenue dans ce fichier qui est conservée dans votre projet lorsque vous le sauvegarder et ce, dans un fichier doté de l'extension `.frx`. Si par exemple vous sauvegardez une feuille sous le nom `Form1.frm` et que vous y ajoutez des graphiques en mode création, Visual Basic vous donnera un fichier `Form1.frx` contenant toutes les informations graphiques complémentaires (ainsi qu'une ou deux autres informations, mais ne compliquons pas les choses).

> L'avantage qu'il y a à inclure vos images en mode création est qu'elles ne risquent pas d'être perdues. Dans le cas contraire (si vous indiquez à votre contrôle un fichier graphique externe), vous devez vous assurer que tous ces fichiers seront distribués avec votre application. L'inconvénient est évident : vos fichiers programme sont plus longs et prennent donc plus de temps à se charger au moment de l'exécution. Je vous conseille donc d'inclure vos images à votre code au moment de la compilation si vous avez l'intention de distribuer votre application. Si par contre, vous comptez la conserver sur votre propre ordinateur, ne chargez les images qu'en phase d'exécution.

Retrouver vos images au moment de l'exécution

Lorsque vous chargez des images en phase d'exécution, vous devez vous assurer que les fichiers sont bien là où votre programme compte les trouver. Lorsque vous installez votre application, rangez vos fichiers image dans un sous-répertoire du dossier principal (là où se trouve le fichier exécutable). Souvenez-vous que votre utilisateur installera peut-être votre application sur un autre lecteur et dans un autre répertoire que ceux que vous avez utilisés pour créer votre programme. En sauvegardant vos graphiques dans un sous-répertoire du dossier dans lequel se trouve le fichier exécutable, vous pouvez économiser pas mal de temps :

```
Image1.Picture = LoadPicture (App.Path & "\graphiques\<nomimage>")
```

Ici, `<nomimage>` est le nom du fichier graphique que vous voulez charger. `App.Path` indique le chemin à suivre pour retrouver le fichier exécutable. Cette fonction est toujours disponible à n'importe quel endroit de votre programme, car ce que vous voyez est en fait la propriété `Path` de l'objet `App` intégré à Visual Basic (`App` étant une abréviation d'application).

Rappelez-vous que lorsque vous utilisez `App.Path`, certains chemins se terminent par une barre oblique et d'autres pas. Si par exemple votre programme VB était exécuté à partir de la racine du disque dur, `App.Path` aurait peut-être la valeur `C:\`. Si par contre il se trouvait dans un répertoire appelé My_APP, `App.Path` serait `C:\My_App`, sans barre oblique à la fin.

C'est pour cette raison qu'il est toujours préférable d'utiliser la fonction `Right$` pour vérifier si `App.Path` se termine ou non par une barre oblique :

```
If Right$(App.Path ,1 ) = "\" Then
    Image1.Picture = LoadPicture(App.Path & "Fichier1.bmp")
Else
    Image1.Picture = LoadPicture (App.Path & "\Fichier1.bmp")
End If
```

Comparer les contrôles Dessin et Zone d'image

Comme nous avons déjà utilisé les contrôles Dessin et Zone d'image, vous avez probablement déjà une petite idée de leurs avantages et inconvénients respectifs. En voici un résumé :

❑ Lorsque leur forme est modifiée, les contrôles Dessin redimensionnent l'image qu'ils contiennent ce qui n'est pas le cas des zones d'image ou des feuilles.

❑ Les zones d'image peuvent faire office d'objets récepteurs. J'y reviendrai plus en détail dans un instant.

❑ Les contrôles dessins sont des contrôles **légers**. Autrement dit, ils utilisent moins de mémoire et sont plus rapides à charger que des contrôles plus lourds comme la zone d'image, par exemple.

❑ Les contrôles Dessin et Zone d'image sont des contrôles **dépendants**. Autrement dit, ils peuvent être liés à certains champs d'une base de données. Nous reviendrons plus tard à ce type de contrôles et aux bases de données : sachez simplement que c'est une caractéristique très importante.

❑ L'autre différence majeure entre ces deux contrôles est que les méthodes graphiques vous permettant de dessiner des graphiques à la volée pendant l'exécution ne peuvent être utilisées pour dessiner sur l'image d'un contrôle Dessin, tandis que cela est possible pour une zone d'image.

L'expérience aidant, vous apprendrez rapidement à choisir instinctivement le contrôle approprié à votre tâche. C'est là l'un des nombreux aspects satisfaisants de l'apprentissage de la programmation avec Visual Basic.

Les zones d'image comme conteneurs

Au contraire du contrôle Dessin, la zone d'image est un contrôle **conteneur** : il est possible d'y dessiner d'autres contrôles. Tout ce que vous faites à votre zone d'image affectera alors également le contrôle qui y est contenu. Si par exemple, vous masquez votre zone d'image, les contrôles qu'elle contient seront également invisibles. De même, si vous la déplacez, ses contrôles suivront.

Et c'est là que la zone d'image devient pratique. En en plaçant une sur un cadre ou une feuille, puis en y ajoutant d'autres contrôles, vous pouvez commencer à décomposer tout un groupe de fonctions en séquences liées.

Vous pourriez par exemple regrouper plusieurs boutons d'option dans une zone d'image. Si vous modifiez la propriété BorderStyle de la zone d'image et que vous lui attribuez la valeur 0—None, vous pouvez donner l'illusion que votre zone d'image a disparu. Les boutons d'option seraient toujours visibles et regroupés dans votre zone d'image, mais séparés des autres placés sur votre feuille.

Selon le même principe, vous pouvez faire disparaître un groupe de boutons d'option d'une zone d'image simplement en réglant la propriété Visible de cette dernière sur False. Elle disparaît alors complètement emportant avec elle tout ce qui y est dessiné.

Passons à la pratique ! Utiliser les zones d'image comme contrôles conteneurs

1 Commencez un nouveau projet Visual Basic et placez un contrôle Zone d'image sur votre feuille.

2 Dessinez un bouton de commande à l'intérieur de votre zone d'image :

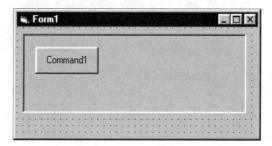

3 Sélectionnez la zone d'image et repositionnez-la à un autre endroit sur votre feuille. Le bouton de commande la suit :

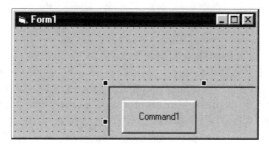

4 Sélectionnez votre bouton de commande et essayez de le tirer hors de votre zone d'image. Visual Basic vous en empêche puisque ce bouton de commande en fait partie.

5 Double-cliquez sur votre feuille pour appeler la fenêtre de code de l'événement `Form_Load()` et tapez-y la ligne de code suivante :

```
Private Sub Form_Load()

   Picture1.Visible = False

End Sub
```

6 Exécutez maintenant votre programme. Lorsque votre feuille apparaîtra, vous verrez que la zone d'image et son bouton de commande ont disparu. En rendant le contrôle Zone d'image invisible, vous masquez également tous les objets qu'il contient :

7 Arrêtez votre programme et modifiez l'événement `Load` de sorte que la propriété `Enabled` de la zone d'image ait la valeur `False`. Enlevez la référence à la propriété `Visible` :

```
Sub Form_Load()

Picture1.Enabled = False

End Sub
```

8 Exécutez votre programme à nouveau. Cette fois-ci, la zone d'image et son bouton de commande apparaissent mais ni l'un ni l'autre ne peuvent être sélectionnés. Essayez de cliquer sur le bouton de commande : rien ne se passe ! Le seul inconvénient ici est que le bouton de commande n'a pas l'air désactivé et inaccessible. N'oubliez pas qu'en désactivant un contrôle conteneur, vous empêchez également l'utilisateur d'employer les contrôles qui s'y trouvent, sans nécessairement en donner l'impression. Ceci peut prêter à confusion au moment de l'exécution.

Vous pouvez économiser pas mal de temps et d'énergie en utilisant les contrôles Zone d'image de cette façon. Si vous désirez masquer plusieurs contrôles ou les faire apparaître en réponse à une action de l'utilisateur, vous n'avez qu'à les placer dans une zone d'image et en inverser la propriété `Visible`.

La zone d'image n'est pas le seul contrôle conteneur disponible dans Visual Basic. Il en existe un autre, un peu moins souple, le contrôle Cadre. Le contrôle Zone d'image est avant tout destiné à afficher des images graphiques (comme vous le verrez plus loin) mais il parvient néanmoins à jouer les contrôles conteneur de façon plus que convaincante. Le contrôle Cadre n'est, quant à lui, qu'un contrôle conteneur. En fait, son seul avantage par rapport à la zone d'image est qu'il est esthétiquement plus plaisant et que vous pouvez inclure une légende sur sa bordure : essayez donc. Vous pouvez également désactiver sa propriété Border et le rendre ainsi invisible.

Le contrôle Forme

Le contrôle Forme vous permet de dessiner des formes géométriques simples telles que des lignes, des rectangles ou des cercles sur votre feuille en mode création. Pour utiliser le contrôle Forme, sélectionnez-le sur la palette et posez un rectangle sur la feuille comme vous le faites pour tout autre contrôle.

Passons à la pratique ! Utiliser le contrôle Forme

1 Créez un nouveau projet standard Visual Basic.

2 Double-cliquez sur le contrôle Forme de la boîte à outils pour le placer sur votre feuille par défaut. Voici l'icône de ce contrôle :

3 Redimensionnez la forme en cliquant et en tirant sur ses poignées de redimensionnement comme nous l'avons déjà fait pour d'autres contrôles :

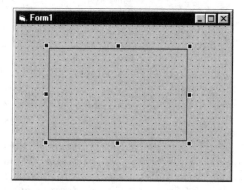

4 Appelez la fenêtre de Propriétés et choisissez Shape. Ceci vous permet de modifier la forme qui va être affichée. Cliquez sur la flèche dirigée vers le bas pour obtenir la liste des formes disponibles :

5 Vous pouvez changer le style de bordure de votre forme et passer d'une ligne continue à différents types de pointillés en utilisant la propriété **BorderStyle**. Double-cliquez dessus pour passer en revue toutes les options offertes.

6 La propriété **BackStyle** vous permet de décider si la forme sera remplie :

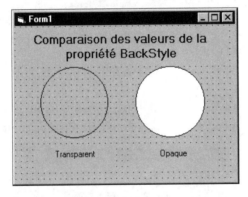

7 Vous pouvez aussi modifier l'épaisseur de la bordure de votre forme grâce à la propriété **BorderWidth**. Sélectionnez cette propriété et donnez-lui la valeur **10**. Le style de la bordure est alors radicalement modifié.

Pour être franc, je ne me sers jamais du contrôle Forme car il est trop limité pour construire des images complexes en mode création. Si j'ai besoin de graphiques au moment de l'exécution, j'utilise plutôt les méthodes graphiques pour les créer. De nombreuses personnes emploient néanmoins ce contrôle pour placer des bordures autour de certains objets sur une feuille car il nécessite moins de mémoire qu'un contrôle Cadre ou Zone d'image. Sachez aussi qu'étant des contrôles légers, les contrôles Forme ne peuvent recevoir le focus en phase d'exécution. Ils ne servent donc guère qu'à faire joli sur votre application.

Le contrôle Ligne

Le contrôle Ligne est encore plus simple à utiliser que le contrôle Forme. Il vous permet de dessiner des ligne droites sur votre feuille. Pratique pour délimiter des contrôles sur une feuille ou pour souligner une zone en particulier. C'est ce que les créateurs d'interface appellent un accessoire et que tout le monde appelle un gadget.

Passons à la pratique ! Dessiner une ligne sur une feuille

1 Double-cliquez sur le contrôle Ligne de la boîte à outils pour le placer sur votre feuille.

2 Le contrôle Ligne possède deux poignées de redimensionnement situées chacune à une extrémité et que vous pouvez tirer pour changer la taille et l'orientation de votre ligne :

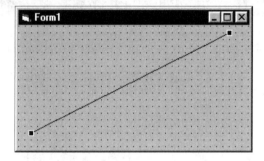

3 Comme pour le contrôle Forme, vous pouvez modifier l'épaisseur et le type de la ligne en utilisant les propriétés BorderStyle et BorderWidth. Appelez la fenêtre de propriétés et double-cliquez sur BorderStyle pour passer en revue les différents types de lignes disponibles. Donnez ensuite une valeur à la propriété BorderWidth pour changer l'épaisseur de la ligne. A part ça, il n'y a pas grand chose que vous puissiez modifier.

Les méthodes graphiques

Les méthodes graphiques de Visual Basic vous offrent une plus grande flexibilité en matière de graphiques. Contrairement aux contrôles (qui doivent tous être dessinés sur votre feuille en mode création), les méthodes graphiques vous permettent de créer des graphiques à la volée. Ceci inclut le dessin de lignes et de formes, la définition de chaque pixel sur votre feuille, etc. Avec un petit peu d'imagination, ces méthodes peuvent vous faire entrer dans l'univers des jeux et des animations. Et en plus, vous serez surpris de constater que vous pouvez créer des effets spectaculaires même si vous n'avez que peu d'expérience en programmation.

Oui, mais est-ce de l'art ?

Si une chose manquait à Visual Basic, c'était la possibilité de recopier des graphiques d'une zone à l'autre. Auparavant, si vous vouliez accomplir cet exploit, il fallait soit recopier des contrôles Dessin ou Zone d'image à la volée, soit se tourner vers l'effrayante API de Windows et en utiliser la fonction BitBlt.

Dieu merci, l'équipe Recherche et Développement de Microsoft ne passe pas sa journée à boire du café et à s'exclamer "Cool !". Et dans VB4, ils ont introduit la méthode fantastique PaintPicture. Malgré son nom, il ne suffit pas d'écrire :

```
Form1.PaintPicture "Quelque chose dans le style Renaissance"
```

En fait, la méthode PaintPicture vous permet de recopier très rapidement des séquences de données graphiques d'une zone de votre feuille, d'une zone d'image ou de l'imprimante, à une autre : pratique pour des animations !

Passons à la pratique ! La méthode PaintPicture

1   Commencez un nouveau projet et double-cliquez sur l'icône du contrôle Zone d'image de la boîte à outils pour placer une zone d'image sur la feuille :

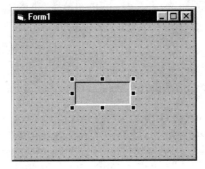

2   Appelez votre zone d'image picGraphique et attribuez la valeur **False** à sa propriété **Visible**. En effet, nous ne voulons pas que cette image soit visible au moment de l'exécution.

3   Double-cliquez sur la propriété **Picture** de votre zone d'image pour faire apparaître la boîte de dialogue **Charger une image**. Choisissez une icône ou un petit fichier bitmap sur votre disque.

Puis-je suggérer le répertoire vb/Samples/Pguide/Controls *ou encore le répertoire* Msdn98/98vs/1033/samples/vb98/controls. *Une fois de plus, ceci dépend complètement de la version de Visual Basic que vous utilisez. Mais ne vous inquiétez pas, vous pouvez toujours explorer votre disque dur à la recherche d'un fichier bitmap que vous reconnaîtrez à son extension* .bmp.

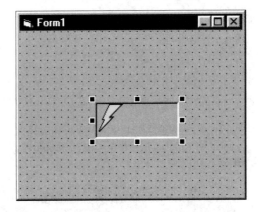

4   Nous allons maintenant ajouter du code pour que notre image se déplace à l'écran lorsque l'utilisateur la tire avec la souris. Pour ce faire, commençons par établir une variable oui/non qui nous indiquera si l'utilisateur tire la souris sur l'écran. Tapez la ligne suivante dans la section **(Général)** **(Déclarations)** de votre fenêtre Code :

```
Dim lDragging As Boolean
```

5   Nous voulons que `lDragging` soit vrai (true) lorsque l'événement `MouseDown` se produit et faux (false) lorsque l'événement `MouseUp` se produit. Lorsque la feuille se charge, nous voulons commencer par supposer que la souris n'a pas encore été déplacée. Il nous faut donc installer cette variable dans trois gestionnaires d'événements différents :

```
Private Sub Form_Load()

      lDragging = False

End Sub

Private Sub Form_MouseDown(Button As Integer, Shift As Integer, X As Single, Y As Single)

      lDragging = True

End Sub

Private Sub Form_MouseUp(Button As Integer, Shift As Integer, X As Single, Y As Single)

      lDragging = False

End Sub
```

6   Nous pouvons enfin utiliser la méthode `PaintPicture` pour ajouter du mouvement. Cette animation se produira dans l'événement `MouseMove`. Ajoutez-y le code suivant :

```
Private Sub Form_MouseMove(Button As Integer, Shift As Integer, X As Single, Y As Single)

    If lDragging Then
        Form1.PaintPicture picGraphique.Picture, X, Y,
    ↳ picGraphique.Width, picGraphique.Height
    End If

End Sub
```

7   Exécutez votre programme. Cliquez et, en maintenant votre doigt sur le bouton de la souris, faites-la glisser. Observez le résultat. Déplacez-la plus rapidement et l'effet est encore plus intéressant !

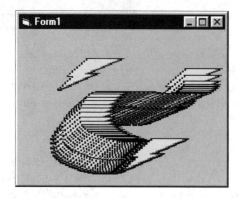

Fonctionnement

La méthode `PaintPicture` fonctionne de la façon suivante :

```
[objet.]PaintPicture pic, destX, destY [,destWidth [,DestHeight [,srcX [,srcY
[,srcWidth [,srcHeight,[Op]]]]]]]
```

Le premier paramètre de cette méthode est le paramètre objet. Vous devez en effet préciser à Visual Basic l'objet sur lequel vous désirez appliquer la méthode `PaintPicture`. La méthode `PaintPicture` peut être appliquée à des feuilles, des contrôles Zone d'image et, bien entendu, à l'objet imprimante.

Le paramètre `pic` représente l'image que nous allons recopier. C'est normalement à ce stade que vous devriez passer la propriété `Picture` d'une zone d'image ou d'une feuille.

`destX` et `destY` sont les coordonnées de l'objet cible où vous voulez afficher votre image. Les propriétés `DestWidth` et `DestHeight` précisent la taille de l'image qui va en résulter et l'étendue de l'objet cible qu'elle couvrira.

Dans notre exemple, nous avons appliqué `PaintPicture` à notre feuille (`Form1`) et copié l'image de la zone d'image masquée, `picGraphique`. Les coordonnés X et Y étaient les mêmes que les coordonnées X et Y de la souris, la hauteur et la largeur étaient empruntées aux propriétés hauteur et largeur du contrôle Zone d'image :

```
If lDragging Then
      Form1.PaintPicture picGraphique.Picture, X, Y, picGraphique.Width,
         ↳ picGraphique.Height
End If
```

Les autres propriétés sont, fort heureusement, optionnelles. Elles vous permettent de délimiter une zone de clipping , c'est-à-dire de délimiter une portion de l'image source qui sera copiée sur l'objet cible. Pour ce faire, vous devez spécifier les coordonnées de la partie de l'image qui vous intéresse ainsi que sa hauteur et sa largeur. Le dernier paramètre, Op, vous permet de spécifier ce que l'on appelle un opérateur de niveau bit tel que And et Xor. Nous y reviendrons ultérieurement.

> Avant d'aller plus loin, il faut que je vous révèle une petite particularité de la méthode PaintPicture. Si vous attribuez des valeurs négatives aux propriétés Width et Height de l'objet cible, l'image se retournera horizontalement ou verticalement selon le paramètre négatif.

Tracer des pixels avec Pset

Maintenant que nous avons étudié les contrôles graphiques, nous pouvons aborder les méthodes graphiques. Nous nous arrêterons tout d'abord sur la méthode Pset. Cette méthode est en fait une abréviation de **point set** (tracer un point) et elle vous permet de tracer des pixels (points) un à un sur une feuille. Vous pourriez par exemple recouvrir une feuille de points multicolores pour simuler un jet de peinture ou encore déplacer des points à l'écran de façon ordonnée pour créer de nouveaux effets encore inconnus.

Passons à la pratique ! Le jet de peinture

1 Le principe en est assez simple, mais cet effet peut être utilisé comme arrière-plan d'une feuille de titre d'une application. Créez un nouveau projet standard Visual Basic et appelez votre feuille par défaut frmPrincipale. Fixez sa propriété AutoRedraw sur True.

2 Fixez la propriété BackColor sur la couleur noire afin que notre dessin soit bien contrasté.

3 Ajoutez le code suivant à l'événement Click de votre feuille pour qu'il ait cette allure :

```
Private Sub Form_Click()

  Dim nIndex as Integer
  Dim nXCoord as Integer, nYCoord as Integer
  Dim nRed as Integer, nGreen as Integer, nBlue as Integer

  Randomize
  For nIndex = 1 To 2000
```

```
    nXCoord = Int(Rnd(1) * frmPrincipale.ScaleWidth)
    nYCoord = Int(Rnd(1) * frmPrincipale.ScaleHeight)
    nRed = Int(Rnd(1) * 255)
    nGreen = Int(Rnd(1) * 255)
    nBlue = Int(Rnd(1) * 255)

    PSet (nXCoord, nYCoord), RGB(nRed, nGreen, nBlue)
  Next
  Msgbox "J'ai fini !"

End Sub
```

4   Lorsque vous avez fini de taper votre code, exécutez votre application. Votre feuille apparaît, cliquez dessus et voilà le résultat :

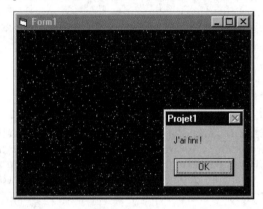

Fonctionnement

Tout d'abord, un survol rapide. La boucle `For...Next` tourne 2000 fois et choisit à chaque fois des coordonnées aléatoires à partir desquelles placer un point à l'écran. C'est ce que la commande `Rnd()` effectue.

> *Visual Basic ne produit pas véritablement des nombres au hasard. Il ne vous demande pas non plus de fermer les yeux et de taper n'importe quel chiffre. En fait, il crée une séquence de nombre apparemment choisis au hasard et la met en mémoire. C'est le rôle de la commande `Randomize` qui se trouve au début de votre code ; c'est elle qui crée la liste de nombre que vous tirerez au hasard avec la commande `Rnd()`. Bien évidemment, s'il se trouve des philosophes parmi vous, ils objecteront à raison qu'il est impossible de créer un nombre véritablement aléatoire.*

Utiliser `Rnd(1)` équivaut à demander à Visual Basic de nous fournir le nombre suivant dans sa séquence de nombres aléatoires : c'est un nombre décimal entre 0 et 1. La ligne :

```
Rnd(1) * frmPrincipale.ScaleWidth
```

nous donne donc un nombre au hasard situé entre 0 et la largeur de la zone client de notre feuille. La zone client d'une feuille est la partie sur laquelle vous pouvez dessiner ou placer des contrôles. C'est donc sa partie centrale, bordures et zone de la barre de légende non comprises.

Jusqu'ici, tout va bien. Il nous faut tout de même nous occuper de ce nombre aléatoire avant de pouvoir l'utiliser. Supposons que la largeur de la feuille soit égale à 2437 et que le nombre aléatoire fourni par Rnd(1) soit 0,5412. Multipliez ces deux nombres et vous obtenez 1318,9044. Ce nombre ne peut évidemment pas être utilisé comme coordonnée X, puisque Visual Basic a besoin d'un entier, et pas d'un décimal.

L'instruction Int convertit ce nombre en un entier. Dans notre exemple, elle convertirait 1318,9044 en 1318 simplement en éliminant la partie décimale. Nous disposons donc alors d'un nombre utilisable. La même technique est appliquée pour obtenir la coordonnée Y ainsi que les valeurs de rouge , vert, jaune qui seront utilisées pour colorer nos points.

Enfin, PSet est appelé pour dessiner le point. Le format de la méthode PSet est le suivant :

```
Pset (<coordonnée X>, <coordonnée Y>), <Valeur de la couleur>
```

Comme notre programme a déjà décidé des coordonnées de notre point, ainsi que des valeurs choisies au hasard et nécessaires à la fonction RGB, nous avons tous les éléments nécessaires pour dessiner notre point quelque part sur l'écran, dans une couleur aléatoire. Exécutez cette boucle 2000 fois et de nombreux points multicolores apparaîtront à l'écran, comme dans notre exemple. C'est joli, non ?

Dessiner des lignes

Apprendre à tracer des points permet de comprendre comment les graphiques sont dessinés et comment fonctionne le système de coordonnées assez excentrique de Visual Basic. Mais pour les graphes et des images plus impressionnantes, vous devrez savoir dessiner des lignes. Même si vous trouvez le sujet évident, arriver à dessiner des lignes dans votre code vous ouvrira un univers illimité de possibilités.

Si vous savez dessiner des lignes, vous pourrez dessiner des graphes, des images tri-dimensionnelles et explorer la réalité virtuelle. Vous pourriez même vous détendre devant un show laser fait maison !

Visual Basic possède une commande extrêmement souple pour dessiner des lignes, la commande Line. Dans sa forme la plus simple, il vous suffit de donner à cette commande deux ensembles de coordonnées (l'un pour le point de départ de la ligne et l'autre pour son point final). Vous pouvez aussi lui donner une valeur de couleur, tout comme pour Pset. Visual Basic vous dessine alors une ligne en une fraction de seconde.

Passons à la pratique ! Dessiner des lignes

1 Créez un nouveau projet Visual Basic et fixez la propriété AutoRedraw sur True.

2 Lancez le programme puis appuyez sur *Ctrl+Arrêt* pour l'interrompre. Vous pouvez aussi cliquer sur l'icône arrêt de la barre d'outil.

*Si la feuille principale disparaît à ce moment, faites-la réapparaître en la sélectionnant dans
la barre d'outils de Windows 95.*

2 Une fois que votre programme est en mode arrêt, la **fenêtre d'exécution** devrait être
visible. Si ce n'est pas le cas, choisissez l'option **fenêtre d'exécution** dans le menu
Afficher pour la faire apparaître.

3 Réorganisez votre feuille et la **fenêtre d'exécution** pour que vous puissiez les voir
toutes deux. Comme nous l'avons vu dans le chapitre 10, la **fenêtre d'exécution** nous
permet d'entrer la plupart des commandes que nous aurions normalement à taper
dans **la fenêtre Code** . La seule différence est que, lorsque vous tapez sur la touche
Entrée dans la **fenêtre d'exécution**, la commande est exécutée immédiatement :

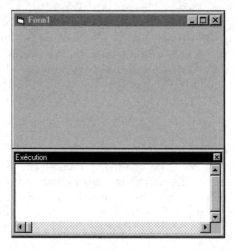

4 Dessinons quelques lignes. Dans votre **fenêtre d'exécution**, tapez `Form1.Line`
`(0,0)-(1500,1500)` et appuyez sur *Entrée*. Une ligne apparaît sur votre feuille :

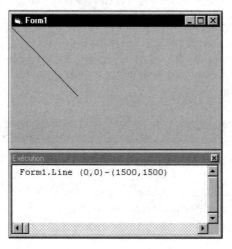

5 A moins que vous n'en décidiez autrement, Visual Basic dessine votre ligne de la couleur indiquée dans la propriété ForeColor. Vous pouvez également sélectionner une couleur dans la commande Line. Tapez le code suivant dans la fenêtre d'exécution et appuyez sur *Entrée* :

```
Form1.Line (0,0) - (2000,900), vbMagenta
```

Cette fois-ci, la ligne dessinée est rose.

6 Vous pouvez également indiquer à Visual Basic de dessiner une ligne à partir du point où la ligne précédente s'est arrêtée. Ajoutez ces deux commandes et appuyez sur *Entrée* après chacune d'elles :

```
Form1.Line -(3000,3000)
Form1.Line -(0,0)
```

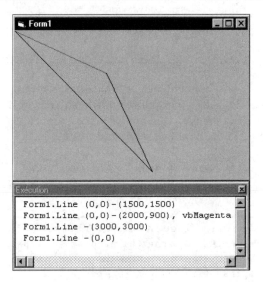

7 Enfin, vous pouvez également utiliser la commande Line sans spécifier les coordonnées exactes mais en utilisant à la place des valeurs de positionnement relatives (**décalages**). Ajoutez ces lignes de codes :

```
Form1.Line (0,0)-Step(2000,400)
Form1.Line Step(1000,1000)-Step(500,500)
Form1.Line -Step(2000,-800)
```

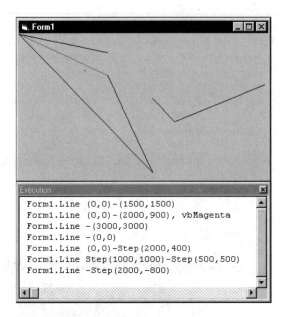

```
Form1.Line (0,0)-(1500,1500)
Form1.Line (0,0)-(2000,900), vbMagenta
Form1.Line -(3000,3000)
Form1.Line -(0,0)
Form1.Line (0,0)-Step(2000,400)
Form1.Line Step(1000,1000)-Step(500,500)
Form1.Line -Step(2000,-800)
```

8   Ces lignes vous donnent des résultats assez étranges. Le mot clé Step indique à Visual Basic que les coordonnées qui le suivent doivent être ajoutées aux dernières coordonnées dessinées. Dès lors, Form1.Line(0,0)-Step(1000,400) commence la ligne à 0,0 et la termine à (0+1000, 0+400).

9   Cliquez sur le bouton Fin mais conservez votre feuille car les exemples à venir utilisent tous la même feuille et la même fenêtre d'exécution.

Même si nous n'avons abordé que le dessin d'images statiques en utilisant les lignes et les méthodes Pset, sachez qu'avec un petit peu plus d'effort, vous pourrez les utiliser pour créer des animations. C'est un joli petit exercice que vous pouvez faire tout seul si vous le souhaitez.

Des animations très simples peuvent être obtenues rien qu'en dessinant une image, en l'effaçant puis en la redessinant, soit à un autre endroit sur la feuille, soit sous une nouvelle forme. Les commandes Pset et Line vous permettent de choisir la couleur de l'objet à dessiner, et elles sont donc idéales pour créer des animations simples. Commencez par dessiner votre image en utilisant une couleur visible, puis effacez-la en la redessinant exactement de la même façon mais en utilisant la couleur d'arrière-plan de votre feuille.

Bon, d'accord, vous n'aurez pas le premier prix au prochain salon du logiciel, mais c'est un premier pas dans l'apprentissage de toutes les possibilités offertes par Visual Basic.

Cercles, courbes et arcs

En infographie, dessiner des courbes et des cercles a toujours été très complexe. Dieu merci, Visual Basic simplifie énormément tout cela grâce à sa commande `Circle`. Malgré son nom quelque peu trompeur, la méthode `Circle` (cercle) peut dessiner des courbes, des cercles, des ellipses et des segments de cercle : pratique pour certains graphiques en secteurs.

Commençons avec un simple cercle.

Passons à la pratique ! Dessiner des cercles

1   Arrêtez votre programme précédent (ceci vide votre feuille de tout graphique) et exécutez votre programme à nouveau, puis placez-le en mode arrêt en appuyant sur *Ctrl+Arrêt* ; appelez la fenêtre d'exécution en appuyant sur *Ctrl+G* . Faites une pause pour souffler un peu et vous féliciter d'être arrivé là sans problème. Vous pouvez vous débarrasser de votre **fenêtre d'exécution** en appuyant sur la touche *Supprimer* si vous êtes un maniaque du rangement.

2   Réorganisez vos deux fenêtres comme auparavant et tapez le code suivant dans la fenêtre d'exécution (n'oubliez pas d'appuyer sur *Entrée* à la fin de la commande) :

```
Form1.Circle (2000,1500), 1000
```

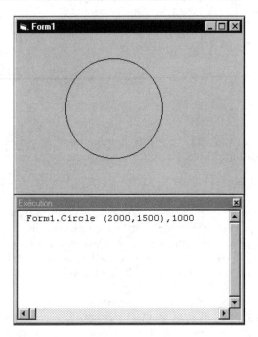

3   Un cercle apparaît. Les coordonnées entre parenthèses sont celles du centre du cercle, dans ce cas-ci 2000,1500. Le nombre hors parenthèse représente le rayon du cercle, ici 1000. Pour simplifier tout ça, dessinez deux lignes dans votre cercle pour en indiquer le centre et le rayon :

```
Line (2000,1500)-Step(0,1000)
Line (2000,1500)-Step(1000,0)
```

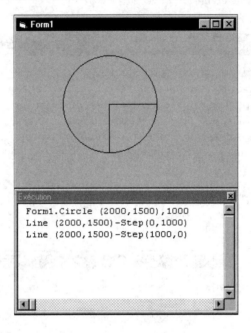

Dessiner des arcs

Les arcs nécessitent un peu plus d'effort. La méthode Circle que vous avez utilisée jusqu'à présent est une version simplifiée. La syntaxe complète de Circle est la suivante :

```
Circle (x,y), <rayon>, <couleur>, <angle de départ>, <angle d'arrivée>, <aspect>
```

Malheureusement, rien que par simple esprit de contradiction, la plupart des ordinateurs calculent les angles en radians et non pas en degrés. Je n'essayerai même pas de vous expliquer la logique derrière tout ça ni même de vous donner une définition du radian, ça ne vous sera pas utile et de toute façon, j'ai raté tous mes exams de maths au lycée !

Sachez simplement que pour convertir un nombre de degrés en radians, il faut multiplier l'angle par Pi (environ 3,1415) et diviser le résultat par 180. Il est probablement plus simple de placer ce code dans une fonction que vous appellerez ensuite. Essayons donc.

Passons à la pratique ! Dessiner des arcs et des secteurs

1   Stoppez votre dernier programme.

2   Ajoutez un nouveau module de code au projet (en choisissant **Ajouter un module** dans le menu **Projet**). Avant d'aller plus loin, nous devons créer une fonction qui convertisse les degrés en radians. Tapez cette fonction dans la fenêtre de code de votre nouveau module :

```
Function Rads ( ByVal nDegrés As Double ) As Double

    Dim nRadians As Double

    nRadians = (22 / 7) * nDegrés

    Rads = nRadians / 180

End Function
```

Tout ce que ce code fait, c'est de prendre un nombre représentant un angle en degrés et de donner son équivalent en radians.

3   Exécutez votre programme, puis placez-le en mode d'arrêt. Appuyez sur *Ctrl+G* pour appeler la **fenêtre d'exécution**.

4   Tapez la ligne de code suivante dans votre **fenêtre d'exécution** pour dessiner un arc de cercle de 45 à 230 degrés :

```
Form1.Circle (2000,2000), 1000,  , Rads(45), Rads(230)
```

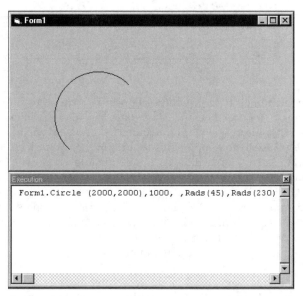

Remarquez que cet arc est dessiné dans le sens inverse des aiguilles d'une montre.

5   Nous avons déjà dessiné des lignes sur notre cercle en utilisant la commande Line pour en indiquer le centre et le rayon. La commande Circle peut le faire pour vous. Tapez les lignes suivantes :

```
Form1.Cls
Form1.FillStyle = 0
Form1.FillColor = QbColor(14)
Form1.Circle (2000,2000),1000, , -Rads(90), -Rads(45)
Form1.FillColor = QbColor(1)
Form1.Circle (2050,1900),1000, , -Rads(45), -Rads(90)
Form1.FillStyle = 1
```

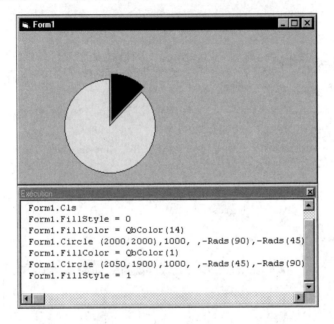

Fonctionnement

Dans ce que vous venez de taper, quelques lignes de code sont intéressantes. La commande Cls signifie "clear screen" (effacer l'écran), mais dans Visual Basic, elle n'efface que la feuille. Après avoir donc effacé la feuille avec cette commande Cls , nous avons fixé la propriété FillStyle à 0. Ceci indique à Visual Basic de remplir tous les graphiques qu'il dessine avec la couleur placée dans la propriété FillColor de la feuille. La ligne suivante en choisit la couleur, 14 pour jaune, en utilisant la méthode QBColor.

Dans nos deux commandes Circle, nous avons passé des valeurs négatives pour les angles de départ et d'arrivée. Ceci indique à la commande Circle de dessiner des lignes perpendiculaires à partir du début et de la fin de l'arc jusqu'au centre du cercle. Dans la dernière ligne, la commande FillStyle annule le remplissage automatique.

Avant d'aller plus loin, enregistrez le module auquel nous avons ajouté la fonction Rads sous le nom de Radians.Bas (il pourrait s'avérer utile dans votre propre code).

Dessiner des ellipses

La commande `Circle` peut enfin s'utiliser pour dessiner des ellipses. Pour cela, tout ce que vous avez à faire est de dessiner un cercle de façon normale, puis d'attribuer un nombre à son paramètre `Aspect`.

Mais je dois d'abord vous expliquer ce qu'est l'aspect. C'est le rapport entre l'axe horizontal et l'axe vertical du cercle. Un rapport 2 voudrait dire que le rayon horizontal du cercle est deux fois plus long que le rayon vertical. De même, un rapport 0,5 afficherait une ellipse deux fois plus haute que sa largeur.

Passons à la pratique ! Les ellipses

1 Arrêtez votre programme et remettez-le en mode d'exécution. Placez-le en mode arrêt (*Ctrl+Arrêt*) et appelez la fenêtre d'exécution (*Ctrl+G*).

2 Tapez les lignes suivantes dans cette fenêtre et appuyez sur *Entrée* :

```
Form1.circle(2000,2000),1000,,,,3
Form1.circle(2000,2000),1000,,,,.5
Form1.circle(2000,2000),1000,,,,2
```

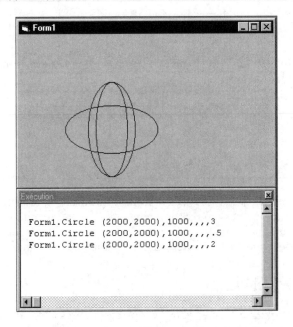

Même si je les ai appelées « commandes » et « instructions » et que nous les avons utilisées de manière interactive en débogage, rappelez-vous que ce sont en fait des méthodes graphiques. Utilisées dans le code, elles doivent être appliquées à un objet qui, par défaut, sera souvent la feuille en cours.

Les propriétés de dessin : des effets très spéciaux

Il existe de nombreuses propriétés graphiques que vous pouvez utiliser pour créer beaucoup d'effets spéciaux.

La propriété FillStyle

Nous avons déjà observé que fixer la propriété FillStyle d'une feuille à 0 remplit un cercle d'une couleur choisie. En lui donnant la valeur 1 (sa valeur par défaut), le contenu de votre cercle reste incolore.

La propriété FillStyle possède en fait de nombreuses valeurs possibles, chacune produisant un effet différent sur la forme que vous dessinez. Le tableau ci-dessous vous donne la liste de ces valeurs ainsi que l'effet correspondant :

Valeur	Effet
0	Plein – remplit l'objet.
1	Transparent – ne remplit pas l'objet.
2	Remplit l'objet de lignes horizontales.
3	Remplit l'objet de lignes verticales.
4	Remplit l'objet de lignes diagonales en partant du coin supérieur gauche vers le coin inférieur droit.
5	Remplit l'objet de lignes diagonales en partant du coin inférieur gauche vers le coin supérieur droit.
6	Hachure l'objet.
7	Hachure l'objet en diagonale.

Vous pouvez vous amuser avec toutes ces options en utilisant la **fenêtre d'exécution**, comme dans les autres exemples. Exécutez votre programme, mettez-le en mode arrêt, allez dans la fenêtre d'exécution, réglez la propriété FillStyle et dessinez ! N'oubliez pas que les modifications apportées à la propriété n'ont aucun effet jusqu'à ce que vous dessiniez quelque chose.

La propriété DrawWidth

La propriété DrawWidth est une autre propriété intéressante de la feuille. Elle détermine l'épaisseur des lignes avec lesquelles vos objets sont dessinés, que ce soit des lignes, des cercles, des arcs de cercle, des ellipses ou autre. Plus sa valeur est élevée, plus la ligne est épaisse. L'épaisseur minimale est d'un pixel.

La propriété DrawStyle

La propriété `DrawStyle` est également amusante. Elle vous permet de varier les plaisirs, et d'utiliser tantôt une ligne continue, tantôt des pointillés de toutes sortes, tels que .... ou . -- . -- . -- .—, et ainsi de suite (j'espère que vous m'aurez compris, l'impression peut quelque fois être un peu frustrante). La meilleure façon de découvrir ces différents styles est de vous amuser un peu avec eux dans la fenêtre d'exécution.

La propriété DrawMode

La propriété `DrawMode` constitue sans aucun doute la plus intéressante. Elle possède 16 valeurs possibles qui déterminent la façon de dessiner de Visual Basic. Les quatre valeurs les plus utiles sont :

Valeur	Effet
4	Inverse le style en cours lorsque vous dessinez. Le style en cours est ce qui est défini dans la propriété `FillStyle`.
7	XOR Pen. Vous permet de dessiner un objet et, lorsque vous le redessinez, restaure la version précédente.
11	Ne fait rien. C'est un peu comme dire à Visual Basic "Ne dessine rien". Utilisez-la pour désactiver le dessin.
13	Copy pen. Valeur par défaut de `DrawMode`, celle que nous avons utilisée jusqu'à présent.

Le mode XOR

Le mode `XOR` nécessite quelques explications supplémentaires. Il est principalement utilisé dans des jeux vidéos ou des applications de ce type. Il vous permet d'avoir des graphiques en arrière-plan et d'y déplacer des objets. Lorsque vous dessinez un objet sur une feuille, il apparaît à l'endroit choisi. Mais si vous le redessinez ailleurs, votre premier exemplaire disparaît et l'arrière-plan qu'il cachait réapparaît.

C'est une opération `OR` exclusive effectuée sur les valeurs de couleurs de chaque pixel qui rend tout ceci possible. Nous n'utiliserons pas directement cette technique, mais nous allons tout de même essayer de la comprendre.

Sur votre écran, chaque pixel se voit attribuer un numéro qui détermine sa couleur. Ces valeurs sont conservées dans votre ordinateur sous la forme de blocs de 1 et de 0 (comme pour tout autre nombre en informatique). Chaque séquence de 1 et de 0 correspond à une certaine couleur. Une séquence de bits (un bit est un 1 ou un 0) est appelée un octet. Lorsque notre nouvel objet glisse sur l'écran, les valeurs de couleurs de ses pixels se trouvent dans des octets.

Lorsqu'un pixel de l'objet recouvre un pixel de l'écran, une opération XOR est effectuée. Cela signifie que chaque bit d'un octet à l'écran est comparé avec chaque bit de l'octet de l'objet. Un OR exclusif signifie que si les deux valeurs ou aucune des valeurs ne sont « True », le résultat est « False ». Si une seule d'entre elles est « True », le résultat est « True ». « True » signifie ici 1 tandis que « False » signifie 0.

La couleur apparaissant à l'écran est déterminée par le résultat de l'opération. Ce n'est pourtant pas la partie la plus intéressante. Non, ce qui est génial, c'est que si vous répétez l'opération XOR avec votre objet et la couleur à l'écran modifiée, vous revenez à la couleur originale de l'écran.

Redessiner vos feuilles efficacement

J'adore Visual Basic. C'est sans aucun doute l'innovation la plus importante dans la programmation Windows. Mais je dois bien admettre que Visual Basic est un peu traîne-savates en matières de graphiques complexes. En fait, VB et Windows en sont tous deux responsables. Mais quelle qu'en soit la raison, il y a certaines choses que vous pouvez faire pour rendre votre programme graphique en Visual Basic plus efficace et plus « léché ».

ClipControls

Commençons par ClipControls. Avant d'aller plus loin, sachez que cette propriété est un peu troublante et qu'il n'est absolument pas nécessaire de l'utiliser. Si vous voulez vous épargner pas mal de soucis, rassurez-vous tout de suite : de nombreux programmeurs la fixent sur False.

Chaque fois que vous dessinez quelque chose sur une feuille puis que vous y déplacez la souris ou une icône, Visual Basic et Windows décident des zones de la feuille qui doivent être redessinées. Vous ne voudriez pas, par exemple, que la souris laisse une trace indélébile sur votre feuille.

C'est ce que fait ClipControls. Lorsque la propriété AutoRedraw a la valeur False, votre programme recevra des événements Paint chaque fois qu'une partie de la feuille doit être redessinée. La propriété ClipControls détermine l'endroit où vous pouvez dessiner. Lorsqu'elle a la valeur True, vous pouvez redessiner n'importe quelle partie de la feuille dans un événement Paint. Une **zone de clipping** est ainsi créée autour des contrôles de la feuille afin d'éviter que vous ne leur dessiniez dessus. En résumé, la zone "vide" qui se trouve derrière les contrôles devient la zone de dessin, ce qui protége ainsi les contrôles.

Lorsque ClipControls est fixé sur False, vous pouvez essayer de dessiner où vous voulez sur la feuille, mais Visual Basic ne modifiera que les parties de la feuille qui lui paraissent avoir besoin d'être redessinées.

ClipControls affecte également la façon dont Visual Basic redessine lorsque la propriété AutoRedraw est sur True. Dans ce cas, Visual Basic gère le nouveau traçage des graphiques sur la feuille si celle-ci est redimensionnée, déplacée ou recouverte par une autre. La valeur de ClipControls indique à Visual Basic s'il doit redessiner toute la feuille ou simplement les parties modifiées.

Pour que votre feuille soit affichée et redessinée rapidement, il faut mettre ClipControls sur False. De cette façon, seules les parties modifiées sont redessinées et Visual Basic et Windows ont moins de données graphiques à gérer. Il ne faut fixer ClipControls sur True que si vous voulez changer tous les graphiques à chaque fois que vous redessinez la feuille, comme dans le cas d'un jeu vidéo où il peut être nécessaire de redessiner l'écran d'action plusieurs fois par seconde.

AutoRedraw

La propriété AutoRedraw est bien plus utile. Sa valeur par défaut est False. Autrement dit, si une autre fenêtre apparaît au-dessus de celle que vous dessinez, Visual Basic pense que vous vous chargerez de redessiner la première fenêtre si nécessaire. Le résultat final est que, comme Visual Basic pense que vous êtes capable de redessiner vos graphiques, tout tourne beaucoup plus vite.

Lorsque cette propriété est sur True, Visual Basic sait qu'il doit s'occuper de vos graphiques à votre place. A chaque fois que vous dessinez quelque chose, Visual Basic prend note de ce que vous faites. Si un autre objet vient couvrir une partie de la feuille, Visual Basic sait automatiquement ce qu'il doit faire pour réafficher vos graphiques. Cela marche aussi si votre utilisateur passe d'une application à l'autre. Lorsque votre feuille est rappelée, elle réapparaît dans toute sa splendeur. L'inconvénient, c'est que vos graphiques sont beaucoup plus lents.

> Si vous voulez des graphiques rapides, mettez AutoRedraw sur False. Si vous voulez vous épargner les problèmes créés lorsque vos utilisateurs déplacent les fenêtres dans tout l'écran, il vaut mieux mettre AutoRedraw sur True, et en assumer les conséquences.

Résumé

Vous avez eu droit ici à une visite éclair des graphiques dans Visual Basic. Je ne prétends pas vous avoir tout révélé, mais comme je vous l'avais annoncé au début de ce chapitre, les graphiques sont très jolis même s'ils ne sont souvent que la cerise sur le gâteau. Nous avons tout de même abordé les points principaux :

- ❑ Les couleurs dans Visual Basic
- ❑ Le système de coordonnées
- ❑ Les contrôles graphiques : le contrôle Dessin et Zone d'image, le contrôle Forme et le contrôle Ligne
- ❑ Les méthodes graphiques

En chemin, vous avez appris à choisir entre les contrôles Dessin et Zone d'image, et je vous ai expliqué la différence qui existe entre les contrôles graphiques et les méthodes. Vous avez aussi appris à créer des animations simples et enfin, à tirer les meilleures performances de Visual Basic.

Que diriez-vous d'essayer ?

1   Utilisez le contrôle Line pour dessiner la structure d'un jeu de morpion.

2   Servez-vous de la méthode graphique Line pour dessiner la structure d'un jeu de morpion.

3   Concevez une démonstration animée d'un jeu de morpion pour un débutant. Vous devez donner l'impression que la partie se déroule toute seule, c'est-à-dire faire apparaître un « X » suivi d'un « O », suivi d'un autre « X », etc. Vous êtes libre de choisir l'évolution du jeu et de décider s'il y aura un gagnant ou s'il s'agira d'un match nul. En cas de victoire de l'un des « concurrents », tracez un trait sur les trois « X » ou « O » gagnants. Dessinez les « O » à l'aide de la méthode graphique Circle et les « X » de la manière souhaitée.

4   Vous avez travaillé très tard sur votre projet de classe Visual Basic. Affamés, votre collègue et vous décidez donc de commander une pizza. La pizzeria la plus proche propose deux tailles de pizzas, qui font respectivement 1000 twips et 1400 twips de diamètre. Les grandes coûtent 1/3 plus cher que les petites. Vous affirmez qu'il vaut mieux en acheter une de 1400 twips de diamètre, car sa surface fait environ le double de celle des pizzas de 1000 twips de diamètre. Votre ami ne vous croit pas. Sachant que l'aire d'un disque est égale à PI multiplié par le rayon au carré, vous décidez donc de développer un programme qui utilise la méthode graphique Circle pour dessiner deux pizzas, calculer leur surface et afficher le résultat obtenu sur une feuille.

5   Le débutant se révèle être un mauvais joueur, à tel point qu'il efface la structure du morpion et le jeu de démonstration créé à l'exercice 3. Faites cela vous-même en ajoutant un bouton de commande à la feuille qui remplira l'écran de lignes et de cercles colorés aléatoires lorsque l'utilisateur cliquera dessus. Servez-vous pour cela d'un générateur de nombres aléatoires et de la méthode graphique Line.

13

Utiliser les contrôles de base de données

La richesse en matière de données devient presque trop importante depuis quelques années ; c'est ce que l'on appelle la surinformation. L'Internet n'a pas résolu ce problème, car il a au contraire augmenté la quantité d'informations disponibles. L'accès aux données est un avantage, mais seulement dans la mesure où elles sont organisées. Les bases de données constituent l'un des meilleurs systèmes d'organisation des données.

Chaque version successive de Visual Basic propose une méthode plus performante d'accès aux données et Visual Basic 6 ne fait pas exception. Tout en travaillant sur des méthodes existantes, il propose de nouvelles façons d'accéder aux données et l'importance de ce sujet nous pousse à y consacrer deux chapitres.

Dans ce chapitre, nous aborderons les points suivants :

- ❑ La signification du terme « base de données »
- ❑ Le nouvel environnement des données
- ❑ L'utilisation des contrôles dépendants
- ❑ L'accès à des bases de données existantes
- ❑ La création de bases de données

Qu'est-ce qu'une base de données?

Étant donné que ceci est le premier point, que les choses soient claires dès le départ. Le terme « base de données » date quelque peu et nous devrions plutôt raisonner en terme de **sources de données** ou de **magasins de données**. Quelle est au juste la différence ? Tout simplement, une base de données est un vaste ensemble d'informations. En terme de programmation, les bases de données sont souvent contenues dans des programmes tels qu'Access, SQL Server ou Oracle, qui existent depuis de nombreuses années. Cependant, il existe d'autres ensembles de données. Prenez par exemple, le courrier électronique, les documents provenant de traitements de texte, les feuilles de calculs, etc. Ils sont tous composés de données, même si elles sont stockées sous des formes différentes. Ce sont des magasins (ou des sources) de données.

Utilisons donc le terme de magasins de données en référence à un stockage quelconque de données, dont les bases de données. Les exemples que nous utilisons s'appliquent aux bases de données, mais les techniques qui entrent en jeu sont valables pour plusieurs types de magasins de données.

Étant donné que nous nous occupons surtout de bases de données, ce qui sera probablement le cas pour vous à l'avenir, il nous paraît utile d'en apprendre un peu plus.

Que sont les objets de données ActiveX ?

Ce sujet sera probablement une nouveauté pour nombre d'entre vous. Bien que les objets de données ActiveX (ADO) existent depuis un certain temps et peuvent être utilisés dans Visual Basic 5, ils n'ont jamais eu autant d'importance qu'à présent. Définissons rapidement les différentes technologies d'accès aux données, pour que vous connaissiez la raison d'être des ADO :

❑ **DAO** – Les objets d'accès aux données (DAO) ont été créés pour permettre aux programmeurs d'accéder à Jet Database Engine, un moteur de base de données fourni avec Access. De par sa facilité d'utilisation, il est devenu l'une des méthodes d'accès aux bases de données les plus populaires. Cependant, il est limité aux bases de données Access.

❑ **ODBC** - Open DataBase Connectivity (connectivité des bases de données ouverte), a été conçu pour permettre aux programmeurs de se connecter à diverses bases de données tout en n'utilisant qu'une seule méthode. Le fait de n'avoir à assimiler qu'une technique facilitait la programmation et permettait de modifier les bases de données le cas échéant, par exemple, lors d'un transfert d'Access vers SQL Server. Son utilisation conjointe avec DAO permettait aux bases de données Access de se lier à d'autres bases de données. Sa complexité était toutefois un inconvénient.

❑ **RDO -** Remote Data Objects (objets de données distants) a été conçu en partie pour résoudre le problème de la complexité d'OBDC. Son style de programmation simple était celui de DAO, mais il utilisait ODBC, permettant ainsi la connexion à des bases de données différentes.

ADO a été conçu pour combiner les fonctionnalités les plus performantes des technologies citées ci-dessus et pour répondre aux besoins d'un nouveau type de programmation, notamment l'Internet. Il tire parti du concept du magasin de données, de façon à extraire des données de sources diverses. Toutes les technologies plus anciennes sont prises en charge par Visual Basic 6, mais l'accent est mis plus particulièrement sur ADO. Vous verrez également de nombreuses références à OLEDB, la technologie sous-jacente d'ADO, dans la documentation Visual Basic. Bien qu'il soit intéressant de s'informer sur OLEDB, vous n'aurez pas besoin de le connaître pour comprendre les présents chapitres.

Nous n'entrerons par dans les détails d'ADO, car cela dépasse le sujet de ce manuel, mais il nous semble important que vous compreniez l'importance de son rôle dans Visual Basic 6. Nombre des contrôles qui pouvaient utiliser des bases de données peuvent à présent se servir d'ADO.

Une base de données vivante

Imaginez une armoire de classement à trois tiroirs :

❑   Le tiroir supérieur contient des informations sur les clients, telles que leur noms et adresses ;

❑   Le deuxième tiroir contient des informations sur les stocks – les marchandises à commercialiser ou la matière première servant à produire ces marchandises ;

❑   Le troisième tiroir contient les factures envoyées aux clients.

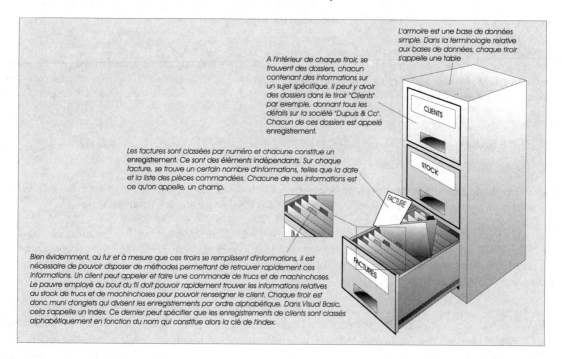

L'armoire est une base de données simple. Dans la terminologie relative aux bases de données, chaque tiroir s'appelle une table

A l'intérieur de chaque tiroir, se trouvent des dossiers, chacun contenant des informations sur un sujet spécifique. Il peut y avoir des dossiers dans le tiroir "Clients" par exemple, donnant tous les détails sur la société "Dupuis & Co". Chacun de ces dossiers est appelé enregistrement.

Les factures sont classées par numéro et chacune constitue un enregistrement. Ce sont des éléments indépendants. Sur chaque facture, se trouve un certain nombre d'informations, telles que la date et la liste des pièces commandées. Chacune de ces informations est ce qu'on appelle, un champ.

Bien évidemment, au fur et à mesure que ces tiroirs se remplissent d'informations, il est nécessaire de pouvoir disposer de méthodes permettant de retrouver rapidement ces informations. Un client peut appeler et faire une commande de trucs et de machinchoses. Le pauvre employé au bout du fil doit pouvoir trouver les informations relatives au stock de trucs et de machinchoses pour pouvoir renseigner le client. Chaque tiroir est donc muni d'onglets qui divisent les enregistrements par ordre alphabétique. Dans Visual Basic, cela s'appelle un index. Ce dernier peut spécifier que les enregistrements de clients sont classés alphabétiquement en fonction du nom qui constitue alors la clé de l'index.

Extraire des informations à partir d'une véritable base de données

Imaginons que quelques jours après avoir passé une commande de machinchoses, le client n'a toujours pas été livré. Il vous appelle donc, vous qui êtes employé par la société Machin S.A. et demande quand la marchandise a été envoyée. Cette question peut paraître simple, mais elle est en fait relativement complexe. Pensez à toutes les informations que chaque tiroir de votre armoire contient :

- ❑ Le tiroir « client » contient des dossiers individuels pour chaque client, comportant ses coordonnées, ainsi qu'une liste de factures. Mais comment décider quelle facture correspond aux machinchoses ?

- ❑ Après avoir trouvé le numéro de facture, vous pouvez chercher dans le tiroir « factures », qui est classé par numéro de facture. Vous trouvez l'information que vous cherchez. Il y a cependant un problème : la facture est rétroactive, car les machinchoses étaient épuisés.

- ❑ Vous devez à présent chercher dans le tiroir « stocks »pour vérifier le dossier machinchoses et savoir quand aura lieu la prochaine livraison. Les dossiers sont classés par nom de stock, de façon à pouvoir accéder directement au dossier voulu.

Après toutes ces étapes, vous pouvez maintenant informer le client de la date de livraison. Vous pouvez également signaler la facture par un papier collant ou un marque-page, de façon à pouvoir retrouver le dossier rapidement si le client rappelle.

Vous avez probablement effectué ce genre d'opération de nombreuses fois sans y réfléchir : cela semblait naturel. Ce que vous faisiez en fait était une requête **relationnelle multitables**. Elle est à plusieurs tables car vous deviez extraire une information d'une table (le numéro de facture du tiroir « clients ») et la mettre en relation avec une autre table (les factures du tiroir correspondant) pour trouver le bon dossier.

Systèmes de gestion de fichiers « à plats » et bases de données relationnelles

Les bases de données informatiques se décomposent en deux types : les bases de données à **fichiers « à plat »** (structure mono-dimensionelle linéaire) et les bases de données **relationnelles.**

Dans les bases de données à fichiers « à plats », figurent généralement un fichier individuel pour chaque table, ainsi que des fichiers séparés pour chaque index correspondant à une table. La mise en relation des informations d'une table à l'autre peut être relativement complexe, car chaque table est une entité totalement indépendante

Les bases de données relationnelles, en revanche, constituent une solution plus élégante. La plupart des tables contenant les données sont centralisées. Vous pouvez organiser ces informations et y accéder par le biais d'un **moteur de base de données.** L'employé qui recherche dans une armoire de classement est en fait un moteur de base de données.

Fonction du moteur de base de données

Outre la gestion de l'accès à la base de données, le moteur de base de données fait également le ménage dans la base. L'employé de Machin S.A. extrait les informations de la base de données mais classe également les nouvelles factures au bon endroit et met à jour les dossiers « clients » et « stocks ».

Il doit également vérifier l'organisation des dossiers et leur contenu. Par exemple, s'il reçoit une facture portant un nom de client qui n'existe pas dans le tiroir « clients », il ne la classera pas à l'aveuglette. Il créera une nouvelle entité client, de façon à ce que les factures puissent être mises en relation avec le client correspondant. Si tel n'était pas le cas, il serait extrêmement difficile de retrouver les factures sans avoir à chercher dans le tiroir entier.

Les bases de données relationnelles sont plutôt spéciales, dans la mesure où les informations sont rarement dupliquées. Étant donné que le moteur de base de données facilite l'extraction d'informations à partir de plusieurs tables à la fois, le nombre des doublons d'informations s'avère minimal. Ceci évite les cas où vous figurez dans une liste d'envoi plusieurs fois et où vous recevez plusieurs exemplaires de la même brochure publicitaire.

Dans le cas de nos clients et factures, nous pouvons par exemple imprimer la facture en extrayant les coordonnées du client de la table correspondante. Ceci évite de stocker l'information sur la facture. L'avantage de cette méthode est que si le client change d'adresse, il suffit de mettre à jour ses coordonnées à un seul endroit et d'utiliser son numéro de client sur la facture. En termes de base de données, le numéro de client dans le fichier client est appelé **clé primaire**, car c'est un moyen d'identification unique. Dans le fichier (ou plutôt la table) facture, la clé primaire serait le numéro de facture. La facture comporte aussi le numéro de client, qui s'appelle **clé externe**, car c'est un champ de clé primaire d'une autre table.

Un peu de jargon...

Maintenant que vous avez une idée de ce qu'est véritablement une base de données, revoyons certains des mots importants que nous avons utilisés :

- ❑ **Les tables** regroupent des informations ayant un rapport entre elles, telles que les noms et les adresses des clients.

- ❑ Les **enregistrements** sont les données qui figurent dans une table, chaque table étant composée d'une collection d'enregistrements. On les appelle également des lignes d'enregistrements.

- ❑ Les **champs** sont les éléments individuels qui composent un enregistrement. Pour un client, les champs sont Nom, Adresse, Pays, Téléphone, etc. On les appelle également des colonnes.

- ❑ Un **index** est constitué d'un ou de plusieurs champs. Il permet de trier le contenu d'une table dans un ordre spécifique ou de trouver rapidement un enregistrement. Pour les clients, l'index pourrait porter sur les noms, de façon à ce que les enregistrements apparaissent en ordre alphabétique.

❑ Une **clé primaire** est constituée d'un ou de plusieurs champs d'une table. Elle est l'élément unique qui permet d'identifier un enregistrement. Pour un client, la clé primaire pourrait être le numéro de client ; nous n'utiliserions pas le nom du client car il n'est pas sûr à 100% que celui-ci soit unique.

❑ Une **clé externe** est un champ constituant la clé primaire d'une autre table. Elle permet de représenter un lien entre deux tables. Le numéro de client apparaîtrait donc dans la table clients en tant que clé primaire et dans la table factures en tant que clé externe (on dit aussi « secondaire »).

❑ Un **signet** est une marque unique qui repère un enregistrement donné. Il permet de trouver rapidement l'enregistrement.

❑ La **ligne courante** (ou **pointeur d'enregistrement**) est l'enregistrement courant auquel on accède dans un ensemble. Dans notre exemple de factures, cela reviendrait à extraire une facture pour la consulter.

❑ Le **moteur de la base de données** est le programme qui organise, classe et extrait les données des tables.

Le schéma ci-dessous devrait clarifier ceci :

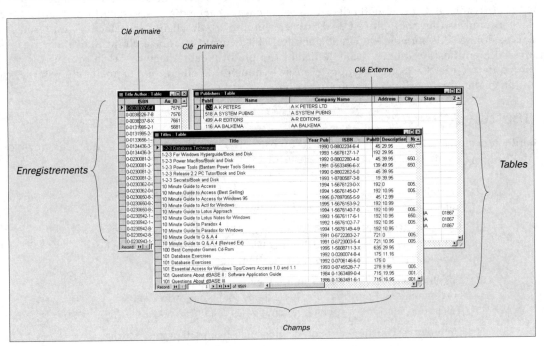

Les jeux d'enregistrements

« Jeu d'enregistrements » est le terme descriptif approprié car c'est exactement de cela qu'il s'agit : un ensemble d'enregistrements. Ce jeu peut provenir d'une ou de plusieurs tables, peut ne pas contenir de données, ou au contraire en contenir un grand nombre. En fait, lorsque vous consultez le contenu d'une table, vous consultez un jeu d'enregistrements.

Les jeux d'enregistrements peuvent être de plusieurs types et ils sont souvent appelés types de curseur. C'est d'ailleurs le terme que nous utiliserons dans les présents chapitres, puisque Visual Basic fait souvent référence au type de jeu d'enregistrements. Le **curseur** est une autre dénomination de jeu d'enregistrements et une fois que vous avez décidé quels enregistrements vous voulez consulter, vous devez également choisir son type.

Vous disposez de trois sortes de jeux d'enregistrements dans Visual Basic, à choisir selon les fonctionnalités dont vous voulez disposer.

Le curseur statique

Un **curseur** statique fournit une copie statique des enregistrements. On dit qu'il est statique car il ne reflète aucun des ajouts, modifications ou suppressions effectués par d'autres personnes. Si vous créez un jeu d'enregistrements statique, comportant, par exemple, les factures destinés à un client particulier, et si l'un de vos collaborateurs ajoute une nouvelle facture, vous ne la verrez pas. C'est comme si vous aviez sorti du tiroir les factures concernant ce client, si vous en aviez fait des photocopies et si vous aviez rangé les originaux. Votre collaborateur range la nouvelle facture dans le tiroir et ne vous en informe pas ; tout changement effectué dans les factures n'est donc pas répercuté sur vos copies. Ceci est particulièrement utile lorsque vous comptez les enregistrements ou lorsque vous calculez des montants totaux : les totaux ne changeront pas au cours de vos calculs.

La propriété Keyset

Un **curseur Keyset** offre beaucoup plus de fonctionnalités qu'un **curseur statique** puisqu'il affiche les changements que d'autres apportent à vos données, mais sans refléter les ajouts. Pour en revenir à notre armoire de classement, c'est comme si vous sortiez les factures et que vous les gardiez sur votre bureau sans les photocopier. Si un collaborateur a besoin de modifier des données, il effectuera les changements dans les originaux qui sont sur votre bureau. Aucune facture n'est ajoutée à la pile, elle sera classée dans un dossier vide dans l'armoire. Cependant, si une facture doit être enlevée (peut-être a-t-elle été imprimée par erreur), elle n'est pas enlevée de la pile, mais sa suppression est signalée : vous ne pouvez pas la lire.

Le curseur dynamique

Un **curseur dynamique** offre plus de fonctionnalités puisqu'il affiche tous les ajouts, changements et suppressions effectués par d'autres. C'est comme si vous sortiez les factures du dossier et que vous laissiez une note informant les autres que toute nouvelle facture doit vous être donnée. Si une facture est supprimée, elle est enlevée de la pile.

Pourquoi cette différence ?

Même si ces points vous paraissent sans importance, surtout lorsque vous débutez et que vous travaillez seul sur une base de données, lorsque vous commencez à utiliser une base avec plusieurs autres utilisateurs, cette différence devient importante. Imaginez les cas suivants :

❑ Votre application génère des informations concernant la gestion, telles que le nombre de ventes, le coût total, etc. Supposez que vous créez un jeu d'enregistrements de données permettant de calculer ces informations et que vous avez besoin de consulter ces enregistrements pour calculer divers totaux ou statistiques. C'est le scénario idéal d'utilisation d'un curseur statique, puisque vous ne voulez pas que les chiffres ou les montants changent en cours de calcul.

❑ Votre application répertorie les niveaux de stocks actuels pour divers produits. Vous pourriez utiliser soit un Keyset, soit un curseur dynamique pour vous assurer que tout changement du niveau des stocks est automatiquement répercuté dans le jeu d'enregistrements.

Vous voyez donc que la différence peut être importante. Vous pouvez également utiliser le type de curseur pour améliorer les performances. Par exemple, un curseur statique ne mettra pas à jour les modifications apportées par d'autres personnes, il n'y a donc aucune opération sous-jacente. Les autres types de curseurs, en revanche, vous informent des modifications et peuvent par conséquent être un peu plus lents. Ceci ne vous importera peut-être pas dans les premiers temps, mais il est important de connaître les différents types de curseurs ainsi que leurs possibilités avant de choisir celui que vous allez utiliser.

Les bases de données et Visual Basic

L'un des avantages des versions précédentes de Visual Basic était qu'il était livré avec le moteur de base de données Jet, qui permettait de créer des bases sans avoir à acheter un logiciel séparé. En dépit des modifications importantes apportées à ADO, c'est toujours le cas, mais vous pouvez à présent ignorer Jet si vous disposez d'un autre moteur de base de données.

La mise en œuvre d'une base de données peut être divisée en deux grandes parties :

❑ La création de la base elle-même, avec les tables et les requêtes.

❑ La création du frontal, qui est la partie visible de l'application, celle que l'utilisateur voit.

De nombreux ouvrages sont consacrés à la mise au point des bases de données et c'est un sujet trop vaste pour que nous l'abordions ici. Par conséquent, nous utiliserons une base de données Access qui est livrée avec Visual Basic. À la fin de ce chapitre nous vous présenterons rapidement un outil qui permet de créer des bases de données.

Étant donné que nous nous intéressons plus particulièrement à l'utilisation des bases de données, nous nous concentrerons à présent sur le second point. Nous allons créer une application qui permet à l'utilisateur de visualiser, d'ajouter, de supprimer et de modifier les informations stockées dans une base de données. Tout ceci peut être effectué sans code, simplement avec les zones de texte standard et le contrôle Data.

Le contrôle ADODC

Les versions précédentes de Visual Basic prenaient en charge le contrôle Data, mais Visual Basic 6 comprend à présent le contrôle ADODC, qui permet de se connecter facilement aux magasins de données ADO. C'est en fait l'un des composants disponibles les plus puissants, surtout dans l'édition Initiation, car il vous propose de nombreuses fonctionnalités de base de données sans aucune programmation. Outre le fait qu'il propose une méthode simple de création de bases de données frontales, il permet également d'accéder à toutes les méthodes et aux propriétés du jeu d'enregistrements sous-jacent.

Il n'y a pas à vrai dire de différence importante entre le contrôle Data d'origine et le contrôle ADODC. La différence la plus notable est que ce dernier peut communiquer avec les sources de données ADO, alors que le contrôle Data est limité à Access ou à des sources de données ODBC. Et de par ces différences, la connexion aux sources de données diverge. Nous allons donc nous concentrer sur le contrôle ADODC. Étant donné que nous vous avons montré comment connecter le contrôle Data à une source de données, vous pourrez constater la différence. Cela vous aidera aussi si vous devez travailler sur un projet existant qui utilise le contrôle Data.

Le contrôle ADODC

Le contrôle Data existant apparaît directement dans votre boîte à outils, mais le contrôle ADODC n'apparaît pas en standard. Vous devez l'ajouter, ce qui est assez simple en soi. Vous pouvez le faire apparaître en double-cliquant sur la boîte à outils et en sélectionnant Composants... (ou en sélectionnant Composants... dans le menu Projet). Choisissez ensuite ADO Data Control 6.0 (OLEDB) :

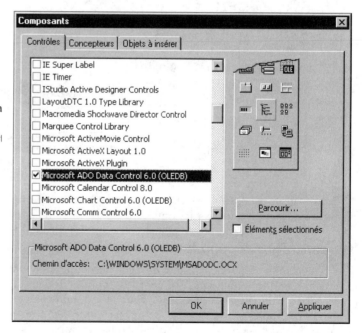

Il apparaîtra alors dans votre boîte à outils, et voilà à quoi il ressemble :

Et si vous l'ajoutez à une feuille, vous obtenez le résultat suivant :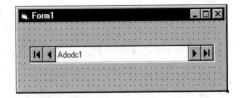

Le contrôle ADODC vous fournit des boutons de type magnétoscope, qui permettent de se déplacer dans les enregistrements d'un jeu, sans toutefois les afficher véritablement. Pour ce faire, il faut utiliser un autre contrôle, qui constitue en fait la colle entre les données et les contrôles qui permettent de les visualiser :

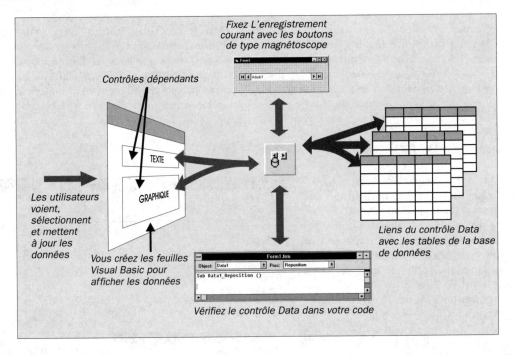

Pour utiliser le contrôle ADODC, vous devez ajouter certains contrôles à la feuille dans laquelle le contrôle Data peut insérer les données. C'est ce que l'on appelle les **contrôles dépendants**.

Les contrôles dépendants

Les contrôles dépendants sont des contrôles qui peuvent être liés au contrôle Data lors de la création et qui permettent d'afficher les données de l'enregistrement en cours. Ces termes peuvent paraître quelque peu barbares de prime abord, mais ne vous affolez pas : vous en avez déjà utilisé. Les zones de texte, les cases à cocher, les contrôles d'images, les étiquettes peuvent tous être des contrôles dépendants. Ils peuvent tous extraire des informations de certains champs de l'enregistrement courant des contrôles Data et afficher ces données dans des feuilles.

Deux types de contrôles dépendants sont disponibles dans l'édition Initiation de Visual Basic. Les contrôles que nous avons déjà rencontrés qui peuvent également être liés s'appellent des contrôles **intrinsèques**. Cela signifie qu'ils figurent dans votre boîte à outils en permanence et que vous ne pouvez pas les supprimer :

- Étiquette
- Image
- Zone de texte
- Case à cocher
- Zone d'image
- Zone de liste
- Liste modifiable
- Conteneur OLE

Il existe également certains contrôles personnalisés dépendants. Ils n'apparaissent pas en standard dans la barre d'outils et doivent être ajoutés, comme indiqué précédemment. Ces contrôles sont les suivants :

- Contrôle DataList
- Contrôle DataCombo
- Contrôle DataGrid

Pour les ajouter, sélectionnez **DataGrid Control 6.0 (OLEDB)** *pour Grid et* **DataList Controls 6.0 (OLEDB)** *pour la zone liste et les listes modifiables.*

Ces trois contrôles sont destinés spécifiquement à l'accès aux données ; ils impliquent davantage de méthodes liées aux données et de propriétés que leurs équivalents intrinsèques.

La base de données BIBLIO.MDB

Sur le CD Visual Basic se trouve une base de données Access appelée `Biblio.mdb`. `.mdb` est l'extension standard pour toutes les bases Access. Avant de commencer à travailler, il est préférable de consulter son contenu. Au fur et à mesure que vous progresserez, vous l'examinerez sûrement plus en détail, mais pour l'instant laissez-moi vous guider.

`Biblio` est une liste de livres liés à une base de données. Les données ne sont pas regroupées dans une seule table de la base, comme ce serait le cas dans la feuille de calcul d'un tableur. Les informations de même type sont groupées dans des tables, qui sont ensuite reliées par des champs communs, ou **clés**. Le processus de répartition des données en groupes ayant une relation entre eux fait appel à la notion de **normalisation** chère aux concepteurs de bases de données et présente de nombreux avantages en terme de non répétition des données.

Par exemple, la plupart des éditeurs figurant dans la table publient plusieurs ouvrages. S'il n'y avait qu'une table dans laquelle chaque donnée liée au titre figurait sur une ligne, le nom d'un éditeur important apparaîtrait plusieurs fois. Il est donc préférable d'avoir une table qui ne répertorie les éditeurs qu'une seule fois et qui leur attribue un nom unique. C'est ce que fait la base de données `Biblio`, aussi bien pour les éditeurs que pour les auteurs.

Examinons les tables contenues dans `Biblio`. Elles ont été ouvertes dans Access, pour que vous puissiez facilement voir les informations qu'elles contiennent :

Title	Year Pub	ISBN	PubID	Description	Nc
1-2-3 Database Techniques	1990	0-8802234-6-4	45	29.95	650.
1-2-3 For Windows Hyperguide/Book and Disk	1993	1-5676127-1-7	192	29.95	
1-2-3 Power MacRos/Book and Disk	1992	0-8802280-4-0	45	39.95	650.
1-2-3 Power Tools (Bantam Power Tools Series	1991	0-5533496-6-X	139	49.95	650.
1-2-3 Release 2.2 PC Tutor/Book and Disk	1990	0-8802262-5-0	45	39.95	
1-2-3 Secrets/Book and Disk	1993	1-8780587-3-8	19	39.95	
10 Minute Guide to Access	1994	1-5676123-0-X	192	0	005.
10 Minute Guide to Access (Best Selling)	1994	1-5676145-0-7	192	10.95	005.
10 Minute Guide to Access for Windows 95	1995	0-7897055-5-9	45	12.99	
10 Minute Guide to Act! for Windows	1995	1-5676153-9-2	192	10.99	
10 Minute Guide to Lotus Approach	1994	1-5676140-7-8	192	10.95	005.
10 Minute Guide to Lotus Notes for Windows	1993	1-5676117-6-1	192	10.95	650.
10 Minute Guide to Paradox 4	1992	1-5676102-7-7	192	10.95	005.
10 Minute Guide to Paradox for Windows	1994	1-5676149-4-9	192	10.95	
10 Minute Guide to Q & A 4	1991	0-6722283-2-7	721	0	005.
10 Minute Guide to Q & A 4 (Revised Ed)	1991	0-6723003-5-4	721	10.95	005.
100 Best Computer Games Cd-Rom	1995	1-5608711-3-X	635	29.95	
101 Database Exercises	1992	0-0280074-8-4	175	11.16	
101 Database Exercises	1992	0-0706146-6-0	175	0	
101 Essential Access for Windows Tips/Covers Access 1.0 and 1.1	1993	0-8745528-7-7	278	9.95	005.
101 Questions About dBASE II : Software Application Guide	1984	0-1363489-0-4	715	19.95	001.
101 Questions About dBASE III	1986	0-1363491-6-1	715	16.95	001.

Record: 1 of 8569

Le champ **PubID** de la table **Titles** ci-dessus est le même que dans la table **Publishers** ci-dessous :

PubI	Name	Company Name	Address	City	State	Z
624	A K PETERS	A K PETERS LTD				
518	A SYSTEM PUBNS	A SYSTEM PUBNS				
499	A-R EDITIONS	A-R EDITIONS				
116	AA BALKEMA	AA BALKEMA				
242	AARP	AMER ASSN OF RETIRED PERSONS				
97	ABACUS	ABACUS SOFTWARE				
616	ABC TELETRAINING	ABC TELETRAINING				
214	ABC-CLIO	ABC-CLIO				
102	ABLEX	ABLEX PUB CORP				
229	Ablex Pub	Ablex Pub				
99	ACADEMIC	ACADEMIC PR				
362	ACCESS	ACCESS PUB				
455	ACR	AMER COLLEGE OF RADIOLOGY				
530	ACS	AMER CHEMICAL SOCIETY				
526	ADAM HILGER	ADAM HILGER				
582	ADAMS HALL PUB	ADAMS HALL PUB				
369	ADARE PUB	ADARE PUB				
49	Addison-Wesley	Addison-Wesley	Rte 128	Reading	MA	01867
9	ADDISON-WESLEY	ADDISON-WESLEY PUB CO	Rte 128	Reading	MA	01867
710	Addison-Wesley	Addison-Wesley Publishing Co Inc.	Rte 128	Reading	MA	01867
628	ADVANCED MICRO SUPPLIES INC	ADVANCED MICRO SUPPLIES INC				
500	ADVANSTAR COMMUNICATIONS	ADVANSTAR COMMUNICATIONS				

Record: 1 of 727

Une table relie ensuite le titre de l'ouvrage à l'auteur. Étant donné que chaque ouvrage possède son propre ISBN, nous pouvons utiliser ce dernier comme clé :

Le champ **AU_ID** renvoie à l'enregistrement de la table **Authors** :

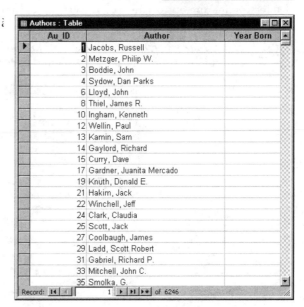

Connecter les contrôles Data à une source de données

Avant que nous ne nous immergions dans le monde merveilleux du contrôle ADODC, jetons un rapide coup d'œil au contrôle Data initial.

Passons à la pratique ! Se connecter à une base de données

1   Démarrez un nouveau projet dans Visual Basic. Dessinez un contrôle Data sur la feuille. Il doit ressembler à ceci :

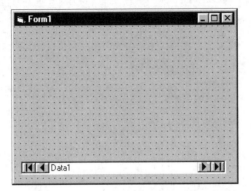

> Le moyen le plus facile de positionner le contrôle Data sur la feuille est de sélectionner une option de la propriété `Align` dans la fenêtre des propriétés.

2   Appuyez sur *F4* pour faire apparaître la fenêtre Propriétés du contrôle Data. Trouvez ensuite la propriété **DatabaseName** et cliquez sur le bouton ellipsoïdal :

3   Une boîte de dialogue apparaît que vous pouvez utiliser pour trouver la base de données `Biblio.mdb`. Celle-ci a été installée par le programme d'installation VB dans le répertoire `vb`. Une fois que vous l'avez trouvée, double-cliquez dessus pour la sélectionner :

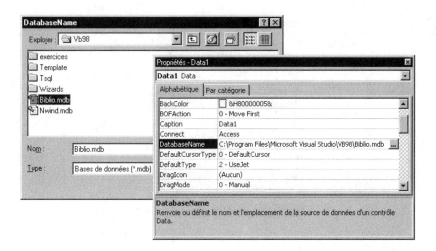

Lorsque vous sélectionnez une base de données et que vous mettez son nom et son chemin d'accès dans la propriété DatabaseName, vous indiquez à Visual Basic la base de données à utiliser pour le contrôle Data. Il est possible d'avoir plusieurs contrôles Data dans un même projet, mais chaque contrôle ne peut être relié qu'à une seule base. Il va de soi que si vous avez trois contrôles Data sur un même formulaire, vous pouvez les relier à trois bases de données en même temps.

Pour l'instant, il ne s'est pas passé grand chose dans notre formulaire. La prochaine étape consiste à sélectionner une table dans la base de données dont nous voulons consulter les enregistrements. Ceci implique que nous devons définir les propriétés RecordsetType et RecordSource du contrôle Data.

Choisir des tables dans la base de données

Nous avons vu dans l'introduction qu'une base de données peut être composée de différentes tables. Les tables correspondent au tiroir de l'armoire de classement. Lorsque vous décidez de quelles tables vous avez besoin, pensez à l'information que vous voulez afficher. Définissons le contrôle comme si nous voulions afficher la table Titles.

Comment allons-nous donc procéder ?

Passons à la pratique ! Sélectionner des tables dans une base de données

1   Dans la fenêtre Propriétés du contrôle Data, trouvez la propriété RecordSource.

2   Si vous double-cliquez sur cette propriété, vous pouvez consulter toutes les tables de la base de données. Vous pouvez également cliquer sur la flèche pointant vers le bas pour faire apparaître une liste déroulante d'options :

3   Sélectionnez la table **Titles**.

4   Il vous faut à présent définir la propriété **RecordsetType**. Étant donné que nous ne voulons accéder qu'à des données contenues dans une seule table, `Titles`, il est judicieux de fixer la propriété **RecordsetType** à **0 -Table**. Nous verrons plus tard ce qu'est exactement un jeu d'enregistrements, mais pour l'instant imaginons-le comme un ensemble d'enregistrements. Dans le cas présent, toute la table sera notre ensemble d'enregistrements. Vous ne devez pas nécessairement choisir **Table** ici, mais si vous le faites, le contrôle Data fonctionnera beaucoup plus rapidement :

C'est aussi simple que cela. Vous venez de sélectionner dans cette base une table et une base de données.

Voyons à présent le contrôle ADODC : la façon dont il se connecte à une source de données est en effet, différente.

Connecter le contrôle ADODC à une source de données

Avant de commencer à afficher des informations et à utiliser le contrôle Data, vous devez vous connecter à une base de données. C'est légèrement plus complexe qu'avec le contrôle Data habituel, mais cela reste tout de même simple.

Passons à la pratique ! Se connecter à une source de données

1 Démarrez un nouveau projet standard dans Visual Basic. Ajoutez le contrôle ADODC à votre boîte à outils et dessinez un contrôle Data sur la feuille de manière qu'elle ait l'aspect suivant :

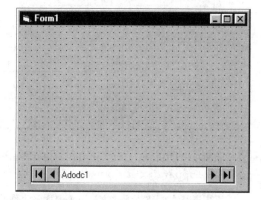

2 Faites apparaître la fenêtre de Propriétés en appuyant sur *F4*. Trouvez la propriété **Personnalisé** et double-cliquez dessus, ou utilisez le bouton générateur, celui qui a des pointillés, sur la droite. Vous pourriez également cliquer du bouton droit sur le contrôle Data et sélectionner **Propriétés du contrôle ADODC** :

3   Une boîte de dialogue apparaît, dans laquelle vous indiquez l'emplacement de votre magasin de données. Nous étudierons plus en détail cette boîte de dialogue, après avoir vu comment le contrôle Data fonctionne.

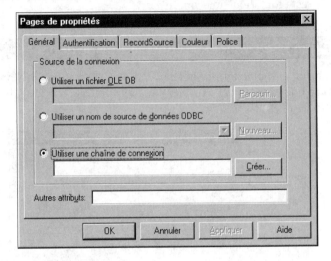

4   Sélectionnez l'option Utiliser une chaîne de connexion et appuyez sur le bouton Créer... pour faire apparaître la boîte de dialogue suivante :

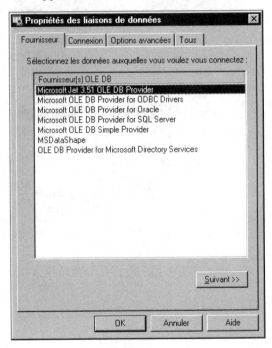

5   Vous devez décider du magasin de données dont vous avez besoin. Étant donné que nous sommes dans Access, sélectionnez **Microsoft Jet 3.51 OLE DB Provider** et appuyez sur le bouton <u>S</u>uivant >> :

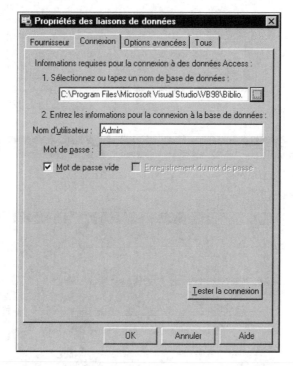

6   Vous pouvez maintenant sélectionner la base de données Access, `Biblio.mdb` qui se trouve sous la racine du dossier Visual Basic. Lorsque vous avez sélectionné cette base, appuyez sur le bouton **OK**. Vous remarquerez que la case Chaîne de connexion de la boîte de dialogue **Pages de propriétés** est renseignée.

7   Appuyez sur **OK** pour fermer la boîte de dialogue et revoir les propriétés. Déplacez-vous vers le bas pour trouver la propriété **ConnectionString** et vous verrez que l'information obtenue dans l'étape précédente y a été copiée.

Choisir des tables dans une base de données

Dans l'introduction, nous avons vu qu'une base de données peut être composée de plusieurs tables. Les tables correspondent aux tiroirs de l'armoire de classement. Lorsque vous décidez de quelles tables vous avez besoin, pensez aux informations que vous voulez afficher. Dans ce projet, nous voulons produire une feuille qui montre les données de chaque titre.

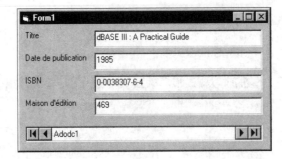

Comment allons-nous procéder ?

Passons à la pratique ! Sélectionner des tables dans la base de données

1   Dans les propriétés du contrôle Data, trouvez la propriété RecordSource et utilisez le bouton générateur :

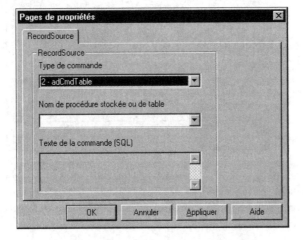

2   Cette page est différente de celle que vous avez vue précédemment. Elle permet de choisir le type de données que vous souhaitez afficher. Dans la liste Type de Commande, sélectionnez 2 - adCmdTable. Cette option indique que vous voulez que les données proviennent d'une table (nous étudierons certaines des autres options ultérieurement).

3   Dans la liste Nom de procédure stockée ou de table, choisissez la table Titles et appuyez sur OK pour fermer la boîte de dialogue.

4   De retour dans la fenêtre Propriétés, trouvez la propriété CursorType. Elle correspond aux types de curseur dont nous avons parlé précédemment. Sélectionnez le type adOpenDynamic :

Ceci nous offre une souplesse maximale dans l'affichage des modifications.

C'est aussi simple que cela. Vous avez sélectionné un magasin de données à partir duquel vous avez extrait les données et vous y avez choisi une table. La prochaine étape consiste à utiliser les contrôles dépendants pour afficher les données contenues dans cette table.

Différences entre contrôle Data et contrôle ADODC

Comme vous avez pu le constater ces deux contrôles sont différents, et même si le contrôle ADODC paraît plus complexe, ce n'est pas véritablement le cas. Parmi les quelques différences figurent les boîtes de dialogue de connexion à un magasin de données ou le choix de la source d'enregistrement. Les principaux changements qui existent dans les propriétés sont les suivants :

Fonction	Contrôle Data	Contrôle ADODC
Connexion à une source de données	Définir la propriété DatabaseName	Définir la propriété ConnectionString
Sélection du type de curseur	Définir la propriété RecordsetType	Définir la propriété CursorType
Sélection du type de commande	Aucune action	Définir la propriété ControlType

Et voilà : il n'y a que trois différences majeures. Et puisque le contrôle ADODC vous ouvre le monde merveilleux de l'accès aux données, autant l'utiliser, plutôt que le contrôle Data.

Utiliser les contrôles dépendants

Les contrôles dépendants sont sensibles aux données. Cela signifie qu'ils peuvent être liés à un contrôle Data dont ils afficheront les données. Une fois que vous avez dessiné un contrôle Data sur une feuille, que vous vous êtes connecté à un magasin de données et que vous avez sélectionné une table, vous pouvez lier les contrôles dépendants au contrôle Data par la propriété DataSource. Vous pouvez alors sélectionner le champ qui utilise la propriété DataField et éventuellement, le format des données qui utilisent la propriété DataFormat. Ajoutons quelques contrôles à notre feuille pour voir comment cela fonctionne.

Passons à la pratique ! Lier des contrôles au contrôle Data

La table Titles compte huit champs, mais nous ne nous intéresserons qu'à quatre d'entre eux : le titre de l'ouvrage, sa date de publication, son numéro d'ISBN et son éditeur. Nous dessinerons les zones de texte et les étiquettes sur la feuille pour visualiser le contenu de ces champs. À la fin de cet exemple, vous pourrez vous déplacer dans tous les enregistrements de la table Titles, sans utiliser aucun code.

1 Dessinez quatre étiquettes sur la feuille et définissez leurs propriétés Caption pour qu'elles ressemblent à ceci :

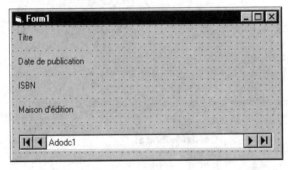

2 A droite des étiquettes, dessinez quatre zones de texte qui contiendront les données de votre base :

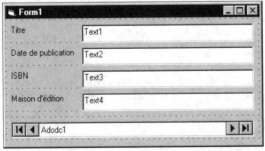

3 Supprimez la propriété Text de toutes les zones de texte.

4   Vous pouvez changer la propriété **DataSource** de toutes les zones de texte en une seule fois. Sélectionnez ces dernières en maintenant appuyée la touche *Ctrl* et en cliquant sur chaque zone, ou en y déplaçant la souris. Trouvez la propriété **DataSource** et sélectionnez **Adodc1** dans la liste : c'est le nom du contrôle ADODC de la feuille. Vous avez donc lié toutes les zones de texte au contrôle Data :

5   Cliquez n'importe où dans l'arrière-plan de la feuille pour désélectionner toutes les zones de texte. Resélectionnez-les ensuite une à une et définissez la propriété **DataField** selon les valeurs suivantes :

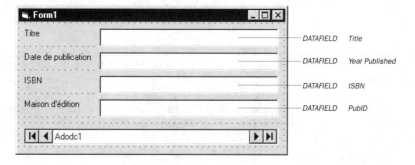

Les noms de champs que nous avons utilisés ici ont tous été définis lors de la création de la base de données Biblio.

6   Avant de continuer, enregistrez le projet tel quel sur le disque dur et appelez-le Bib_Aff.vbp. Nous y reviendrons dans le chapitre suivant.

7   Enfin, exécutez le programme. Vous avez lié toutes les zones de texte au contrôle Data et, par le biais de la propriété **DataField**, vous avez indiqué à Visual Basic les champs à afficher dans telle ou telle zone de texte. Le résultat devrait être une feuille dans laquelle vous pouvez consulter la base de données Biblio :

Cliquez ici pour aller
au premier enregistrement

Cliquez ici pour atteindre
le dernier enregistrement

Fonctionnement

Maintenant que vous avez défini les propriétés du contrôle Data et des zones de texte, votre application de base de données est terminée. Vous pouvez vous déplacer dans les enregistrements de la table en cliquant sur les flèches du contrôle de données. Vous pouvez même modifier les données en cliquant dans les zones de texte et en y saisissant les nouvelles informations. Toutefois, il se peut que vous ne souhaitiez pas effectuer ces opérations dans la base Biblio, puisqu'à chaque fois que vous apportez une modification et que vous cliquez sur les flèches du contrôle de données pour vous déplacer vers un nouvel enregistrement, Visual Basic écrit automatiquement l'enregistrement modifié dans la base de données. Si vous souhaitez absolument apposer votre griffe, je vous suggère de faire une copie de la base avant d'entreprendre quoi que ce soit.

Une fois que vous avez lié des contrôles à une base de données, ceux-ci ne se comportent plus de la façon classique. Normalement, le fait que vous effectuiez une modification dans une zone de texte n'a guère d'importance, à moins que vous ne disposiez d'un code qui stocke cette valeur quelque part. Mais si vous apportez des modifications à un contrôle dépendant, vous changez directement les données de la base.

Vous pouvez lier des étiquettes ainsi que des zones de texte à une base de données afin d'afficher le contenu d'un champ. C'est utile pour afficher à l'écran les champs que vous ne voulez pas que l'utilisateur modifie. Ne vous attendez pas cependant à ce que l'étiquette affiche les noms des champs simplement parce que le contrôle en question est un contrôle étiquette ! Il n'affichera en fait que le contenu d'un champ, tout comme tout autre contrôle dépendant.

Verrouiller les contrôles dépendants

Ainsi que je l'ai déjà mentionné, les fonctionnalités offertes par le contrôle Data permettent d'éditer des informations à l'écran. Dès que vous vous déplacez de l'enregistrement que vous êtes en train d'éditer vers un autre, les modifications sont enregistrées de façon permanente dans la base de données.

Il est toutefois possible d'empêcher les utilisateurs de modifier la base sous-jacente. Et ceci grâce à la propriété de verrouillage Locked.

En attribuant la valeur **True** à cette propriété pour une ou toutes les zones de texte, vous empêchez l'utilisateur d'éditer les informations qu'il consulte. L'avantage de cette méthode par rapport à celle de l'étiquette dépendante est que l'utilisateur peut sélectionner les informations et les copier dans le presse-papier, ce qui n'est pas automatique avec une étiquette. Mais puisque le contrôle est verrouillé, l'utilisateur ne pourra rien modifier du tout. Cette méthode présente également l'avantage de permettre le déverrouillage ultérieur des contrôles. Il est possible d'avoir un bouton Édition, qui déverrouille les données et autorise les modifications.

Se connecter à un magasin de données

Après cet exemple concret, étudions de façon plus approfondie la connexion à un magasin de données. Nous n'entrerons pas véritablement dans les détails, donc, ne paniquez pas, mais cela vous permettra de mieux comprendre le fonctionnement des boîtes de dialogue de connexion.

Commençons par examiner les propriétés générales du contrôle ADODC :

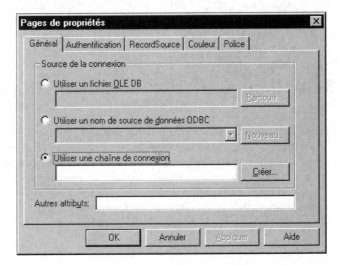

Cette boîte de dialogue nous permet de choisir l'endroit d'où l'on extrait les informations relatives à la connexion :

❑ **Les fichiers de liaison de données.** Ce sont des fichiers qui se terminent par l'extension .UDL et qui contiennent les informations relatives à la connexion quel qu'en soit le type. Ils permettent de stocker les informations de façon permanente.

❑ **Les sources de données ODBC.** Elles existent depuis plusieurs années et permettent de se connecter à toute base conforme à ODBC. Si le fournisseur OLEDB de votre base de données n'est pas disponible, cela vous donne une bonne raison d'utiliser ODBC.

❑ **Les chaînes de connexion.** Elles s'utilisent pour les magasins de données ADO, qui peuvent être également des magasins OLED ou ODBC.

Lorsque vous cliquez sur le bouton Créer, à côté de la chaîne de connexion, la boîte de dialogue **Propriétés des liaisons de données** apparaît. L'onglet **Fournisseur** affiche une liste de fournisseurs de données : ce sont les types de magasins de données. Vous verrez donc **Jet**, **SQL Server**, **Oracle**, etc. La liste contient seulement le fournisseur Microsoft, mais il existe diverses autres sources de données produites par divers autres fournisseurs. En fait, Microsoft en élabore d'autres, notamment pour un serveur Exchange, qui vous permettra d'écrire des applications Visual Basic destinées au parcours d'un ensemble d'informations d'une boîte de courrier, et ceci sans code.

L'onglet **Connexion** diffère en fonction du fournisseur sélectionné. Pour Jet, tout ce dont vous avez besoin est le nom de la base de données et le nom d'utilisateur sous lequel se connecter. Si une base de données Access ne comporte pas de fonction de sécurité, tous les utilisateurs se connectent sous Admin.

L'onglet **Options avancées** permet de sélectionner les paramètres de connexion. Par exemple, si vous savez que vous allez seulement consulter les données sans jamais les modifier, vous pouvez préciser le mode Read, qui n'ouvre le magasin de données qu'en lecture seule. Ceci peut améliorer les performances puisqu'ADO n'a pas à se préoccuper des modifications apportées aux jeux d'enregistrements.

Sélectionner les données souhaitées

Bien que nous ayons beaucoup progressé, nous sommes toujours limités par la structure de la base de données. Vous avez vu jusqu'à présent comment lier la table de la base de données au contrôle Data. Vous êtes-vous demandé comment nous avions pu obtenir des données de plusieurs tables à la fois ? Malheureusement, un contrôle Data ne peut se lier qu'à une seule table ; en conséquence, si vous voulez deux tables, vous aurez besoin de deux contrôles Data. Cependant, il n'est pas indispensable de se lier à une table : il est possible d'utiliser un jeu de commandes de gestion de données appelé **SQL** (**Structured Query Language**).

Lorsque nous avons vu la page de la propriété **RecordSource**, vous avez probablement remarqué qu'il existe plusieurs options pour **Type de commandes** :

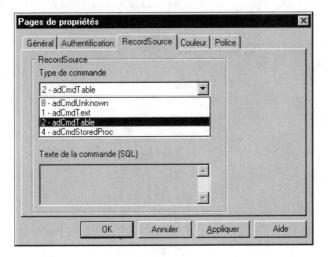

Elles vous permettent de décider d'où vous voulez que l'information provienne :

- ❑ **adCmdUnknown** signifie que vous ne savez pas d'où provient l'information. Vous ne vous servirez probablement pas de cette option.
- ❑ **adCmdText** signifie que les données viennent d'une chaîne de texte. Si vous la sélectionnez, la case **Texte de la commande** est activée et vous pouvez y saisir directement l'instruction SQL.
- ❑ **adCmdTable** signifie que les données viennent d'une table de base de données. Dans le cas d'Access, cela inclut également les requêtes.
- ❑ **adCmdStoredProc** signifie que les données viennent d'une procédure stockée. Vous pouvez l'imaginer comme une requête Access où des commandes SQL sont regroupées sous un seul nom.

Afin de permettre une certaine souplesse dans la sélection des données, nous pouvons utiliser **adCmdText** et saisir notre propre commande SQL.

Qu'est-ce que SQL?

Avec l'évolution du concept de bases de données relationnelles, SQL a été créé afin d'apporter un langage commun de définition et d'extraction de données à partir de bases. C'était d'abord un langage interactif : lorsque vous saisissiez la commande, la réponse apparaissait. Bien qu'il existe un langage SQL intégré qui fait partie intégrante de votre programme, les « programmes » SQL sont globalement un simple assemblage d'instructions.

SQL est ce qu'on appelle un langage déclaratif. Vous déclarez tout ce que vous voulez faire et vous attendez que cela se produise.

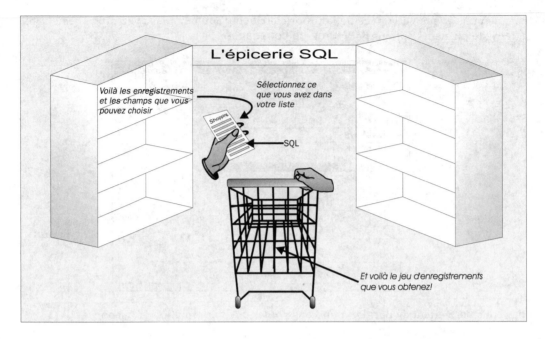

La raison pour laquelle vous avez besoin de connaître le langage SQL, en tant que programmeur de Visual Basic, est que les instructions SQL constituent un moyen pratique et puissant de dialoguer directement avec une base de données. Les gourous du SQL peuvent faire pratiquement n'importe quoi avec, mais en ce qui nous concerne, son application se limitera à des instructions simples qui indiqueront à la base de données les tables et les données que nous souhaitons utiliser. Ces commandes sont articulées autour de l'instruction SELECT.

Si vous avez déjà utilisé le langage SQL, notez que la version de SQL utilisée par les bases de données Access et Jet est légèrement différente. Si vous souhaitez utiliser un langage SQL plus complexe, consultez la documentation Access.

L'instruction SELECT

Jusqu'à présent dans ce chapitre, nous nous sommes contentés de ce que nous avions. Et nous avions seulement accès aux enregistrements d'une seule table, dans laquelle nous devions prendre le jeu complet d'enregistrements et de champs, même si nous ne les voulions pas tous. Nous allons à présent aborder le thème de la sélection. Nous voulons avoir la possibilité de choisir les enregistrements et les champs que nous désirons. Pour ce faire, nous allons utiliser l'instruction SQL SELECT.

Si vous avez déjà vu une documentation SQL, vous avez peut-être été rebuté. En effet, elles sont généralement destinées à des utilisateurs chevronnés qui veulent utiliser le langage SQL pour sélectionner des enregistrements, définir des bases de données, faire le café et passer l'aspirateur en même temps. Mais nous, simples utilisateurs, pouvons nous contenter d'instructions bien plus simples !

484

Nous allons introduire dans l'exemple suivant un nouveau contrôle dépendant, Grid.

Passons à la pratique ! Le contrôle dépendant Grid

1 Ouvrez un nouveau projet et placez un contrôle ADODC sur la feuille. Suivez la même procédure qu'auparavant pour le connecter à la base de données Biblio et à la table Titles. N'oubliez pas que le contrôle ADODC n'apparaîtra pas dans votre boîte à outils par défaut et que vous devez l'y ajouter.

2 Placez à présent un contrôle DataGrid sur votre formulaire et ajustez ses dimensions pour qu'il tienne dans la feuille. N'oubliez pas que DataGrid ne se trouve pas forcément dans votre Boîte à outils : vous aurez peut-être à l'ajouter. Cochez donc Data Grid Control 6.0 (OLEDB) dans la boîte de dialogue Composants....

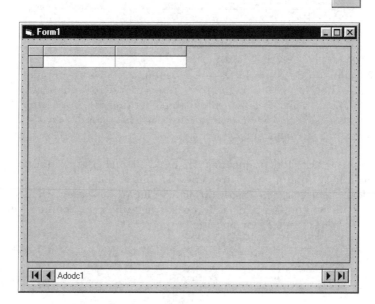

3 Changez la propriété DataSource de Grid en Adodc1.

4 Enfin, exécutez le programme. Une grille apparaît, qui affiche la table Titles dans son intégralité. Le contrôle Grid donne également de jolies barres de défilement qui permettent de déplacer la fenêtre d'affichage, car les données sous-jacentes sont trop nombreuses.

485

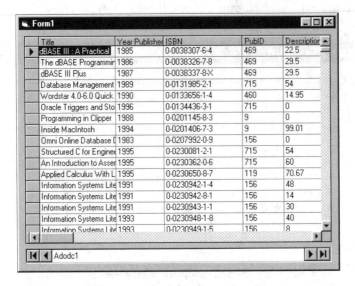

Fonctionnement

La procédure de définition du contrôle Data est identique à celle du premier exemple. Définir la grille est plus facile, car il n'y a qu'un contrôle et une propriété à changer. Le contrôle Grid est bidimensionnel : il peut afficher tous les enregistrements (lignes) d'une table et tous les champs (colonnes).Vous n'avez pas à choisir un champ pour l'afficher, comme c'est le cas avec un contrôle de champ unique, tel que la zone de texte.

Les boutons du contrôle Data fonctionnent également de la même façon. Dans le premier exemple, nous ne pouvions afficher qu'un enregistrement à la fois, et nous devions appuyer sur le bouton Suivant pour afficher l'enregistrement suivant. Ici, la plupart des enregistrements sont visibles ; le fait d'appuyer sur un bouton déplace la flèche sur la grille pour pointer sur l'enregistrement courant. Cliquer dans une cellule a le même effet :

	dBASE III Plus	1987	0-0038337-8-X	469	29.5
▶	Database Management	1989	0-0131985-2-1	715	54
	Wordstar 4.0-6.0 Quick	1990	0-0133656-1-4	460	14.95

La flèche définit l'enregistrement courant. Nous verrons dans le prochain chapitre comment la manipuler nous-mêmes.

Passons à la pratique ! Sélectionner les champs à afficher

Maintenant que vous avez vu le contrôle Grid en action, affinons les données affichées. Nous allons utiliser une instruction SQL pour indiquer au contrôle Data de n'envoyer à la grille que certains champs de la table.

1   De retour en mode création, trouvez la propriété RecordSource du contrôle Data et faites apparaître la boîte de dialogue en cliquant sur le bouton Créer.

2   Changez Type de commandes en adCmdText et saisissez le texte qui suit dans la boîte Texte de la commande :

```
SELECT Title, "Year Published", ISBN FROM Titles
```

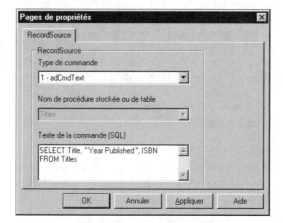

3   Cliquez sur OK et consultez les propriétés CommandType et RecordSource. Vous constatez qu'elles ont modifié ce que vous avez sélectionné dans la boîte de dialogue.

4   Appuyez sur Exécuter et voilà ce que vous obtenez. Seuls les champs demandés s'affichent :

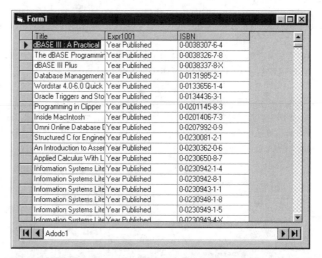

5   Vous pouvez ajuster les dimensions des colonnes de la grille pour lire le texte plus facilement :

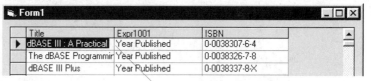

Cliquez et faites glisser pour redimensionner les colonnes au moment de l'exécution. Remarquez que le curseur change de forme pour indiquer l'endroit où vous pouvez tirer la colonne.

487

Fonctionnement

Examinons ce que nous venons de faire. L'instruction SQL que nous avons insérée dans la zone **Texte de la commande** indique au contrôle Data les champs qu'il doit demander au magasin de données. Le magasin de données ne doit pas renvoyer tous les champs au contrôle Data, mais seulement ceux qui sont requis. Cela signifie non seulement que notre contrôle grille est moins complexe, mais également que nous gagnons en rapidité, car il y a moins de données à manipuler. L'instruction SQL est composée de deux parties. La première est une liste des champs que nous voulons extraire : `Title`, `Year Published` et `ISBN`. Notez que nous avons mis `Year Published` entre crochets car il comporte deux espaces. D'autres bases de données ne permettent pas d'avoir des espaces dans les noms de champs, et même lorsque vous utilisez Access il est conseillé de ne pas en utiliser.

La seconde partie de l'instruction SQL nous indique la table d'où les données seront extraites. Dans le cas présent, `Titles`.

Et voilà. Ceci est, bien entendu, une instruction `SELECT` très simple, mais nous en élaborerons de plus complexes ultérieurement. Les principes de base restent cependant les mêmes. Vous indiquez à la base de données ce que vous voulez et où l'obtenir.

Extraire des données de plusieurs tables

Nous avons déjà vu que les bases de données relationnelles réduisent la quantité d'informations redondantes en divisant les détails communs à des tables séparées. L'inconvénient de la division des données est que vous devez les relier si vous voulez les consulter toutes en même temps. Par exemple, supposons que vous vouliez voir les éditeurs et les titres ensemble.

Le langage SQL permet de prendre ceci en compte, mais, en liant les tables, de fournir un seul jeu d'enregistrements contenant les données.

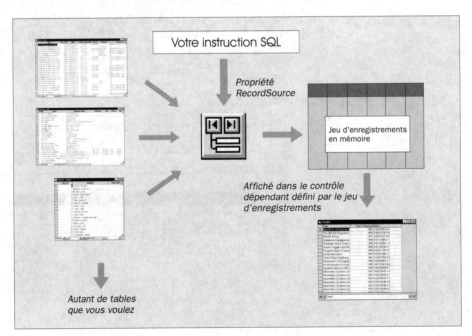

Sélectionner dans plusieurs tables

Avec SELECT, vous pouvez indiquer au contrôle Data les champs que vous souhaitez afficher, les tables dans lesquelles ils se trouvent et la façon dont ces tables sont liées. Par exemple, supposons que vous vouliez voir le Nom de l'éditeur, le Titre, l'Année de publication et le numéro ISBN des ouvrages que cet éditeur a publié.

La première partie de l'instruction SQL vous est familière, sauf que cette fois nous indiquons de quelle table provient chaque champ :

```
SELECT Titles.Title, Titles.[Year Published], Titles.ISBN,
     Publishers.Name
```

Ceci se présente sous la forme de Table.Field, mais vous pouvez omettre Table si vous savez que le nom de Field est unique :

```
SELECT Title, [Year Published], ISBN, Name
```

Je préfère la première forme, car elle est beaucoup plus claire.

Nous devons ensuite indiquer les tables d'où doivent provenir les données :

```
FROM Titles, Publishers
```

Indiquons à présent à la base de données la façon dont les deux tables doivent être liées. Ceci est vraiment important, sous peine d'extraire beaucoup trop de données et donc de ralentir l'exécution. Au début du présent chapitre, nous vous avons parlé de champs **clé**. Chaque éditeur comporte un champ PubID unique. Chaque titre d'ouvrage comporte une copie de ce champ clé, également appelé PubID ; ces deux champs servent à lier les deux tables.

Pour indiquer à la base de données comment lier les tables, nous utilisons l'instruction SQL JOIN. Les deux tables que nous lions sont Titles et Publishers, qui contiennent le champ commun PubID. Nous devons à présent modifier la commande FROM, pour qu'elle inclue l'information JOIN :

```
FROM Titles INNER JOIN Publishers ON Titles.PubID = Publishers.PubID
```

Ceci indique que nous voulons lier les tables Titles et Publishers, mais seulement si les champs PubID correspondent. Voici une bonne manière de se représenter ce qui se passe :

- ❏ Commencez par le premier enregistrement de la table Titles.
- ❏ Cherchez le champ PubID dans ce titre.
- ❏ Allez à présent dans la table Publishers pour trouver l'enregistrement dont le champ PubID correspond à celui que vous venez juste de trouver.
- ❏ Déplacez-vous vers l'enregistrement suivant dans la table Titles, puis repassez à l'étape 2.

Nous nous trouvons donc finalement face à une instruction SQL qui a l'aspect suivant :

```
SELECT Titles.Title, Titles.[Year Published], Titles.ISBN,
   ⤷   Publishers.Name FROM Titles INNER JOIN Publishers
```

SQL est un langage indépendant du contexte. Cela signifie que vous pouvez insérer des retours chariots dans des instructions sans que cela les affecte, tant que la syntaxe est correcte. Pour ajouter un retour chariot dans la zone Texte de la commande de la page de propriétés, appuyez sur Ctrl+Entrée, Entrée fermant la boîte de dialogue.

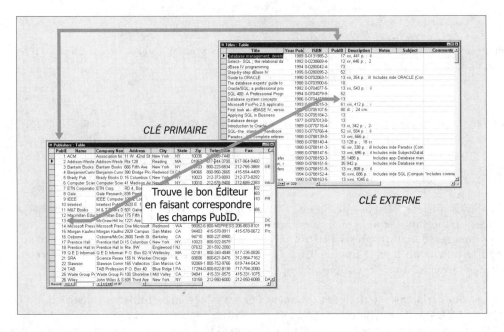

Le langage SQL peut paraître un peu compliqué au début. Dans le chapitre suivant nous mettrons sur pied un petit projet qui vous permettra d'insérer des instructions SQL et d'en afficher les résultats. En attendant, testons l'instruction SQL que nous venons de créer.

Passons à la pratique ! Sélectionner des informations dans des tables liées

1 Chargez le projet `Bib_Aff.vbp` que vous avez déjà créé.

2 Ouvrez la feuille, sélectionnez le contrôle Data et affichez les propriétés.

3 Trouvez la propriété RecordSource et affichez la boîte de dialogue en appuyant sur le bouton générateur.

4 Changez le Type de commande en adCmdText et insérez le texte suivant dans la zone Texte de la commande :

```
SELECT Titles.Title, Titles.[Year Published], Titles.ISBN,
    ↳ Publishers.Name FROM Titles INNER JOIN Publishers
    ↳ ON Titles.PubID = Publishers.PubID
```

5   Cliquez sur **OK** pour fermer la boîte de dialogue. Cela prendra peut-être un certain temps, car l'instruction SQL est automatiquement vérifiée.

6   Sélectionnez la zone de texte qui affiche les informations relatives à l'éditeur et changez la propriété **DataField** en **Name**:

Voyez la façon dont elle a interprété l'instruction SQL et placé les nouveaux champs dans la zone de liste pour que vous puissiez les choisir.

7   Maintenant, exécutez le programme. Au lieu de voir apparaître un code sans signification censé représenter l'éditeur, vous voyez apparaître son nom. C'est plus parlant, non ?

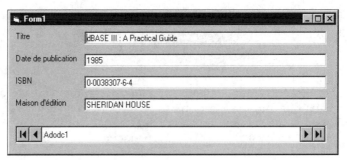

8   Et enfin, enregistrez le programme, car nous allons l'utiliser dans le chapitre suivant.

Utiliser le gestionnaire de données

Écrire tout ce code de base de données et faire toutes ces choses avec les contrôles dépendants n'est rien quand il faut développer une application de base de données. Le meilleur style de code du monde et une panoplie complète des contrôles les plus puissants ne pourront rien pour vous si vous n'avez aucune donnée à traiter dans votre application.

Pour ce qui est de la création d'une base de données, de tables, de champs et d'index pour votre application, ainsi que de la production de requêtes SQL fiables, deux options seulement se présentent à vous : le système de base de données Access de Microsoft, complet mais cher, ou le complément **Gestionnaire de données,** inclus dans Visual Basic.

Il existe un nombre infini d'ouvrages sur Access ; le gestionnaire de données pourrait constituer à lui seul un petit tome de cette collection. Cependant, nous allons tenter de condenser l'exposé de ses fonctions sur deux pages.

Présentation du gestionnaire de données

Access est un produit extrêmement puissant, suffisamment puissant pour produire une application de base de données autonome, mais VisData fournit aux développeurs Visual Basic tous les outils nécessaires au développement d'applications de bases de données efficaces et durables.

VisData prend en charge une multitude de fonctions, dont la possibilité de développer graphiquement des requêtes SQL à utiliser dans vos applications et, bien entendu, un navigateur de données. En tant que tel, il constitue la plateforme idéale pour développer votre base de données et tester les requêtes ; c'est-à-dire une grande partie des fonctionnalités que vous utiliserez dans l'application.

Le gestionnaire de données est un complément de Visual Basic : c'est une application qui se greffe à l'environnement de développement de Visual Basic. Si vous regardez la barre de menu VB, vous verrez un élément appelé Compléments. Cliquez dessus pour dérouler le menu et vous verrez apparaître Gestionnaire de données :

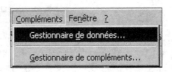

Sélectionnez cet élément, et après une brève pause le gestionnaire de données apparaîtra. Il est important de noter que, puisque c'est un complément (il existait dans les versions précédentes en tant qu'application autonome fournie avec Visual Basic), vous ne pouvez pas continuer à utiliser Visual Basic pendant qu'il est chargé et qu'il fonctionne :

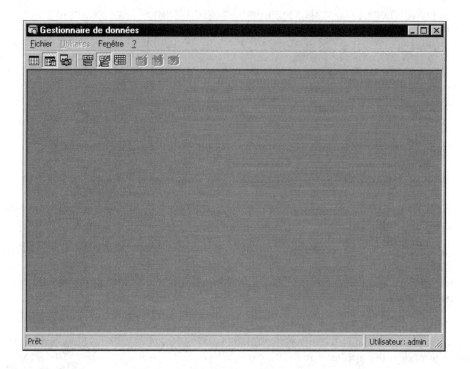

La première fois que vous exécuterez le gestionnaire de données vous verrez apparaître le message suivant : « Voulez-vous ajouter System.md? ». Vous pouvez l'ignorer, puisque ce message ne s'applique qu'aux bases de données très sécurisées et vous n'avez pas besoin d'accéder à Access pour le définir correctement. Si VB vous pose cette question, répondez simplement Non.

Ce gestionnaire ressemble à n'importe quelle autre application MDI, avec une barre d'état dans la partie inférieure de la feuille principale que l'application utilise pour afficher des informations et des messages système pendant que vous travaillez. Elle possède également une barre de menus dans sa partie supérieure, qui donne accès aux zones de fonctions du projet, ainsi qu'une autre barre de menus au-dessous qui permet d'accéder, par un simple clic, aux éléments de menu les plus souvent utilisés.

Voici un aperçu rapide de la barre de menus :

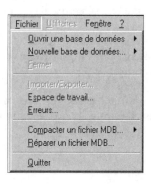

Le menu Fichier vous permet de manipuler les fichiers de la base de données et devrait, dans l'ensemble, être relativement explicite. En cliquant sur le premier élément, vous pouvez ouvrir une base de données : un sous-menu apparaît qui vous demande de préciser le format de base de données que vous souhaitez ouvrir (Access, Dbase, Paradox, etc.). L'élément **Nouvelle base de données** permet de créer une nouvelle base de données pour votre application et vous demande à nouveau, par le biais d'un sous-menu, le type de base que vous souhaitez créer. Une fois que vous avez ouvert une base de données, l'élément **Fermer** permet de la quitter.

La section suivante du menu Fichier contient un certain nombre d'utilitaires qui vous aident dans votre travail sur une base de données. **Importer/Exporter** permet d'importer facilement et rapidement de nombreuses données dans une table ou de les coller dans un fichier. **Espace de travail**, d'autre part, permet la mise en place de fonctions de sécurité sur la base de données et de se reconnecter à la base sous un autre nom d'utilisateur. **Erreurs** ouvre une boîte de dialogue qui répertorie les erreurs les plus récentes du moteur de la base, généralement à la suite de la création d'un champ non valide ou de la tentative d'exécution d'une instruction SQL mal structurée.

Enfin, **Compacter un fichier MDB** et **Réparer un fichier MDB** vous permettent de supprimer les espaces redondants qui existent dans le fichier de base de données et de réparer les bases de données corrompues, le cas échéant (si vous effectuez des sauvegardes régulières, vous ne devriez pas en avoir besoin).

Le seul autre menu qui présente un véritable intérêt est le menu **Utilitaires** (étant donné que les menus **Fenêtre** et **Aide** sont les mêmes que pour toute application MDI) :

Le menu **Utilitaires** (qui n'est actif que si vous avez ouvert une base), propose plusieurs outils destinés à vous aider dans le processus de construction de l'application, ainsi que dans sa configuration.

Le **Créateur de requêtes** vous aide à élaborer des requêtes SQL que vous utiliserez dans Visual Basic pour définir des jeux d'enregistrements dynamiques, qui vous permettent de définir les champs à utiliser dans la requête par cliquer-déplacer, et de définir de manière tout aussi interactive les liens entre les champs, plutôt que de le faire manuellement par programme.

Le **Créateur de feuilles de données** permet de générer des feuilles liées aux données facilement et rapidement dans l'application VB, en cliquant et déplaçant les champs que vous voulez voir figurer sur la feuille.

Remplacement global est très simple et vous permet de remplacer les occurrences de texte dans certains champs et tables sélectionnés.

Hormis **Préférences**, les autres éléments vous permettent de configurer la base de données. L'élément **Pièces jointes** permet d'attacher des tables situées sur un serveur distant, tel qu'un serveur SQL de base de données, à votre base Access locale.

Groupes/Utilisateurs et **System.md ?** permettent tous deux d'activer pleinement la fonction de sécurité de la base de données sur laquelle vous travaillez, en ajoutant des utilisateurs à la table Système et en les regroupant par niveaux et droits d'accès. Ces deux éléments dépassent cependant quelque peu le cadre du présent ouvrage.

Étudions rapidement certains de ces éléments de plus près. La façon la plus simple de comprendre certains d'entre eux est d'ouvrir une base de données Access et de les explorer. C'est exactement ce que nous allons faire.

Approfondir notre connaissance du gestionnaire de données

Ouvrez la base de données `Biblio` en sélectionnant **Ouvrir une base de données** dans le menu **Fichier**. Un sous-menu apparaît, qui vous demande quel type de base vous voulez ouvrir : choisissez **Access**.

Une fois que la base est ouverte, deux fenêtres apparaissent. La première est la fenêtre de base de données, qui affiche les tables de la base. La seconde est une fenêtre SQL, qui attend que vous précisiez une requête à exécuter :

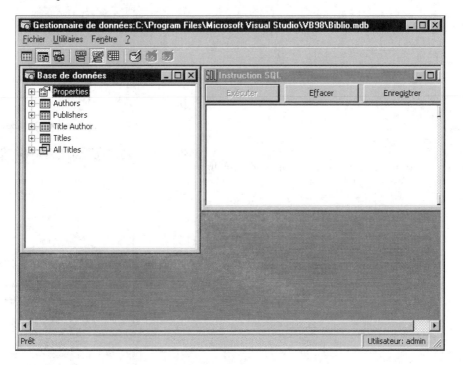

Notez qu'à côté de toutes les tables figure un signe plus, qui indique que la liste peut être développée. Cliquez sur le signe plus à gauche de la table **Titles** et voyez ce qui se passe :

La liste se développe pour afficher les éléments **Fields**, **Indexes** et **Properties**, chacun de ces éléments pouvant être développé davantage pour afficher d'autres informations sur votre base de données. Par exemple, développez l'élément **Fields** en cliquant dessus et une liste de champs apparaîtra :

Double-cliquez sur un champ de la liste et cette dernière se développera pour afficher toutes les propriétés du champ concerné :

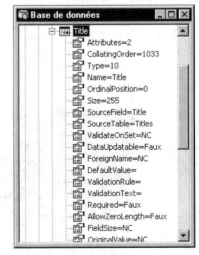

Que désirer de plus ?
Disons qu'un moyen
d'ajouter nos propres
tables et champs serait
pratique. Pour ce faire,
cliquez du bouton droit
dans la fenêtre de la
base de données et
sélectionnez **Nouvelle
Table** dans le menu
déroulant s'affiche la
boîte de dialogue
Modifier la structure :

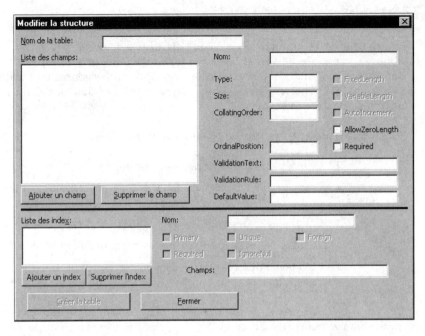

Elle est assez explicite dans l'ensemble : cliquez sur **Ajouter un champ**, puis renseignez les cases de la boîte de dialogue pour préciser le nom du champ, le type de données, la règle de validation, etc.

Essayez vous-même. Si vous sélectionnez **Nouvelle base de données** dans le menu **Fichier**, vous pouvez créer une base de données et vous entraîner à utiliser le gestionnaire de données sans risquer de perdre de données importantes.

Résumé

Une partie de la popularité de Visual Basic provient de sa capacité à manipuler des bases de données, capacité que Visual Basic 6 a encore améliorée. Certes, l'édition Initiation ne comprend pas toutes les fonctions puissantes des versions Professionnelle et Entreprise, mais elle reste un excellent outil d'apprentissage. Vous pouvez naviguer dans les données de plusieurs façons sans utiliser de code.

Au cours du présent chapitre, nous avons donc vu :

- ❑ Ce que nous entendons par "base de données"

- ❑ Comment lier des bases de données à des programmes par le contrôle Data

- ❑ Comment lier des contrôles à un contrôle ADODC

- ❑ Ce qu'est le langage SQL et comment il peut être utilisé

- ❑ Comment utiliser le gestionnaire de données pour construire sa propre base de données

Ce chapitre était dense et nous a présenté quelques concepts nouveaux, mais jusqu'à présent nous nous sommes contentés du contrôle Data standard et du contrôle ADODC sans écrire de code. Vous êtes cependant en mesure de manipuler le contrôle Data en utilisant du code ; et c'est ce que nous allons voir dans le chapitre suivant.

Que diriez-vous d'essayer ?

1 Commençons par créer une base de travail pour.les exercices de ce chapitre. Grisé par le succès et la rentabilité des pizzerias, vous décidez d'ouvrir la vôtre. Afin de garder un suivi de vos activités, vous devez mettre en place une base de données relationnelle. Au moyen de VisData ou de Microsoft Access, créez une base appelée Pizza qui renferme les informations dont vous avez besoin :

Astuce : si vous ne souhaitez pas créer cette base de données, vous pouvez la télécharger à partir du site Web de Wrox.

La première table, `Client`, devra contenir deux champs : `ClientID`, champ `AutoNumber` et clé primaire de la table, et `Client`, champ `Text` long de 50 caractères.

La deuxième table, `Stock`, comportera quatre champs : `StockID`, champ `AutoNumber` et clé primaire de la table, `Description`, champ `Text` long de 50 caractères, ainsi que deux champs `Currency`, `Prix d'achat` et `Prix de vente`.

La troisième table, `Transaction`, devra contenir six champs : `TransactionID`, champ de type NuméroAuto constituant par ailleurs la clé primaire de la table, ainsi qu'un champ TransactionDate de type Date/Heure, puis les deux clés externes ClientID et StockID de type Numérique et de sous-type Entier Long. Vient ensuite le champ Quantité de type Numérique et de sous-type Entier. Enfin, le sixième champ : Prix, de type Monétaire.

Entrez les données suivantes dans les tables :

Table Client

ClientID	Client
1	Jeanine Louis
2	Martin Gari
3	Vincent Patel
4	Alain Parsan

Table Stock

StockID	Description	Prix d'achat	Prix de vente
1	Napolitaine Petite	F12,00	F30,00
2	Napolitaine Moyenne	F18,00	F36,00
3	Napolitaine Grande	F24,00	F42,00
4	Romaine Petite	F18,00	F36,00
	Romaine Moyenne	F24,00	F42,00
6	Romaine Grande	F30,00	F54,00

Table Transaction

TransactionID	Transaction Date	ClientID	StockID	Quantité	Prix
1	01/06/98	1	3	1	F42,00
2	01/06/98	2	4	2	F72,00
3	05/06/98	1	1	1	F30,00
4	06/06/98	3	2	1	F36,00
5	08/06/98	4	6	4	F216,00
6	10/06/98	4	4	1	F36,00
7	15/06/98	1	1	1	F30,00
8	15/08/98	3	5	1	F42,00

2 Créez une feuille affichant les champs TransactionDate, ClientID, StockID, Quantité et Prix de la table Transaction. Utilisez un contrôle Data ADO et 5 zones de texte. N'oubliez pas d'enregistrer le projet.

L'un des problèmes de cette feuille est le manque de clarté des champs ClientID et StockID : qui peut dire quel nombre renvoie à tel client ou élément du stock ? Modifiez par conséquent le projet de façon à faire apparaître les champs Nom du client et Description du stock à la place de leur champ ID respectif.

Astuce : n'oubliez pas que pour sélectionner des données en provenance de plusieurs tables, vous devez employer une instruction SQL.

4 Modifiez l'exercice 2, afin d'utiliser une grille à la place des zones de texte.

Programmer l'accès à une base de données

Dans le chapitre précédent, nous avons utilisé le contrôle Data ADO pour établir un lien vers une base de données et défini quelques propriétés pour pouvoir accéder rapidement et simplement aux données. Comme beaucoup de contrôles Visual Basic, cependant, le contrôle Data ADO est bien plus complet qu'il n'y paraît. Lorsque vous l'employez à partir du code, un nombre incroyable d'options vous sont proposées.

Dans ce chapitre, nous aborderons les points suivants :

- ❏ Présentation des jeux d'enregistrements
- ❏ Adressage du contrôle Data ADO à partir du code
- ❏ Utilisation des contrôles dépendants Zone de liste et Liste modifiable
- ❏ Emploi des événements du contrôle Data ADO
- ❏ Connexion des informations au sein des bases de données

L'objet Recordset

Le jeu d'enregistrements est un concept fondamental pour l'accès aux données dans Visual Basic ; d'ailleurs, même si vous ne l'avez pas remarqué, vous en avez déjà utilisé un lorsque vous avez employé les contrôles Data standard et ADO. Remémorez-vous le dernier chapitre : vous aviez associé à un contrôle Data une grille qui présentait un ensemble d'enregistrements. Eh bien elle s'appuyait en fait sur un Recordset !

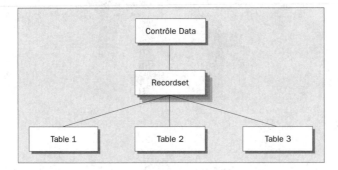

Nous avons vu qu'en réalité, ce dernier n'est rien d'autre qu'un jeu d'enregistrements, un objet sous-jacent qui stocke et gère les données. Il possède ses propres méthodes et propriétés, que nous étudierons plus en détail ultérieurement. Vous vous demandez peut-être pourquoi nous parlons de l'objet Recordset si nous n'utilisons que le contrôle Data, de surcroît si puissant. C'est très simple : le second ne pourrait absolument rien faire sans le premier. À la lecture de ce chapitre, vous comprendrez en effet à quel point la fonction contrôle Data s'appuie sur les jeux d'enregistrements.

Vous connaissez déjà plusieurs éléments fondamentaux ; ne nous attardons donc pas plus longtemps sur la théorie.

Passons à la pratique ! Créer un jeu d'enregistrements à partir du code

Recréons le projet grille du précédent chapitre sous forme de code, en vue d'associer les contrôles aux données en cours d'exécution et non en mode création.

1   Démarrez un nouveau projet standard et créez une feuille identique à celle du chapitre 13. En d'autres termes, ajoutez un contrôle Data ADO, puis un DataGrid. N'oubliez pas que ces derniers ne se trouvent peut-être pas dans votre boîte à outils initiale ; s'ils en sont effectivement absents, utilisez l'option **Composants** du menu **Projet** pour sélectionner respectivement **Microsoft ADO Data Control 6.0** et **Microsoft DataGrid Control 6.0**. Votre feuille devrait ensuite se présenter comme suit :

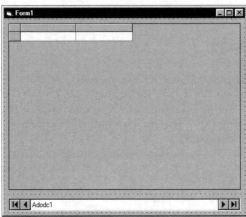

2   Réglez la propriété **DataSource** de la grille sur **Adodc1**. Nous définirons les autres propriétés de connexion en cours d'exécution, mais Visual Basic ne permet pas de le faire pour **DataSource** à partir du code.

3   Ajoutons le code qui liera la base de données et intégrera les informations dans la grille. Saisissez les lignes suivantes dans l'événement Form_Load :

```
Private Sub Form_Load()

  Adodc1.ConnectionString = "Provider=Microsoft.Jet.OLEDB.3.51;
      ↳ DataSource=C:\Program Files\Microsoft Visual Studio\VB98\Biblio.mdb"
Adodc1.CommandType = adCmdTable
  Adodc1.RecordSource = "Titles"

  Adodc1.Refresh

End Sub
```

> **Si votre exemplaire de la base de données** Biblio **se trouve à un autre endroit, modifiez la partie** DataSource **de la propriété** ConnectionString **en conséquence, puisqu'elle indique l'emplacement physique de la base sur le disque dur.**

4   Cliquez sur E**x**écuter ; les données apparaissent :

5   Enregistrez ce projet sous le nom BibGrill.vbp, car nous allons le réutiliser.

Fonctionnement

Dans ce programme, nous avons juste configuré la propriété **DataSource** de la grille en mode création. Ceci mis à part, le contrôle Data est autonome et unique ; il faut donc l'associer à la prochaine source de données disponible, afin que tous deux constituent un jeu d'enregistrements.

Pour que le contrôle Data fonctionne, vous devez commencer par lui indiquer le fournisseur des données et définir à cette fin la propriété `ConnectionString`. La première partie de cette déclaration mentionne le nom du fournisseur :

```
Provider=Microsoft.Jet.OLEDB.3.51
```

Il s'agit du nom sous-jacent du fournisseur Access. Le Provider SQL Server s'appelle SQLOLEDB, ce qui est beaucoup plus facile à taper !

La deuxième partie de `ConnectionString` identifie la source des données :

```
DataSource=C:\Program Files\Microsoft Visual Studio\VB98\Biblio.mdb
```

Cela désigne simplement la base de données Access. Rappelez-vous, lorsque vous avez renseigné cette propriété en mode création, vous avez dû indiquer le fournisseur et la base de données dans une boîte de dialogue.

La prochaine étape consiste à spécifier le type de données souhaité. Rassemblez vos souvenirs : `adCmdTable` signifie que nous allons récupérer les données directement à partir d'une table :

```
Adodc1.CommandType = adCmdTable
```

`RecordSource` indique la table qui contient les données à afficher, c'est-à-dire, ici, la table Titles :

```
Adodc1.RecordSource = "Titles"
```

Une fois que tout est défini comme il convient, vous pouvez demander au contrôle Data d'accéder aux données grâce à la méthode `Refresh` :

```
Adodc1.refresh
```

C'est tout ! Vous pouvez constater que nous avons fait globalement la même chose que dans les exemples du chapitre précédent. Vous avez défini les mêmes propriétés, à ceci près que, cette fois, vous n'avez pas eu le plaisir de sélectionner les diverses options dans des boîtes de dialogue.

Définir l'objet Recordset

Maintenant que vous vous êtes fait à l'idée d'associer automatiquement le contrôle Data aux sources de données, nous pouvons désormais voir comment utiliser la propriété `RecordSource` du contrôle Data pour déterminer les enregistrements et les champs à inclure effectivement dans notre jeu d'enregistrements. Dans l'exemple précédent, nous avons simplement placé l'intégralité de la table `Titles` dans la grille. Cette fois, nous allons faire en sorte que la propriété `RecordSource` du contrôle Data gère directement ce qui apparaîtra dans la grille.

Passons à la pratique ! S'amuser avec SQL

Dans cette section, nous allons ajouter une fenêtre dans la feuille de la grille, afin de vous permettre de saisir des instructions SQL en phase d'exécution. Intéressant, non ?

1 Modifions tout d'abord l'exemple précédent. Ouvrez la feuille en mode création, faites glisser le bouton de la grille vers le haut et placez une grande zone de texte en bas. C'est dans cette dernière que nous entrerons les commandes SQL. Appelez-la `txtCodeSQL`, effacez sa propriété Text et réglez sa propriété MultiLine sur True, en vue de pouvoir employer de très longues commandes :

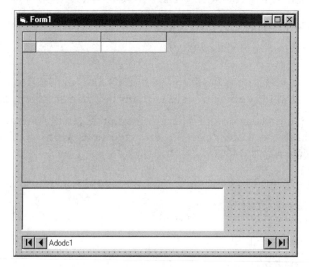

2 Ajoutez deux boutons de commande, comme dans la écran ci-après. Nommez-les `cmdExécuter` et `cmdQuitter`, et définissez leurs légendes en conséquence. réglez la propriété Enabled du bouton Exécuter sur False, mais sa propriété Default sur True :

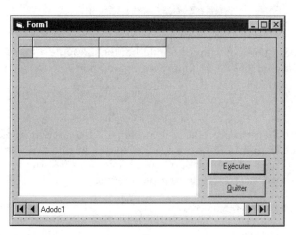

507

3 Ouvrez la fenêtre de code du bouton **E**x**écuter** et ajoutez le code suivant à son événement `Click`. Vous pouvez bien sûr accélérer cette procédure en double-cliquant simplement sur le bouton :

```
Private Sub cmdExécuter_Click()
  Adodc1.RecordSource = txtCodeSQL
  Adodc1.CommandType = adCmdText
  Adodc1.Refresh
End Sub
```

4 Ajoutez une commande `End` à l'événement `cmdQuitter_Click` :

```
Private Sub cmdQuitter_Click()
  End
End Sub
```

5 Conservez pour l'événement `Form_Load` le même code que dans le dernier exemple (il doit toujours se trouver ici, dans l'événement `Form_Load`).

6 Ajoutez ce code qui active le bouton **E**x**écuter** lorsqu'il y a effectivement quelque chose à exécuter (c'est-à-dire quand nous avons effectué une saisie dans la zone de texte `txtCodeSQL`) :

```
Private Sub txtCodeSQL_Change()

  If Trim$(txtCodeSQL) = "" Then
    cmdExécuter.Enabled = False
  Else
    cmdExécuter.Enabled = True
  End If

End Sub
```

7 Exécutez le projet. Entrez la commande SQL suivante dans la zone de texte et observez la modification de la grille lorsque vous cliquez sur **E**x**écuter** :

```
SELECT Titles.Title, Titles.[Year Published], Titles.ISBN FROM Titles
```

8 Dès que vous cliquez sur le bouton **E**x**écuter**, l'instruction SQL est exécutée au sein du contrôle ADO. Impressionnant, non ? À la fin, n'oubliez pas de sauvegarder le projet.

Fonctionnement

Par rapport au chapitre précédent, le principal changement apporté au projet grille réside dans l'élaboration de la propriété `RecordSource` du contrôle Data à partir d'une chaîne de caractères extraite de la zone de texte. Si l'utilisateur saisit une instruction SQL correcte, cette dernière est affectée à la propriété `RecordSource` par la ligne :

```
Adodc1.RecordSource = txtCodeSQL
```

Nous devons également modifier le type de données. Lors du chargement de la feuille, nous employons une table, or nous voulons désormais utiliser une commande SQL ; il faut donc changer la propriété `CommandType` :

```
Adodc1.CommandType = adCmdText
```

Avant d'activer le bouton **Exécuter**, l'événement `Change` de la zone de texte vérifie que cette dernière contient une chaîne de caractères. Cela évite la transmission d'instructions vides et donc le déclenchement d'une d'erreur.

Il s'agit d'un programme très simple, mais d'un moyen formidable pour se familiariser avec SQL. Tant que nous y sommes, voyons par conséquent d'autres commandes SQL utiles qui pourraient vous permettre de créer des jeux d'enregistrements plus complexes.

Passons à la pratique ! Sélectionner des enregistrements particuliers

Jusqu'à présent, nous n'avons utilisé l'instruction `SELECT` que pour extraire plusieurs champs dénommés. Il est néanmoins beaucoup plus intéressant de filtrer certains enregistrements en fonction de critères particuliers.

*Avant de cliquer sur le bouton **Exécuter** à chaque fois, il peut être judicieux de sélectionner votre texte SQL et d'appuyer sur Ctrl+C, afin de le copier dans le Presse-papiers. En effet, toute faute de frappe vous obligera à arrêter le programme et vous fera donc perdre ce que vous aurez saisi. Plus loin dans ce chapitre, nous verrons comment intégrer la gestion des erreurs pour éviter de telles situations.*

1   Reprenons l'exemple précédent, afin de le modifier une nouvelle fois. Chargez-le, exécutez-le et saisissez cette commande SQL :

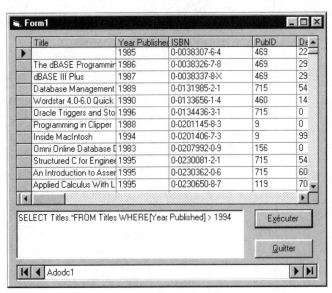

2   Cliquez sur Ex**é**cuter et observez ce qui apparaît (ou reportez-vous à l'écran ci-après si vous désirez avoir un petit aperçu). Seuls les titres publiés après 1994 sont affichés. Vous remarquerez que l'ensemble des colonnes de toute la table `Titles` est visible. En effet, dans la commande SQL, `Titles.*` est un raccourci qui indique à SQL d'inclure l'intégralité des champs dans la table :

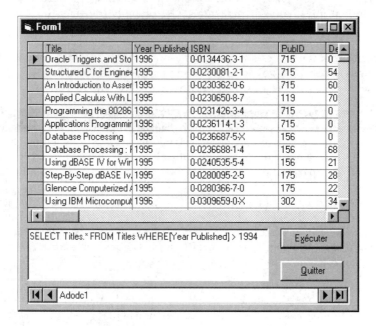

3   Modifiez l'instruction, de façon à prendre également les données de la table `Publishers`, comme le montre l'écran ci-après.

Pour entrer le texte suivant, n'essayez pas d'insérer des sauts de ligne manuels aux mêmes endroits que nous : contentez-vous de saisir le texte au kilomètre, et la zone de texte ajoutera les sauts de ligne automatiquement. La disposition dépend en effet uniquement de la taille de votre zone de texte txtCodeSQL !

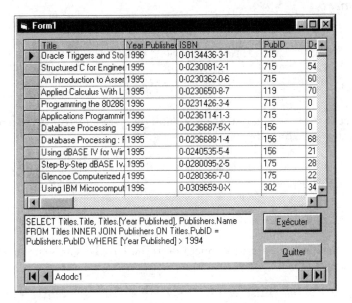

4 Ajoutez une clause ORDER BY à la fin de cette instruction SQL, comme dans l'écran ci-dessous (notez bien la présentation du jeu d'enregistrements : nous n'avons pas encore cliqué sur le bouton **Ex**é**cuter** pour cette instruction) :

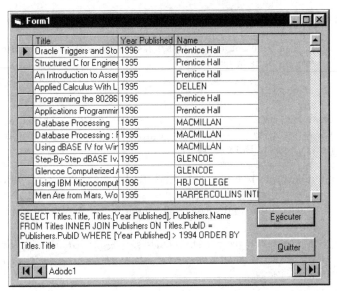

Fonctionnement

Étudions maintenant la très longue instruction finale :

```
SELECT Titles.Title, Titles.[Year Published], Titles.ISBN FROM Titles,
     ⮡ Publishers.Name FROM Titles INNER JOIN Publishers ON
     ⮡ Titles.PubID = Publishers.PubID WHERE Titles.[Year Published]
     ⮡ > 1994 ORDER BY Titles.Title
```

Tout ce code doit vous paraître bien compliqué, mais il suffit de le reprendre ligne par ligne pour que tout devienne limpide.

Démarrez par SELECT et indiquez à la base de données les champs souhaités. Vous produisez ainsi les colonnes de la grille :

```
SELECT Titles.Title, Titles.[Year Published], Titles.ISBN FROM Titles,
     ⮡ Publishers.Name
```

Indiquez ensuite à la base de données où rechercher les enregistrements et comment les combiner pour plusieurs tables :

```
FROM Titles INNER JOIN Publishers ON Titles.PubID = Publishers.PubID
```

Signalez-lui les titres à inclure dans le jeu d'enregistrements ; ici, nous avons choisi ceux dont l'année de publication (Year Published) est postérieure à 1994. Vous créez ainsi les lignes de la grille :

```
WHERE Titles.[Year Published] > 1994
```

Enfin, indiquez à la base comment classer les données. Vous déterminez ainsi l'ordre d'apparition des enregistrements dans la grille :

```
ORDER BY Titles.Title
```

Vous obtenez au final une superbe liste des livres publiés après 1994, classés par ordre alphabétique et accompagnés de diverses informations (titre, année de parution et éditeur). Et tout cela dans notre contrôle Data ADO !

Ce n'est cependant que la partie immergée de l'iceberg SQL. Néanmoins, comme vous avez eu un bon aperçu du fonctionnement général, vous pouvez désormais élaborer les instructions dont vous avez besoin pour obtenir les informations souhaitées de votre base de données sous-jacente.

Quantité de bons ouvrages ont été publiés sur SQL. Instant SQL, par exemple, de Wrox Press, est un guide complet qui inclut notamment tout le code au format Access, ainsi qu'Oracle et Sybase.

L'objet Recordset, ses propriétés, méthodes et événements

Après tout ce que nous avons dit sur les jeux d'enregistrements, vous avez sans doute bien compris qu'un Recordset est en fait un objet, avec ses propres propriétés et méthodes. À l'image d'un programmeur intelligent, le contrôle Data n'essaie pas de gérer les données lui-même, mais s'appuie sur un objet Recordset.

Les jeux d'enregistrements constituent un sujet trop vaste pour que nous le traitions ici dans les moindres détails ; néanmoins, certaines propriétés et méthodes sont extrêmement importantes.

Les propriétés de l'objet Recordset

Nous étudierons ces propriétés plus en détail ultérieurement, mais pour l'instant, passons rapidement en revue les plus utiles :

Propriété	Description
BOF	Est True lorsque vous vous trouvez au début du jeu d'enregistrements, avant le premier enregistrement.
EOF	Est True lorsque vous vous trouvez à la fin du jeu d'enregistrements, après le dernier enregistrement.
Bookmark	Pointeur unique vers l'enregistrement courant. Comme un marque-page dans un livre, le signet (Bookmark) permet de localiser rapidement un enregistrement.
RecordCount	Selon le type de curseur (CursorType), peut donner le nombre exact d'enregistrements au sein d'un jeu d'enregistrements.
CursorType	Type de curseur disponible.

BOF et EOF comptent parmi les propriétés les plus utiles, car elles signalent le début et la fin du jeu d'enregistrements. Vous pouvez les considérer comme des marqueurs aux deux extrémités de ce jeu :

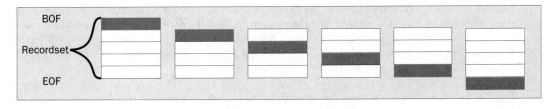

Si BOF et EOF sont toutes les deux True, le jeu d'enregistrements est vide.

Le contrôle Data ADO lui-même a deux propriétés relatives au début et à la fin des jeux d'enregistrements :

Propriété	Description
BOFAction	Détermine ce qui se passe lorsque l'utilisateur tente de se déplacer avant le premier enregistrement du jeu. Elle peut être réglée sur adDoMoveFirst (et indiquer alors que l'enregistrement courant doit être le premier) ou adStayBOF (signalant ainsi que l'enregistrement courant doit rester sur BOF).
EOFAction	Détermine ce qui se passe lorsque l'utilisateur tente de se déplacer après le dernier enregistrement du jeu. Elle peut être réglée sur adDoMoveLast (et indiquer alors que l'enregistrement courant doit être le dernier) ou adStayEOF (signalant ainsi que l'enregistrement courant doit rester sur EOF). Dernière valeur possible, enfin : adDoAddNew, qui indique qu'un nouvel enregistrement doit être ajouté à la fin du jeu d'enregistrements.

La valeur adDoAddNew de EOFAction est très utile, car elle permet à l'utilisateur de produire très facilement de nouveaux enregistrements. Se positionner après la fin d'un jeu d'enregistrements génère en effet automatiquement un nouvel enregistrement, vide. Il est néanmoins beaucoup plus fréquent de gérer la création et la suppression d'enregistrements par l'intermédiaire du code, qui permet de contrôler plus efficacement les opérations. Avant de passer à la pratique, nous devons toutefois étudier quelques méthodes de l'objet Recordset.

Méthodes de l'objet Recordset

Se contenter du contrôle Data pour afficher les enregistrements d'une table dans l'ordre courant limite sensiblement votre marge de manœuvre. L'une des réelles forces des applications de bases de données est leur aptitude à rechercher des informations particulières à votre place, avec rapidité et facilité. Pour effectuer des tâches un peu plus complexes, toutefois, nous devons savoir comment le contrôle Data évolue au sein des enregistrements.

Pour bien comprendre les méthodes de l'objet Recordset, essayez de vous représenter concrètement un jeu d'enregistrements. Il s'agit d'une table *virtuelle* que vous avez constituée en mémoire à partir des tables sous-jacentes de votre base de données et qui inclut uniquement les enregistrements et les champs avec lesquels vous souhaitez travailler à un moment donné. Elle est certes virtuelle, en ce sens qu'elle n'existe que pendant le temps d'exécution de l'application et tant que vous décidez d'en restreindre ainsi sa portée ; néanmoins, en termes de codification, elle possède une structure bien réelle. Les enregistrements sont regroupés dans l'ordre que vous déterminez par l'intermédiaire de la clause ORDER BY dans l'instruction SQL ou, si aucun ordre n'est spécifié, dans l'ordre dans lequel ils ont été ajoutés aux tables.

Quelle que soit la disposition des enregistrements, ils constituent un bloc. Afin que le code et vous-même puissiez connaître l'enregistrement utilisé à un moment donné, l'objet Recordset contrôle un pointeur qui désigne l'enregistrement courant. Même si cet élément pointe vers BOF ou EOF, il y a toujours un enregistrement courant : lors de la première ouverture d'un jeu d'enregistrements, il s'agit de l'enregistrement initial.

Dans cette section, nous allons étudier les différentes méthodes Move, qui contrôlent le mode de déplacement de l'enregistrement courant au sein du jeu.

Utiliser les méthodes Move

Un objet Recordset possède cinq méthodes Move qui permettent de se déplacer au sein d'un jeu d'enregistrements, enregistrement par enregistrement, à savoir :

Méthode	Description
MoveFirst	Se positionner sur le premier enregistrement
MoveLast	Se positionner sur le dernier enregistrement
MoveNext	Se positionner sur l'enregistrement suivant
MovePrevious	Se positionner sur l'enregistrement précédent
Move n	Se déplacer de n enregistrements vers l'avant
Move -n	Se déplacer de n enregistrements vers l'arrière

Les quatre premières se rapportent aux quatre boutons sur le contrôle Data qui rappellent ceux d'un magnétoscope :

Passons à la pratique ! Se déplacer dans un jeu d'enregistrements

1 Arrêtons-nous un moment sur cette opération et reprenons l'exemple créé dans le précédent chapitre. Chargez le projet Bib_Aff.vbp et placez quatre boutons sur la feuille, afin qu'elle se présente comme l'écran ci-après. N'oubliez pas de définir les légendes ; choisissez comme noms cmdPremier, cmdPrécédent, cmdSuivant et cmdDernier. Changez également la propriété Visible du contrôle Data en la réglant sur False, de façon à ce qu'elle n'apparaisse pas lors de l'exécution :

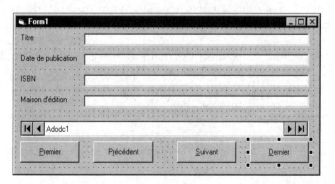

515

2   Prêt à vous attaquer à la saisie ? Ouvrez la fenêtre de code et tapez ces lignes consacrées à l'événement `Click` de chaque bouton de commande :

```
Private Sub cmdPremier_Click()
  Adodc1.Recordset.MoveFirst
End Sub

Private Sub cmdPrécédent_Click()
  If Not Adodc1.Recordset.BOF Then
    Adodc1.Recordset.MovePrevious
  End If
End Sub

Private Sub cmdSuivant_Click()
  If Not Adodc1.Recordset.EOF Then
    Adodc1.Recordset.MoveNext
  End If
End Sub

Private Sub cmdDernier_Click()
  Adodc1.Recordset.MoveLast
End Sub
```

3   Exécutez le programme pour avoir une idée de son mode de fonctionnement :

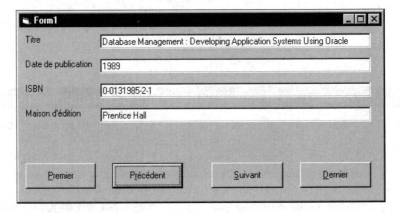

Cette fois, au lieu du contrôle Data, vous disposez de quatre boutons de commande qui assurent la même fonction : se déplacer au sein des enregistrements.

4   Tout semble être correct. Néanmoins, placez-vous à la fin du jeu d'enregistrements et cliquez sur le bouton <u>S</u>uivant, ce qui efface les entrées. Apparemment, donc, Visual Basic permet d'aller au-delà du dernier enregistrement du jeu ! Voyons tout de suite la cause de cette fourberie.

Fonctionnement

Le code du bouton de commande <u>P</u>remier déplace sur le premier enregistrement du jeu :

```
Adodc1.Recordset.MoveFirst
```

Souvenez-vous : le contrôle Data utilise un objet Recordset sous-jacent qui possède des méthodes pour déplacer l'enregistrement courant. Ici, nous appelons la méthode de façon standard. Normalement, nous devrions avoir quelque chose du genre :

```
objet.méthode
```

pour appeler une méthode sur un objet. Seulement, comme le jeu d'enregistrements est à son tour régi par le contrôle Data, nous employons la formule suivante :

```
objet.objet.méthode
```

Nous pouvons ainsi manipuler l'objet Recordset, sans même l'avoir créé explicitement : il existe en tant que composant du contrôle Data. Lorsque nous changeons l'enregistrement courant avec cette méthode, le Recordset en informe le contrôle Data, qui lui-même le signale aux contrôles dépendants éventuels, afin que ces derniers soient modifiés automatiquement. La méthode MoveLast fonctionne de manière tout à fait identique.

Les boutons **Précédent** et **Suivant** sont un peu plus complexes. Nous avons vu que BOF et EOF servent à marquer le début et la fin d'un jeu d'enregistrements, mais que se passe-t-il réellement lorsque vous vous positionnez sur l'enregistrement BOF ou EOF ? Vous l'avez probablement deviné, vous obtenez un enregistrement vide.

```
If Not Adodc1.Recordset.BOF Then
   Adodc1.Recordset.MovePrevious
End If
```

En l'état actuel, le code contrôle tout d'abord que la propriété BOF est définie et, si elle ne l'est pas, exécute MovePrevious. Quelle est alors l'utilité de cette vérification ? Imaginez-vous la situation lorsque nous nous trouvons effectivement sur le premier enregistrement. Nous exécutons MovePrevious, qui nous déplace vers l'enregistrement BOF, vide. Si nous répétions cette opération, il n'y aurait plus d'endroit de destination, ce qui provoquerait une erreur.

Cependant (et c'est là l'astuce), il reste toujours le problème de l'enregistrement BOF, qui est vide et dont nous devons donc empêcher l'affichage. La propriété BOF se définit uniquement lorsque nous atteignons l'enregistrement BOF ; c'est donc le moment idéal pour la contrôler et faire en sorte qu'à l'instant où nous nous déplaçons vers cet enregistrement, elle nous fasse simplement retourner à l'enregistrement suivant :

```
Private Sub cmdPrécédent_Click()
   Adodc1.Recordset.MovePrevious
   If Adodc1.Recordset.BOF Then
      Adodc1.Recordset.MoveNext
   End If
End Sub
```

Nous pouvons faire de même avec le bouton **Suivant** :

```
Private Sub cmdSuivant_Click()
   Adodc1.Recordset.MoveNext
   If Adodc1.Recordset.EOF Then
```

517

```
      Adodc1.Recordset.Moveprevious
   End If
End Sub
```

Exécutez ce code et vous verrez que vous n'obtiendrez plus d'enregistrement vide, lorsque vous tenterez de vous déplacer avant le jeu d'enregistrements. Simple, logique et efficace, non ?

Rechercher un enregistrement

Pouvoir se déplacer au sein des enregistrements est certes appréciable, mais ce à quoi vous aspirez vraiment est de localiser certains d'entre eux. Modifions donc le projet courant en conséquence.

Passons à la pratique ! Rechercher un enregistrement

1   Ajoutez quelques contrôles supplémentaires à votre feuille, à savoir une étiquette, une zone de texte et un bouton de commande. Appelez la zone de texte txtRechercheAnnée et le bouton cmdRechercherSuivant :

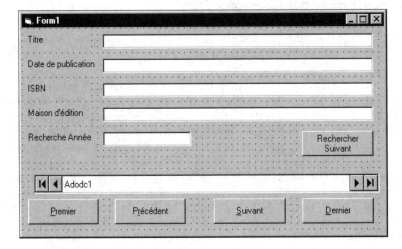

2   Dans l'événement Click du nouveau bouton de commande, ajoutez ce code :

```
Private Sub cmdRechercherSuivant_Click()
   Adodc1.Recordset.Find "[Year Published] = " & txtRechercheAnnée, 1
End Sub
```

3   Exécutez le programme, entrez une année dans la nouvelle zone de texte et cliquez sur le bouton **Rechercher Suivant** :

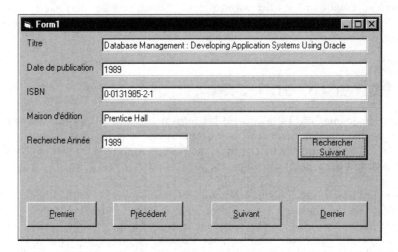

Si vous cliquez de nouveau sur le bouton **Rechercher Suivant**, vous obtenez le prochain livre de la liste publié l'année en question. Qui a dit que les bases de données étaient compliquées ?

Fonctionnement

La méthode `Find` du Recordset du contrôle Data ADO possède plusieurs paramètres ; étudions ceux que nous venons d'employer :

```
Adodc1.Recordset.Find "[Year Published] = " & txtRechercheAnnée, 1
```

Le premier correspond au *critère*, c'est-à-dire à ce que vous recherchez réellement. Il revient à dire : « Recherche l'enregistrement dont le champ `Year Published` [Année de parution] équivaut à la valeur entrée dans la zone de texte txtRechercheAnnée ». Le 1 final indique le nombre d'enregistrements que nous souhaitons ignorer. Nous avons choisi un, afin que la recherche commence à l'enregistrement suivant (sans cette précaution, l'enregistrement trouvé serait toujours le même !).

> *Vous n'êtes pas obligé de demander des enregistrements qui correspondent à une valeur précise. Vous pouvez en effet employer < et > pour en rechercher qui soient supérieurs ou inférieurs à une valeur. Le critère « [Year Published] > 1985 », par exemple, permet de trouver le prochain livre sorti après 1985.*

Il existe également deux autres arguments facultatifs que nous n'avons pas utilisés, à savoir :

❑ `SearchDirection`, qui détermine le sens de la recherche. `adSearchBackward` parcourt le Recordset de l'enregistrement courant vers les enregistrements précédents, et `adSearchForward`, vers les suivants. Sans cet argument, la recherche s'effectue vers l'avant.

❑ `Start`, qui permet d'indiquer le point de départ de la recherche. Il peut s'agir d'un signet valide, du premier enregistrement (grâce à `adBookmarkFirst`), ou du dernier (avec `adBookmarkLast`).

519

Vous voyez qu'en combinant les divers arguments, vous obtenez une gamme de fonctionnalités assez large. Vous pouvez ainsi créer un bouton Rechercher le premier, par exemple, avec les arguments `adSearchForward` et `adBookmarkFirst`.

Créer et éditer un enregistrement

Les bases de données ne sont utiles que si les informations qu'elles renferment sont exactes et à jour. Dans le prochain exemple, nous vous présenterons à cette fin deux nouveaux concepts. Avant de vous inquiéter, sachez qu'ils s'inscrivent dans la suite logique des sujet abordés jusqu'à présent et qu'ils ne devraient donc poser aucun problème.

Premier concept : l'emploi de contrôles dépendants pour ajouter et supprimer des enregistrements au sein d'une base de données. Nous avons déjà recouru à des méthodes pour rechercher et atteindre des enregistrements ; les procédures d'ajout et de suppression fonctionnent globalement de la même manière. Néanmoins, comme nous offrons une marge de manœuvre considérablement plus large à l'utilisateur, nous devons prendre des mesures supplémentaires destinées à protéger les informations stockées dans la base de données. C'est pourquoi nous vous présenterons le contrôle dépendant Liste modifiable, qui permet de limiter les choix de l'utilisateur aux propositions d'une liste prédéterminée. Étant donné que nous avons déjà étudié les zones de liste et les listes modifiables, vous ne devriez pas rencontrer trop de difficultés. Avant de reprendre notre exemple, voyons rapidement comment fonctionnent ces contrôles.

Les contrôles dépendants Zone de liste et Liste modifiable

Dans le travail avec des bases de données, il est essentiel de contrôler les informations fournies. C'est pourquoi vous apprécierez vraiment les contrôles dépendants Zone de liste et Liste modifiable, qui permettent de proposer un choix d'options limité à l'utilisateur lors de sa saisie. Imaginons que vous laissiez cette personne entrer sa propre version d'un pays dans une base d'adresses. Vous aurez beau espérer qu'elle tape GB, elle préférera peut-être Angleterre ou Royaume-Uni. Mieux vaut par conséquent répertorier toutes les possibilités dans une liste modifiable et forcer l'utilisateur à choisir parmi ces propositions. En langage technique, on parle de **table de référence**.

Bien que les versions dépendantes des contrôles Liste modifiable et Zone de liste soient là pour vous simplifier la vie (ce qu'ils font à merveille), ils sont au premier abord très déroutants. Ainsi, l'utilisation du contrôle dépendant Liste modifiable requiert généralement deux contrôles Data.

> *N'oubliez pas qu'un contrôle Data ne peut gérer qu'un seul jeu d'enregistrements. Pour mettre deux tables ou deux jeux en relation, il vous faudra donc deux contrôles Data.*

C'est précisément ce besoin d'associer des tables ou des jeux d'enregistrements qui justifie les deux propriétés d'un contrôle dépendant Liste modifiable : `DataSource` établit une liaison avec le premier contrôle Data, et `RowSource`, avec le deuxième. Ne vous laissez pas impressionner, vous allez très vite comprendre.

Passons à la pratique ! Améliorer l'affichage de la base de données

À présent, installez-vous confortablement, décrochez le téléphone, si besoin est, et prenez le temps de vous faire un café, car l'heure est venue d'écrire une application d'une taille honnête (j'espère que vos doigts sont prêts pour la saisie !). Nous allons produire un autre affichage de la base de données qui vous permettra de parcourir les enregistrements de la base `Biblio`. Cette dernière proposera en outre une liste modifiable pour les éditeurs, à la place de nombres abscons, tout en laissant la possibilité d'ajouter et de supprimer des enregistrements.

1   Démarrez un nouveau projet et placez quelques contrôles sur la feuille, de façon à ce qu'elle se présente comme la nôtre. N'oubliez pas d'effacer le contenu de la propriété **Text** des zones de texte et de fixer les légendes des étiquettes et des boutons. Nous définirons les noms de ces boutons de commande dans quelques étapes ; par conséquent, ne vous en souciez pas pour l'instant. Votre feuille devrait donc se présenter comme suit :

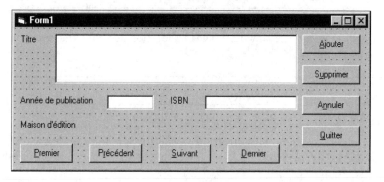

2   Ajoutez deux contrôles Data ADO et réglez leur propriété **Visible** sur **False**. Nous avons besoin de deux contrôles Data car conjointement aux titres des livres, nous allons fournir le nom de l'éditeur. N'oubliez pas : le contrôle ADO ne se trouve pas forcément dans la boîte à outils initiale, auquel cas vous devez l'y ajouter grâce à la boîte de dialogue **Composants** du menu **Projet**, comme précédemment.

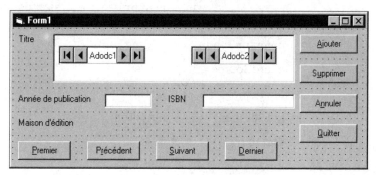

3   Ajoutez une liste modifiable DataCombo, comme dans l'écran ci-après. Cette dernière, également, peut être absente de la boîte à outils originale ; ouvrez alors la boîte de dialogue **Composants** du menu **Projet** et sélectionnez **Microsoft DataList Controls 6.0 (OLEDB)** :

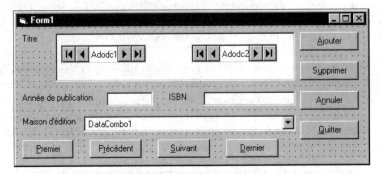

4   Vous devez maintenant définir les propriétés des contrôles exactement comme dans le tableau ci-dessous :

Contrôle	Propriété	Valeur
Premier contrôle Data	Name	datMaisEd
	ConnectionString	Utilisez le bouton de création pour sélectionner le fournisseur Access et pointer vers `Biblio.mdb`
	CommandType	adCmdTable
	RecordSource	Publishers
Second contrôle Data	Name	datTitres
	ConnectionString	Utilisez le bouton de création pour sélectionner le fournisseur Access et pointer vers `Biblio.mdb`
	CommandType	adCmdTable
	RecordSource	Titles
Zone de texte Titre	Name	txtTitre
	DataSource	datTitres
	DataField	Title
Zone de texte Année de publication	Name	txtAnnée

Contrôle	Propriété	Valeur
	DataSource	datTitres
	DataField	Year Published
Zone de texte ISBN	Name	txtISBN
	DataSource	datTitres
	DataField	ISBN
Liste modifiable Maison d'édition	Name	DbcMaisEd
	DataSource	DatTitres
	RowSource	DatMaisEd
	BoundColumn	PubID
	DataField	PubID
	ListField	Name
Bouton de commande Ajouter	Name	CmdAjouter
Bouton de commande Supprimer	Name	CmdSupprimer
Bouton de commande Annuler	Name	CmdAnnuler
Bouton de commande Quitter	Name	CmdQuitter
Bouton de commande Premier	Name	CmdPremier
Bouton de commande Précédent	Name	CmdPrécédent
Bouton de commande Suivant	Name	CmdSuivant
Bouton de commande Dernier	Name	CmdDernier

5   Après toute cette saisie, enregistrez le projet sous le nom `Bib_Edit.vbp`.

6   Ouvrez la fenêtre de code et ajoutez les lignes suivantes dans la partie (Général) (Déclarations) :

```
Private m_recTitres As ADODB.Recordset
Private Const UPDATE_CANCELLED  As Long = -2147217842
Private Const ERRORS_OCCURRED   As Long = -2147217887
```

7   Vous pouvez maintenant ajouter les gestionnaires d'événements. Le code peut sembler déroutant, mais ne vous inquiétez pas : nous vous l'expliquerons en détail dès que vous aurez vu comment il fonctionne. Voyons successivement le code de chaque bouton, en commençant par Ajouter :

```
Private Sub cmdAjouter_Click()

    DéplacEnreg adRsnAddNew

End Sub
```

Bouton Annuler :

```
Private Sub cmdAnnuler_Click()

    If IsNumeric(Trim$(txtAnnée)) Then
      m_recTitres.CancelUpdate
      m_recTitres.Bookmark = m_recTitres.Bookmark
    Else
      MsgBox "Année de parution incorrecte", vbExclamation
      txtAnnée.Text = ""

    End If

End Sub
```

Bouton Supprimer :

```
Private Sub cmdSupprimer_Click()
    If MsgBox("Êtes-vous sûr de vouloir supprimer cet enregistrement ?",
       ↳ vbQuestion + vbYesNo, "Supprimer Enregistrement") = vbYes Then
      m_recTitres.CancelUpdate
      m_recTitres.Bookmark = m_recTitres.Bookmark
      m_recTitres.Delete
      m_recTitres.MoveFirst

    End If

End Sub
```

Voici maintenant le code qui permet de se déplacer au sein du jeu d'enregistrements :

```
Private Sub cmdPremier_Click()

    DéplacEnreg adRsnMoveFirst

End Sub

Private Sub cmdDernier_Click()

    DéplacEnreg adRsnMoveLast

End Sub

Private Sub cmdSuivant_Click()

    DéplacEnreg adRsnMoveNext

End Sub
```

```
Private Sub cmdPrécédent_Click()

    DéplacEnreg adRsnMovePrevious

End Sub
```

Bouton **Quitter** :

```
Private Sub cmdQuitter_Click()

    End

End Sub
```

Enfin le code correspondant au chargement de la feuille, lors de la première exécution du programme :

```
Private Sub Form_Load()

    Set m_recTitres = datTitres.Recordset

End Sub
```

Voyons désormais quelques procédures impressionnantes a priori, mais ne vous fiez pas aux apparences : vous n'avez pas à saisir tous ces paramètres. Il s'agit de procédures événements pour le contrôle Data ADO. Par conséquent, si vous prélevez ce dernier dans la liste modifiable de gauche, dans la fenêtre de code, ces procédures peuvent être extraites de la liste modifiable de droite :

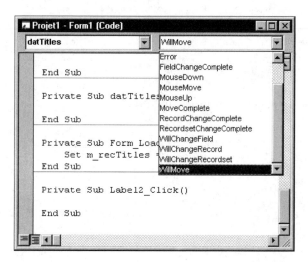

Sélectionner un événement crée à votre place la procédure correspondante vide, associée aux arguments requis.

Voici le code de l'événement `RecordChangeComplete` pour `datTitres` :

```
Private Sub datTitres_RecordChangeComplete(ByVal adReason As ADODB.EventReasonEnum, ByVal
cRecords As Long, ByVal pError As ADODB.Error, adStatus As ADODB.EventStatusEnum, ByVal
pRecordset As ADODB.Recordset)

    If adStatus = adStatusOK Then
        cmdSupprimer.Enabled = True
    End If

End Sub
```

Seule est mise en surbrillance la ligne de code que vous devez entrer ici après avoir sélectionné l'événement requis dans la liste modifiable de droite (comme nous l'avons expliqué précédemment).

Voici le code de l'événement `WillChangeRecord` pour `datTitres`:

```
Private Sub datTitres_WillChangeRecord(ByVal adReason As ADODB.EventReasonEnum, ByVal
cRecords As Long, adStatus As ADODB.EventStatusEnum, ByVal pRecordset As ADODB.Recordset)

  Select Case adReason
  Case adRsnUndoAddNew, adRsnUndoUpdate, adRsnFirstChange
    'Sans effet
  Case Else
    If Trim$(txtTitre) = "" Or Trim$(txtAnnée) = "" Or
      ↳ Trim$(txtISBN) = "" Or dbcMaisEd = "" Then
      MsgBox "Cet enregistrement est incomplet. " &
          ↳ "Vous ne pouvez pas mettre à jour la base de données.",
          ↳ vbExclamation, "Données manquantes"
      adStatus = adStatusCancel
    End If
  End Select

End Sub
```

8   Voici maintenant la procédure `DéplacEnreg` :

```
Private Sub DéplacEnreg(intDirection As Integer)

    On Error GoTo DéplacEnreg_Err

    Select Case intDirection
      Case adRsnMoveFirst
          m_recTitres.MoveFirst

      Case adRsnMovePrevious
          m_recTitres.MovePrevious
          If m_recTitres.BOF Then
              m_recTitres.MoveNext
          End If
```

```
    Case adRsnMoveNext
         m_recTitres.MoveNext
         If m_recTitres.EOF Then
              m_recTitres.MovePrevious
         End If

    Case adRsnMoveLast
         m_recTitres.MoveLast

    Case adRsnAddNew
         m_recTitres.AddNew
         cmdSupprimer.Enabled = False

    End Select

DéplacEnreg_Exit:
    Exit Sub

DéplacEnreg_Err:
    Select Case Err.Number
    Case UPDATE_CANCELLED, ERRORS_OCCURRED
      ' sans effet
    Case Else
       Err.Raise Err.Number, Err.Source, Err.Description
    End Select
    Resume DéplacEnreg_Exit

End Sub
```

9   Cliquez sur le bouton d'enregistrement, afin de sauvegarder ce dur labeur.

Maintenant que tout le code est saisi, partons à la découverte de l'application.

Passons à la pratique ! Visualiser les enregistrements

1   Démarrez le projet :

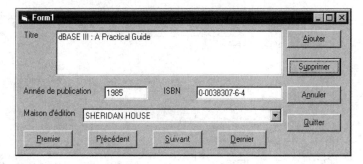

2   Cliquez sur le bouton **A**jouter. Un enregistrement vide s'affiche, prêt à accueillir vos données :

527

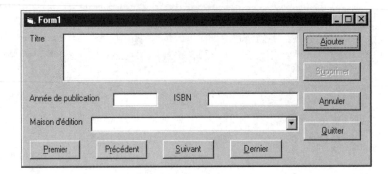

3   Saisissez le nom d'un livre et choisissez un éditeur dans la liste de ceux qui vous sont proposés :

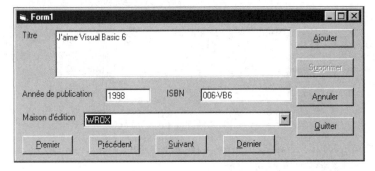

4   Cliquer sur l'un des boutons de déplacement (**P**remier, **P**récédent, **S**uivant ou **D**ernier) sauvegarde l'enregistrement. Positionnez-vous sur l'enregistrement précédent et cliquez sur **D**ernier. Votre enregistrement apparaît. Pour éviter d'encombrer votre base d'informations inutiles, mieux vaut le supprimer. Pour cela, cliquez simplement sur le bouton **S**upprimer et confirmez la suppression :

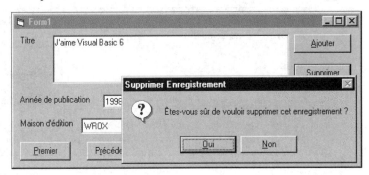

5   Vous pouvez également annuler l'ajout d'un nouvel enregistrement sur-le-champ. En effet, si vous commencez à intégrer un nouvel enregistrement et que vous cliquez sur Annuler modifications, cet enregistrement est supprimé et vous vous retrouvez sur celui où vous étiez avant de débuter la procédure d'ajout.

Il se passe ici un nombre de choses incroyable. Nous allons vous expliquer le fonctionnement de ces sections une par une.

Fonctionnement – Démarrer

Première chose à noter : la présence de variables globales :

```
Private m_recTitres As ADODB.Recordset
```

Cet élément est défini comme ADODB.Recordset. ADODB est le véritable objet maître ADO, et le jeu d'enregistrements est un objet Recordset ADO. Nous sommes donc en train de créer un objet Recordset nous-même.

Le deuxième ensemble se compose de deux constantes, qui définissent simplement deux numéros d'erreurs ADO (peu amènes, n'est-ce pas ?). Grâce à elles, le code gagnera également en lisibilité, ultérieurement.

```
Private Const UPDATE_CANCELLED  As Long = -2147217842
Private Const ERRORS_OCCURRED   As Long = -2147217887
```

Une fois les variables globales déclarées, nous exécutons le code de l'événement Form_Load :

```
Private Sub Form_Load()
  Set m_recTitres = datTitres.Recordset
End Sub
```

Cette ligne indique le lieu d'utilisation de ce jeu d'enregistrements. Dans les précédents exemples qui employaient le contrôle Data, nous nous déplacions grâce à un code du type :

```
Adodc1.Recordset.MoveNext
```

C'est assez lourd à taper et pourtant peu efficace, car Visual Basic doit toujours se référer au Recordset du contrôle Data. Pour simplifier la vie de tous, nous pouvons pointer une variable vers ce jeu d'enregistrements :

```
Set m_recTitres = datTitres.Recordset
```

Cela revient désormais au même de faire référence à m_recTitres ou à datTitres.Recordset. Les deux lignes suivantes sont donc absolument équivalentes :

```
m_recTitres.MoveNext
```
et

```
datTitres.Recordset.MoveNext
```

Fonctionnement – Se déplacer dans la base de données

À première vue différent du code utilisé précédemment pour se déplacer au sein d'un jeu d'enregistrements, ce code est en réalité le même, à ceci près que cette fois, nous sommes passés dans une procédure centrale. Nous pouvons ainsi centraliser la gestion des erreurs. Voyons comment tout cela fonctionne.

Tout à l'heure, nous avions appelé directement les différentes méthodes Move ; désormais, nous allons employer une procédure qui les appellera pour nous. Positionnons-nous sur le premier enregistrement :

```
DéplacEnreg adRsnMoveFirst
```

Cette ligne appelle la procédure DéplacEnreg et lui transmet un argument adRsnMoveFirst. Ayant centralisé notre code, nous devons trouver un moyen de lui indiquer ce que nous attendons de lui (se positionner sur le premier enregistrement ou sur le suivant, par exemple). Nous employons à cette fin une constante, mais attention ! sans la définir, car ADO s'en est déjà chargé. Il s'agit de l'une des constantes Event, mais nous pouvons l'utiliser ici parce que sa signification est équivalente.

Étudions maintenant l'emploi de la procédure DéplacEnreg, en commençant par la déclaration :

```
Private Sub DéplacEnreg(intDirection As Integer)
```

L'argument relatif au déplacement est transmis à la variable correspondante intDirection, que nous pouvons donc utiliser pour voir ce dont nous avons besoin :

```
Select Case intDirection
```

Il est temps de prendre notre décision : dans quel sens allons-nous nous diriger ?

```
Case adRsnMoveFirst
    m_recTitres.MoveFirst
```

Cette ligne nous déplace sur le premier enregistrement ; vous remarquerez que nous employons la méthode MoveFirst exactement de la même manière que précédemment. Se positionner sur l'enregistrement précédent n'est pas différent :

```
Case adRsnMovePrevious
    m_recTitres.MovePrevious
    If m_recTitres.BOF Then
      m_recTitres.MoveNext
    End If
```

Cette ligne nous déplace sur l'enregistrement précédent ; s'il s'agit du début du Recordset, nous sommes repositionnés sur l'enregistrement suivant (c'est-à-dire le premier). Le code pour MoveLast et MoveNext suit le même modèle :

```
Case adRsnMoveNext
    m_recTitres.MoveNext
    If m_recTitres.EOF Then
```

```
        m_recTitres.MovePrevious
    End If

Case adRsnMoveLast
    m_recTitres.MoveLast
```

Intéressons-nous maintenant à la gestion des erreurs, la raison même de cette routine centrale. Nous avons activé cette gestion au début de la procédure :

```
On Error GoTo DéplacEnreg_Err
```

Par conséquent, si une erreur se produit à un endroit quelconque de cette procédure, nous nous retrouvons au niveau de l'étiquette DéplacEnreg_Err. Que faire, alors ?

```
DéplacEnreg_Err:
    Select Case Err.Number
      Case UPDATE_CANCELLED, ERRORS_OCCURRED
       ' sans effet
      Case Else
          Err.Raise Err.Number, Err.Source, Err.Description
    End Select
```

Première chose : vérifier le numéro d'erreur. S'il s'agit de l'une des deux constantes prédéfinies, nous n'intervenons pas et continuons comme si de rien n'était. Pourquoi ? Ces erreurs ont été causées par les constantes Event ; elles sont voulues et n'ont donc pas à être signalées à l'utilisateur. Vous verrez bientôt comment elles sont provoquées. Si l'erreur est d'une autre nature, en revanche, nous appelons juste le gestionnaire d'erreurs Visual Basic normal, afin qu'il nous communique de plus amples informations au sujet du dysfonctionnement.

Cela semble certes plus compliqué ; pourtant, nous utilisons bien les mêmes méthodes Move que dans les exemples précédents, à ceci près que nous nous trouvons désormais dans une routine centrale.

Fonctionnement – Ajouter un nouvel enregistrement

Dans notre routine de déplacement centrale, nous avons également ajouté un nouvel enregistrement, car là encore, nous souhaitons profiter de la gestion des erreurs. Il suffit de taper :

```
DéplacEnreg adRsnAddNew
```

Dans la routine centrale, nous pouvons vérifier cette valeur et ajouter un nouvel enregistrement très facilement : il faut juste appeler la méthode AddNew, ce qui crée automatiquement un autre enregistrement, vide, et efface les contrôles en vue de permettre leur utilisation :

```
Case adRsnAddNew
    m_recTitres.AddNew
    cmdSupprimer.Enabled = False
```

Nous désactivons également le bouton Supprimer, car il n'a pas vraiment lieu d'être lors de l'ajout d'un nouvel enregistrement. Si vous regrettiez l'intégration de ce dernier, vous pourriez l'annuler avec le bouton Annuler.

Fonctionnement – Annuler une entrée

Il est presque aussi simple d'annuler un nouvel enregistrement ou les changements apportés à un enregistrement existant que de modifier un enregistrement :

Avant de pouvoir annuler une quelconque mise à jour, nous devons vérifier que la zone de texte **Date de Pub** contient bien une entrée de type numérique, sans quoi une erreur sera générée lors de l'exécution. Nous employons à cette fin la fonction `IsNumeric` :

```
If IsNumeric(Trim$(txtAnnée))
```

L'idéal serait de taper le code d'un événement de validation `KeyPress` pour empêcher l'utilisateur de saisir autre chose qu'un nombre, mais les choses sont plus simples dans le cas présent. En effet, à partir du moment où `IsNumeric` retourne la valeur True, nous pouvons poursuivre la procédure d'annulation :

```
m_recTitres.CancelUpdate
```

Cette ligne indique au Recordset que les changements n'ont plus lieu d'être. Si vous ajoutiez un nouvel enregistrement au moment où vous avez cliqué sur le bouton **Annuler les modifications**, vous vous retrouvez automatiquement sur l'enregistrement où vous étiez lors du clic sur le bouton **Ajouter**. Il n'y a ici aucun code supplémentaire à saisir.

Nous devons par ailleurs nous assurer que l'affichage à l'écran sera actualisé :

```
m_recTitres.Bookmark = m_recTitres.Bookmark
```

Nous nous appuyons pour cela sur les signets. Nous vous les avions présentés précédemment comme une propriété du Recordset, mais sans expliquer leur utilisation. En fait, il s'agit juste d'un pointeur unique vers un enregistrement, que vous pouvez sauvegarder dans les variables `Variant`. Si vous réglez la propriété `Bookmark` du Recordset sur un signet déjà stocké, l'enregistrement courant devient celui auquel correspond ce signet. Exemple :

```
m_recTitres.Bookmark = varBookmark
```

Il est ainsi possible de se positionner rapidement sur un enregistrement précis. Analysons néanmoins la ligne suivante :

```
m_recTitres.Bookmark = m_recTitres.Bookmark
```

Cela semble régler le signet sur lui-même. Bizarre, non ? En réalité, la méthode `CancelUpdate` a annulé tous les changements apportés, mais sans actualiser l'affichage. Si vous vous en teniez là, vous verriez toujours les modifications à l'écran, mais en réglant le signet sur lui-même, vous obligez le contrôle Data à se positionner sur l'enregistrement correspondant et à en afficher les valeurs. Vous voyez alors de nouveau apparaître les données courantes, c'est-à-dire en fait les données originales, puisque les changements ont été annulés.

Fonctionnement – Supprimer un enregistrement

La méthode `Delete` permet de supprimer facilement un enregistrement :

```
m_recTitres.Delete
```

532

À la suite de cette suppression, nous nous retrouvons sur le premier enregistrement. Nous avons associé un message à cette opération, afin de nous assurer que l'utilisateur désire vraiment supprimer l'enregistrement.

Bien que la suppression elle-même soit simple, nous devons vérifier que l'enregistrement courant n'est pas traité dans le cadre de la routine de validation normale. Après tout, peu importe si le titre est vide si nous sommes juste sur le point de supprimer l'enregistrement. Par conséquent, avant d'effectuer cette suppression, nous simulons l'annulation de toutes les modifications :

```
m_recTitres.CancelUpdate
m_recTitres.Bookmark = m_recTitres.Bookmark
```

Nous nous assurons ainsi que tous les changements ont été infirmés et les valeurs, actualisées. Les événements qui valident l'enregistrement fonctionneront désormais correctement.

Fonctionnement – L'événement WillChangeRecord

Dès qu'un élément entraîne une quelconque modification de l'enregistrement, le contrôle Data ADO génère automatiquement l'événement `WillChangeRecord`. C'est donc le cas lorsque vous changez certaines informations d'un enregistrement et que vous vous positionnez sur un autre, ou que vous en ajoutez un nouveau. En fait, cela se produit dès que quelque chose provoque la réécriture des données dans la base. Nous verrons les origines possibles de cet événement plus en détail vers la fin de ce chapitre.

L'événement `WillChangeRecord` se produisant lors de l'intégration d'une modification dans la base de données, cela semble le moment idéal pour valider les données. Avant de nous pencher sur le code correspondant, voyons toutefois la longue liste des arguments de cette procédure événementielle :

Paramètre	Description
AdReason	Valeur de type Integer qui décrit l'origine de cet événement. Les possibilités sont les suivantes :
AdRsnAddNew	Ajout d'un nouvel enregistrement
AdRsnDelete	Suppression d'un enregistrement
AdRsnUpdate	Mise à jour d'un enregistrement
AdRsnUndoUpdate	Annulation d'une actualisation
AdRsnUndoAddNew	Annulation d'un ajout d'enregistrement
AdRsnUndoDelete	Annulation d'une suppression
adRsnFirstChange	S'il s'agit de la première modification apportée à un enregistrement
cRecords	Nombre d'enregistrements modifiés
adStatus	Statut de l'événement
pRecordset	Recordset pour lequel a été produit l'événement

Grâce à l'argument adReason, nous pouvons donc connaître l'origine de cet événement, en interrogeant simplement la valeur retournée par cet argument et en la comparant avec toutes les valeurs possibles (adRsnAddNew, adRsnDelete, etc.).

Avec ces cartes en main, nous pouvons désormais nous remettre à l'étude du code. Étant donné que nous allons valider notre enregistrement ici, mais que nous voudrons nous en abstenir en certaines occasions (cas de l'annulation d'un ajout ou d'une modification, par exemple), nous vérifions simplement adReason pour connaître l'origine de l'événement et nous contentons de l'ignorer sans aucune validation :

```
Select Case adReason
Case adRsnUndoAddNew, adRsnUndoUpdate, adRsnFirstChange
  Exit Sub
```

Vous noterez que nous vérifions également adRsnFirstChange, car dans notre exemple, l'événement WillChangeRecord est appelé deux fois : une avec adRsnFirstChange et une avec l'autre événement. Nous ignorons le premier événement Change.

Si la raison est toute autre, nous pouvons valider les données. Nous contrôlons que les zones de texte contiennent effectivement des valeurs ; si l'une ou l'autre d'entre elles est vide, un message apparaît pour indiquer que l'enregistrement ne peut pas être sauvegardé. Nous fixons ensuite l'argument adStatus à adStatusCancel :

```
Case Else
  If Trim$(txtTitle) = "" Or Trim$(txtAnnée) = "" Or
    ↳ Trim$(txtISBN) = "" Or dbcMaisEd= "" Then
    MsgBox "Cet enregistrement est incomplet. " &
         ↳ "Vous ne pouvez pas mettre à jour la base de données.",
              ↳ vbExclamation, "Données manquantes"
    adStatus = adStatusCancel
  End If
End Select
```

L'argument adStatus nous fournit des informations dans la procédure événement, tout en permettant d'indiquer les informations du contrôle Data. Si nous le réglons sur adStatusCancel, il annule l'origine de l'événement, quelle qu'elle soit. Supposons que nous saisissions quelques modifications et que nous appuyions sur le bouton **Suivant**, qui appelle MoveNext. L'événement WillChangeRecord est alors produit *avant* que les données ne soient écrites dans la base. Si l'un des champs est vide, nous faisons apparaître un message et fixons adStatus à la valeur adStatusCancel, ce qui annule MoveNext ; l'enregistrement courant reste donc le même, c'est-à-dire celui que nous sommes en train d'éditer !

Nous avons ainsi à notre disposition un moyen formidable pour annuler des choses qui semblent s'être déjà produites.

Fonctionnement – L'événement RecordChangeComplete

Alors que l'événement `WillChangeRecord` est généré avant la modification de l'enregistrement, l'événement `RecordChangeComplete` l'est immédiatement après. Ce dernier, également, possède une longue liste d'arguments, dont adReason, mais seul l'un d'entre eux est utilisé : `adStatus`, qui nous indique le statut courant de cet événement et sera `adStatusOK` si tout est correct. La seule chose à faire dans ce cas est d'activer le bouton **Supprimer**, car nous l'avions désactivé lors de l'ajout d'un nouvel enregistrement. Nous nous assurons donc qu'il est bien réactivé :

```
If adStatus = adStatusOK Then
   cmdSupprimer.Enabled = True
End If
```

Nous devons contrôler le statut, car lorsqu'un événement `Will` annule un événement, adStatus devient `adStatusErrorsOccurred`, or nous ne voulons pas activer le bouton de suppression s'il y a un problème avec l'enregistrement.

Fonctionnement – Contrôle dépendant Liste modifiable

Pour l'essentiel, nous nous servons ici du contrôle Liste modifiable, afin d'associer les tables `Titles` et `Publishers` en utilisant à cette fin le champ `PubID` comme clé, c'est-à-dire comme champ commun. Cela équivaut pratiquement à ce que nous avions fait avec l'instruction SQL `INNER JOIN...ON`. La différence réside dans le fait qu'ici, nous proposons tous les noms d'éditeurs dans une liste modifiable (alors qu'auparavant, nous n'en affichions qu'un seul).

Le contrôle DBCombo a une lourde charge sur les épaules :

❑   Il doit répertorier tous les éditeurs disponibles dans sa liste d'objets.

❑   Il extrait les informations du contrôle Data nommé dans sa propriété `RowSource`. Vous faites savoir à DBCombo que vous désirez afficher les noms d'éditeurs de la table en indiquant le nom de champ correspondant dans la propriété `ListField`.

❑   DBCombo doit ensuite vérifier que le nom affiché correspond bien au titre sélectionné par l'intermédiaire du contrôle `datTitres`. Nous l'avons déjà dit, le contrôle dépendant Liste modifiable possède deux propriétés qui lient des tables différentes : `DataSource` et `RowSource`. Les propriétés spécifiant le champ qui nous intéresse dans chaque table sont respectivement `DataField` et `ListField`. Nous voulons associer ces deux tables en utilisant comme champ commun `PubID`. Nous plaçons donc cette clé (`PubID`) dans les propriétés `BoundColumn` et `DataField`.

Pour que les champs transmis au contrôle Liste modifiable par l'intermédiaire du contrôle `datMaisEd` soient les bons, la propriété `RecordSource` de ce dernier doit pointer vers la table `Publishers`. Même si n'importe quel type de Recordset convient, il vaut mieux opter pour un Snapshot (instantané), afin d'éviter tout changement des données sous-jacentes.

❑ Dernière chose à faire : transmettre de nouveau le champ `PubID`, afin de le réintégrer dans la table `Titles` pour tout nouvel enregistrement, lorsqu'un nom d'éditeur sera sélectionné dans la liste modifiable. Vous ne pouvez pas retransmettre la propriété `Text` de DBCombo, car elle contient le nom de l'éditeur et la table `Titles` ne comporte pas de champ à cet effet. DBCombo recherche le `PubID` de l'éditeur sélectionné dans la table `Publishers` et le place dans sa propriété `BoundText`.

Pour voir la valeur de la propriété `BoundText`, ajoutez une petite zone de texte sur la feuille et copiez-y la propriété `BoundText`, extraite de l'événement `Change` de DBCombo, en réglant la propriété de cette nouvelle zone sur la propriété `BoundText` lors de sa modification.

Voici un schéma pour vous aider.

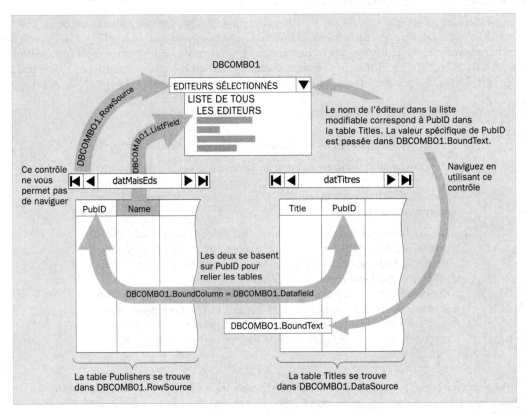

Le contrôle dépendant Zone de liste fonctionne de manière très similaire à son homologue Liste modifiable, à quelques différences près que vous déduirez facilement si vous avez bien compris ce qui distinguait les versions non dépendantes de ces contrôles. Eu égard à la gestion des bases de données, il n'y a aucune disparité.

Travailler avec des jeux d'enregistrements au sein du code

Il existe une deuxième méthode de travail avec les enregistrements, qui implique leur manipulation directe dans le code. Il ne s'agit pas du domaine réservé de programmeurs masochistes qui dénigreraient les contrôles dépendants ; il y a en effet de très bonnes raisons d'employer du code plutôt que de tels contrôles :

❑ Tous les contrôles n'étant pas dépendants, vous êtes parfois obligé d'écrire du code pour charger et éditer vous-même des données.

❑ Les contrôles dépendants sont parfois très lents. Peut-être cela vous importe-t-il peu, pour l'instant, mais les programmeurs Visual Basic qui travaillent avec des bases de données de très grande taille (et vraisemblablement sur réseau) attachent une importance toute particulière à la vitesse.

❑ Le contrôle Data occupe beaucoup plus de mémoire que d'autres contrôles, or dans le cas d'applications volumineuses et complexes, il est parfois crucial d'économiser au maximum la mémoire.

L'emploi de jeux d'enregistrements dans du code vous a déjà été illustré à de multiples reprises (Cf. toutes les méthodes `Move`, par exemple, ainsi que `AddNew` et `CancelUpdate`). Il y a par ailleurs une méthode que le contrôle Data appelle automatiquement, mais que nous n'avons pas encore vue : `Update`. Grâce à elle, lorsque vous passez d'un enregistrement à l'autre, le contrôle Data met la base de données à jour si l'enregistrement a été modifié ; vous pouvez néanmoins le faire vous-même, si vous le souhaitez. Exemple :

```
m_recTitres.Update
```

Il est également possible de définir les valeurs des champs d'un enregistrement sans utiliser de contrôle Data :

```
m_recTitres("Title") = "Nous aimons tous VB6"
```

Il suffit de placer le nom du champ entre parenthèses après le nom du jeu d'enregistrements. Attention ! toutefois : si vous travaillez directement avec des objets Recordset, vous devrez commencer par éditer l'enregistrement :

```
m_recTitres.Edit
m_recTitres("Title") = "Nous aimons tous VB6"
m_recTitres.Update
```

Cette fois, c'est bon ! Vous avez pu constater que les principes élémentaires à connaître pour utiliser des jeux d'enregistrements n'étaient pas si nombreux, mais n'oubliez jamais de garder un œil sur la marche à suivre !

Se déplacer au sein des données

Dans l'affichage prétendument amélioré de la base de données, l'ennui est que nous ne pouvons pas faire défiler facilement les enregistrements par un clic prolongé sur les boutons de déplacement. Il est pourtant extrêmement simple d'ajouter cette fonctionnalité. Notre objectif est d'obtenir un bouton qui fasse défiler les enregistrements lorsque nous cliquons dessus sans relâcher le bouton de la souris.

Passons à la pratique ! Paramétrer des boutons en vue d'un clic prolongé

1   Ouvrez le projet `Bib_Edit.vbp`, placez une minuterie (Timer) sur la feuille principale et réglez sa propriété **Interval** sur 500. Affectez également la valeur **False** à sa propriété **Enabled**, afin qu'elle ne démarre pas tout de suite :

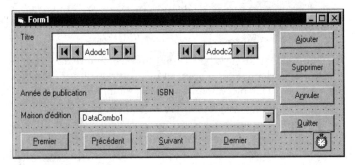

2   Ajoutez les lignes de code ci-après. Événement `MouseDown` du bouton **Suivant** :

```
Private Sub cmdSuivant_MouseDown(Button As Integer, Shift As Integer, X As Single, Y As
Single)

  Timer1.Enabled = True

End Sub
```

3   Événement `MouseUp` :

```
Private Sub cmdSuivant_MouseUp(Button As Integer, Shift As Integer, X As Single, Y As
Single)

  Timer1.Enabled = False

End Sub
```

4   Bouton **Précédent** :

```
Private Sub cmdPrécédent_MouseDown(Button As Integer, Shift As Integer, X As Single, Y As
Single)

  Timer1.Enabled = True
End Sub
```

```
Private Sub cmdPrécédent_MouseUp(Button As Integer, Shift As Integer, X As Single, Y As
Single)

  Timer1.Enabled = False

End Sub
```

5 Événement `Timer` :

```
Private Sub Timer1_Timer()

  If Screen.ActiveControl.Name = "cmdSuivant" Then
    cmdSuivant_Click
  Else
    cmdPrécédent_Click
  End If

End Sub
```

6 Une fois le statut de l'enregistrement défini, ajoutez cette ligne à l'événement `WillChangeRecord` :

```
If Trim$(txtTitle) = "" Or Trim$(txtAnnée) = "" Or _
    Trim$(txtISBN) = "" Or dbcMaisEd = "" Then
    MsgBox "Cet enregistrement est incomplet.  " & _
      "Vous ne pouvez pas mettre à jour la base de données.", _
      vbExclamation, "Données manquantes"
    adStatus = adStatusCancel
    Timer1.Enabled = False
End If
```

7 Exécutez le code. Maintenez l'un des boutons enfoncé pendant quelques instants, afin d'observer le défilement des enregistrements dans le sens que vous avez choisi. Vous pouvez modifier la vitesse de ce défilement en changeant la propriété Interval de la minuterie.

Fonctionnement

Commençons par étudier le code de la minuterie, car c'est ici que réside vraiment l'essentiel des changements :

```
If Screen.ActiveControl.Name = "cmdSuivant" Then
  cmdSuivant_Click
Else
  cmdPrécédent_Click
End If
```

Ceci repose sur un objet utile et une propriété. L'objet `Screen` renvoie à la feuille actuellement active, et `ActiveControl` est le contrôle courant qui a le focus. L'avantage, ici, est de pouvoir écrire du code générique. Nous regardons le nom du contrôle courant ; s'il s'agit du bouton <u>S</u>uivant, nous appelons sa procédure `Click`. Bien que cette dernière soit une procédure événementielle, il est possible de l'appeler comme toute autre procédure. En résumé, nous appelons donc la procédure `Click` du bouton de commande (quel qu'il soit) sur lequel l'utilisateur clique actuellement. C'est ce qui arrivera à chaque exécution de la minuterie, selon ce que définit `Interval`.

Le Timer est activé et désactivé par l'intermédiaire des procédures respectives `MouseDown` et `MouseUp` : `MouseDown` déclenche donc le défilement des enregistrements, et relâcher le bouton de la souris exécute `MouseUp` (ce qui désactive la minuterie et arrête le défilement des enregistrements).

Dans l'événement `WillChangeRecord`, nous devons désactiver le Timer si nous annulons l'enregistrement, afin de nous assurer que les messages cesseront d'apparaître. Nous mettons ici le doigt sur un véritable problème. Imaginons en effet que vous supprimiez le contenu du champ **Title**, sachant pourtant que cela provoquera une erreur de validation. Vous cliquez sur le bouton <u>S</u>uivant et le maintenez enfoncé. Cela active la minuterie et exécute l'événement `WillChangeRecord`, car vous avez modifié l'enregistrement. La validation échoue néanmoins, la mise à jour est annulée, et vous vous retrouvez sur l'enregistrement invalide. Seulement, la minuterie est toujours activée et tente par conséquent de vous positionner sur l'enregistrement suivant. Les messages apparaissent donc tant que vous n'avez pas désactivé le Timer, d'où la nécessité de s'assurer qu'il est bien désactivé lors de l'échec de la validation.

L'interdépendance des informations au sein des bases de données

Jusqu'à présent, nous avons dû nous intéresser à plusieurs reprises au mode d'interaction mutuelle des différents acteurs d'une base de données. Pour atteindre parfaitement votre objectif, vous devez prendre en compte la relation entre les contrôles dépendants, le moteur de la base de données et les données sous-jacentes. Voyons tout ce petit monde de plus près.

Les événements du Contrôle Data

Ayant vu plusieurs événements générés par le contrôle Data ADO, vous vous demandez peut-être comment le contrôle lui-même connaît le moment où les choses vont se produire ou celui où elles se sont produites. Son mode de fonctionnement est très simple, la clé du succès n'étant autre qu'ADO, qui veille sur tout ce qui se passe.

Interviendra-t-il ?

Lorsque vous effectuez une opération portant sur un jeu d'enregistrements, ADO regarde si elle va entraîner l'un de ses événements `Will`. Ces derniers sont exécutés juste *avant* le déroulement effectif de l'action. Si ADO estime que l'opération spécifiée provoquera un événement, il la fait précéder de sa propre procédure événement, au lieu d'exécuter l'action.

Voici les quatre événements `Will` auquel peut répondre le contrôle Data :

❑ `WillMove`. Se produit lorsque l'action doit entraîner la modification de l'enregistrement courant, comme `MoveFirst` ou `MovePrevious`.

❑ `WillChangeField`. Se produit lorsque l'action doit changer le contenu d'un champ, comme celui d'un contrôle dépendant.

❑ `WillChangeRecord`. Se produit lorsque l'action doit entraîner la modification du contenu d'un enregistrement, comme celui d'un contrôle dépendant.

❑ `WillChangeRecordset`. Se produit lorsque l'action doit changer l'objet Recordset du contrôle Data, comme la connexion à une table différente.

`WillChangeField` et `WillChangeRecord` sont très similaires et ne se produisent qu'avant l'écriture des données dans la base. Par conséquent, si vous modifiez les informations des contrôles dépendants, ces événements ne seront générés qu'après la sauvegarde de l'enregistrement (au moment du positionnement sur l'enregistrement suivant, par exemple).

Caractéristique formidable de ces événements, ils permettent d'effectuer des opérations avant le déroulement de l'action et de régler l'argument `adStatus` sur `adStatusCancel` pour annuler cette action, comme nous l'avons fait dans notre validation. Annuler ainsi des événements risque de provoquer ultérieurement des erreurs dans le code. Si vous avez modifié le contenu d'un enregistrement, par exemple, et que vous tentez de passer à l'enregistrement suivant, une mise à jour (`Update`) automatique est effectuée. Vous pouvez alors l'annuler grâce à l'événement `Will`, et le numéro d'erreur est ajusté comme il se doit (rappelez-vous ce numéro d'erreur que vous avez défini comme Constant). L'important, ici, est que vous annulez `Update` et non `MoveNext`, car c'est bien `Update` qui entraîne la modification véritable de l'enregistrement, et cette mise à jour résulte de votre seul passage à l'enregistrement suivant.

Vous auriez pu utiliser l'événement `Move` de manière identique, mais beaucoup plus d'occasions provoquent son exécution. Pour illustrer ces propos, placez une instruction `Debug.Print` dans l'événement `Move` de `datTitres` et observez le nombre impressionnant de fois où il est appelé, même avant la mise à jour de l'affichage. La raison en est que le contrôle Data charge les données et se positionne sur le premier enregistrement. L'emploi de la méthode `Debug.Print` permet de très bien comprendre l'enchaînement de ces événements.

Si vous vous livrez à cette petite expérience, vous constaterez que les événements `Will` ne s'exécutent pas toujours dans le même ordre.

Est-il intervenu ?

Les événements `Will` vont de paire avec le jeu d'événements `Completed`, générés *après* le déroulement de l'action :

- ❑ `MoveComplete`. Se produit une fois que l'enregistrement courant a été modifié.

- ❑ `FieldChangeComplete`. Se produit une fois que les données du champ ont été écrites dans la base.

- ❑ `RecordChangeComplete`. Se produit une fois que les données du jeu d'enregistrements ont été écrites dans la base.

- ❑ `RecordsetChangeComplete`. Se produit une fois que le jeu d'enregistrements a été modifié.

Vous ne serez probablement pas surpris d'apprendre que ces événements sont en fait générés après leurs homologues `Will` respectifs.

Vous pouvez vous reporter à l'argument `adStatus` de ces événements, afin de savoir si l'événement `Will` associé a annulé l'action à l'origine de cet événement.

Résumé

Ce chapitre a traité de nombreux points fondamentaux, en commençant par le contrôle Data pur et dur, que nous avons perfectionné avec du code. Vous avez constaté que l'emploi du code n'a rien de sorcier, mais qu'il élargit considérablement votre marge de manœuvre dans la programmation de l'accès aux données.

Nous avons également vu que le contrôle Data ADO était juste une extension visible d'ADO lui-même, puisqu'il s'appuie sur un jeu d'enregistrements ADO. Vous pouvez donc bénéficier de toute la puissance d'ADO en utilisant simplement le contrôle Data.

Vous aurez également remarqué que les événements produits par ADO sont à même de vous faciliter considérablement la tâche de codification : vous n'avez pas à déterminer si les données ont été modifiées ou s'il y a eu déplacement au sein des enregistrements, notamment. ADO se charge de tout ! Par ailleurs, il place un maximum d'informations dans la procédure événementielle et vous permet d'annuler toute action que vous regrettez.

Ce n'est cependant que la partie immergée de l'iceberg ADO, et le sujet est trop vaste pour que nous nous y attardions davantage dans ce chapitre. Néanmoins, vous avez eu un aperçu des diverses possibilités existantes.

Si vous souhaitez en savoir plus sur la programmation de bases de données et le contrôle Data ADO, vous pouvez vous reporter à l'ouvrage « Beginning Visual Basic 6 Database Programming », publié par Wrox Press.

Que diriez-vous d'essayer ?

1 Modifiez le projet de l'exercice 13-2, de façon à rendre le contrôle Data invisible et à le remplacer par vos propres boutons de commande.

2 Dessinez deux listes modifiables, l'une pour le Nom du client et l'autre pour la Description du stock. Vous devrez ajouter à cette fin deux contrôles Data ADO supplémentaires. Faites en sorte que la requête SQL du contrôle Data principal porte directement sur la table Transaction.

3 Perfectionnez ce projet en ajoutant un bouton Rechercher, afin de permettre à l'utilisateur de rechercher une date de transaction particulière.

Les variables objet

Presque tous les objets que nous avons rencontrés jusqu'ici, c'est-à-dire les composants de Visual Basic tels que les contrôles et les feuilles, peuvent être utilisés comme variables objet. Ces dernières vous permettent d'écrire des lignes de code pour manipuler des objets et des données et donc modifier l'apparence de votre programme et les opérations qu'il effectue aussi simplement que s'il s'agissait de modifier la valeur d'une variable.

Vous pouvez ainsi écrire des séquences génériques de code qui accepteront des objets comme paramètres, comme ce serait le cas avec toute autre variable. Tout ceci nous permet, en fin de compte, d'écrire des programmes très puissants.

Dans ce chapitre, nous aborderons donc les points suivants :

- ❏ La manipulation d'objets comme variables
- ❏ Les types de variables objet disponibles
- ❏ La création d'un tableau d'objets
- ❏ La définition d'une application MDI
- ❏ La gestion de feuilles multiples dans une application

Visual Basic et les objets

Voilà un bon sujet de réflexion. Vous êtes prêt ? Tout ce à quoi vous êtes confronté dans Visual Basic est un objet ! Une feuille est un objet, l'écran est un objet et il y a même des objets invisibles comme l'objet imprimante ou l'objet application. Nous avons déjà abordé une petite théorie des objets lorsque nous avons étudié les modules de classe dans le chapitre 8. Mais notre approche s'était jusqu'à présent concentrée sur les objets du point de vue du programmeur. Dans ce chapitre, nous les aborderons du point de vue de l'utilisateur.

Un objet est en quelque sorte une "boîte noire" contenant du code écrit par une autre personne. Vous pouvez utiliser cet objet dans vos propres applications. L'avantage est qu'il n'est pas nécessaire que vous compreniez le mécanisme interne de cette boîte noire pour pouvoir l'utiliser : vous n'avez qu'à affecter des valeurs aux propriétés du contrôle et utiliser ses méthodes pour le faire fonctionner. Considérez ces objets comme les briques nécessaires à la construction de votre programme. La programmation dans Visual Basic consiste à choisir la bonne combinaison d'objets (feuilles, contrôles, etc.) et à les cimenter avec du code et vos propres modèles d'objets (les classes) pour créer un projet.

Jusqu'ici, lorsque nous avions écrit du code, nous avions fait référence à nos contrôles et à nos feuilles par le nom que nous leur avions donné en mode création. Cela convient tout à fait pour des programmes simples, mais limite vos possibilités. Je vous ai même montré comment rendre votre programme plus flexible en faisant indirectement référence à vos données grâces aux variables. Il en va de même pour les objets. Vous pouvez placer un objet (que ce soit une feuille ou un contrôle) au sein d'une variable et y faire référence en utilisant le nom de cette dernière plutôt que le nom de l'objet. Cette technique vous permet de n'utiliser qu'une seule séquence de code pour plusieurs occurrences d'un certain type d'objet.

Dans ce chapitre, nous verrons commet créer des tableaux d'objets, comment recopier des objets dans des variables et comment passer des objets comme paramètres à des procédures et des fonctions. Nous aborderons aussi ce que l'on appelle des **collections** dans Visual Basic, c'est-à-dire des tableaux spéciaux d'objets. Alors accrochez-vous !

Introduction aux variables objet

Visual Basic vous permet de contrôler vos objets grâce au code en utilisant des variables appelées **variables objet**. Vous pouvez les utiliser pour :

❑ Créer de nouveaux contrôles en phase d'exécution

❑ Recopier des contrôles pour en produire de nouvelles **occurrences**

❑ Créer des feuilles en double, ayant toutes le même nom, les mêmes contrôles et le même code, mais possédant et traitant toutes des données différentes, un peu comme quand vous chargez plusieurs documents dans une session Word ou plusieurs feuilles d'un dossier Excel

Les variables objet vous permettent d'écrire des sous-programmes généraux traitant des contrôles spécifiques. Vous pourriez par exemple avoir un sous-programme de validation de zone de texte qui ne pourrait être utilisé que si vous spécifiez le nom du contrôle dans une ligne de code. Mais si vous vouliez rendre ce sous-programme indépendant, vous pourriez traiter ce contrôle comme une variable objet. Ceci rend votre code plus transportable et en fin de compte plus utile.

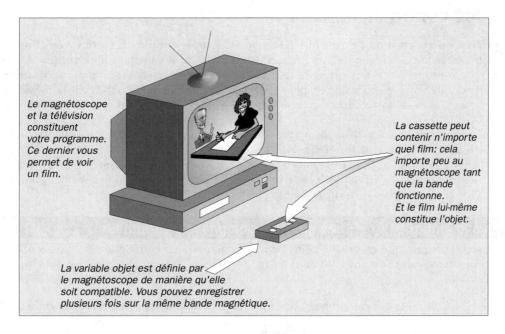

Le magnétoscope et la télévision constituent votre programme. Ce dernier vous permet de voir un film.

La cassette peut contenir n'importe quel film: cela importe peu au magnétoscope tant que la bande fonctionne. Et le film lui-même constitue l'objet.

La variable objet est définie par le magnétoscope de manière qu'elle soit compatible. Vous pouvez enregistrer plusieurs fois sur la même bande magnétique.

Ce n'est pas aussi effrayant que ça en a l'air. Rappelez-vous nos modules de classe. Vous vous souvenez que nous pouvions faire précéder une variable du mot Dim pour en faire un nom de module de classe et lui donner vie :

```
Dim NouveauSalarié As New cSalarié
```

Nous avons ici créé une nouvelle occurrence (un objet) de notre classe cSalarié et l'avons affectée à la variable NouveauSalarié. C'est là l'essence des variables objet.

Les contrôles comme variables objet

Dans le chapitre sur les menus (chapitre 10), nous avions appris à créer des menus dynamiques, c'est-à-dire des menus qui s'agrandissaient chaque fois que nous sélectionnions un dossier. Les éléments d'un menu sont des contrôles, tout comme les zones de texte, les boutons de commande, etc. En fait, nous créions ainsi des contrôles dynamiques, qui n'existent qu'en phase d'exécution et non pas en mode création. Plus nous ouvrions de fichiers et plus la liste de ces objets s'allongeait. En fait, nous créions des occurrences d'objets de la même façon que nous le faisons pour des variables.

Cette possibilité de créer des contrôles dynamiques s'avère particulièrement utile dans le cas d'applications nécessitant un grand nombre de contrôles du même type (comme dans le cas des barres d'outils). De cette façon, vous n'êtes pas obligé de les dessiner manuellement un par un. Et avec ces variables objet, vous pouvez même laisser vos utilisateurs créer leur propre barre d'outils personnalisée !

Créer des contrôles en phase d'exécution

Les principes de la création de contrôles à la volée sont assez simples. Il suffit de créer un tableau de contrôles en mode création et de l'agrandir en code au moment de l'exécution. Affectez la valeur 0 à la propriété Index en mode création et vous pourrez ajouter autant de contrôles (du même type) que vous le souhaitez en phase d'exécution. Ces derniers partagent le même nom, le même type et les mêmes procédures événementielles que le contrôle dont ils sont inspirés.

Et, tout comme pour un tableau de variables, vous pouvez agrandir ou réduire la taille d'un tableau de contrôles. La seule différence est que vous ne pouvez pas appliquer Redim à un tableau de contrôles, comme vous pouvez le faire avec un tableau de variables. Vous devez en fait charger (Load) les nouvelles occurrences de vos contrôles dans votre tableau. De même, lorsque vous voulez ôter un contrôle, vous devez le décharger (Unload).

Passons à la pratique ! Créer des contrôles en phase d'exécution

Mettons ceci en pratique en créant une colonne de boutons de commande sur une feuille. Nous nous contenterons d'en dessiner un seul en mode création et nous créerons les autres plus tard avec du code.

1   Créez un nouveau projet et dessinez un petit bouton de commande sur votre feuille :

2   Une fois que vous avez créé votre bouton de commande, affectez 0 à sa propriété Index. Ceci crée un tableau de contrôles ne contenant qu'un seul contrôle :

3   Saisissez les lignes de code suivantes dans l'événement `Click` du bouton de commande :

```
Private Sub Command1_Click (Index As Integer)

Static sProchaineOpération As String
  Dim nIndex As Integer

  For nIndex = 1 To 5

    If sProchaineOpération = "UNLOAD" Then
      Unload Command1(nIndex)
    Else
      Load Command1(nIndex)
      With Command1(nIndex)
          .Top = Command1(nIndex - 1).Top +
                            ↳ Command1(nIndex - 1).Height
          .Caption = nIndex
          .Visible = True
      End With
    End If

  Next

  If sProchaineOpération = "UNLOAD" Then
    sProchaineOpération = "LOAD"
  Else
    sProchaineOpération = "UNLOAD"
  End If

End Sub
```

4   Exécutez votre code et cliquez plusieurs fois sur votre bouton de commande. A chaque fois, cinq nouveaux boutons sont soit créés soit supprimés :

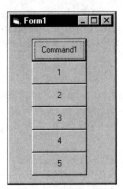

5   Sauvegardez ce code sur votre disque dur et appelez-le `NewCtrl.vbp` (nous le réutiliserons un peu plus loin dans ce chapitre).

Fonctionnement

La partie la plus importante de ce code est la boucle For...Next qui crée ou supprime les nouveaux boutons de commande selon le contenu de la variable sProchaineOpération :

```
For nIndex = 1 To 5

    If sProchaineOpération = "UNLOAD" Then
      Unload Command1(nIndex)
    Else
      Load Command1(nIndex)
      With Command1(nIndex)
        .Top = Command1(nIndex - 1).Top +
                    ↳ Command1(nIndex - 1).Height
        .Caption = nIndex
        .Visible = True
      End With
    End If

  Next
```

Tout d'abord, le contenu de la variable sProchaineOpération est vérifié afin de déterminer lequel des éléments Unload ou Load doit être appelé. La première fois que vous appuyez sur votre bouton de commande, la variable sProchaineOpération n'a pas de valeur et votre code retombe donc par défaut sur Else, la séquence LOAD de votre code. Le tableau est ainsi étendu en utilisant Load. Cette instruction prend le nom original du bouton de commande comme argument, suivi du nouveau numéro d'index entre parenthèses. Dans notre exemple, nIndex est la variable d'index utilisée dans le compteur de notre boucle :

```
Load Command1(nIndex)
```

Remarquez que nous avons appelé notre index nIndex. Vous pouvez bien entendu lui donner le nom que vous souhaitez. Essayez néanmoins de rester clair et logique dans votre choix d'appellation !

La propriété Top positionne le nouveau bouton directement en dessous du précédent. Chaque fois qu'un nouveau bouton est créé, sa propriété Visible est mise sur True pour le faire apparaître :

```
    With Command1(nIndex)
      .Top = Command1(nIndex - 1).Top +
                      ↳ Command1(nIndex - 1).Height
      .Caption = nIndex
      .Visible = True
    End With
```

Par défaut, les nouveaux contrôles créés en phase d'exécution sont placés exactement au même endroit que le contrôle original et sont invisibles. Puisque c'est également le cas au départ, vous pouvez les positionner et les redimensionner sans que l'utilisateur s'en aperçoive. Cela évite également à Windows d'avoir à redessiner plein de contrôles, ce qui non seulement ralentirait votre programme mais ferait aussi assez désordre. Nous ne rendrons donc nos contrôles visibles qu'après les avoir déplacés et leur avoir donné une légende.

La dernière instruction de notre boucle attribue une légende au nouveau bouton de commande qui indique son numéro d'index :

```
.Caption = nIndex
```

Une fois que la boucle s'est exécutée cinq fois et a ainsi créé notre tableau complet, la variable sProchaineOpération est inversée et effectue l'action opposée. La première fois, elle obtient donc la valeur UNLOAD, de telle sorte que la prochaine fois que vous appuierez sur un bouton de commande, le tableau sera déchargé :

```
If sProchaineOpération = "UNLOAD" Then
    sProchaineOpération = "LOAD"
  Else
    sProchaineOpération = "UNLOAD"
  End If
```

Les événements d'un tableau de contrôles

Le problème avec le tableau de contrôles Command1 que nous venons de créer, c'est que quel que soit le bouton sur lequel nous appuyions, la même chose se produit. Nous avons donc six contrôles dans notre tableau : le contrôle original et ses cinq copies. Chacun d'entre eux possède ses propres propriétés, telle que .Caption, et toutes peuvent être réglées individuellement. Tous nos contrôles partagent néanmoins les mêmes événements. Par exemple, quel que soit le bouton sur lequel vous appuyez, le même événement Click est amorcé. Du point de vue événementiel, notre tableau de contrôles se comporte comme un seul et unique gros contrôle. Mais les tableaux de contrôles ne représenteraient qu'un intérêt limité si cela s'arrêtait là. Ce n'est fort heureusement pas le cas. Votre code est capable de déterminer sur lequel de ces boutons vous avez appuyé, vous permettant ainsi de programmer des réponses différentes pour chaque bouton.

La solution réside dans la déclaration de l'événement Click :

```
Private Sub Command1_Click (Index As Integer)
```

Le paramètre de l'événement Click d'un tableau de contrôles est l'index du contrôle cliqué. Vous remarquerez que Visual Basic a automatiquement ajouté le paramètre Index pour nous lorsque nous avons créé notre tableau de contrôles en affectant la valeur 0 à la propriété index : VB sait que vous voulez créer un tableau de contrôles.

Nous avons déjà traité l'index, nous l'avons en effet mis à 0 en mode création afin de créer notre tableau original de contrôles. Nous avons ensuite fait référence à chaque bouton de commande en utilisant leur position dans le tableau :

```
With Command1(nIndex)
```

L'index d'un tableau de contrôles fonctionne de la même façon que celui d'un tableau ordinaire et commence par zéro pour le premier élément.

Armés de ces connaissances, nous pouvons à présent réécrire l'événement Command1_Click pour le rendre plus utile.

Passons à la pratique ! Gérer les événements d'un élément du tableau de contrôles

1   Chargez le projet `NewCtrl.vbp` que nous venons de créer et appelez l'événement `Click` du bouton de commande.

2   Ajoutez les lignes en surbrillance ci-dessous à votre gestionnaire d'événements :

```
Private Sub Command1_Click(Index As Integer)

  Static sProchaineOpération As String
  Dim nIndex As Integer

  Select Case Index
    Case 0
      For nIndex = 1 To 5
        If sProchaineOpération = "UNLOAD" Then
          Unload Command1(nIndex)
        Else
          Load Command1(nIndex)
          With Command1(nIndex)
            .Top = Command1(nIndex - 1).Top +
                        ↳ Command1(nIndex - 1).Height
            .Caption = nIndex
            .Visible = True
          End With
        End If
      Next
        If sProchaineOpération = "UNLOAD" Then
          sProchaineOpération = "LOAD"
        Else
          sProchaineOpération = "UNLOAD"
        End If
    Case 1, 2, 3, 4, 5
        MsgBox "Vous avez appuyé sur le bouton " & Index
    End Select

End Sub
```

3   Exécutez votre programme. Si vous appuyez sur votre bouton de commande, les autres boutons seront recréés. Si vous appuyez maintenant sur l'une de ces nouvelles copies, une boîte de message apparaît et vous indique sur quel bouton vous avez cliqué :

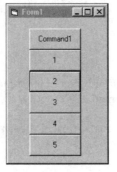

> Remarquez que si vous pouvez utiliser l'instruction Unload pour supprimer tout contrôle créé avec l'instruction Load, vous ne pouvez toutefois pas l'utiliser pour décharger des contrôles créés en mode création, qu'ils fassent partie ou non du tableau de contrôles. Ceci produirait une erreur en VB et je ne vous recommande donc pas d'essayer !

Fonctionnement

C'est très simple : tout ce que nous avons fait, c'est ajouter une instruction Select Case qui prend la valeur du numéro d'index passé au gestionnaire d'événements Click. Cet index nous indique quelle touche a été utilisée. Tous les boutons, à l'exception du bouton original, sont placés dans un gestionnaire qui fait apparaître la boîte de messages. L'instruction Select Case est tellement pratique qu'elle semble avoir été inventée spécialement pour les tableaux de contrôles.

A bien y réfléchir, il paraît évident que les éléments d'un tableau de contrôles "héritent" des mêmes procédures événementielles. Vous ne pouvez pas créer de nouveau code en phase d'exécution de la même manière que vous créez des contrôles, et vous vous retrouveriez donc avec des objets sans événements. Chaque nouvel élément d'un tableau de contrôles utilise le même code d'événement que le membre fondateur.

Gérer des contrôles comme des variables objet

Vous pouvez non seulement utiliser des objets comme variables de tableau de contrôles, mais aussi passer ces variables objet et ces tableaux d'objets comme paramètres d'un sous-programme. Vous vous demandez peut-être en quoi une activité au nom aussi obscur peut être utile, mais vous découvrirez bien vite qu'il s'agit là d'une des caractéristiques les plus pratiques et intéressantes de Visual Basic.

Imaginez : vous avez une feuille avec trente zones de texte, chacune nécessitant un type de validation bien spécifique. Certaines d'entre elles ne doivent accepter que des entrées numériques, et d'autres des données alphabétiques. D'autres encore acceptent ces deux types d'information mais n'acceptent qu'un nombre limité de caractères.

Ceci nécessiterait normalement trois sous-programmes distincts, un pour chaque type de zone de texte. Il y aurait une ligne de code dans l'événement KeyPress de chaque contrôle destinée à passer le contenu de chaque zone de texte à un sous-programme pour vérification. Ce sous-programme, après avoir effectué sa validation, devrait alors repasser l'information à l'événement KeyPress. Si les données saisies passaient le sous-programme de validation, elles devraient alors être écrites dans la propriété Text du contrôle. Et vous accumuleriez ainsi pas mal de code. La solution est de traiter chaque zone de texte comme un objet et de le passer à une procédure centralisée et généralisée. La meilleure façon de bien comprendre ceci est de passer à la pratique.

Un sous-programme de validation d'une zone de texte

Ne serait-ce pas merveilleux de n'avoir qu'un seul sous-programme pour valider l'ensemble des zones de texte ? Un tel sous-programme saurait automatiquement quel type de données est requis par chaque zone de texte ainsi que la longueur maximale des données saisies. Il pourrait dès lors ignorer tout texte tapé n'obéissant pas à ces règles. Les variables objet rendent tout ceci possible et ce, avec très peu de code.

Passons à la pratique ! Valider une zone de texte

1   Bon, il est temps d'écrire un peu de code pour traiter tout ça. Créez un nouveau projet et dessinez-y quelques contrôles comme dans l'illustration ci-dessous :

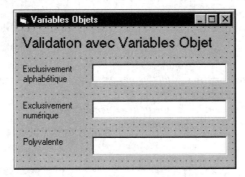

2   Affectez les valeurs suivantes aux propriétés de vos zones de texte :

Description	Propriété	Valeur
Zone de texte exclusivement alphabétique	Name	txtValider
	Index	0
	Tag	A12
Zone de texte exclusivement numérique	Name	txtValider
	Index	1
	Tag	N5
Zone de texte polyvalente	Name	txtValider
	Index	2
	Tag	*4

Assurez-vous que les données affectées à la propriété Tag soient en majuscules dans la fenêtre des propriétés, sinon cet exemple ne fonctionnera pas.

3 Tout ce qu'il nous reste maintenant à faire, c'est de rentrer le code pour faire fonctionner notre application : nous pourrons ensuite commencer à explorer. Ouvrez la fenêtre de code et entrez-y les sous-programmes suivants :

```
Option Explicit

Private Sub ValiderTouchePress(txtContrôle As TextBox,
                            ↳ nKeyAscii As Integer)

    Dim sMaxLength As String
    Dim sKey As String * 1

    If nKeyAscii < 32 Or nKeyAscii > 126 Then Exit Sub

    sMaxLength = Right$(txtContrôle.Tag,
                       ↳ Len(txtContrôle.Tag) - 1)

    If Len(txtContrôle.Text) >= Val(sMaxLength) Then
        Beep
        nKeyAscii = 0
        Exit Sub
    End If

    Select Case Left$ (txtContrôle.Tag, 1)

        Case "A"
            sKey = UCase(Chr$(nKeyAscii))

            If Asc(sKey) < 65 Or Asc(sKey) > 90 Then
                Beep
                nKeyAscii = 0
                Exit Sub
            End If

        Case "N"
            If nKeyAscii < 48 Or nKeyAscii > 57 Then
                Beep
                nKeyAscii = 0
                Exit Sub
            End If

    End Select

End Sub

Private Sub txtValider_KeyPress(Index As Integer,
                              ↳ KeyAscii As Integer)
    ValiderTouchePress txtValider(Index), KeyAscii
End Sub
```

4 Une fois que vous avez ajouté ce code, exécutez votre programme. Les trois zones de texte apparaissent à l'écran. La première n'accepte que des caractères alphabétiques, la deuxième n'accepte que des nombres et la troisième saisit tout ce que vous voulez. Essayez d'y entrer du texte :

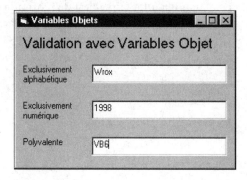

Fonctionnement : appeler le sous-programme

La partie principale de ce programme n'est malheureusement pas aussi simple qu'elle en a l'air. Tous les codes de validation sont en effet contenus dans un sous-programme auquel est passée la zone de texte sous forme de **variable objet**. Une seule ligne de code suffit donc à gérer la validation des trois zones de texte.

Le sous-programme est appelé de façon traditionnelle à l'aide de paramètres. Néanmoins, les paramètres passés ne sont pas des valeurs ou des noms de variables mais des zones de texte identifiées par leur numéro et accompagnées du code de la touche qui a été tapée :

```
ValiderTouchePress txtValider(Index), KeyAscii
```

Fonctionnement : la procédure ValiderTouchePress

`ValiderTouchePress` est une procédure de niveau feuille qui se trouve donc dans la section **(Général)** de la fenêtre de code.

La première ligne de notre sous-programme accepte les paramètres qui lui sont passés par l'instruction appelante. Notre variable objet est ici `txtContrôle` et nous avons affecté le code des touches tapées à `nKeyAscii` :

```
Private Sub ValiderTouchePress(txtContrôle As TextBox,
                        ↳ nKeyAscii As Integer)
```

Le premier paramètre, `txtContrôle`, est déclaré de la même manière que toute autre variable, mis à part le fait qu'il est déclaré comme un objet `TextBox`. Nous étudierons plus loin comment nommer correctement ce genre d'objet.

Le second paramètre est le paramètre `KeyAscii` qui vous est donné par Visual Basic dans l'événement `KeyPress`. Puisque j'ai omis le mot clé `ByVal`, ce paramètre est passé par référence. Fixer `KeyAscii` à 0 à n'importe quel endroit du code, comme nous serons amenés à le faire, implique que la variable `KeyAscii` originale sera elle aussi remise à 0. Dans un événement `KeyPress`, cela a pour effet d'annuler la touche qui a été tapée.

Le fait que nous passions la variable `KeyAscii` par référence implique que la variable utilisée dans cette procédure est l'originale et non pas une copie. Si vous modifiez sa valeur dans la procédure appelée, elle aura cette nouvelle valeur où qu'elle apparaisse. Par défaut, Visual Basic passe des variables par `ByRef`. Nous y reviendrons plus en détail dans le chapitre suivant.

Le sous-programme détermine comment éditer le contenu de nos zones de texte en se basant sur la propriété `Tag`. Cette propriété vous permet de sauvegarder des données supplémentaires nécessaires à votre zone de texte. Vous pouvez affecter n'importe quelle valeur à la propriété `Tag` et elle sera conservée comme une chaîne de caractères. Vous pouvez dès lors l'adapter à vos propres besoins.

Dans ce cas-ci, la propriété `Tag` est utilisée comme étiquette privée pour nos contrôles. Elle nous indique quel type de données sera accepté par chaque zone de texte. Elle ne contrôle rien à proprement parler, ce n'est jamais qu'une étiquette. Si vous jetez un coup d'œil aux propriétés `Tag` que nous avons définies pour nos zones de texte, vous vous apercevrez qu'elles sont toutes réglées de façon similaire. Le premier caractère détermine le type de données acceptable : "A" pour alphabétique uniquement, "N" pour numérique, et tout autre caractère pour, vous l'aurez deviné, tout autre caractère ! Nous n'utilisons la propriété `Tag` que pour contenir les règles de validation de chaque zone de texte.

Vous pouvez très facilement modifier le format de données acceptées par votre zone de texte : appelez la fenêtre des propriétés et modifiez la propriété `Tag`.

Le code `ValiderTouchePress` utilise le paramètre `nKeyAscii` pour nous indiquer quelle touche a été tapée et il utilise la propriété `Tag` de la variable objet zone de texte `txtContrôle` comme instructions de validation. Comme `nKeyAscii` est passé par référence (`ByRef`), toute modification qui lui est apportée affecte la valeur de `KeyAscii` dans l'événement `KeyPress` de la zone de texte appelante.

La première étape du programme vérifie `nKeyAscii` à la recherche de certaines touches spéciales (*Retour arrière* ou les flèches par exemple). Si l'une d'entre elles est utilisée, aucune autre vérification n'est effectuée et la touche est acceptée.

```
If nKeyAscii < 32 or nKeyAscii > 126 Then Exit Sub
```

Après cette ligne, notre code est sûr que toutes les autres touches doivent être vérifiées.

La ligne de code suivante place les chiffres situés à la droite de la propriété `Tag` dans la variable `sMaxLength`. La fonction `Right` effectue ceci pour retourner tous les caractères de la propriété `Tag` à l'exception du premier :

```
sMaxLength = Right$(txtContrôle.Tag,
                    ↳ Len(txtContrôle.Tag) - 1)
```

Une fois que nous avons déterminé la longueur maximale du texte saisi par la zone de texte, le code vérifie qu'elle n'a pas été dépassée :

```
If Len(txtContrôle.Text) >= Val(sMaxLength) Then
        Beep
        nKeyAscii = 0
        Exit Sub
    End If
```

Si nous avons dépassé cette limite, la valeur de nKeyAscii est fixée à 0. Comme ce paramètre est passé à la procédure par référence, cette valeur est automatiquement affectée à la variable KeyAscii de l'événement KeyPress. Ceci a pour effet d'annuler cette saisie de texte.

Le reste du code utilise les fonctions Chr$ et Asc afin de déterminer si les touches tapées sont valables pour cette zone de texte en se basant sur la propriété Tag. La fonction Chr$ convertit le code de caractère numérique de nKeyAscii en une chaîne de caractères appropriés. La fonction Asc fait exactement l'opposé et retourne le code numérique ASCII d'un caractère donné :

```
Select Case Left$(txtContrôle.Tag, 1)

    Case "A"
        sKey = UCase(Chr$(nKeyAscii))

        If Asc(sKey) < 65 Or Asc(sKey) > 90 Then
            Beep
            nKeyAscii = 0
            Exit Sub
        End If

    Case "N"
        If nKeyAscii < 48 Or nKeyAscii > 57 Then
            Beep
            nKeyAscii = 0
            Exit Sub
        End If

End Select
```

Si par exemple, la valeur de la propriété Tag est N5, indiquant que seuls cinq chiffres peuvent être saisis, l'instruction Select Case rejettera toute entrée alphabétique ou toute ponctuation.

Si vous utilisez ce sous-programme dans votre code, rappelez-vous qu'il est censé être appelé depuis un événement KeyPress, de telle sorte que chaque touche soit vérifiée dès qu'elle est tapée. Cette approche n'est toutefois pas complètement infaillible, votre utilisateur pourrait copier-coller du texte dans votre zone de texte et ainsi éviter toutes vos règles de validation.

Déclarer des variables objet

Les variables objet sont déclarées **explicitement** comme toute autre variable, en spécifiant le type de contrôle dont il s'agit. Pour déclarer, par exemple, une variable objet comme zone de texte (TextBox, un type de variable objet reconnu par Visual Basic), il faut écrire :

```
Dim txtContrôle As TextBox
```

Lorsque vous déclarez vos variables objet explicitement, votre code est plus efficace, plus facile à déboguer et s'exécute plus rapidement. Visual Basic vous permet néanmoins de déclarer vos variables objet **implicitement**, rien qu'en lui disant que le nom d'une variable est apparenté à un contrôle (Control). Vous pourriez par exemple écrire :

Les paramètres de fonctions et de procédures peuvent être déclarés de cette façon. Ceci vous permet de leur passer n'importe quel contrôle en phase d'exécution. Visual Basic propose une forme particulière de l'instruction If...Then qui vous permet de vérifier le type de contrôle auquel une variable objet est apparentée : le mot clé TypeOf. Nous nous y arrêterons dans quelques instants.

Les différents types de variables objet

La zone de texte (TextBox) ne représente qu'une seule des variables objet reconnues par Visual Basic. En voici la liste complète :

CheckBox	ComboBox	CommandButton	MDIForm
Data	DirListBox	DriveListBox	FileListBox
Grid	Frame	HScrollBar	Image
Label	Line	ListBox	Menu
OptionButton	OLE	PictureBox	Shape
TextBox	Timer	VScrollBar	Form

Ce sont les objets standard. Si vous ajoutez plus de contrôles, ils peuvent également être utilisés comme variables objet. Ce sont les noms que Visual Basic place à côté de ceux que vous donnez à vos contrôles dans la zone de liste modifiable en haut de la fenêtre de propriétés :

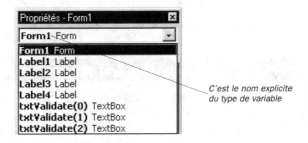

C'est le nom explicite
du type de variable

Déclarations explicites et implicites

Certes les déclarations implicites sont plus simples et offrent plus de flexibilité, mais elles présentent néanmoins quelques inconvénients :

❑ Elles rendent votre code plus difficile à comprendre

❑ Elles réduisent les chances de Visual Basic de piéger les erreurs

❑ Elles sont beaucoup plus lentes

Votre code est plus difficile à lire, car vous informez moins ses futurs lecteurs de ce qui s'y passe. Prenez le cas d'une fonction de validation de données. Si vous vous contentez de déclarer le paramètre objet au début de la fonction comme un contrôle (Control), cela peut prêter à confusion. Votre lecteur ne peut pas déterminer si vous validez des informations enregistrées dans un contrôle de données, une zone de texte, une liste modifiable ou le dernier schmilblick de chez Visual Basic Accessoires & Cie.

Déclarer vos variables explicitement facilite également le débogage. Lorsque vous déclarez un objet par un type spécifique, comme une zone de texte, Visual Basic sait automatiquement quelles propriétés sont valables pour cette dernière.

Si par exemple vous déclarez implicitement la variable objet ctlContrôle comme un contrôle générique (Control) plutôt qu'une zone de texte (TextBox), Visual Basic vous laisse entrer la ligne de code suivante :

```
CtlContrôle.Peter = "Du texte"
```

Visual Basic ne se rendra compte de l'erreur que lorsqu'il exécutera votre programme. Jusque-là, tout ce qu'il sait, c'est que vous avez un objet qui est un contrôle. Cela pourrait être n'importe lequel, mais jusqu'à la phase d'exécution, VB n'aura aucune idée des propriétés et des méthodes qui lui sont attachées. Cette ligne pourrait se trouver dans une fonction ou dans une séquence de code que vous avez oubliée lors de vos tests. Quoi de plus embarrassant que de recevoir un coup de fil d'un utilisateur vous informant que le DLL de Visual Basic en phase d'exécution renvoie un message d'erreur de syntaxe !

> Visual Basic ne vérifie les propriétés d'un objet contrôle qu'en phase d'exécution, tandis que dans le cas de contrôles explicites, il annoncera les erreurs de propriété au moment de la compilation.

Quant à la différence de vitesse, la meilleure façon de l'évaluer, c'est de l'essayer.

Passons à la pratique ! Comparer déclarations implicites et explicites

1   Il est temps de commencer un nouveau projet. Ajoutez-y une feuille comme d'habitude et placez-y quelques contrôles pour qu'elle ressemble à l'exemple ci-dessous. Remarquez que le contrôle à droite du contrôle Etiquette **Temps écoulé** est lui-même une étiquette dont la légende est effacée et dont la propriété **BorderStyle** est mise à 1 - Fixed Single :

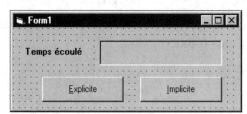

2 Appelez le contrôle Étiquette `lblTemps`, et les boutons de commande `cmdExplicite` et `cmdImplicite`.

3 Bon, tout ce dont nous avons besoin maintenant, c'est de code. Appelez la fenêtre de code de votre feuille et saisissez-y les procédures suivantes. Les deux premières sont des gestionnaires d'événements, la première étant celui du bouton de commande <u>E</u>xplicite :

```
Private Sub cmdExplicite_Click()

    Dim varTemps As Variant
    Dim nIndex As Integer

    varTemps = Now

    For nIndex = 1 To 15000

        Temps_Explicite cmdExplicite, nIndex

    Next

    cmdExplicite.Caption = "&Explicite"

    lblTemps.Caption = Minute(Now - varTemps) & " Mins, " &
            ↳ Second(Now - varTemps) & " Secs"

End Sub
```

La deuxième est celui du bouton de commande <u>I</u>mplicite :

```
Private Sub cmdImplicite_Click()

    Dim varTemps As Variant
    Dim nIndex As Integer

    varTemps = Now

    For nIndex = 1 To 15000

        Temps_Implicite cmdImplicite, nIndex

    Next

    cmdImplicite.Caption = "&Implicite"

    lblTemps.Caption = Minute(Now - varTemps) & " Mins, " &
            ↳ Second(Now - varTemps) & " Secs"

End Sub
```

Ensuite, viennent les deux sous-programmes à saisir dans la section (**Général**) de la fenêtre de code :

561

```
Private Sub Temps_Explicite(cmdCommand As CommandButton,
                              ↳ nNuméro As Integer)

    cmdCommand.Caption = nNuméro

End Sub

Private Sub Temps_Implicite(cmdCommand As Control, nNuméro
                              ↳ As Integer)

    cmdCommand.Caption = nNuméro

End Sub
```

4   Lorsque vous avez fini de taper votre code, cliquez sur le bouton **Exécuter** ou appuyez sur *F5*, et observez exactement ce que le code fait.

5   Lorsque la feuille apparaît à l'écran, cliquez sur le bouton de commande **Explicite**. Le programme affiche le temps nécessaire pour attribuer 15 000 légendes différentes au bouton de commande. Le sous-programme utilisé à cet effet accepte le bouton de commande comme une variable objet déclarée explicitement.

6   Cliquez maintenant sur le bouton de commande **Implicite**. La même chose se produit mais cette fois-ci, le bouton de commande est déclaré implicitement comme une variable objet.

Si vous essayez de faire cet exercice, vous verrez que le clic implicite est plus lent que le clic explicite. La différence n'est pas énorme (de l'ordre de 10%, peut-être) mais si votre carrière dépendait de la vitesse d'exécution d'une application, cette petite différence constituerait une éternité.

Fonctionnement

Nos deux boutons de commande ont des événements `Click` très similaires. La variable `varTemps` se voit tout d'abord affecter l'heure actuelle du système puis la boucle centrale appelle la procédure `Temps_Implicite` ou `Temps_Explicite` 15000 fois, en passant le bouton de commande et le compteur de boucle comme paramètres :

```
varTemps = Now

    For nIndex = 1 To 15000

        Temps_Explicite cmdExplicite, nIndex

    Next
```

La différence réside dans la façon dont le bouton de commande est accepté par chaque sous-programme. L'une accepte `cmdCommande` explicitement comme un bouton de commande (`CommandButton`) :

```
Private Sub Temps_Explicite(cmdCommande As CommandButton,
                          ↳ nNuméro As Integer)

    cmdCommande.Caption = nNuméro

End Sub
```

Tandis que l'autre l'accepte implicitement comme contrôle (`Control`) :

```
Private Sub Temps_Implicite(cmdCommande As Control, nNuméro
                          ↳ As Integer)

    cmdCommande.Caption = nNuméro

End Sub
```

Une fois que la boucle a exécuté notre procédure 15000 fois, la légende est mise à jour et détermine le temps entre maintenant (`Now`)et l'heure de départ contenue dans `varTemps`.

La collection de contrôles

Chaque feuille d'une application contient une **collection de contrôles** qui est en fait assez semblable à un tableau. Vous pouvez l'utiliser en phase d'exécution pour accéder aux contrôles de votre feuille. Il n'est pas nécessaire que vous connaissiez le nom de chaque contrôle, ni même le type de contrôle dont il s'agit. La principale différence entre une collection et un tableau est que la collection est intégrée dans Visual Basic. Il n'est pas nécessaire de la déclarer et tous les contrôles de votre feuille en font automatiquement partie. Visual Basic l'assemble et l'entretient au fur et à mesure que vous concevez votre feuille. Chaque fois qu'un contrôle est ajouté ou supprimé de la feuille, VB se charge de l'ajouter ou de l'ôter de la collection.

Vous pouvez accéder aux membres d'une collection de contrôles de la même manière qu'à ceux d'un tableau.

Les collections de contrôles peuvent s'avérer très utiles dans le cas de feuilles de saisie de données. Vous pourriez par exemple écrire un sous-programme générique qui passerait en revue une collection de contrôles à la recherche de contrôles contenant des données et qui en modifierait les propriétés de base de données afin d'indiquer le chemin et le nom de fichier de la base de données du client.

Contrairement aux tableaux de contrôles, les collections de contrôles n'ont pas d'événements. Toutefois, comme chaque membre de cette collection est en fait un contrôle que vous avez posé sur votre feuille, ils possèdent tous leurs propres événements, propriétés et méthodes.

La propriété Controls

Vous pouvez accéder à la collection de contrôles au travers de la propriété Controls de la feuille. Cette propriété n'est pas accessible au travers de la fenêtre de propriétés, il faut y aller avec du code. La propriété Controls est en fait un tableau de variables objet dont chaque membre est un contrôle unique : le membre 0 est le premier contrôle placé sur la feuille, le membre 1, le second, et ainsi de suite.

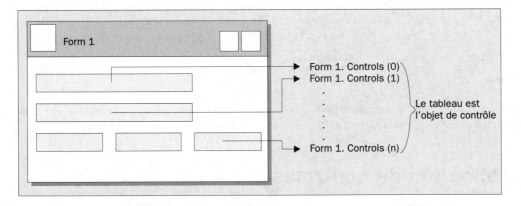

Ces nombres sont attribués automatiquement aux contrôles en mode création, selon l'ordre dans lequel ils sont dessinés sur la feuille.

Dans le cas d'une feuille simple ne contenant que deux contrôles Zone de texte, vous pourriez en changer la propriété Text avec ce code :

```
Feuille1.Controls(0).Text = "Contrôle 0"
Feuille1.Controls(1).Text = "Contrôle 1"
```

La syntaxe générale de cette fonction est la suivante :

```
<nom_de_la_feuille>.Controls( <nombre> ).<propriété> = <une valeur>
```

Pour pouvoir utiliser pleinement cette fonction, il faut connaître le nombre exact d'éléments d'une collection et être capable de les identifier individuellement.

Identifier les contrôles d'une feuille

Ce tableau de contrôles possède sa propre propriété appelée Count. Celle-ci vous indique le nombre de contrôles présents sur la feuille. Soyez toutefois prudent si vous l'utilisez dans votre code, car les éléments d'un tableau de contrôles sont numérotés à partir de 0. Dès lors, si cette propriété vous indique qu'il y a trois contrôles sur votre feuille, dans le tableau Controls, ils seront numérotés 0, 1 et 2, et non pas 1, 2 et 3.

Il vous est malheureusement impossible de déterminer le numéro d'un contrôle avant la phase d'exécution. Il est toutefois possible d'identifier des types de contrôles spécifiques dans une collection en phase d'exécution et ce, de façon assez simple.

Il vous suffit d'utiliser l'opérateur `TypeOf` pour traiter des groupes de contrôles similaires. Ceci ne vous permet pas d'identifier un contrôle en particulier, mais de toute façon, vous vous apercevrez rapidement que vous devez bien souvent traiter tous les contrôles d'un même type. Pour mieux comprendre tout ceci, jetons un œil à un peu de code :

```
For nControlNo = 0 to Feuille.Controls.Count - 1

    If TypeOf Feuille1.Controls(nControlNo) Is TextBox Then
    :
    :
    EndIf

Next
```

Nous avons ici une boucle qui passe par tous les contrôles de la collection de `Feuille1` de 0 au dernier contrôle, `Count-1`. Pour chaque contrôle, nous avons utilisé `TypeOf` pour déterminer s'il s'agissait d'une zone de texte (`TextBox`).

Toutefois, il est assez maladroit de passer en revue les contrôles d'une collection en se référant à leur numéro d'index. Il est bien plus élégant d'utiliser l'instruction `For Each...Next` :

```
For Each objContrôle in Feuille1.Controls

    If TypeOf objContrôle Is TextBox Then
    :
    :
    EndIf

Next
```

Cette technique vous épargne pas mal de frappe, est plus efficace, intuitive et plus sympa.

Mettons-nous à la tâche !

Passons à la pratique ! Changer les couleurs

De nos jours, de nombreuses applications permettent à leurs utilisateurs de choisir les couleurs qui apparaîtront à l'écran. Des tableaux de contrôles vous permettent de modifier les couleurs des contrôles d'une feuille. C'est exactement ce que notre prochain projet va faire. A vos claviers !

1 Commencez un nouveau projet et posez-y quelques contrôles pour qu'il ressemble à l'exemple ci-dessous. Attention : placez d'abord vos deux cadres sur la feuille puis ajoutez les autres contrôles au-dessus de ceux-ci. De cette façon, si vous déplacez un cadre, ses contrôles suivront. Ces derniers sont contenus par le cadre parent :

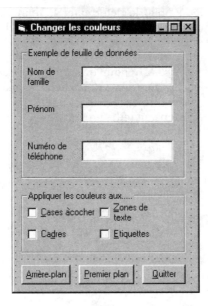

2   Il faut maintenant que vous nommiez vos contrôles. Appelez votre feuille
frmCouleurs et vos boutons de commande cmdArrière-Plan, cmdPremierPlan
et cmdQuitter. Appelez vos cases chkCasesAcocher, chkCadres,
chkZonesDeTexte et chkEtiquettes.

3   Ajoutez ensuite une boîte de dialogue commune à votre feuille et appelez-la
dlgCouleurs. Si vous ne la trouvez pas dans votre boîte à outils, ajoutez-la en
choisissant Projet, Composants... et en cochant Microsoft Common Dialog Control
6.0.

4   Passons maintenant au code. Entrez le code de votre bouton <u>Arrière-plan</u> :

```
Private Sub cmdArrièrePlan_Click()

    Dim nCouleur As Long
    Dim ContrôleSurFeuille As Control

    On Error GoTo BackcolorError

    dlgCouleurs.CancelError = True
    dlgCouleurs.Flags = &H1&
    dlgCouleurs.ShowColor

    nCouleur = dlgCouleurs.Color

    For Each ContrôleSurFeuille In frmCouleurs.Controls
        If TypeOf ContrôleSurFeuille Is TextBox And chkZonesDeTexte.Value = 1
    ↳Then ContrôleSurFeuille.BackColor = nCouleur
        If TypeOf ContrôleSurFeuille Is Frame And chkCadres.Value = 1 Then
            ↳ ContrôleSurFeuille.BackColor = nCouleur
        If TypeOf ContrôleSurFeuille Is Label And chkEtiquettes.Value = 1 Then
            ↳ ContrôleSurFeuille.BackColor = nCouleur
        If TypeOf ContrôleSurFeuille Is CheckBox And chkCasesAcocher.Value = 1
    ↳ Then ContrôleSurFeuille.BackColor = nCouleur
    Next
Exit Sub
BackcolorError:
    MsgBox("Vous avez appuyé sur le bouton Annuler.")

End Sub
```

5   Le code du bouton **Premier plan** est assez similaire :

```
Private Sub cmdPremierPlan_Click()

    Dim nCouleur As Long
    Dim ContrôleSurFeuille As Control

    On Error GoTo ForecolorError

    dlgCouleurs.CancelError = True
    dlgCouleurs.Flags = &H1&
    dlgCouleurs.ShowColor

    nCouleur = dlgCouleurs.Color

    For Each ContrôleSurFeuille In frmCouleurs.Controls
        If TypeOf ContrôleSurFeuille Is TextBox And chkZonesDeTexte.Value = 1
    ↳ Then ContrôleSurFeuille.ForeColor = nCouleur
        If TypeOf ContrôleSurFeuille Is Frame And chkCadres.Value = 1 Then
            ↳ ContrôleSurFeuille.ForeColor = nCouleur
        If TypeOf ContrôleSurFeuille Is Label And chkEtiquettes.Value = 1 Then
            ↳ ContrôleSurFeuille.ForeColor = nCouleur
        If TypeOf ContrôleSurFeuille Is CheckBox And chkCasesAcocher.Value = 1
    ↳ Then ContrôleSurFeuille.ForeColor = nCouleur
```

```
    Next
Exit Sub
ForecolorError:
    MsgBox("Vous avez appuyé sur le bouton Annuler.")

End Sub
```

6 Enfin, ajoutez le code du bouton **Quitter** :

```
Private Sub cmdQuitter_Click()

    ' Quitte l'application en déchargeant la feuille
    Unload frmCouleurs

End Sub
```

7 Voilà, c'est tout, vous pouvez exécuter votre programme. Choisissez le type de contrôle dont vous voulez changer la couleur en cliquant sur la case à cocher appropriée. Appuyez ensuite sur le bouton de commande **Premier plan** ou **Arrière-plan**. La boîte de dialogue de couleurs apparaît :

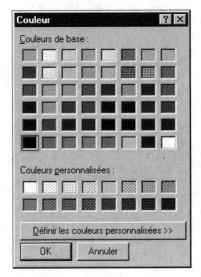

8 Choisissez une de ces couleurs et les contrôles de votre feuille seront modifiés :

Fonctionnement

Le code des boutons <u>A</u>rrière-plan et <u>P</u>remier plan est quasi identique. Il commence par afficher une boîte de dialogue de couleurs commune et place la couleur choisie dans la variable `nCouleur`. En affectant la valeur True à la propriété `CancelError` de la boîte de dialogue commune, une erreur (numéro 32755) est générée et envoie le code directement à notre gestionnaire d'erreurs.

```
dlgCouleurs.CancelError = True
dlgCouleurs.Flags = &H1&
dlgCouleurs.ShowColor

nCouleur = dlgCouleurs.Color
```

Notre code utilise alors une boucle `For Each...Next` pour passer en revue chaque contrôle de la feuille en utilisant sa collection de contrôles. Il place ensuite chaque élément dans la variable objet `ContrôleSurFeuille` déclarée au début de la procédure. L'instruction `If TypeOf` vérifie le type de chaque contrôle. Quatre tests similaires sont exécutés, un pour chaque type de contrôle qui intéresse notre programme : `TextBox`, `Frame`, `Label`, et `CheckBox` :

```
For Each ContrôleSurFeuille In frmCouleurs.Controls
    If TypeOf ContrôleSurFeuille Is TextBox And chkZonesDeTexte.Value = 1
    ⤷ Then ContrôleSurFeuille.BackColor = nCouleur
    If TypeOf ContrôleSurFeuille Is Frame And chkCadres.Value = 1 Then
        ⤷ ContrôleSurFeuille.BackColor = nCouleur
    If TypeOf ContrôleSurFeuille Is Label And chkEtiquettes.Value = 1 Then
        ⤷ ContrôleSurFeuille.BackColor = nCouleur
    If TypeOf ContrôleSurFeuille Is CheckBox And chkCasesAcocher.Value = 1
    ⤷ Then ContrôleSurFeuille.BackColor = nCouleur
Next
```

569

> Notez que vous devez utiliser le mot clé `Is` lorsque vous travaillez avec `TypeOf` et non pas le signe = .

Une fois que le bon type de contrôle a été identifié, une deuxième instruction `If` est utilisée pour vérifier que la case correspondante est cochée si l'utilisateur veut en modifier la couleur. Si elle est cochée, la propriété `BackColor` est chargée avec la couleur choisie dans la boîte de dialogue.

Le tableau de contrôles peut être utilisé dans de nombreuses circonstances, comme pour changer la police de caractères de tous les contrôles, les redimensionner afin qu'ils soient adaptés à différentes résolutions du moniteur, ou encore pour les activer ou les désactiver.

Les applications MDI

Toutes les applications que nous avons étudiées jusqu'à présent sont ce que Microsoft appelle des applications **SDI (Single Document Interface),** un nom bien compliqué pour un concept assez simple. Toutes les feuilles des applications que nous avons écrites jusqu'à présent sont indépendantes les unes des autres. Elles peuvent être redimensionnées, déplacées et placées devant ou derrière d'autres applications et ainsi de suite.

Cependant, une interface SDI à feuilles multiples deviendra rapidement encombrée et peu claire. Mais où ai-je bien pu mettre cette feuille d'enregistrement de client? Ah oui, elle est là derrière Word, et devant la feuille d'enregistrement de commande !

Une interface de type **MDI (Multiple Document Interface)** clarifie et ordonne ce genre d'application. Une fois de plus, il s'agit d'un nom compliqué pour un concept relativement simple. Dans une MDI, vous avez une fenêtre principale (une feuille **mère**) qui contiendra toutes les autres feuilles de votre programme. La feuille mère fait office de feuille virtuelle, d'autres fenêtres y sont affichées (ces fenêtres internes sont appelées feuilles **filles**) et ne peuvent être placées en dehors de la feuille mère. Elles ne peuvent être agrandies qu'à l'intérieur de la feuille MDI principale (dans sa zone client). Une fois réduites, elles apparaissent sous forme d'icône au sein de la zone client de la feuille MDI mère et non pas dans l'environnement Windows même.

Si vous avez utilisé d'autres progiciels Windows, comme Microsoft Word ou tout autre membre de la famille Microsoft Office, vous avez probablement déjà rencontré ce concept sans probablement vous en être rendu compte :

Fenêtre mère

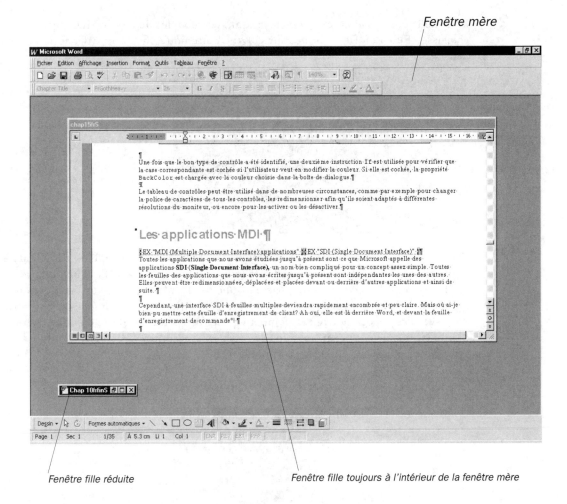

Fenêtre fille réduite

Fenêtre fille toujours à l'intérieur de la fenêtre mère

Les feuilles MDI en Visual Basic

Les feuilles MDI sont très utiles. Elles apportent une certaine homogénéité à votre application en vous permettant de regrouper toutes les feuilles et fonctions de votre programme dans une seule grande fenêtre conteneur. Mais malgré cette puissance, une interface de type MDI en Visual Basic est limitée. Observons certaines de ses restrictions.

Passons à la pratique ! Les restrictions d'une feuille MDI

1 Commencez un nouveau projet et, dans le menu Projet, choisissez Ajouter une feuille MDI.

2   Lorsque la boîte de dialogue vous proposant les modèles de feuille MDI apparaît, choisissez Feuille MDI et cliquez sur Ouvrir. Votre nouvelle feuille MDI apparaît alors :

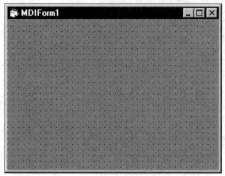

3   Plaçons-y quelques contrôles. Choisissez un bouton de commande dans votre boîte à outils et essayez de le dessiner sur votre feuille. Rien ne se passe. Seul un nombre limité de contrôles peuvent être posés sur une feuille MDI et parmi eux se trouvent la minuterie et la zone d'image. Si vous possédez l'édition Professionnelle ou Entreprise de Visual Basic, vous pouvez également y poser des contrôles Barre d'état et Barre d'outils. Vous ne pouvez néanmoins pas y poser des contrôles du genre bouton de commande, zone de texte, liste modifiable, etc.

4   Choisissez la zone d'image et dessinez-en une sur votre feuille :

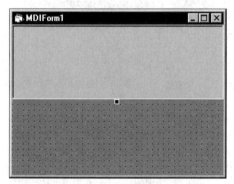

❑   Ce contrôle se place automatiquement au sommet de la feuille et adopte sa largeur. Vous ne pouvez rien y faire. Les zones d'image dessinées sur une feuille MDI ont toujours la même largeur que cette feuille et sont toujours attachées au sommet ou au bas de cette dernière. Lorsque vous essayez de justifier ce contrôle à gauche ou à droite de votre feuille MDI, il la recouvre toute.

5   Retournez à votre menu <u>P</u>rojet et essayez de créer une seconde feuille MDI. L'option
Ajouter une feuille MD<u>I</u> apparaît en grisé. Vous ne pouvez avoir qu'une seule feuille
MDI par application :

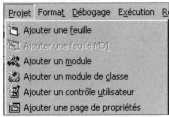

Malgré ces restrictions apparentes, les applications MDI en valent *vraiment* la peine. Imaginez un
peu si vous ne pouviez ouvrir qu'un seul document à la fois dans un traitement de texte sous
Windows et que ces documents ne pouvaient pas partager le même menu ou la même barre
d'outils ! La vérité c'est que les applications MDI sont belles, d'utilisation aisée et représentent une
excellente solution pour de nombreuses applications.

Les feuilles filles

Lorsque vous commencez à utiliser des feuilles MDI, les autres feuilles normales de votre
programme refusent d'entrer dans la feuille MDI et de se conformer à sa taille. Elles continuent à
flotter de ci, de là, et détruisent l'harmonie générale de votre environnement Windows. Il vous faut
éduquer ces feuilles, leur apprendre qu'elles sont des feuilles filles pour qu'elles se comportent
convenablement.

C'est fort heureusement assez simple. La propriété **MDIChild** d'une feuille peut être fixée à **True** ou
False pour lui indiquer qu'elle appartient à une feuille MDI. Et, comme Visual Basic ne vous
permet d'avoir qu'une seule feuille MDI mère par application, la feuille fille sait automatiquement
qui est sa feuille mère. Et dès lors, lorsque le programme s'exécute, elle restera dans cette feuille
MDI. En mode création, toutefois, il n'est possible de distinguer une feuille fille d'une feuille
indépendante qu'en vérifiant sa propriété **MDIChild**.

Et, tandis que vous pouvez la passer en revue et la régler en mode création, une fois en phase
d'exécution, cette propriété **MDIChild** est complètement inaccessible. Si vous tentez de changer sa
valeur dans votre code, Visual Basic vous envoie un message d'erreur et votre programme
« plante ».

Passons à la pratique ! Les feuilles filles en action

Voyons un peu ce dont ces feuilles filles sont capables. Lancez Visual Basic !

1   Commencez un nouveau projet standard et appelez la feuille normale qui apparaît
`frmFille`. Mettez sa propriété **MDIChild** sur **True**.

2   Allez ensuite dans votre menu <u>P</u>rojet, ajoutez une feuille MDI et appelez-la `frmMère`.

3   Ajoutez maintenant à votre feuille MDI un menu comme celui ci-dessous. Pour que le code que nous allons écrire fonctionne, appelez les éléments de ce menu `mnuFNouveau`, et `mnuFQuitter`.

4   Ajoutez ensuite les titres de menu suivants pour que votre feuille fille ressemble à cet exemple :

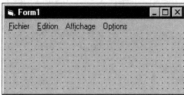

5   Rappelez la feuille MDI et ajoutez du code à l'événement `Click` de l'élément **Nouveau** :

```
Private Sub mnuFNouveau_Click()
    Load frmFille

End Sub
```

6   Enfin, choisissez **Propriétés de Projet1** dans le menu **Projet** et sélectionnez la feuille MDI comme objet de démarrage :

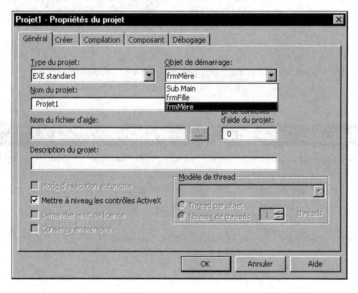

7   Exécutez votre programme. Lorsque la feuille MDI apparaît, elle ne possède pas de feuille fille et affiche dès lors son propre menu. Si vous choisissez l'élément <u>N</u>ouveau de son menu <u>F</u>ichier, la feuille fille apparaît :

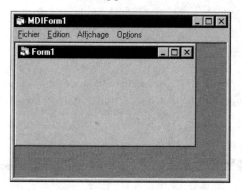

❑   Lorsque la feuille fille apparaît, la structure du menu de la feuille MDI change : elle est remplacée par celle de la feuille fille. Une fois que la feuille fille est chargée, fermez-la en utilisant la barre de titre ou les boutons de commande. La feuille mère est alors rétablie.

8   Enregistrez ce projet sous le nom de `MDIFille.vbp` : nous serons amenés à le réutiliser dans un instant.

Instances de feuilles

Notre exemple précédent ne vous permettait que de charger une seule feuille fille sur votre feuille MDI. Pas très utile si vous travaillez au développement de la nouvelle version d'Excel !

C'est là que les **instances** d'une feuille entrent en jeu. En utilisant des variables objet, vous pouvez créer plusieurs copies, ou instances, d'une même feuille. Chaque nouvelle instance possèdera exactement les mêmes contrôles et la même structure de menu, mais elle pourra contenir des données différentes. Même si le code et les noms de variables et de contrôles qu'elles contiennent sont identiques, les données saisies par chaque feuille sont enregistrées dans des endroits différents de la mémoire de votre PC. Vous vous doutiez un peu que les feuilles MDI avaient quelque chose à voir avec les variables objet, non ?

Passons à la pratique ! Nouvelles instances d'une feuille

Mettons tout cela en pratique.

1   Arrêtez le projet `MDIFille.vbp` et, en utilisant la fenêtre du projet, choisissez la feuille MDI (`frmMère`).

2 Dans le menu Fichier de la feuille MDI, choisissez Nouveau pour appeler la fenêtre de code. Votre code a, pour l'instant, l'aspect suivant :

```
Private Sub mnuFNouveau_Click ()

    Load frmFille

End Sub
```

3 Nous pouvons créer de nouvelles instances de la fenêtre frmFille en utilisant une variable objet. Modifiez donc votre code de la façon suivante :

```
Private Sub mnuFNouveau_Click()

    Dim NotreNouvelleFeuille As New frmFille

End Sub
```

4 De retour dans notre fenêtre de projet, choisissez la feuille fille. Lorsque sa fenêtre apparaît, appelez le Créateur de menus et effacez tous ses éléments. Ceci simplifiera le code pour l'instant.

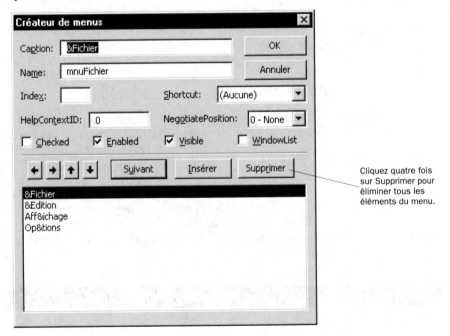

Cliquez quatre fois sur Supprimer pour éliminer tous les éléments du menu.

5 Lorsque vous avez supprimé tous les menus de votre feuille fille, exécutez le programme et choisissez Nouveau dans le menu Fichier de votre feuille MDI. Refaites-le plusieurs fois (chaque fois, une nouvelle feuille fille est ainsi créée) :

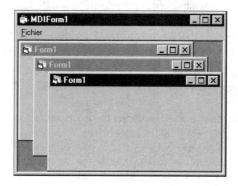

6   Quand vous aurez fini de jouer, arrêtez votre programme. Enregistrez en choisissant **Enregistrer Fichier sous...** et **Enregistrer Projet sous...** dans le menu <u>F</u>ichier. Rebaptisez cette feuille et ce projet sous des noms différents de telle sorte que vous puissiez revenir à l'original. Appelez ce nouveau projet `MDIFille1.vbp`.

Fonctionnement

La première ligne de code de l'événement `mnuFNouveau_Click` est une déclaration de variable. Elle établit une variable objet pour notre nouvelle (`New`) feuille. La feuille en question est une copie de la feuille fille appelée `frmFille`. Ce n'est pas très clair, je vous l'accorde. Mais dans ce chapitre, nous avons déjà créé des boutons de commande de cette façon.

```
Dim NotreNouvelleFeuille As New frmFille
```

Et nous avons déjà une feuille appelée `frmFille` dans notre application. Ce que nous voulons faire, c'est en créer des copies. Toutes ces nouvelles instances posséderont leurs propres données et leurs propres variables mais partageront le même code événementiel.

`NotreNouvelleFeuille` est donc en fait une variable objet établie pour contenir de nouvelles instances de l'objet `frmFille`. Une fois cette variable objet établie, nous pouvons la traiter comme tout autre feuille. Enfin, la commande `NotreNouvelleFeuille.Show` affiche notre nouvelle feuille à l'écran.

> **Une autre façon d'aborder ceci est de considérer** `NotreNouvelleFeuille` **comme une variable du type** `frmFille`. **Elle hérite, dès lors, des propriétés de** `frmFille`.

Passons maintenant au passage compliqué. Observons à nouveau notre déclaration de variable objet :

```
Dim NotreNouvelleFeuille As New frmFille
```

C'est une simple instruction `Dim`, ce qui signifie que notre variable objet est une variable locale. Donc, dès que notre sous-programme s'achève, l'existence de notre variable s'achève aussi. Dès lors, pourquoi la feuille que nous venons de créer continue-t-elle d'exister ?

Nous avons en fait créé une variable objet pour une nouvelle feuille et, lorsque vous détruisez cette variable objet, c'est la variable que vous détruisez et **non pas la nouvelle feuille ainsi créée**. Comment, alors, pouvons-nous faire référence à cette nouvelle feuille et à ses contrôles dans notre code ? Là est la question ! Une question à laquelle nous allons répondre de façon catégorique...

Utiliser Me pour accéder à une nouvelle feuille

Puisque nous avons maintenant une application qui pourrait en théorie contenir des dizaines de feuilles au nom identique, Visual Basic a la gentillesse de nous fournir le mot clé Me qui peut être utilisé dans le code pour se référer à la feuille actuellement active. Visual Basic sait quelle feuille ou fenêtre est actuellement active. C'est la fenêtre ayant le focus, ou, autrement dit celle qui sera affectée par toute utilisation du clavier ou clic de la souris. Elle est facile à reconnaître, car elle est au premier plan et sa barre de titre est en surbrillance. Nous pouvons communiquer avec cette fenêtre en utilisant activeform.txtEmployé.text = "Peter Wright". Mais il est encore plus simple de remplacer activeform par le mot clé Me.

Une ligne de code comme celle-ci :

```
Me.txtEmployé.Text = "Peter Wright"
```

établit la propriété Text d'une zone de texte appelée txtEmployé située sur la feuille actuellement active. De même, si vous voulez décharger cette feuille depuis le code d'un de ces événements, il vous suffit de taper Unload Me.

> Ceci m'a posé pas mal de problèmes lorsque j'ai commencé à étudier Visual Basic. Ça me paraissait trop simple et trop logique pour être correct, mais faites-moi confiance, ça marche ! Il suffit de se souvenir que dans une application MDI, on ne peut jamais avoir qu'une seule feuille active. Vous n'avez donc pas besoin d'un tableau pour pouvoir faire référence à une feuille fille.

Créer des menus WindowList

Une fois que vous commencez à traiter des feuilles MDI et des fenêtres filles, vous risquez de vous y perdre un peu sur votre écran. Vous pourriez vous retrouver confronté à un océan de feuilles filles identiques, incapable de différencier l'une de l'autre ou de retrouver votre feuille mère.

Visual Basic vous apporte une solution simple à ce problème : un menu contenant la liste des fenêtres documents (**Window List**). Jetons-y un coup d'œil.

Passons à la pratique ! Créer un menu WindowList

1 Chargez le fichier MDIFille1.VBP que vous venez de sauvegarder. Appelez ensuite le Créateur de menus de frmMère.

2 Créez une option Fenêtre sur la barre de menus :

3 Créez maintenant un autre élément en dessous de ce dernier et réglez-en la légende. Appelez cet élément `mnunListe` et cochez la case <u>W</u>indowList :

4 Appuyez sur OK afin d'accepter la nouvelle structure de menu puis exécutez votre programme.

5 Créez quelques feuilles filles en utilisant l'élément <u>N</u>ouveau du menu Fichier de la feuille MDI principale. Allez maintenant à votre menu Fe<u>n</u>être et choisissez-y l'élément <u>L</u>iste. Une liste de toutes les feuilles de votre application apparaît et la feuille active est cochée :

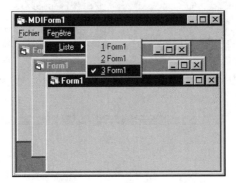

6 Si vous choisissez un autre élément de cette liste, la feuille en question devient active. Sympa, non ? Et tout ça sans code !

Ne fermez pas encore votre projet, nous allons le réutiliser dans très peu de temps.

Organiser votre bureau

<u>WindowList</u> ne représente qu'un des accessoires de Visual Basic qui vous permettent de gagner du temps lorsque vous travaillez avec des applications MDI. Il y a aussi la méthode Arrange.

Cette méthode vous permet d'offrir aux utilisateurs des fonctions similaires à celles disponibles dans le menu Fe<u>n</u>être d'une application d'Office 97. Grâce à Arrange, vous pouvez organiser vos fenêtres filles en cascade, en mosaïque ou réorganiser les icônes de vos feuilles de façon nette et ordonnée.

Passons à la pratique ! Utiliser Arrange

1 Ajoutez d'autres éléments au menu Fe<u>n</u>être de votre feuille frmMère comme ci-dessous. Appelez-les mnunMosaique, mnunCascade et mnunReorganiser:

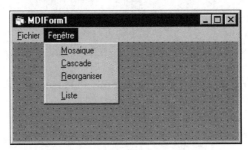

2 Ouvrez ensuite la fenêtre de code et écrivez le code de leurs événements `Click` de cette façon :

```
Private Sub mnunMosaique_Click()

    frmMere.Arrange vbTileHorizontal

End Sub

Private Sub mnunCascade_Click()

    frmMere.Arrange vbCascade

End Sub

Private Sub mnunReorganiser_Click()

    frmMere.Arrange vbArrangeIcons

End Sub
```

3 Et voilà tout. Exécutez votre application et amusez-vous avec les nouveaux éléments de votre menu pour voir comment ils fonctionnent. Mais n'oubliez pas de créer tout d'abord quelques feuilles filles.

Les différentes organisations des fenêtres

La méthode `Arrange` est très facile à utiliser. Il suffit de taper le nom de la feuille MDI, `frmMere` dans ce cas-ci, devant la méthode `Arrange`. Ensuite, après le mot `Arrange`, il n'y a qu'à taper l'une des options de ce paramètre (ceci détermine la façon dont les feuilles sont organisées). Ces paramètres sont les constantes intégrées de VB : `vbTileHorizontal`, `vbCascade`, et `vbArrangeIcons`. Et, ce qui est bien pratique, c'est qu'elles font tout le travail pour nous.

Les options disponibles pour le paramètre `Arrange` sont les suivantes :

Valeur	Constante VB	Effet
0	VbCascade	Affiche en cascade toutes les feuilles filles ouvertes du coin supérieur gauche de l'écran au coin inférieur droit.
1	VbTileHorizontal	Affiche en mosaïque les feuilles filles les unes en dessous des autres.
2	VbTileVertical	Affiche en mosaïque les feuilles filles les unes à côté des autres.
3	VbArrangeIcons	Réaligne les icônes de fenêtres filles réduites.

Les trois premières actions affectent également les fenêtres filles réduites. Le résultat n'est toutefois pas immédiatement visible, il faudra attendre qu'elles soient redimensionnées.

Résumé

Une fois que vous avez appris à utiliser des variables objet, vous pouvez commencer à écrire du code réutilisable. Vous avez, par exemple, appris à écrire un sous-programme générique de validation de texte. Ce code n'a pas besoin de connaître le nom d'une zone de texte en particulier car vous lui passez cette zone de texte comme variable objet. En fait, si vous placez votre sous-programme de validation de texte dans un module de code, il peut être réutilisé par toutes les feuilles de votre projet.

Dans ce chapitre, vous avez appris :

- ❑ Ce que sont les variables objet et comment les utiliser
- ❑ Comment écrire un code efficace qui pourra traiter de nombreux contrôles en s'y référant comme variables objet
- ❑ Comment créer et utiliser des tableaux d'objets
- ❑ Ce qu'est une application MDI
- ❑ Comment créer et gérer des applications MDI

Que diriez-vous d'essayer ?

1 Pouvez-vous citer trois raisons qui justifient l'emploi des variables objet ?

2 Produisez un groupe de contrôles d'une étiquette. Faites ensuite en sorte qu'en phase d'exécution, quatre instances supplémentaires de l'étiquette soient créées lorsque vous cliquez sur la première, mais qu'elles soient retirées quand vous cliquez de nouveau. Affichez la propriété Index de l'élément du groupe dans la légende (Caption) de chaque étiquette.

3 Créez une fonction qui transmette une variable objet comme argument et retourne la propriété Top de l'objet.

4 Déclarez explicitement une variable objet de type Label. Définissez-la comme un contrôle d'étiquette. Que se passe-t-il lorsque vous essayez d'affecter une valeur à une propriété qui n'existe pas dans le contrôle d'étiquette ?

5 Déclarez implicitement une variable objet de type Control. Définissez-la comme un contrôle d'étiquette. Que se passe-t-il lorsque vous essayez d'affecter une valeur à une propriété qui n'existe pas dans le contrôle d'étiquette ?

Utiliser les DLL et l'API Windows

Un des buts de Visual Basic est d'épargner aux développeurs les détails fastidieux de Windows. Toutefois, il arrive toujours un moment où vous ne pouvez plus vous cacher derrière le mur protecteur de VB. Windows est tapi là et attend de parler à votre programme.

Windows fournit un certain nombre d'appels de fonction, sous la forme de DLL (« Dynamic Link Libraries », bibliothèques de liens dynamiques), qui sont utiles aux programmeurs de VB. Vous pouvez également utiliser des DLL d'autres programmes qui travailleront pour vous. Nous nous concentrerons sur l'utilisation des DLL de Windows, mais ce que nous allons apprendre peut être appliqué à de nombreuses situations.

Dans ce chapitre, nous aborderons les points suivants :

❑ Comment déclarer des fonctions API et DLL dans vos programmes et comment utiliser la puissance de Windows

❑ Comment utiliser l'API pour exploiter la puissance du multimédia dans vos applications VB

Ce chapitre va véritablement se concentrer sur les questions relatives aux codes résidant dans l'API (Application Programming Interface) de Windows. Il existe également un outil appelé Fonctions de rappel DLL, disponible dans Visual Basic 6, qui vous permet d'utiliser certains appels API qui appellent votre code au cours de leur fonctionnement ; vous n'avez donc pas à le faire vous-même. Cet outil peut être utile, mais il n'entre malheureusement pas dans le sujet qui nous concerne.

Abrégeons l'introduction et passons aux choses sérieuses.

Fonctionnement de Visual Basic et Windows

Dans ce chapitre, nous allons voir comment utiliser des outils situés en dehors de ce que l'on pourrait appeler la sphère de Visual Basic, à savoir des fonctions et des procédures qui font en fait partie de Windows. Ce sont des éléments de code dont Windows dispose pour remplir sa mission : gérer vos applications et fournir une interface utilisateur cohérente, ainsi qu'un environnement d'exploitation pour vos programmes.

Cela peut paraître compliqué, mais en fait ça ne l'est pas. La première chose à noter est que nous avons effectivement déjà utilisé une partie du code de Windows sans nous en rendre compte, lorsque nous avons utilisé le contrôle de boîte de dialogue. Observons ce qui se passe réellement au cours de ce processus.

Les DLL faciles – La boîte de dialogue commune

Souvenez-vous de la boîte de dialogue commune. C'est une commande qui est en fait une fenêtre sur plusieurs boîtes de dialogue différentes. Voici la boîte de dialogue Ouvrir Fichier.

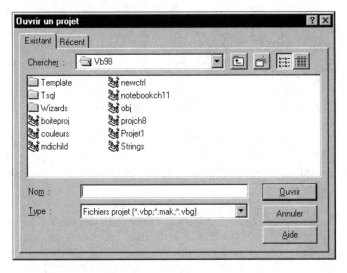

Ces boîtes de dialogue non seulement nous font gagner du temps, mais donnent également aux programmes l'aspect de véritables applications Windows. La raison pour laquelle on les appelle des boîtes de dialogue *communes* est qu'elles ont toutes le même aspect dans toutes les applications Windows. C'est à se demander si elles ne font pas après tout partie de Windows...

C'est en fait le cas. Si vous chargez l'Explorateur et que vous jetez un coup d'œil au répertoire Windows\Système, vous y verrez un fichier qui s'appelle Comdlg32.DLL :

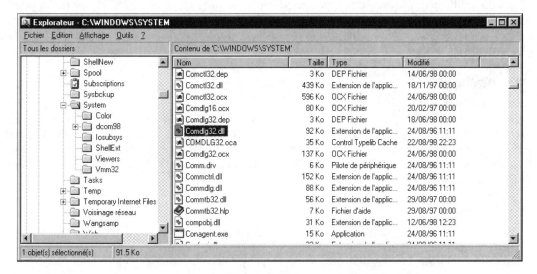

Ce fichier contient tout le code requis pour créer les diverses boîtes de dialogue que Windows prend en charge. Le fait de regrouper tout ce code dans un fichier stocké dans un répertoire partagé le rend accessible à tous les programmes Windows et à Windows lui-même.

Vous ne pouvez pas examiner le contenu de ces fichiers DLL. Il s'agit de code C/C++ compilé, qui ressemble à des hiéroglyphes. Ce qui, bien entendu, nous intéresse, est de voir comment nous pouvons lui parler et lui dire quoi faire en code Visual Basic. Afin de comprendre ceci, nous allons voir comment Windows fonctionne. Croyez-moi, c'est utile.

Les bibliothèques de liens dynamiques

Le fichier Comdlg32.dll est ce que l'on appelle une bibliothèque de liens dynamiques (**dynamic link library**), d'où son extension. Pour vous et moi, cela signifie que c'est un bloc de code qui contient des procédures et des fonctions utiles à plusieurs programmes. En fait, il est disponible pour tout programme qui veut l'utiliser. La question bien sûr est : comment ?

Voici un bref aperçu de l'histoire de la programmation. Mais, si c'est véritablement votre première incursion dans le monde de la programmation, ne prenez pas la peine de lire ce qui suit. Estimez-vous heureux d'avoir pris le train en marche au bon moment et passez directement à la section intitulée « L'API Windows ».

Qu'est-ce que l'édition de liens (ou liaison) ?

Les langages de programmation tels que C, lorsqu'ils sont utilisés en dehors d'un environnement comme Windows, aiment à fonctionner comme des blocs autonomes. Cela signifie que, quand vous compilez le programme, vous obtenez un fichier exécutable indépendant qui n'a pas besoin d'autres fichiers pour son exécution (à l'inverse, par exemple, d'un fichier .vbp qui a besoin de Visual Basic pour son exécution). Toutes les instructions dont il a besoin sont « câblées » dans le corps du programme.

Cela ne signifie pas que vous ne pouvez pas utiliser de code préécrit, il existe de nombreuses bibliothèques du langage C qui sont très largement utilisées. La question est de savoir comment insérer le code préécrit dans *votre* programme. C'est là qu'intervient l'édition de liens, ou liaison ; elle peut s'effectuer de deux façons : **statique** ou **dynamique**.

Liaison statique

Lors d'une liaison statique, vous fournissez des liens fixes entre votre programme et les modules préécrits au moment de la création, de la même façon que lorsque vous créez un module dans un projet VB et que vous appelez des procédures à partir d'autres parties de votre code. Cependant, pour pouvoir utiliser ce code préécrit, vous devez le copier dans votre fichier final au moment de la compilation par le biais d'un processus appelé **liaison statique**. Il devient alors partie intégrante de votre programme et se trouve dans votre fichier exécutable.

Liaison dynamique

C'est le contraire de la liaison statique et lorsque vous aurez compris comment elle fonctionne vous verrez pourquoi elle est utile. Lors d'une liaison dynamique, le fichier de bibliothèque externe n'est jamais intégré au fichier exécutable final. Il reste en dehors du programme en tant que DLL, à un emplacement où le fichier exécutable peut le trouver et lui envoyer des messages. Lors de l'exécution, ces messages sont en fait des appels de fonction ou de procédure, qui demandent que certaines parties du code DLL soient exécutées.

Pour lier votre exécutable à la DLL dont il a besoin pour son exécution, vous n'avez qu'à indiquer au programme où se trouve la DLL et quel code vous voulez y exécuter. Votre programme doit établir la connexion au moment voulu. Il est donc lié de façon dynamique.

Les DLL de Visual Basic

Visual Basic constitue l'illustration la plus caractéristique du principe de liaison dynamique. Regardez dans votre répertoire Système de Windows et vous devriez voir un ensemble de fichiers qui comportent le moteur d'exécution de VB. Par exemple, VB5DB.DLL contient certains des codes nécessaires pour lier les DAO (Data Access Objects) au moment de l'exécution si votre application décidait de consulter une base de données locale.

Lorsque vous écrivez une application de base de données et que vous la compilez, même si vous la compilez en une application totalement indépendante et non pas interprétée, le fichier EXE résultant ne sait rien sur les bases de données, ce qu'elles font, ou comment les manipuler.en revanche, votre application comprend un bloc de code fourni par Visual Basic, qui charge le fichier VB5DB.DLL au moment de l'exécution et utilise les fonctions qu'il contient.

Les avantages de la liaison dynamique

Bien sûr, avec la liaison dynamique vous devez vous assurer que toutes les DLL dont un programme a besoin sont présentes, au bon endroit et dans la bonne version. Quoi qu'il en soit, si le problème n'est pas simple, vous avez néanmoins la chance d'être épaulé par Visual Basic et Windows. De plus, il existe de vrais avantages à utiliser la liaison dynamique et ils ne sont pas négligeables ; c'est pourquoi nous allons les passer en revue.

Cohérence

Si Windows est aussi populaire auprès des utilisateurs, c'est que son interface est plus ou moins commune à toutes les applications. Il est donc utile de générer la plus grande partie possible de votre interface utilisateur à partir de code commun. Les boîtes de dialogue communes, ainsi que les menus, barres d'outils Office 97, etc., en sont de bons exemples.

Maintenance

Si vous avez beaucoup de code commun dans un seul et même endroit, vous pouvez le mettre à jour et le modifier de façon centrale. Les changements seront ensuite répercutés dans toutes les applications qui utilisent le code. C'est pourquoi, lorsque vous exécutez des applications Windows 3.1 sous Windows 95, elles héritent de certaines des fonctions d'interface utilisateur du nouveau système. Ceci s'applique aussi à Visual Basic.

Petits exécutables

Vous pouvez réduire la taille de votre exécutable en vous servant des fonctionnalités intégrées dans un autre fichier, plutôt que de lier les fonctions et procédures de façon statique. L'inconvénient est que les fichiers DLL ont tendance à être très importants puisqu'ils doivent contenir un code prenant en charge diverses situations et pas seulement les fonctions et procédures qui vous seront nécessaires. Toutefois, ce code est partagé par plusieurs applications, et le gain est donc quand même appréciable.

L'architecture Windows

La liaison dynamique est primordiale dans la conception de Windows. Windows est en fait un grand réservoir de DLL que les diverses applications que vous exécutez utilisent pour remplir leurs fonctions. Même les éléments qui peuvent vous apparaître comme étant typiquement Windows, tels que le Bureau ou l'Explorateur, sont en fait des applications qui fonctionnent comme tout autre programme, en appelant les procédures des DLL intrinsèques de Windows au fur et à mesure qu'elles sont requises.

La bonne nouvelle est qu'elles ne sont pas les seules à pouvoir utiliser le réservoir des DLL de Windows. Toutes ces DLL attendent de travailler, ce qu'elles font avec toute application possédant le bon code de programme. Vous pouvez même remplacer le bureau Windows par votre propre version.

De nombreuses DLL fournies avec Windows lui apportent toutes les fonctionnalités dont il a besoin. À l'intérieur de chacune d'entre elles, des dizaines et des centaines de fonctions et de procédures sont disponibles. L'ensemble de ces milliers de routines individuelles s'appelle l'API Windows.

L'API Windows

L'interface de programmation d'applications (**Application Programming Interface, API**) Windows, est un ensemble de fonctions et de procédures toutes faites. Celles-ci font traditionnellement partie du domaine des programmeurs en C et C++ ; la manière dont les API fonctionnent est plus intuitive pour les programmeurs en C et C++, pour qui les syntaxes ésotériques et incompréhensibles sont monnaie courante.

Visual Basic a été créé pour nous libérer de ces corvées qui sont la plaie du développement C/C++ sous Windows, y compris pour l'API. La plupart des appels API sont déjà mis en place dans Visual Basic sous la forme de commandes, de mots clés, de méthodes et de propriétés VB qui sont traduits en appels API correspondants dans VB. Dans un sens, VB est un emballage convivial de l'API Windows.

Cependant, certaines fonctions API n'ont pas de substitut dans Visual Basic. Par exemple, Visual Basic standard ne permet pas au programmeur d'exercer un véritable contrôle sur le système multimédia de Windows. Vous pouvez intégrer des fichiers à des contrôles OLE, ou utiliser d'autres contrôles personnalisés. Mais avec l'API, vous pouvez obtenir des effets relativement perfectionnés sans la surcharge occasionnée par nombre d'autres contrôles.

Il est facile de travailler avec l'API multimédia. Enfin, relativement facile. L'utilisation des appels API dans Visual Basic peut parfois être un peu délicate. Cependant, une fois que vous aurez compris quoi faire et pourquoi vous le faites, vous pourrez découvrir les secrets de l'API.

Emballages API et contrôles personnalisés

Au lieu de vous immerger dans l'API, cherchez plutôt un **contrôle personnalisé** qui fait ce que vous voulez faire. Nombre de contrôles personnalisés (contrôles OCX ou ActiveX) constituent des sur couches d'un ensemble de fonctions de l'API. Cette technique de l'emballage de l'API offre souvent une bien meilleure convivialité.

Ceci étant dit, de plus en plus de contrôles ActiveX vont bien plus loin ; par exemple le contrôle Mapping. Ce type de contrôle peut véritablement augmenter le nombre de fonctionnalités de votre application, sans pour autant exiger beaucoup de programmation.

Les contrôles ActiveX et les Serveurs Automation OLE (appelés collectivement **composants ActiveX**) constituent la manière la plus pratique de distribuer du code aux projets dans un format de style API, sans devoir utiliser un compilateur ni écrire une véritable DLL. Dans le chapitre suivant, nous les verrons en détail, et nous étudierons la façon dont vous pouvez créer les vôtres.

Une autre méthode consiste à inclure certaines API dans votre propre module de classe Visual Basic, ce qui ajoute la puissance de l'API à un objet VB. Nous verrons comment le faire nous-mêmes dans ce chapitre.

Trouver et utiliser des appels API

Nous avons vu que Windows comporte de nombreuses DLL ; certaines sont importantes, d'autres moins. Il est inutile d'essayer de les assimiler en une seule fois, encore moins les milliers d'appels qu'elles contiennent. La meilleure façon de travailler avec l'API est de connaître certains appels API courants puis de déployer vos connaissances à partir de là. Dans le présent chapitre, nous étudierons deux appels API, puis nous vous laisserons en découvrir davantage à votre propre rythme. Vous pouvez en trouver dans des magazines, certains sont répertoriés dans le fichier d'aide VB et certains ouvrages de référence en répertorient la majorité.

Pour plus d'informations sur l'utilisation des appels API dans Visual Basic, consultez le manuel « Professional VB API Programming » également publié par Wrox, et qui présente la programmation API de façon plus détaillée.

La visionneuse d'API

Selon la version de Visual Basic 6 que vous avez, vous disposerez peut-être d'un utilitaire qui génère les bonnes déclarations pour les routines API. Cependant, la Visionneuse d'API ne fournit pas véritablement d'aide sur ce que fait la routine, ni sur les paramètres d'appel et de retour. Vous devrez acquérir un ouvrage de référence sur l'API Windows pour en apprendre davantage.

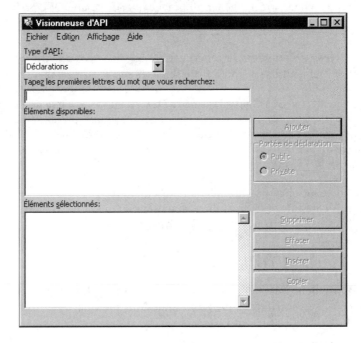

La visionneuse peut tout de même vous aider à obtenir les bonnes déclarations et à trouver les types et les constantes requises. Elle peut même les copier dans le presse-papiers pour vous permettre de les coller directement dans votre code.

Quelques DLL de Windows

Si cela peut vous aider, considérez chaque appel API comme une procédure ou une fonction. Étant donné le nombre d'appels API qui constituent Windows, Microsoft a décidé de les regrouper dans quatre bibliothèques principales :

KERNEL32	DLL principale qui gère la mémoire, la fonction multitâche des programmes en cours d'exécution et la plupart des autres fonctions qui affectent directement la façon dont Windows fonctionne.

Le tableau continue sur la page suivante

USER32	Bibliothèque de gestion de Windows. Elle contient des fonctions liées aux menus, aux horloges, aux fonctions de communication, aux fichiers et à de nombreux domaines de Windows qui ne concernent pas l'affichage.
GDI32	Interface graphique. Cette bibliothèque fournit les fonctions nécessaires au dessin sur l'écran, ainsi qu'à la vérification des zones des feuilles qui doivent être redessinées.
WINMM	Cette bibliothèque fournit les fonctions multimédia pour le son, la musique, la vidéo en temps réel, l'échantillonnage, etc. C'est une DLL 32-bit. (L'équivalent 16-bit s'appelle MMSYSTEM.)

Vous pouvez voir ces fichiers dans le répertoire Windows\System. Il existe également des DLL moins importantes, moins utilisées, qui fournissent des services spécialisés aux applications.

Les DLL répertoriées ci-dessous sont des noms de DLL 32-bit. Mais n'oubliez pas que la plupart de vos utilisateurs travaillent toujours…en 16-bit. Jusqu'à présent, Microsoft a toujours commercialisé des versions de Visual Basic qui pouvaient s'utiliser sur des plates-formes Windows 16-bit, telles que Windows pour Workgroups, ou Windows 3.1. Cependant, jusqu'à sa version 5, VB était en 16-bit.

Après cette partie théorique, passons à quelque chose de plus amusant. Nous allons observer certains appels API courants et nous assurer que nous savons tout ce qu'il faut sur l'utilisation de l'API en général. Après ça, vous pourrez explorer par vous-même.

Appeler une routine API

L'appel de procédure dans une API n'est pas vraiment différent de l'appel d'une fonction ou d'une procédure que vous avez écrit vous-même et ajouté au module de votre projet. Par exemple, si vous avez la portion de code suivante :

```
Public Sub RechercherTexte(objContrôleDeDonnées As Control, sNomDuChamp As String)

    ' Code définissant ce que fait la fonction.

End Sub
```

Pour appeler la procédure, vous pourriez utiliser le code suivant :

```
RechercherTexte datTitres, "Titres"
```

Appliquons la même logique à un appel API, sous-programme qui se trouve non seulement en dehors de notre module courant, mais également de VB.

Déclarer un appel API

Avant d'utiliser une routine DLL, il faut la déclarer et indiquer à Visual Basic les éléments suivants :

❑ Le nom de la procédure ou fonction

❑ Le fichier DLL où elle se trouve

❑ Les paramètres qu'il doit recevoir

❑ Le type de valeurs qu'il peut renvoyer si la routine est une fonction

Vous utilisez toujours le mot Sub ou Function pour démarrer le code, mais il doit être préfixé par le mot Declare. Étant donné que nous appelons une fonction API, le code ne figure pas directement dans le programme VB après la déclaration : il est dans la DLL que nous avons indiquée. Hormis ce détail, la déclaration est la même que pour une fonction que vous écrivez vous-même.

Une fois la fonction déclarée, l'appeler est simple. Voyons comment faire, en utilisant un exemple d'appel API.

Passons à la pratique ! Faire clignoter une fenêtre avec un appel API

1 Créez un nouveau projet standard dans Visual Basic.

2 Dessinez un contrôle **Timer** sur la feuille et fixez la propriété Interval à 10. Cela entraînera un événement Timer tous les 10 millièmes de secondes.

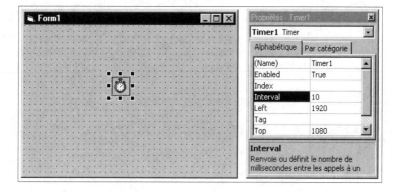

3 Double-cliquez sur le contrôle **Timer** pour afficher sa fenêtre de code. Puis tapez-y du code, qui doit avoir l'aspect suivant :

```
Private Sub Timer1_Timer()

  Dim nRetournerValeur As Integer

  nRetournerValeur = Clignoter(Form1.hWnd, True)

End Sub
```

4   Déclarez à présent la fonction `Flash` dans la section (Général) (Déclarations) comme suit :

```
Private Declare Function Clignoter Lib "User32" Alias "FlashWindow"
```

5   Exécutez le programme. Lorsque la feuille apparaît, sa légende devrait clignoter.

Ce programme est très simple, mais faire clignoter la légende d'une fenêtre en utilisant du code Visual Basic est très difficile et requiert beaucoup de code. Vous pouvez essayer, mais à vos risques et périls.

Fonctionnement - La déclaration API

La fonction déclaration est relativement simple une fois que vous avez compris les parties qui la constituent. Il est utile d'avoir un manuel de référence sur les API Windows à portée de la main pour déterminer si l'appel API que vous allez utiliser est une procédure ou une fonction, dans quelle DLL il figure et quels sont les paramètres à lui passer.

Le mot Declare indique à Visual Basic que nous déclarons une routine DLL.

Immédiatement après Declare vient le mot Sub ou Function, qui déclare soit une procédure, soit une fonction. Il est bien entendu que vous ne déclarez pas de procédures et de fonctions à tort et à travers.

Le mot clé Lib indique à Visual Basic la DLL dans laquelle la fonction que nous voulons est contenue. Dans le cas présent, c'est le fichier DLL User32.. Alias indique à VB le nom de la fonction à l'intérieur de la bibliothèque, qui peut être différent du nom que nous lui donnons avant le mot clé Lib.

```
Private Declare Function Clignoter Lib "User32" Alias "FlashWindow"
          ↳ (ByVal hWnd As Long, ByVal bInvert As Long) As Long
```

Enfin, les paramètres qui doivent être passés à la fonction sont déclarés, avec le type de valeur que la fonction renverra.

Les paramètres que nous passons sont :

```
(ByVal hWnd As Integer, ByVal bInvert As Integer) As Integer
```

Le premier paramètre, hWnd, est un **identificateur** qui reconnaît la fenêtre que nous voulons faire clignoter. Il est important que vous compreniez le concept d'identificateur dans Windows et nous y reviendrons plus tard. Le second paramètre, bInvert, active et désactive la propriété de clignotement. Si bInvert est défini comme `True` par l'instruction d'appel, la barre clignote. Pour la restaurer à son état d'origine, vous devez rappeler la fonction, par la valeur `False`.

594

Dans de nombreuses routines API, l'alias est le même que le nom de la routine. Dans ce cas, Visual Basic omettra automatiquement la partie `Alias`. Par exemple, si nous essayions de coder :

```
Private Declare Function FlashWindow Lib "user32" Alias "FlashWindow"
        ↳ (ByVal hWnd As Long, ByVal bInvert As Long) As Long
```

Visual Basic le transformerait en :

```
Private Declare Function FlashWindow Lib "user32"
        ↳ (ByVal hWnd As Long, ByVal bInvert As Long) As Long
```

Cependant, certaines routines ont des noms qui sont illégaux dans VB, tels que `_lopen` ; d'autres possèdent plusieurs versions : ils ont quelquefois un A ou un W accolé à leur nom. En règle générale, il est plus prudent d'utiliser la définition telle quelle. Certains programmeurs utilisent l'`Alias` pour changer le nom auquel la routine fait référence, ou même pour déclarer deux versions différentes d'une même routine qui accepte des types de paramètres différents, mais nous n'entrerons pas dans le détail de ces techniques pour l'instant.

Fonctionnement - Appeler l'API

Nous avons appelé la fonction de la manière suivante :

```
nRetournerValeur = Flash(Form1.hWnd, True)
```

Une fois que vous avez déclaré un appel API, il est utilisé pratiquement de la même manière qu'une fonction ou procédure normale de Visual Basic. Dans l'exemple ci-dessus, `Flash` est un appel à une fonction contenue dans une DLL. À l'instar des fonctions de Visual Basic, les fonctions API renvoient des valeurs qui doivent ensuite être stockées quelque part. Nous stockons la valeur renvoyée par la fonction `Flash` dans une variable appelée `nRetournerValeur`.

Tout comme avec les fonctions Visual Basic, vous n'avez rien à faire avec les valeurs renvoyées par les fonctions API. En revanche, vous devez les stocker quelque part, même si vous avez l'intention de les ignorer, en les attribuant à une variable. Presque toutes les fonctions API renvoient un code d'erreur numérique, que vous pouvez utiliser pour vérifier que tout a fonctionné correctement.

En fait, ignorer ces valeurs peut être dangereux si vous utilisez plusieurs appels dans votre code. Dans le présent exemple qui est simple, il n'y a aucun danger à stocker simplement la valeur renvoyée dans une variable que nous n'utiliserons pas par la suite.

Utiliser les appels API peut faire planter Windows, voire votre machine. Lorsque vous utiliserez des appels API plus complexes, tels que ceux destinés à allouer des quantités importantes de mémoire et de ressources système, honni soit le programmeur qui ignore fortuitement le code renvoyé ! Étant donné que les fonctions DLL résident en dehors de votre application, elles gèrent leur propre vérification d'erreurs ; la seule indication que quelque chose ne va pas est que le code est renvoyé. N'oubliez donc pas cela, ou si vous le faites, ce sera à vos risques et périls !

Identificateurs de fenêtres

Visual Basic vous fournit un tampon entre votre code et les appels DLL Windows sous-jacents.

Prenez comme exemple la feuille. Windows utilise quelquefois une **structure** qui contient des informations sur une feuille. Ces dernières sont pratiquement identiques à celles contenues dans la fenêtre de propriétés de la feuille. Cependant, alors que vous et moi pouvons facilement vérifier les propriétés d'une fenêtre, en cliquant sur une feuille et en appuyant sur *F4* pour faire apparaître la fenêtre **Propriétés**, Windows stocke la structure de chaque fenêtre dans une grande liste de structures de données concernant chaque fenêtre de chaque programme en cours d'exécution. Afin de déterminer quelle structure concerne quelle fenêtre, il utilise un **identificateur**. Il ne peut pas utiliser le nom de la feuille pour la trouver, car le nom est simplement une propriété de la feuille. L'identificateur est le code abrégé de Windows pour un objet.

Au fur et à mesure que vous utiliserez les appels API, en particulier ceux qui gèrent directement les feuilles Visual Basic, vous verrez de temps en temps apparaître des identificateurs. Visual Basic les stocke en tant que propriétés en lecture seule que vous pouvez utiliser pour passer des fonctions Windows lorsque nécessaire.

La propriété s'appelle hWnd (identificateur d'une fenêtre) et vous n'y avez accès que lors de l'exécution. Elle ne signifie rien pour votre code Visual Basic, mais elle peut être lue et passée en tant que paramètre aux appels API qui en ont besoin. Vous verrez que presque tous les appels API qui pourraient avoir un effet sur une fenêtre affichée auront besoin que vous leur passiez un paramètre hWnd pour que la fonction sache exactement de quelle fenêtre il s'agit.

Déclarer les types de paramètres

Lorsque vous déclarez les paramètres requis par une procédure ou une fonction DLL, il est important de vous assurer que le mot clé ByVal est utilisé lorsque c'est nécessaire.

Avec le code Visual Basic classique, si vous passez un paramètre à une fonction **by value**, il indique à Visual Basic que la fonction ne peut s'adresser qu'à une copie du paramètre que vous lui passez. C'est la procédure pour une fonction classique.

```
Function Square(ByVal Numéro As Double) As Double
```

Mais vous pouvez également passer la variable **par référence**. Dans ce cas, vous envoyez toute la variable à la routine et pas simplement une copie de son contenu. En conséquence, si la routine change le paramètre, ces changements seront aussi reflétés dans la variable d'origine. Si vous ne précisez pas ByVal, la variable sera passée automatiquement par référence.

Si vous écrivez une fonction ou procédure Visual Basic interne et que vous omettez le mot clé ByVal, tant que vous passez le bon nombre de paramètres au code, rien de grave ne peut se passer. Bien sûr, vous pouvez avoir des cas où les variables passées comme paramètres sont modifiées, provoquant des résultats bizarres dans votre programme, mais rien de *vraiment* grave ne se passera. Windows ne se « crashera » pas, par exemple.

En revanche, la situation est un peu plus délicate avec les DLL. Si vous omettez le mot clé `ByVal`, Visual Basic passe un pointeur sur la variable. Cette information numérique indique à la fonction appelée l'endroit où la variable est stockée dans la mémoire. C'est ensuite à la fonction d'aller à l'emplacement de la mémoire désigné pour extraire la valeur. C'est également ce qui se passe dans Visual Basic, sauf que, dans ce cas les fonctions et procédures sont toutes écrites en code Visual Basic : VB peut donc se débrouiller. Le code DLL, écrit dans un langage tel que le C, s'attend à ce que les choses se passent d'une certaine façon et quand ce n'est pas le cas, le crash n'est pas loin.

Si une fonction DLL attend un chiffre, par exemple entre 0 et 3, et que vous lui passez une variable par référence, la valeur effective passée pourrait être 1,002,342, ce qui représenterait l'adresse mémoire dans laquelle la variable réside. La fonction DLL essaierait donc de traiter le nombre 1,002,342 au lieu d'un chiffre compris entre 0 et 3, et le système planterait.

*Vous n'obtiendrez pas de message d'erreur menaçant dans ce cas ; vous saurez quand un appel DLL est erroné, car le système a généralement des ratés, ou se bloque complètement ! Lorsque vous manipulez des appels API, l'une des règles d'or, est **d'enregistrer votre travail** ! Étant donné que vous vous aventurez en-dehors du monde protégé de Visual Basic, lorsque les choses se passent mal, le système peut facilement planter et vous perdez tout votre travail. Enregistrez donc toujours votre projet avant d'exécuter du code contenant des appels API. La meilleure façon de procéder est de vérifier la case **Enregistrer les modifications** dans le menu **Outils Options Environnement**.*

Classes et API

Il va sans dire que l'API est une arme puissante de l'arsenal du programmeur en Visual Basic. Toutefois, si vous deviez insérer des appels API dans vos programmes VB, vous vous retrouveriez bientôt avec une masse de code sans queue ni tête qui n'aurait absolument aucun sens pour qui que ce soit, sauf peut-être pour vous. Je ne compte plus le nombre de fois où j'ai cherché frénétiquement une fonction donnée dans une énorme application VB et où je me suis rendu compte qu'en fait le programmeur utilisait un appel API.

La solution avec VB6 est de transformer l'API Windows en classes facilement réutilisables (ou en contrôles ActiveX, mais nous les verrons ultérieurement). Chaque appel API peut être classé selon la partie de Windows qui le concerne. Ces catégories peuvent, à leur tour, être traduites de façon efficace en classes VB.

Pour revenir à nos exemples, ce serait une classe multimédia qui engloberait les fonctionnalités des appels API multimédia et, en conséquence, le système multimédia de Windows dans son intégralité. C'est ce que nous allons voir.

Nous allons commencer par voir comment la classe que nous avons conçue fonctionne, puis nous nous y plongerons pour découvrir ce qui s'y passe véritablement.

Utiliser la classe multimédia

Nous avons ici un module de classe réutilisable qui englobe une grande partie des fonctionnalités de l'API multimédia de Windows. Utilisez-le dans vos applications pour fournir un accès aux fichiers son et vidéo, sans surcharger le contrôle multimédia lourd qu'est Visual Basic.

Démarrez un nouveau projet **Exe standard** dans Visual Basic, puis allez aux menus <u>P</u>rojet et **Ajouter un module de classe** de votre application. Affichez ensuite la fenêtre de code et tapez ce qui suit. Cela paraît énorme, mais il n'en est rien. J'ai inséré des commentaires pour que vous voyiez plus facilement ce qui se passe :

```vb
Option Explicit

'----------------------------------------------------
'   Nom     :   MMedia.cls
'   Auteur  :   Peter Wright, pour BGVB4 & BGVB5 &
'                   BGVB6
'
'   Notes   :   Classe multimédia qui, lorsqu'elle est
'           :   transformée en objet vous permet de charger
'           :   et d'utiliser des fichiers multimédias,
'           :   tels que du son et de la vidéo.
'----------------------------------------------------

' -=-=-=- PROPRIETES -=-=-=-
' Filename      Détermine le nom du fichier courant
' Length        Longueur du fichier (lecture seule)
' Position      Position courante dans le fichier
' Status        Statut courant de l'objet (lecture seule)
' Wait          Vrai/Faux...indique à VB d'attendre jusqu'à
'               ce que le fichier soit lu

' -=-=-=- METHODES -=-=-=-=-
' mmOuvrir <Filename>   Ouvre le fichier choisi
' mmFermer              Ferme le fichier courant
' mmPause               Fait une pause dans la lecture du fichier courant
' mmArrêter             Arrête la lecture et prépare à la fermeture
' mmChercher <Position> Cherche une position dans le fichier
' mmLire                Lit le fichier ouvert


'-------------------------------------------------------
' NOTES
' -----

' Ouvrez un fichier, puis lancez-le. Mettez-le sur pause en réponse
' à une requête de l'utilisateur.
' Arrêtez-le si vous voulez retourner au début et lisez-le à nouveau.
' Fermez le fichier quand vous ne voulez plus le lire.
'-------------------------------------------------------

Private sPseudonyme As String          ' Utilisé en interne pour donner un pseudonyme
                                       ' à la ressource multimédia
Private sNomDeFichier As String        ' Conserve le nom de fichier en interne
Private nLongueur As Single            ' Conserve la longueur du nom du fichier en
                                       ' interne
Private nPosition As Single            ' Conserve la position courante en interne
Private sStatut As String              ' Conserve le statut courant en tant que chaîne
Private bAttendre As Boolean           ' Détermine si VB doit attendre jusqu'à ce que
                                       ' l'exécution soit terminée avant de renvoyer

'------------ DECLARATIONS API -------------
'NB. Ce qui suit constitue une seule ligne de code:
Private Declare Function mciSendString Lib "winmm.dll" _
  Alias "mciSendStringA" (ByVal lpstrCommand As String, _
```

```
        ByVal lpstrReturnString As String, ByVal uReturnLongueur As Long, _
        ByVal hWndCallback As Long) As Long

Public Sub mmOuvrir(ByVal sTheFile As String)

    ' Déclare une variable qui contiendra la valeur renvoyée par mciSendString
    Dim nRenvoyer As Long

    ' Déclare une variable de chaîne qui contiendra le type de fichier
    Dim sType As String

    ' Ouvre le fichier multimédia choisi et ferme tout autre fichier qui
    ' pourrait être ouvert
    If sPseudonyme <> "" Then
        mmFermer
    End If

    ' Détermine de quel type est le fichier à partir de son extension
    Select Case UCase$(Right$(sTheFile, 3))
        Case "WAV"
            sType = "Waveaudio"
        Case "AVI"
            sType = "AviVideo"
        Case "MID"
            sType = "Sequencer"
        Case Else
            ' Si l'extension de fichier n'est pas reconnue, terminer
            '   la procédure
            Exit Sub
    End Select
    sPseudonyme = Right$(sTheFile, 3) & Minute(Now)

    ' À ce stade aucun fichier n'est ouvert, mais nous avons déterminé
    ' le type du fichier. Nous pouvons à présent l'ouvrir.
    ' Note: Si le nom contient un espace, il doit figurer entre 'guillemets'
    If InStr(sTheFile, " ") Then sTheFile = Chr(34) & sTheFile & Chr(34)
    nRenvoyer = mciSendString("Open " & sTheFile & " ALIAS " & sPseudonyme _
            & " TYPE " & sType & " Wait", "", 0, 0)
End Sub

Public Sub mmFermer()
    ' Ferme le fichier multimédia

    ' Déclare une variable qui contiendra la valeur renvoyée par
    ' la commande mciSendString
    Dim nRenvoyer As Long

    ' Si aucun fichier n'est ouvert, termine la procédure
    If sPseudonyme = "" Then Exit Sub

    nRenvoyer = mciSendString("Close " & sPseudonyme, "", 0, 0)
    sPseudonyme = ""
    sNomDeFichier = ""

End Sub

Public Sub mmPause()
    ' Fait une pause dans la lecture du fichier
```

```vb
    ' Déclare une variable qui contiendra la valeur renvoyée par
    ' la commmande mciSendString
    Dim nRenvoyer As Long

    ' Si aucun fichier n'est ouvert, termine la procédure
    If sPseudonyme = "" Then Exit Sub

    nRenvoyer = mciSendString("Pause " & sPseudonyme, "", 0, 0)

End Sub

Public Sub mmLire()
    ' Exécute le fichier ouvert, à partir de la position courante

    ' Déclare une variable qui contiendra la valeur renvoyée par
    ' la commande mciSendString
    Dim nRenvoyer As Long

    ' Si aucun fichier n'est ouvert, termine la procédure
    If sPseudonyme = "" Then Exit Sub

    ' Exécute le fichier
    If bAttendre Then
        nRenvoyer = mciSendString("Play " & sPseudonyme & " wait", "", 0, 0)
    Else
        nRenvoyer = mciSendString("Play " & sPseudonyme, "", 0, 0)
    End If
End Sub

Public Sub mmArrêter()
    ' Arrête d'utiliser un fichier, qu'il soit en cours de lecture
    ' ou autre

    ' Déclare une variable qui contiendra la valeur renvoyée par mciSendString
    Dim nRenvoyer As Long

    ' Si aucun fichier n'est ouvert, termine la procédure
    If sPseudonyme = "" Then Exit Sub

    nRenvoyer = mciSendString("Stop " & sPseudonyme, "", 0, 0)

End Sub

Public Sub mmChercher(ByVal nPosition As Single)
    ' Cherche une position spécifique dans le fichier

    ' Déclare une variable qui contiendra la valeur renvoyée par
    ' la fonction mciSendString
    Dim nRenvoyer As Long

    nRenvoyer = mciSendString("Seek " & sPseudonyme & " to " & nPosition, "",
         0, 0)

End Sub

Property Get Filename() As String
    ' Routine qui renvoie une valeur quand le programmeur demande l'objet
    ' contenant la valeur de sa propriété Filename
```

```vb
        Filename = sNomDeFichier
End Property

Property Let Filename(ByVal sTheFile As String)
        ' Routine qui définit la valeur de la propriété filename, si le
        ' programmeur le décide. Ceci implique que le programmeur veuille
        ' ouvrir un fichier, auquel cas le contrôle passe vers la routine mmOuvrir
    mmOuvrir sTheFile
End Property

Property Get Wait() As Boolean
' Routine qui renvoie la valeur de la propriété wait de l'objet
    Wait = bAttendre
End Property

Property Let Wait(bAttendreValue As Boolean)
' Routine qui définit la valeur de la propriété wait de l'objet
    bAttendre = bAttendreValue
End Property

Property Get Length() As Single
        ' Routine qui renvoie la longueur du fichier multimédia ouvert

        ' Déclare une variable qui contiendra la valeur renvoyée
        ' par mciSendString
    Dim nRenvoyer As Long, nLongueur As Integer

        ' Déclare une chaîne qui contiendra la longueur renvoyée par
        ' l'appel de statut MCI
    Dim sLongueur As String * 255

        ' S'il n'y a aucun fichier ouvert, renvoie 0
    If sPseudonyme = "" Then
        Length = 0
        Exit Property
    End If

    nRenvoyer = mciSendString("Status " & sPseudonyme & " length", sLongueur,
        ⤷ 255, 0)
    nLongueur = InStr(sLongueur, Chr$(0))
    Length = Val(Left$(sLongueur, nLongueur - 1))
End Property

Property Let Position(ByVal nPosition As Single)
        ' Définit la propriété Position en cherchant
    mmChercher nPosition
End Property

Property Get Position() As Single
        ' Renvoie la position courante dans le fichier

        ' Déclare une variable qui contiendra la valeur renvoyée par mciSendString
    Dim nRenvoyer As Integer, nLongueur As Integer

        ' Déclare une variable qui contiendra la position renvoyée
        ' par la commande mci Status position
    Dim sPosition As String * 255
```

```
        ' Si aucun fichier n'est ouvert, ferme la procédure
    If sPseudonyme = "" Then Exit Property

        ' Trouve la position et la renvoie
    nRenvoyer = mciSendString("Status " & sPseudonyme & " position", sPosition,
            ↳ 255, 0)
    nLongueur = InStr(sPosition, Chr$(0))
    Position = Val(Left$(sPosition, nLongueur - 1))
End Property

Property Get Status() As String
    ' Renvoie le statut exécution/enregistrement du fichier courant
    ' Déclare une variable qui contiendra la valeur renvoyée par mciSendString
    Dim nRenvoyer As Integer, nLongueur As Integer

    ' Déclare une variable qui contiendra la chaîne de renvoi mciSendString
    Dim sStatut As String * 255

        ' Si aucun fichier n'est ouvert, ferme la procédure
    If sPseudonyme = "" Then Exit Property

    nRenvoyer = mciSendString("Status " & sPseudonyme & " mode", sStatut,
                ↳ 255, 0)

    nLongueur = InStr(sStatut, Chr$(0))
    Status = Left$(sStatut, nLongueur - 1)

End Property
```

Une fois que vous aurez fini de taper ceci, allez à la fenêtre Propriétés et changez le nom de la classe en MMedia. Enregistrez-la ensuite sur le disque dur et appelez-la MMedia.cls. Enregistrez la feuille principale du projet sous TestMM.frm et le projet sous TestMM.vbp. Nous l'utiliserons plus tard et, sait-on jamais, vous voudrez peut-être réutiliser la classe dans vos projets à venir.

Cette classe transforme un jeu d'appels multimédias courants en une classe autonome. Lorsqu'un objet est créé à partir de cette classe, il fonctionne exactement de la même façon qu'un contrôle : vous pouvez définir et examiner ses propriétés, ainsi que ses méthodes. Cela correspond à la façon dont nous concevons les contrôles et rend l'utilisation des appels API invisible.

Les méthodes prises en charge par la classe sont les suivantes :

Méthode	Description
MmOuvrir	Ouvre un fichier (vidéo, son, musique, etc.) pour qu'il soit lu.
MmFermer	Ferme le fichier ouvert, empêchant toute lecture.
MmPause	Fait une pause dans la lecture du fichier courant.
MmArrêter	Arrête la lecture de façon permanente.
MmChercher	Cherche une position spécifique dans le fichier.
MmLire	Lance le fichier ouvert.

Ces méthodes sont toutes des routines individuelles de `MMedia.cls` qui utilisent toutes des appels API dans une certaine mesure. Nous observerons en détail certaines d'entre elles ultérieurement pour vous donner une idée de la façon dont le code se met en place.

Les propriétés suivantes sont mises en place en tant que procédures de propriétés dans le fichier source :

Propriétés	Description
Filename	Nom du fichier ouvert.
Length	Longueur du fichier ouvert.
Position	Position actuelle dans le fichier. Vous pouvez utiliser ceci avec la propriété Length pour donner à l'utilisateur un aperçu visuel du statut de l'exécution.
Status	Texte qui indique le statut du fichier (lecture, pause, arrêt, etc.).
Wait	Définir ceci comme True pour arrêter votre code jusqu'à ce que l'exécution soit terminée, ou comme False pour le multitâche.

Avant que nous n'étudiions le fonctionnement de la classe, voyons la façon dont elle s'utilise. Nous verrons également comment l'incorporation des appels API dans une application peut être transparente si vous emballez les appels dans une classe VB.

Passons à la pratique ! Utiliser la classe multimédia

1   Ouvrez le projet `TestMM.vbp` que nous venons de créer.

2   Ajuster les dimensions de la feuille principale et dessinez-y un bouton de commande et un contrôle de boîtes de dialogue communes, de façon à obtenir ce qui suit :

Si vous n'arrivez pas à trouver le contrôle des boîtes de dialogue communes dans votre boîte à outils, ajoutez-le en sélectionnant **Composants** *dans le menu* **Projet** *et vérifiez la boîte d'options* **Microsoft Common Dialog Control 6.0**.

3   Nous voulons faire apparaître les boîtes de dialogue communes lorsque le bouton de commande est utilisé, pour que l'utilisateur puisse sélectionner un nom de fichier. Affichez la fenêtre de code de l'événement de bouton de commande `Click` et insérez ce qui suit :

603

```
Private Sub Command1_Click()

  With CommonDialog1
    .Filter = "WaveAudio (*.wav)|*.wav|Midi (*.mid)|*.mid|Video files
           ⬐ (*.avi)|*.avi"
    .FilterIndex = 0
    .ShowOpen
  End With

End Sub
```

4 Si vous exécutez le programme maintenant et que vous cliquez sur le bouton de commande, vous verrez la boîte de dialogue d'ouverture de fichier apparaître, qui vous demandera de sélectionner un fichier multimédia :

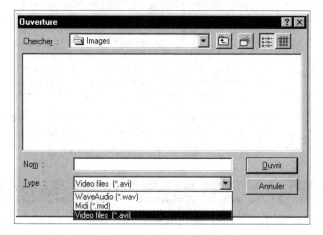

5 Cela a été facile jusqu'à présent ; tout ce qui reste à faire, c'est de transformer la classe multimédia en objet, pour que vous puissiez l'utiliser. Annulez la boîte de dialogue et retournez en mode création, de façon à pouvoir insérer juste encore un peu de code. Rappelez l'événement `Click` du bouton de commande et changez-le, pour qu'il ait l'aspect suivant :

```
Private Sub Command1_Click()

  Dim Multimedia As New MMedia

  With CommonDialog1
    .Filter = "WaveAudio (*.wav)|*.wav|Midi (*.mid)|*.mid|Video files ⬐ (*.avi)|*.avi"
    .FilterIndex = 0
    .ShowOpen
  End With

  If CommonDialog1.Filename <> "" Then
    Multimedia.mmOuvrir CommonDialog1.Filename
    Multimedia.mmLire
  End If

End Sub
```

6 Exécutez le programme. Trouvez un fichier multimédia sur votre disque dur (il devrait y en avoir quelques-uns dans `Windows\Media`) et amusez-vous :

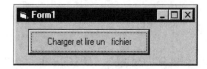

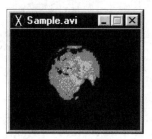

7 Enregistrez ce projet, car nous le réutiliserons dans un moment.

Vous aurez évidemment besoin d'une carte son pour lire les fichiers WAV et MID.

Fonctionnement

Dans la première ligne du code de l'événement `Click` du bouton de commande, nous créons un objet multimédia issu de la classe `MMedia`. Ceci transforme une classe (qui est quelque chose de théorique) en objet (quelque chose que l'on peut utiliser).

*Pour ceux d'entre vous qui ont l'esprit plus technique, on appelle ce processus **instanciation**.*

```
Private Sub Command1_Click()

    Dim Multimedia As New MMedia
```

Les quatre lignes de code que nous avons ajoutées à la fin utilisent notre nouvel objet multimédia en ouvrant le fichier sélectionné par la méthode `mmOuvrir` de la classe et en le lisant par le biais de la méthode `mmLire` :

```
If CommonDialog1.Filename <> "" Then
    Multimedia.mmOuvrir CommonDialog1.Filename
    Multimedia.mmLire
End If
```

Comme vous pouvez le voir dans l'exemple, le fait d'emballer les appels API dans une classe simplifie la vie. Si cette classe était adoptée par une société commerciale, les programmeurs qui l'utilisent n'auraient pas à savoir quoi que ce soit sur les appels API sous-jacents ; leur unique formation consisterait à savoir utiliser la classe multimédia.

Cela présente, bien entendu, d'autres avantages. Une fois que vous êtes passé par le rituel des réinitialisations régulières au fur et à mesure que vous trouvez et éliminez les bogues dans votre code d'appel API, vous ne voulez pas recommencer dans un autre projet. L'emballage de la partie API dans une classe fournit une capacité 'plug-in' sûre et testée.

Comprendre la classe multimédia

Alors que Visual Basic est utile pour libérer le programmeur de certaines des complexités sous-jacentes de Windows, il reste certains domaines dans lesquels les API ne peuvent être surpassées, notamment le multimédia.

Par exemple, la classe multimédia que vous venez d'écrire n'utilisait qu'un seul appel API : `mciSendString`. Avant d'étudier le code de façon plus approfondie, il est utile de l'examiner.

L'interface du contrôle multimédia

Windows est en fait composé d'un certain nombre de sous-systèmes : des entités séparées dans Windows qui gèrent des domaines entiers de fonctionnalités. L'un de ces domaines s'appelle la **MCI (Multimedia Control Interface :** `interface de contrôle multimédia`), qui fournit un moyen indépendant du périphérique d'utiliser les fonctions multimédias de Windows par le biais du code.

Indépendant du périphérique ? À l'époque du DOS, un programmeur écrivant un jeu vidéo, par exemple, devait savoir manipuler tous les standards existants et les différents types de cartes son et vidéo pour pouvoir satisfaire le marché des jeux. L'indépendance du périphérique, ainsi que les pilotes que Windows fournit, permettent de trouver n'importe quelle carte son ou vidéo, etc., avec le même code, du moment qu'elle est prise en charge par Windows.

La MCI propose ce niveau d'indépendance en plaçant un ensemble de fonctionnalités entre vous, programmeur, et les périphériques que vous utiliseriez en temps normal pour manipuler des données multimédia, notamment les cartes vidéo et son.

Toute cette théorie est bien jolie, mais comment est-ce que la MCI fonctionne exactement, et comment permet-elle cette indépendance ? La réponse aux deux questions est que la MCI est responsable de la communication avec les pilotes de périphériques de Windows, ainsi qu'avec le matériel multimédia. Vous, programmeur, envoyez des commandes MCI par le biais de l'appel API `mciSendString`. Ces commandes sont ensuite traduites en appels au pilote Windows approprié et vous n'avez donc pas à vous en soucier.

En termes de Visual Basic, la MCI est une classe Windows intégrée, que nous avons surclassée dans l'exemple précédent.

Mais le fait que les programmeurs envoient des commandes aux MCI n'est-il pas quelque peu étrange ? Effectivement. Normalement, lorsque vous avez affaire à des appels API, vous appelez les procédures et fonctions intégrées dans Windows pour faire quelque chose. La MCI est véritablement un objet indépendant. Elle peut être programmée par le biais de son propre langage de programmation. Lorsque vous utilisez `mciSendString`, vous programmez en fait la MCI, tout aussi facilement que si vous déclenchiez des commandes Visual Basic de la fenêtre de débogage.

Utiliser mciSendString

Le format de `mciSendString` est le suivant :

```
<ResultCode>        =        mciSendString("<Command>",        <ReturnString>,
<ReturnLongueur>, <CallbackHandle>)
```

`<ResultCode>` est un nombre entier long et varie selon la commande saisie. La partie `<Command>` (notez qu'elle est en code, elle est donc passée comme chaîne littérale) est la commande que vous envoyez à la MCI, telle que `Play` pour lire un fichier, `Open` pour l'ouvrir, etc. Nous verrons ultérieurement et en détail les commandes que la MCI comprend, mais pour l'instant, voyons le reste des paramètres.

Certaines commandes MCI renvoient une valeur de chaîne au programme. La commande `Status` de la MCI, par exemple, peut renvoyer une chaîne qui indique à votre code si un fichier est en position `Arrêt`, `Pause`, `Lecture`, etc. La variable de chaîne que vous placez ici contiendra la chaîne renvoyée.

L'appel API doit savoir quelle quantité de données il peut mettre dans cette variable de chaîne. En conséquence, le paramètre suivant qui est passé est un nombre qui correspond à la longueur de la chaîne. C'est pourquoi si vous envoyez à la MCI une commande qui renvoie une chaîne, vous devez passer à l'appel une variable de chaîne de longueur fixe et indiquer à `mciSendString` la longueur de cette chaîne :

```
Dim sReturnString As String * 255
Dim nRenvoyer As Long

nRenvoyer = mciSendString("status waveaudio mode", sReturnString, 255, 0)
```

Ne vous préoccupez pas à ce stade de la fonction de cette commande spécifique, mais notez l'utilisation d'une chaîne de longueur fixe. L'ajout de `* 255` à la déclaration de `sReturnString` indique à Visual Basic de fixer sa longueur à 255 caractères.

Le dernier paramètre, `<CallbackHandle>`, est quelque peu spécialisé et nous n'allons pas l'utiliser dans le présent manuel. Cependant, afin de satisfaire votre curiosité, voici une brève description de ce qu'il signifie.

Les fonctions de rappel de Visual Basic

Les **fonctions de rappel** ne sont véritablement utilisées que par ceux qui écrivent du code en C, C++, Delphi, ou un autre langage compilé de bas niveau, mais pas Visual Basic. Cependant, depuis la version 5, Visual Basic vous permet d'utiliser des rappels dans votre code, sans avoir besoin de compléments spéciaux, qui constituaient la seule façon de les faire fonctionner dans les versions précédentes.

Lorsque vous utilisez des procédures et des fonctions API normalement, votre code n'a aucun moyen de savoir ce qui se passe pendant que la routine est en cours d'exécution. Vous devez attendre qu'elle se termine, puis examiner la valeur renvoyée. Le principe du rappel est qu'une fonction API peut appeler des routines qui figurent dans *votre* code Visual Basic, pendant l'exécution de la routine API.

Pour ce faire, vous devez créer une fonction `Public` dans un module de code Visual Basic, qui comporte le nombre et le type corrects de paramètres, comme l'exigeant la routine API. Puis, lorsque vous appelez la routine API, vous lui envoyez un **pointeur** (l'adresse dans la mémoire) de votre fonction de rappel VB en utilisant le nouvel opérateur `AddressOf` de Visual Basic :

```
nResult = SomeAPIFunction(ParamOne, ParamTwo, AddressOf MyCallback)
```

Lorsque la routine API sera exécutée, elle appellera votre fonction VB en lui passant les paramètres appropriés. Ceci est souvent utilisé pour mettre à jour les barres d'état, pour obtenir des listes de polices système, ainsi que pour effectuer d'autres tâches diverses.

Ainsi que nous l'avons mentionné auparavant, nous n'allons pas examiner les rappels dans le présent manuel. Ils complexifient davantage votre code et peuvent planter votre système. Toutefois, les fichiers d'aide Visual Basic en donnent des exemples si vous voulez les tester davantage.

Ouvrir le fichier Media

Avant de pouvoir dire à la MCI ce qu'elle doit faire, vous devez lui indiquer le fichier sur lequel vous voulez qu'elle effectue une action. C'est comme si vous utilisiez des fichiers disque. Vous devez envoyer la commande `Open` avant de pouvoir faire quoi que ce soit d'autre.

La première partie de ce code devrait être explicite : vous indiquez à la commande `Open` le nom du fichier que vous voulez ouvrir. C'est un nom de fichier standard, tel que `c:\video.avi` :

```
Open <NomDuFichier> Type <typestring> Alias <unNom>
   ...
   ...
   'Émet des commandes qui font quelque chose au fichier
   ...
   ...
Close <unNom>
```

Après le mot clé `Type`, vous devez indiquer à Windows le type de fichier dont il s'agit. Les fichiers standard Windows sont `WaveAudio` pour les fichiers `WAV`, `AVIVideo` pour les fichiers `AVI` et `Sequencer` pour les fichiers `MID`.

Enfin, vous pouvez demander à la MCI d'attribuer un `Alias` au fichier que vous venez de créer et que vous utiliserez désormais pour vous référer au fichier ouvert. C'est à peu près comme lorsque vous nommez une variable, dans la mesure où le nom peut prendre la forme que vous souhaitez. Par exemple :

```
Open c:\video.avi Type AVIVideo Alias Peter
```

Si vous envoyiez ceci à la MCI avec `MCISendString`, cela lui indiquerait d'ouvrir un fichier appelé `c:\video.avi` en tant que fichier vidéo Microsoft et dans les commandes MCI à venir, nous ferons référence à ce fichier en utilisant le nom `Peter`.

Une fois qu'elles sont ouvertes, les commandes MCI normales peuvent être émises en utilisant ce pseudonyme pour lire le fichier, l'arrêter, le mettre en pause, rechercher son statut, etc. Par exemple :

```
Play Peter
Pause Peter
Stop Peter
```

Il existe littéralement des centaines de combinaisons de commandes MCI que vous pouvez utiliser et nous verrons les plus courantes ultérieurement.

Une fois que vous avez fait ce que vous avez à faire avec un fichier, vous devez le fermer en envoyant la commande Close, suivie du pseudonyme du fichier que vous traitez :

```
nRenvoyer = mciSendString("Close Peter", "",0,0)
```

Observons le fonctionnement du code et voyons un peu plus en détail ce que notre nouvelle classe peut faire :

Passons à la pratique ! Afficher le statut et la position d'un fichier multimédia

1   Ouvrez le projet TestMM.vbp que nous venons de créer.

2   Nous allons ajouter certains contrôles pour voir comment les propriétés Status et Position de notre classe MMedia peuvent être utilisées. Ajoutez des contrôles ProgressBar, Label et Timer à votre feuille, pour qu'elle ait l'aspect suivant :

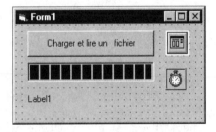

Si vous ne trouvez pas la barre d'avancement dans votre boîte à outils, ajoutez-la dans **Composants** *du menu* **Projet** *et vérifiez la boîte d'options* **Microsoft Windows Common Controls 6.0.**

3   Ouvrez la fenêtre Propriétés du contrôle **Timer** et fixez sa propriété **Enabled** sur **False**, ainsi que sa propriété **Interval** sur **500**. Supprimez la légende de l'étiquette en même temps.

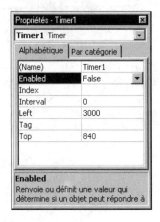

4   Double-cliquez sur le bouton **Charger et lire un fichier** pour ouvrir la fenêtre de code de son événement `Click`. Ajoutez au code les lignes en surbrillance ci-dessous :

```
Private Sub Command1_Click()
    ...
    'autre code existant ici
    ...
    If CommonDialog1.Filename <> "" Then
        Multimedia.Wait = False
        Multimedia.mmOuvrir CommonDialog1.Filename
        ProgressBar1.Value = 0
        ProgressBar1.Max = Multimedia.Length
        Timer1.Enabled = True
        Multimedia.mmLire
    End If
End Sub
```

5   Revenez à la feuille et double-cliquez sur le contrôle `Timer1` pour ouvrir la fenêtre de code de son événement `Timer`. Ajoutez-y le code suivant :

```
Private Sub Timer1_Timer()

    ProgressBar1.Value = Multimedia.Position
    Label1 = "Status: " & Multimedia.Status
    If ProgressBar1.Value = ProgressBar1.Max Then
        Multimedia.mmFermer
        Timer1.Enabled = False
    End If

End Sub
```

Le code pose un problème dans sa forme actuelle. Nous avons défini la variable qui fait référence à l'instance de notre classe `MMedia` dans la routine d'événement `Command1_Click()`. Nous voulons également nous y référer à partir de notre routine d'événement `Timer1_Timer()`.

6   Dans l'événement `Click` de notre bouton de commande, sélectionnez la ligne qui déclare la variable `Multimédia`, appuyez sur *Ctrl-X* pour la couper et la placer dans le presse-papiers. Ceci la supprime de la routine d'événement `Command1_Click()`. Puis sélectionnez (**Général**) dans la liste déroulante en haut à gauche de la fenêtre code et appuyez sur *Ctrl-V* pour la coller dans la section (Général) (Déclarations), où elle sera disponible pour tout le code de cette feuille :

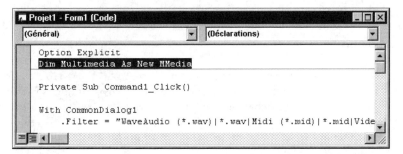

7   Nous sommes donc prêts à nous lancer. Cliquez sur le bouton **Charger et lire un fichier** et sélectionnez un fichier multimédia, comme nous l'avons fait auparavant. Pour changer un peu, nous allons choisir l'une des vidéos « Bienvenue dans Windows 95 » du CD-ROM Windows.

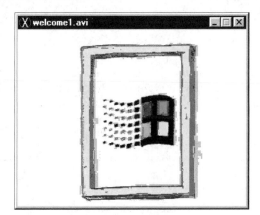

8   La barre d'avancement affiche notre emplacement dans le fichier, ainsi que le statut ; dans le cas présent, **lecture**. Lorsque la vidéo est terminée, le statut devient : **arrêt**.

Fonctionnement

Cet exemple permet de vous montrer en détail le fonctionnement de certaines parties de la classe `MMedia` et la manière dont nous les avons utilisées. Dans les paragraphes suivants, nous allons parcourir les sections de code que vous avez déjà insérées à partir des listes ci-dessus. Vous n'aurez pas à ajouter de nouveau code, il vous suffit de suivre les explications.

Voyons tout d'abord le code qui est exécuté lorsque vous cliquez sur le bouton **Charger et lire un fichier**. Nous avons ajouté quatre lignes à la routine que vous avez vue dans l'exemple précédent. Elles concernent toutes la définition des contrôles sur la feuille et les propriétés de l'objet `Multimedia` :

```
If CommonDialog1.Filename <> "" Then
      Multimedia.Wait = False
      Multimedia.mmOuvrir CommonDialog1.Filename
      ProgressBar1.Value = 0
      ProgressBar1.Max = Multimedia.Length
      Timer1.Enabled = True
      Multimedia.mmLire
   End If
```

Notre classe `Mmedia`, et par conséquent notre objet `Multimedia`, comportent une propriété appelée `Wait`. Celle-ci détermine si le code de notre programme VB continuera de s'exécuter (multitâche) pendant que le fichier est en cours de lecture ou s'arrêtera et attendra qu'il termine, comme dans l'exemple précédent. La méthode `mmLire` de la classe, que nous utiliserons pour lire le fichier, examine la valeur d'une variable privée de la classe `bAttendre`. Si c'est `True`, elle inclut le fichier `Wait` dans l'appel `mciSendString` :

```
Public Sub mmLire()        'dans la classe MMedia
   Dim nRenvoyer As Long
   If sPseudonyme = "" Then Exit Sub
   If bAttendre Then
      nRenvoyer = mciSendString("Play " & sPseudonyme & " Wait", "", 0, 0)
   Else
      nRenvoyer = mciSendString("Play " & sPseudonyme, "", 0, 0)
   End If
End Sub
```

Comment la valeur correcte de `bAttendre` est-elle définie ? Nous avons vu dans la section sur les modules de classe que nous pouvons fournir des routines de propriétés qui permettent de définir et de lire les valeurs de variables internes tout comme des propriétés de contrôles Visual Basic normales :

```
Property Get Wait() As Boolean
   'La routine doit renvoyer la valeur de la propriété Wait de l'objet
   Wait = bAttendre
End Property

Property Let Wait(bAttendreValue As Boolean)
   'La routine doit définir la valeur de la propriété Wait de l'objet
   bAttendre = bAttendreValue
End Property
```

La prochaine étape consiste à ouvrir le fichier que nous voulons lire. Pour ce faire, nous utilisons la méthode `mmOuvrir` de la classe `MMedia`.

Ouvrir le fichier

Nous déclarons tout d'abord quelques variables locales qui contiendront des valeurs temporaires. Nous les verrons bientôt. Viendra ensuite du code destiné à construire la chaîne de commande, avant que nous l'envoyions à la MCI :

```
Public Sub mmOuvrir(ByVal sTheFile As String)
    Dim nRenvoyer As Long
    Dim sType As String

    If sPseudonyme <> "" Then
        mmFermer
    End If

    Select Case UCase$(Right$(sTheFile, 3))
        Case "WAV"
            sType = "Waveaudio"
        Case "AVI"
            sType = "AviVideo"
        Case "MID"
            sType = "Sequencer"
        Case Else
            Exit Sub
    End Select

    sPseudonyme = Right$(sTheFile, 3) & Minute(Now)
    If InStr(sTheFile, " ") Then sTheFile = Chr(34) & sTheFile & Chr(34)
    nRenvoyer = mciSendString("Open " & sTheFile & " ALIAS " & sPseudonyme _
            & " TYPE " & sType & " wait", "", 0, 0)
End Sub
```

Examinons tout ceci. Dans un premier temps, la routine `mmOuvrir` vérifie une variable de niveau de classe/niveau de module appelée `sPseudonyme`.

```
If sPseudonyme <> "" Then
    mmFermer
End If
```

Chaque fois que vous avez affaire à la MCI, il est bon d'attribuer des pseudonymes à chaque fichier que vous avez ouvert. Dans le cas présent, la classe `MMedia` trouve un nom pour le pseudonyme et le stocke dans `sPseudonyme`. Lorsque par la suite vous ouvrirez un fichier avec `mmOuvrir`, ou que vous définirez la propriété nom de fichier, le code pourra le vérifier et appeler une autre routine qui fermera le premier fichier. Le fait de fermer des fichiers multimédia lorsque vous n'en avez plus besoin libère de la mémoire et accélère la lecture, ce qui est toujours utile.

La construction `Select Case` est ensuite utilisée pour déterminer le type du fichier. Lorsque vous ouvrez un fichier avec la MCI, vous devez lui indiquer le type de données que le fichier contient. C'est ce que fait `Select Case` dans le cas présent, en stockant le nom du type MCI dans la variable `sType` déclarée au début de la routine :

```
Select Case UCase$(Right$(sTheFile, 3))
    Case "WAV"
        sType = "Waveaudio"
    Case "AVI"
        sType = "AviVideo"
    Case "MID"
        sType = "Sequencer"
    Case Else
        Exit Sub
End Select
```

À ce stade, tout fichier ouvert a été fermé et le nom de type du nouveau fichier a été stocké dans sType. Tout ce qui reste à faire, c'est de décider d'un pseudonyme pour le fichier, puis de l'ouvrir.

Les pseudonymes doivent être uniques, puisque la MCI peut avoir plusieurs fichiers ouverts ou en cours de lecture. Étant donné que nous ne voulons pas rendre les choses plus complexes pour l'utilisateur de la classe, il est pratique de laisser la classe décider du pseudonyme :

```
sPseudonyme = Right$(sTheFile, 3) & Minute(Now)
```

Ce qu'elle fait en prenant les trois caractères à partir de la droite du nom de fichier et en y ajoutant les minutes du temps système courant. Ainsi, s'il était 16h15 quand vous avez ouvert `c:\vidéo.avi`, le pseudonyme défini par la classe sera AVI15. Le pseudonyme nouvellement calculé est ensuite stocké dans la variable de niveau de module sPseudonyme que nous avons vérifiée au début de la procédure. La valeur dans sPseudonyme est ensuite utilisée dans le reste du module chaque fois que nous avons besoin de faire quelque chose au fichier ouvert, comme le lire.

Donc, armé du type de fichier dans une variable, du pseudonyme dans une deuxième et du nom de fichier dans une troisième, nous pouvons enfin envoyer la commande Open à la MCI. La seule contrainte est la nécessité de mettre entre guillemets (")les noms de fichiers qui contiennent des espaces :

```
If InStr(sTheFile, " ") Then sTheFile = Chr(34) & sTheFile & Chr(34)
nRenvoyer = mciSendString("Open " & sTheFile & " ALIAS " & sPseudonyme & " TYPE " & sType &
" wait", "", 0, 0)
```

La commande envoyée est Open, suivie du nom de fichier, suivi de ALIAS puis du nouveau pseudonyme (stocké dans sPseudonyme), suivi de TYPE puis du type et enfin du mot wait.

L'instruction wait à la fin indique à l'API d'arrêter l'exécution du code VB avant qu'elle n'ait terminé de charger le fichier. Sans cela, des problèmes peuvent survenir sur une machine rapide munie d'un disque dur lent : vous pouvez essayer de lire le fichier avant qu'il ne soit chargé, simplement parce que le code va plus vite que le disque dur. Notez que l'instruction est différente de la propriété Wait que nous avons vue auparavant, qui vérifie si votre programme continue à fonctionner pendant que le fichier est en *lecture*, non en cours de *chargement*.

Nous pouvons donc définir la barre d'avancement qui sera prête à afficher la progression de la lecture du fichier. Cependant, nous devons savoir quelle est sa longueur, de façon à définir la valeur Max de la barre d'avancement. Bien entendu, il nous faudra connaître la position relative dans le fichier à intervalles réguliers pour pouvoir la mettre à jour pendant la lecture. Voici l'événement Command1_Click à nouveau. Jusqu'à présent, nous n'avons réussi qu'à ouvrir le fichier que nous voulons lire :

```
If CommonDialog1.Filename <> "" Then
    Multimedia.Wait = False
    Multimedia.mmOuvrir CommonDialog1.Filename
    ProgressBar1.Value = 0
    ProgressBar1.Max = Multimedia.Length
    Timer1.Enabled = True
    Multimedia.mmLire
End If
```

Le code en surbrillance ci-dessus correspond à la partie qui s'occupe de définir la barre d'avancement. Nous avons défini sa `Value` (valeur) courante à `0`, qui la remet à zéro par rapport à la dernière fois où elle a été utilisée (si un autre fichier a déjà été lu). Nous avons ensuite défini sa valeur `Max` comme la longueur du fichier que nous venons d'ouvrir, en utilisant la propriété `Length` de l'objet `Multimedia`.

Déterminer la longueur du fichier

Nous pouvons utiliser `mciSendString` pour *renvoyer* des valeurs, mais aussi pour les *définir*. La propriété `Length` de notre classe `MMedia` est en lecture seule, car nous n'avons pas fourni de routine `Property Let`. Nous ne nous attendrions pas à définir la longueur du fichier de toute façon. Toutefois, vous vous rappelez peut-être que nous disposons de `Property Get` qui renvoie la longueur du fichier actuellement ouvert :

```
Property Get Length() As Single
    Dim nRenvoyer As Long, nLongueur As Integer
    Dim sLongueur As String * 255
    If sPseudonyme = "" Then
        Length = 0
        Exit Property
    End If
    nRenvoyer = mciSendString("Status " & sPseudonyme & " Length", sLongueur,
        ⵑ 255, 0)
    nLongueur = InStr(sLongueur, Chr$(0))
    Length = Val(Left$(sLongueur, nLongueur - 1))
End Property
```

Dans un premier temps, `sPseudonyme` est vérifié pour voir si un fichier a été ouvert. Si cela n'est pas le cas, la valeur renvoyée par la procédure de propriété est `0`. Si un fichier est ouvert, la commande `Status Length` de la MCI est utilisée pour déterminer sa longueur.

Vous n'avez pas à vous préoccuper de la façon dont la longueur du fichier est mesurée, étant donné que n'importe quelle unité de mesure permet de définir la barre d'avancement. Pour votre information, vous pouvez définir l'unité de mesure selon plusieurs valeurs, allant d'images dans un clip vidéo à des millièmes de secondes dans un fichier son. Toutefois, l'énumération complète de ces unités ne fait pas partie de notre propos.

La commande `Status` est une commande MCI plutôt spéciale, qui peut être utilisée conjointement avec des mots clés tels que `Length`, `Position` et `Mode` pour trouver un grand nombre d'informations relatives au fichier courant. Elle renvoie ces informations dans une variable de chaîne de longueur fixe qui est passée à `mciSendString` après la commande MCI. Dans le présent exemple, la chaîne renvoyée s'appelle `sLongueur` et elle est déclarée comme ayant `255` caractères.

Bien entendu, la commande `Status` ne vous renverra pas toujours `255` caractères, surtout si vous voulez seulement savoir quelle est la longueur du fichier. L'espace inutilisé dans la chaîne est comblé par le caractère `0`, nous facilitant l'utilisation de la fonction `InStr` de VB pour définir exactement la longueur des données renvoyées et les extraire.

```
    nRenvoyer = mciSendString("Status " & sPseudonyme & " Length", sLongueur,
            ⵑ 255, 0)
    nLongueur = InStr(sLongueur, Chr$(0))
    Length = Val(Left$(sLongueur, nLongueur - 1))
```

lci, la position du premier `Chr(0)` est stockée dans `nLongueur`, puisque `InStr` renvoie la position du caractère dans lequel la donnée recherchée est située, ou 0 si elle ne trouve pas ce que vous cherchez. Ceci nous donne suffisamment d'informations pour extraire les caractères situés du côté gauche de la chaîne de longueur fixe, les convertir en un nombre (plutôt qu'une chaîne) et renvoyer cette valeur, prête à aller dans la propriété `Length`.

Déterminer la position courante

Lorsque le fichier est en cours de lecture, la commande `Status Position` peut être utilisée pour trouver exactement la position que la lecture a atteinte. Le code destiné à renvoyer la valeur de la propriété `Position` est étrangement familier :

```
Property Get Position() As Single
    Dim nRenvoyer As Integer, nLongueur As Integer
    Dim sPosition As String * 255
    If sPseudonyme = "" Then Exit Property
    nRenvoyer = mciSendString("Status " & sPseudonyme & " Position", sPosition,
                        ↳ 255, 0)
    nLongueur = InStr(sPosition, Chr$(0))
    Position = Val(Left$(sPosition, nLongueur - 1))
End Property
```

La seule véritable différence cette fois est qu'au lieu d'envoyer `Status Length` à la MCI, nous envoyons `Status Position`.

Déterminer le statut courant

Pour obtenir le message suivant pour le statut, quelquefois appelé **mode**, nous interrogeons la propriété `Status` de la classe. Pour ce faire, nous utilisons une autre routine `Property Get`, qui est presque identique à la propriété `Position` que nous venons de voir.

Les seules différences résident dans le fait que nous envoyons la commande `Status Mode` au lieu de `Status Length` ou `Status Position` à la fonction `mciSendString`. Et, bien entendu, nous n'avons pas besoin de convertir le résultat en nombre, car il est censé être une chaîne de texte :

```
    ...
    nRenvoyer = mciSendString("Status " & sPseudonyme & " Mode", sStatut, 255, 0)
    nLongueur = InStr(sStatut, Chr$(0))
    Status = Left$(sStatut, nLongueur - 1)
    ...
```

Revenons de nouveau à l'événement `Command1_Click` et voyons où nous en sommes. Nous avons jusqu'à présent défini la propriété `Wait`, ouvert le fichier et défini la barre d'avancement. Avant de commencer à lire le fichier, nous allons mettre en marche le contrôle `Timer`. Vous verrez ce qu'il fait dans un moment. Enfin, nous lirons le fichier en appelant la méthode `mmLire` de notre objet `Multimedia` :

```
If CommonDialog1.Filename <> "" Then
        Multimedia.Wait = False
        Multimedia.mmOuvrir CommonDialog1.Filename
        ProgressBar1.Value = 0
        ProgressBar1.Max = Multimedia.Length
        Timer1.Enabled = True
        Multimedia.mmLire
    End If
```

616

Commencer la lecture du fichier

Voici à nouveau le code complet de la méthode `mmLire` de notre classe `MMedia`. Pour l'exécuter, il suffit de l'appeler dans l'objet `Multimédia`. Il vérifie d'abord si un fichier est ouvert en examinant la variable `sPseudonyme` ; si tout est en ordre, il exécute la commande MCI `Play`. Nous avons déjà vu comment définir et utiliser la propriété `Wait`, qui vérifie si la commande est `Play Wait` ou `Play` :

```
Public Sub mmLire()        'dans la classe Media
   Dim nRenvoyer As Long
   If sPseudonyme = "" Then Exit Sub
   If bAttendre Then
      nRenvoyer = mciSendString("Play " & sPseudonyme & " Wait", "", 0, 0)
   Else
      nRenvoyer = mciSendString("Play " & sPseudonyme, "", 0, 0)
   End If
End Sub
```

Mettre à jour la barre d'avancement et les contrôles étiquette

Notre dernière tâche consiste à mettre à jour la barre d'avancement et l'étiquette sur la feuille pendant la lecture du fichier. Nous avons déjà vu tout ce dont nous avons besoin pour accomplir cette tâche. Avant de lancer la lecture du fichier, nous avons activé un contrôle `Timer` avec un `Interval` de 500. Il se déclenchera donc toutes les demi-secondes. Et chaque fois, le code dans la routine d'événement `Timer1_Timer()` s'exécutera :

```
Private Sub Timer1_Timer()
   ProgressBar1.Value = Multimedia.Position
   Label1 = "Status: " & Multimedia.Status
   If ProgressBar1.Value = ProgressBar1.Max Then
      Multimedia.mmFermer
      Timer1.Enabled = False
   End If
End Sub
```

Vous avez probablement pris de l'avance sur moi. Tout ce que le code fait, c'est prendre la valeur de la propriété `Position` de l'objet `Multimedia` et l'attribuer à la propriété `Value` du contrôle `ProgressBar`, mettant à jour l'affichage sur la feuille. Il prend ensuite la propriété courante `Status` de l'objet `Multimedia`, qui est une chaîne de texte, et l'affiche dans le contrôle `Label1` sur la feuille. N'oubliez pas que cela se produit deux fois par seconde.

Le simple fait d'extraire ces propriétés exécute les routines `Property Get` que nous avons écrites dans la classe, qui à leur tour utilisent chaque fois les commandes MCI `Status Position` et `Status Mode`.

Il faut également arrêter le processus lorsque nous atteignons la fin du fichier. Cela se fait en comparant aux valeurs maximales les valeurs courantes de la barre d'avancement. Lorsqu'elles sont identiques, il est temps de fermer le fichier en utilisant la méthode `mmFermer` de l'objet `Multimédia`, qui désactive la minuterie pour empêcher la routine de s'exécuter à nouveau jusqu'à ce qu'un autre fichier soit ouvert.

Résumé de nos commandes MCI

Pour finir, voici une liste des commandes MCI utilisées dans notre classe `Mmedia` :

Commande	Description
Play	Lit un fichier.
Pause	Fait une pause dans la lecture, prêt à redémarrer à tout instant.
Stop	Arrête un fichier ; vous devez chercher une position pour poursuivre la lecture.
Seek	Suivie d'un nombre, recherche cette position dans le fichier.
Status Mode	Renvoie une chaîne indiquant ce que fait le fichier (ex. **Arrêt**, **Pause**, **Lecture**, **Prêt**).
Status Position	Renvoie un nombre indiquant la position dans le fichier que la lecture a atteinte.
Status Length	Renvoie la longueur du fichier et aide à placer le nombre renvoyé par `Status Position` dans un contexte significatif.
Close	Ferme le fichier et libère la mémoire qu'il occupait.

La MCI prend en charge davantage de commandes que celles-ci, ainsi qu'un certain nombre de commandes plus spécialisées pour chaque format de fichier.

J'espère vous avoir montré que même des sujets complexes en apparence, tels que le multimédia, ne sont en fait pas si difficiles qu'ils le paraissent, si vous ne vous préoccupez pas de l'API. De plus l'API elle-même n'est pas aussi cauchemardesque que certains programmeurs VB veulent bien le laisser entendre.

Résumé

Le présent chapitre aurait dû vous donner un aperçu de la puissance qui se cache derrière Visual Basic, comme elle est définie dans le langage même. C'est un vaste sujet et nous n'avons fait qu'entrevoir les grands principes de l'utilisation de l'API Windows.

La responsabilité va de pair avec la puissance, car une fois que vous avez choisi d'opérer en dehors des limites de Visual Basic, vous devez faire attention. Il est utile d'avoir une bonne compréhension de tous les composants de Windows, de façon à écrire des programmes Visual Basic qui fassent partie intégrante de la communauté informatique Windows.

Au cours de cette brève incursion, nous avons vu :

- ❑ Comment Windows et Visual Basic fonctionnent ensemble
- ❑ L'API Windows
- ❑ Comment utiliser l'API Windows pour augmenter la puissance de Visual Basic
- ❑ Comment écrire des applications Windows opérationnelles

Que diriez-vous d'essayer ?

1 L'utilisation de l'API Windows se décompose en deux étapes essentielles. Que faut-il faire pour appeler des procédures ou des fonctions contenues dans une DLL extérieure à l'environnement Visual Basic ?

2 Le passage d'un argument String d'une application Visual Basic à une procédure ou fonction contenue dans une DLL doit-il s'effectuer par référence ou par valeur ?

3 Votre groupe de programmes Visual Basic propose une icône pour la visionneuse de texte API. Cette dernière contient le nom des fonctions et procédures incluses dans différentes DLL, dont l'API Windows. Familiarisez-vous un peu avec ces éléments en chargeant le fichier texte **Win32API** (si vous avez des difficultés à le trouver, utilisez l'outil **Rechercher** de Windows). Le message suivant devrait s'afficher : Ce fichier d'API sera chargé plus vite s'il est converti en base de données. Voulez-vous le convertir tout de suite ? Cliquez sur **Oui**. Le fichier texte est alors converti en base de données Access.

Vous remarquerez qu'il y a trois catégories d'objets visualisables : **Constantes**, **Déclarations** et **Types**. Essayez de trouver une procédure API indiquant le type de lecteur auquel est associée une lettre donnée, afin de savoir, par exemple, si un D désigne un lecteur fixe, un CD-ROM ou un lecteur réseau.

4   Après avoir trouvé la fonction qui détermine le type de lecteur, essayez de répertorier les valeurs qu'elle retourne.

5   Créez un projet avec une seule feuille et un bouton de commande. Lorsque l'utilisateur clique sur ce dernier, affichez une boîte de saisie qui invite cette personne à entrer une lettre de lecteur. Servez-vous de l'API Windows pour déterminer le type de lecteur associé à la lettre saisie et affichez cette information dans un message.

Visual Basic et les composants

Qu'est-ce à dire ? N'avons-nous pas déjà vu cela dans le cadre de la programmation avec les contrôles ? Si, en quelque sorte, mais le développement de composants avec Visual Basic dépasse largement le simple placement de contrôles de la boîte à outils sur une feuille en mode création.

Dans ce chapitre, nous allons nous intéresser à l'environnement général dans lequel s'emploie ActiveX. Vous en avez déjà eu un avant-goût lorsque nous avons utilisé des contrôles ActiveX, nouveaux objets qui remplacent les contrôles OCX et VBX pris en charge par Visual Basic 6. Dans ce chapitre, néanmoins, nous irons plus loin et traiterons des composants ActiveX, des documents ActiveX, et de la liaison et l'incorporation avec OLE. Nous verrons même comment créer un composant avec Visual Basic 6.

Nous aborderons les points suivants :

- ❑ Présentation d'ActiveX et devenir d'OLE 2
- ❑ Utilisation des composants ActiveX, tels que ceux proposés par Microsoft Office
- ❑ Création de vos propres serveurs de composants ActiveX
- ❑ Tout ce que vous avez toujours voulu savoir sur ActiveX, OLE, les composants in process et out of process, et bien d'autres choses encore

De toutes les fonctionnalités VB6, la prise en charge d'ActiveX est de loin la plus intéressante et la plus captivante. Ce chapitre s'intéresse avant tout aux composants ActiveX ; néanmoins, si vous possédez l'édition Professionnelle ou Entreprise de Visual Basic, vous souhaiterez vraisemblablement poursuivre l'exploration au chapitre suivant, qui explique comment créer vos propres contrôles ActiveX. Alors, jetons-nous à l'eau !

DDE, OLE, ActiveX : stop !!

Impressionnant, non ? Les programmeurs soignent leur jargon, surtout parce qu'il donne un aspect nettement plus complexe au travail et les protège donc en laissant croire qu'aucun utilisateur moyen n'est à la hauteur de la tâche. Mais les apparences sont trompeuses : la programmation n'est pas compliquée, et en général, d'ailleurs, plus l'acronyme est déroutant, plus ce qu'il cache est simple. Ainsi, MS-DOS correspond à Microsoft Disk Operating System [Système d'exploitation de disque Microsoft], mais ce sigle tire en fait son origine d'une appellation humoristique qui désignait le code de base du système : Messy Dos [DOS embrouillé, compliqué]. Et ce n'est pas le seul exemple. Alors, vous voilà rassuré ?

Tous les acronymes peu engageants du titre ci-dessus contribuent à un seul et même objectif : permettre aux développeurs de partager des fonctions et des informations entre des applications, et donc de réutiliser plus souvent du code. Vous pourriez même vous montrer malhonnête et employer le code d'autres personnes pour développer des applications personnelles !

L'acronyme qui nous intéresse le plus est bien entendu ActiveX, mais un petit retour en arrière s'impose pour comprendre comment nous en sommes arrivés là.

DDE : Dynamic Data Exchange (Échange dynamique de données)

Ce concept était formidable, mais sa vitesse insuffisante n'a fait que favoriser l'apparition du standard ActiveX, dont nous pouvons aujourd'hui profiter.

Les DLL étaient particulièrement appréciables pour le partage d'une base de code commune entre plusieurs applications, comme les contrôles communs déjà intégrés à Windows 95, par exemple, mais qu'en était-il des programmes qui partageaient leurs informations en mode exécution ? Les développeurs Microsoft ont cherché un moyen pour qu'un programme VB donné puisse extraire des données d'une feuille de calcul Excel précise ou, mieux encore, qu'il mette à jour cette feuille de calcul en fonction des opérations effectuées par l'utilisateur avec l'application VB.

Avec DDE, de telles prouesses devenaient réalisables. Il permettait en effet d'établir une sorte de conversation très simple entre deux programmes, l'un fournissant des informations à l'autre dans une zone prédéfinie. Un miracle... qui a toutefois eu un prix, car de nombreux programmeurs ont connu tant de déboires à mettre toutes ces choses en œuvre qu'ils ont cherché et découvert un autre moyen, moins compliqué, d'arriver au même résultat ! Il s'agissait... de laisser faire l'utilisateur : les développeurs devraient juste lui fournir les outils nécessaires. La première étape était franchie...

OLE : Object Linking and Embedding (Liaison et incorporation d'objets)

Progressons encore un peu. DDE était tout simplement trop contraignant, trop faible et trop compliqué à mettre en œuvre pour un programmeur moyen, sans compter qu'il laissait l'utilisateur lambda désemparé. C'est pourquoi est apparu OLE, conforme à l'esprit du pointer-cliquer et du glisser-déplacer de Windows (à titre indicatif, sachez que cela se prononce « olé » et non « O. L. E »).

Avec les premières applications d'OLE (et dans la mesure où le programme prenait cette fonction en charge, bien sûr), les utilisateurs ont pu déplacer des données d'un programme dans un autre en les faisant littéralement glisser. Vous avez sûrement vu de nombreuses illustrations montrant l'intégration d'un graphique Excel directement dans un document Word : eh bien, c'est OLE qui est derrière tout cela.

La technologie ne cesse d'évoluer cependant, et depuis sa création, OLE s'est considérablement perfectionné et étendu, afin qu'il puisse assumer des fonctions vraiment formidables, comme l'**activation in situ** et l'**automation** (autrefois connues sous le nom « OLE automation »).

A priori, il y a de quoi vous donner des frissons dans le dos. Pourtant, ces fonctions sont en fait si simples que vous les avez probablement déjà souvent utilisées sans même le savoir. Grâce à l'activation in situ, les utilisateurs peuvent double-cliquer sur des données situées dans une application mais créées dans une autre pour exécuter le programme d'origine tout en restant dans l'application courante. Vous n'avez pas tout saisi ? Supposons que vous ayez inséré un graphique Excel dans un document Word et que vous double-cliquiez dessus. Avec l'activation in situ, les menus et barres d'outils de Word sont modifiés pour intégrer ceux du tableur, afin que vous puissiez éditer et changer toutes les propriétés et la présentation de ce graphique en utilisant Excel, MAIS votre document original reste affiché à l'écran et vous ne quittez jamais le traitement de texte.

L'automation est quant à elle une autre paire de manches. Songez un peu : la plupart des utilisateurs possèdent une série d'applications sur leur ordinateur qui répond à presque tous leurs besoins ; ils emploient par ailleurs des programmes personnalisés pour pouvoir effectuer des opérations que ne permettent pas les progiciels habituels en l'état. Excel, par exemple, est idéal pour manipuler des nombres, mais il est peu probable qu'il puisse gérer vos factures au format requis par votre société ; vous recourrez alors à un logiciel spécialement mis au point par votre département informatique.

Autrefois, cela aurait contraint ce service à passer de longues heures à écrire un programme incluant du code pour effectuer des impressions et des calculs, et consulter vos bases de données sur les stocks et les clients, etc. L'automation a mis fin à tout cela. Si vos bases de données sont au format Access, cette fonction permet d'exécuter des formulaires et rapports préalablement créés sous Access. Toujours grâce à l'automation, vous pouvez ensuite lancer Excel pour formater les nombres et données Access en une facture imprimable comportant tous les calculs nécessaires, etc., gérés par le tableur. L'automation favorise la réutilisation des objets et permet de mieux cibler le choix de ses outils pour la mise en œuvre d'une tâche spécifique. Visual Basic 6 vous permet de créer des objets destinés à être employés par d'autres personnes, et inversement, de recourir à des objets écrits par des tiers.

Mais alors, pourquoi établir une grille et écrire des lignes de code VB pour effectuer dessus des opérations mathématiques si Excel peut tout à fait s'en charger ?

ActiveX : construire l'avenir en s'appuyant sur l'héritage du passé

ActiveX s'appuie énormément sur les fondements d'OLE... qu'il remplace. Vous entendrez encore beaucoup parler d'OLE 2, mais ne vous y trompez pas : ActiveX est de génération plus récente.

Bien sûr, il est toujours possible de lier et d'incorporer des objets avec Visual Basic selon une méthode conforme aux attentes de l'utilisateur dans un environnement OLE 1. De même, grâce à des techniques et conceptions identiques à celles qui définissent l'automation, nous sommes toujours en mesure de contrôler une application distante et de la programmer en utilisant les propriétés et méthodes des objets qu'elle propose. Ces deux fonctionnalités sont en effet des technologies ActiveX, lesquelles permettent néanmoins d'aller beaucoup plus loin. C'est ce que nous allons voir dès maintenant.

ActiveX est fondé sur le concept de composants logiciels : il permet aux développeurs de logiciels d'ajouter sans accroc d'importants blocs de code préécrits à leurs applications, sans avoir à se soucier de leur origine ni de leur mode de fonctionnement. Les composants ActiveX peuvent être créés au moyen de nombreux langages informatiques (tels que C, C++, Pascal, et, désormais, même Visual Basic), et la gamme de conteneurs à même de les accueillir est encore plus vaste : applications VB, C++ et Pascal, navigateurs Web, etc., et même les documents et programmes Office 97.

Que diriez-vous de mettre vos propres feuilles et objets à disposition de tous les utilisateurs dans le cadre de leur navigateur Web ? Ou encore de réduire la taille des composants créés et d'en étendre les possibilités ? Cela vous intéresse ? Alors vous êtes prêt pour ActiveX, qui vous permettra d'effectuer également quantité d'autres opérations.

Voyons tout de suite de quoi il retourne.

Premier aperçu du véritable mode de fonctionnement d'ActiveX

L'une des caractéristiques formidables d'ActiveX est sa compatibilité avec Microsoft Office : vous pouvez développer des applications entières en vous fondant sur la réutilisation d'objets proposés par Office. Dans cette section, nous parlerons beaucoup de ce produit ; tout ce qui y est dit vaut pour Office 95 et les versions ultérieures.

Vous ne possédez pas Office ? N'ayez crainte, vous pourrez tout de même effectuer quantité d'opérations avec les composants ActiveX, notamment grâce à Visual Basic qui permet d'en créer des personnalisés et d'y accéder comme un tout autre composant. Nous verrons rapidement comment cela fonctionne dans quelque temps.

Pour l'instant, faisons connaissance avec Office et, plus précisément, Excel.

Passons à la pratique ! Élaborer l'application (compatible Office 95 ou 97)

Avant de nous lancer dans une explication détaillée de toutes les ficelles ActiveX, prenons un exemple (quasiment) réel de son utilisation possible, afin, simplement, de nous familiariser avec quelques concepts. Nous allons employer ici notre application VB pour travailler avec la base de données `Biblio`. Elle acceptera deux années fournies par l'utilisateur et affichera ensuite dans Excel le nombre de titres publiés par chaque éditeur au cours de ces années.

1 Démarrez un nouveau projet Exe standard.

2   Placez quelques contrôles sur la feuille, de façon à obtenir le résultat suivant :

3   Appelez les zones de texte `txtDébutEn` et `txtFinEn`, et les boutons de commande, `cmdAction` et `cmdQuitter`. Réglez également la propriété `Default` du bouton **A**ction sur `True` et la propriété `Cancel` du bouton **Q**uitter sur `True`.

4   Rien à dire jusqu'ici. Nous devons désormais établir une sorte de lien vers la base de données. Grâce à une petite formule magique SQL, un seul contrôle Data suffit pour extraire les noms des éditeurs et compter le nombre de titres publiés par chacun d'eux au cours d'une année donnée. Ajoutez un contrôle Data sur la feuille, de la manière suivante :

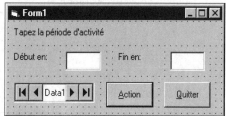

5   Réglez la propriété **Visible** du contrôle Data sur **False** (nous nous déplacerons au sein du jeu d'enregistrements grâce au code), son **Name** sur `datTitres`, et pointez la propriété **DatabaseName** vers la base de données exemple `Biblio` fournie avec VB (elle devrait se trouver dans le dossier dans lequel vous avez installé VB). Nous n'avons pas besoin de définir la propriété **RecordSource** pour l'instant, car nous le ferons en phase d'exécution, d'après les informations entrées dans les deux zones de texte.

6   Ajoutons du code au bouton **A**ction, afin de pouvoir naviguer entre les enregistrements de la base de données. Ouvrez la fenêtre de code de son événement `Click` et saisissez les lignes suivantes :

```
Private Sub cmdAction_Click()

    Dim CurrentRow As Integer
    Dim sLastPublisher As String

    Screen.MousePointer = 11
```

```
    Mettre_Titres txtDébut, txtFin

    datTitres.RecordSource = " SELECT DISTINCT Publishers.[Name],
        ↳ Titles.[Year Published], Count([ISBN]) AS Count FROM Titles
        ↳ INNER JOIN Publishers ON Titles.[PubId] = Publishers.[PubId]
        ↳ " & " WHERE Titles.[Year Published] >= " & txtDébut & " AND
        ↳ Titles.[Year Published] <= " & txtFin & " GROUP BY
        ↳ Titles.[Year Published], [Name] "
    datTitres.Refresh

    CurrentRow = 2
    sLastPublisher = ""

    With datTitres.Recordset

    If .RecordCount > 0 Then
        .MoveFirst
        Do While Not .EOF
            If .Fields("Name") <> sLastPublisher Then
                sLastPublisher = .Fields("Name")
                CurrentRow = CurrentRow + 1
                Mettre_Nom CurrentRow, .Fields("Name")
            End If
            Mettre_Valeur CurrentRow,
                ↳ datTitres.Recordset.Fields("Nombre"),
                ↳ datTitres.Recordset.Fields("Année de parution") - txtDébut
            .MoveNext
        Loop

    End If
    End With

    Screen.MousePointer = 0

End Sub
```

7   Ajoutez une ligne de code au bouton <u>Q</u>uitter afin de garantir son bon fonctionnement :

```
Private Sub cmdQuitter_Click()

    Unload Me

End Sub
```

Fonctionnement

Notre code n'est pas encore opérationnel, mais avant de poursuivre, étudions déjà ce que venons de taper pour en comprendre le fonctionnement. Ne vous inquiétez pas, cela n'est pas si terrible que cela en a l'air. En fait, nous créons une requête SQL pour lier les tables Titles et Publishers, puis obtenir le nombre de titres publiés au cours des années comprises entre les deux dates entrées dans les zones de texte de la feuille. Parcourons le code étape par étape.

```
Screen.MousePointer = 11
Mettre_Titres txtDébut, txtFin
```

628

Nous commençons par utiliser la propriété `MousePointer` de l'objet `Screen` pour faire en sorte que le pointeur se présente comme un sablier : notre code Automation devrait être assez long, et il ne faudrait pas que l'utilisateur pense qu'il ne se passe rien. Nous appelons ensuite la sous-routine `Mettre_Titres`, sur laquelle nous reviendrons dans un moment.

```
datTitres.RecordSource = " SELECT DISTINCT Publishers.[Name],
     ↳ Titles.[Year Published], Count([ISBN]) AS Count FROM Titles
     ↳ INNER JOIN Publishers ON Titles.[PubId] = Publishers.[PubId]
     ↳ " & " WHERE Titles.[Year Published] >= " & txtDébut & " AND
     ↳ Titles.[Year Published] <= " & txtFin & " GROUP BY
     ↳ Titles.[Year Published], [Name]; "
datTitres.Refresh
```

Nous employons ici une requête SQL pour retourner le nom de l'éditeur et le nombre de livres publiés chaque année pour chaque enregistrement situé dans les deux tables, dont l'année de parution est comprise entre les dates fournies par l'utilisateur. Nous sélectionnons d'abord les champs à employer :

```
SELECT DISTINCT Publishers.[Name], Titles.[Year Published],
     ↳ Count([ISBN]) AS Count FROM Titles
```

Nous avons choisi ici le champ `Name` de la table `Publishers` et le champ `Year Published` de la table `Titles`. L'instruction `Count([ISBN]) AS Count` retourne le nombre de livres publiés par l'éditeur retenu au cours de l'année donnée. La commande `DISTINCT` permet d'empêcher l'affichage de plusieurs exemplaires d'un même enregistrement.

Nous établissons ensuite une jointure interne [Inner Join] entre les tables `Publishers` et `Titles` à partir des enregistrements dont le champ `PubID` est commun :

```
INNER JOIN Publishers ON Titles.[PubId] = Publishers.[PubId]
```

Nous sélectionnons les enregistrements souhaités en exécutant des opérations de comparaison sur le champ `Year Published`, par rapport aux valeurs des zones de texte :

```
WHERE Titles.[Year Published] >= " & txtDébut & " AND
     ↳ Titles.[Year Published] <= " & txtFin
```

Enfin, nous classons les enregistrements d'après l'année de parution [Year Published] et le nom [Name] des éditeurs :

```
GROUP BY Titles.[Year Published], [Name];
```

Une fois la requête créée, une boucle permet de se déplacer au sein des enregistrements extraits, d'afficher le nom de l'éditeur dès que l'un d'entre eux est localisé, ainsi que le nombre de livres publiés chaque année pour le nouvel enregistrement extrait :

```
CurrentRow = 2
sLastPublisher = ""

With datTitres.Recordset

If .RecordCount > 0 Then
```

```
      .MoveFirst
      Do While Not .EOF
         If .Fields("Name") <> sLastPublisher Then
            sLastPublisher = .Fields("Name")
            CurrentRow = CurrentRow + 1
            Mettre_Nom CurrentRow, .Fields("Name")
         End If
         Mettre_Valeur CurrentRow,
           ↳ datTitres.Recordset.Fields("Count"),
           ↳ datTitres.Recordset.Fields("Year Published") - txtDébut
         .MoveNext
      Loop

   End If
   End With
```

Enfin, cette procédure étant terminée, nous rétablissons la valeur par défaut du pointeur MousePointer :

```
Screen.MousePointer = 0
```

En l'état, l'application fait tout ce que nous attendons d'elle, à ceci près, bien sûr, qu'elle ne transmet pas les résultats à Excel. Il est donc temps d'ajouter du code ActiveX.

Passons à la pratique ! Ajouter le code ActiveX (compatible Office 95 ou 97)

La manipulation d'ActiveX requiert de suivre plusieurs étapes.

1 Première chose à faire : nous assurer que nous référons au bon serveur ActiveX. Dans le menu Projet, sélectionnez Références.... Dans la boîte de dialogue qui apparaît, vérifiez que la case à gauche de Microsoft Excel 8.0 Object Library (ou Excel 5.0 Object Library si vous possédez Excel 95) est cochée, puis cliquez sur OK :

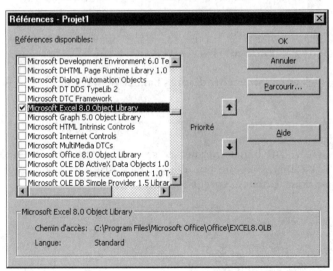

> Vous rencontrerez de nombreux serveurs de composants ActiveX accompagnés d'un fichier `TLB` ou `OLB`. Il s'agit juste d'un petit fichier que des applications régies par ActiveX, comme VB, peuvent charger en vue d'obtenir une liste des objets supportés par un serveur, ainsi que leurs propriétés, méthodes et événements.

Lorsque l'écran VB réapparaît, vous vous apercevez que rien n'a vraiment changé ; quand vous ajoutez un nouveau contrôle ActiveX dans l'environnement, lui, au moins, apparaît dans la boîte à outils ! Toutefois, n'ayez crainte, de nombreuses choses se sont passées, et Visual Basic est désormais prêt à accueillir le code qui vous permettra de travailler avec Microsoft Excel.

2 La deuxième étape consiste en la création effective d'un objet ActiveX. Nous pourrions faire cela dès que l'utilisateur clique sur le bouton **A**ction, mais vous verrez que chaque conception prend un certain temps et qu'il vaut donc mieux limiter ce genre d'opérations au minimum.

Dans notre code, nous devons tout d'abord déclarer une variable. Ajoutez les déclarations suivantes dans la partie (**Général**) (**Déclarations**) de la feuille :

```
Option Explicit

Dim Active_Excel As Object
Dim Active_Workbook As Object
Dim Active_Worksheet As Object
```

3 Jusqu'ici, tout va bien ; cependant, vous vous en souvenez peut-être, nous avons vu en travaillant avec les variables objets que la déclaration de l'objet n'était pas la seule chose à faire. Nous devons en effet donner vie à cet élément en l'initialisant. Plaçons à cette fin le code requis dans l'événement `Form_Load` :

```
Private Sub Form_Load()

    Set Active_Excel = CreateObject("Excel.Application")
    Set Active_Workbook = Active_Excel.Workbooks.Add
    Set Active_Worksheet = Active_Workbook.Worksheets.Add

End Sub
```

4 Comme avec toute autre variable objet, nous devons, avant la fin du programme, effacer ces variables. Affichez l'événement `Unload` de la feuille et désallouez les variables que nous venons de créer de la manière suivante :

```
Private Sub Form_Unload(Cancel As Integer)

    Set Active_Worksheet = Nothing
    Set Active_Workbook = Nothing
    Set Active_Excel = Nothing

End Sub
```

5   Faites de nouveau apparaître le code de l'événement `Click` du bouton **Action**. Pour qu'Excel s'affiche comme par magie à l'écran une fois le rapport terminé, nous devons modifier une propriété du composant `Application` Excel, situé dans la variable objet `Active_Excel`. Ajoutez la ligne suivante à la fin de l'événement `Click` :

```
        :
        :
        :
Loop

    End If
    End With

    Screen.MousePointer = 0

    Active_Excel.Visible = True

End Sub
```

6   Nous y sommes presque. Tout ce qu'il nous reste à faire, pour que l'application fonctionne, est de placer dans la feuille Excel les informations qui se trouvent dans la boucle. Là encore, il suffit d'employer les méthodes et propriétés des différents objets que renferment les variables objets. Nous sommes prêts, désormais, à écrire du code pour les sous-routines `Mettre_Titres`, `Mettre_Nom` et `Mettre_Valeur`. Le voici :

```
Private Sub Mettre_Titres(ByVal nDébut As Integer, ByVal nFin As Integer)
    Dim nAnnée As Integer

    For nAnnée = nDébut To nFin

        With Active_Worksheet.Cells(1, (nAnnée - nDébut) + 2)
            .Value = nAnnée
            .Font.Bold = True
        End With

    Next

End Sub


Private Sub Mettre_Valeur(ByVal nLigneCour As Integer, ByVal nCompte As Integer, ByVal
nAnnée As Integer)

    Active_Worksheet.Cells(nLigneCour, nAnnée + 2).Value = nCompte

End Sub


Private Sub Mettre_Nom(ByVal nLigneCour As Integer, ByVal sNom As String)
    With Active_Worksheet.Range("A" & nLigneCour)

        .Value = sNom
        .Font.Bold = True

    End With

End Sub
```

Si vous avez déjà utilisé Excel auparavant, cela devrait vous sembler très familier. Néanmoins, si ce n'est pas le cas, ne vous faites pas de soucis. N'oubliez pas, en effet, que nous employons juste les méthodes, propriétés et sous-routines au sein du tableur pour mettre ce dernier à profit. Nous étudierons ce code dans quelques instants, mais regardons-le tout d'abord à l'œuvre.

7 Exécutez l'application, et vous constaterez que tout fonctionne correctement. La ligne de code qui crée notre objet Excel se trouvant dans l'événement Form_Load, aucune feuille n'apparaît tant que le tableur n'a pas entièrement terminé le chargement. Une fois cette feuille affichée, finalement, essayez de saisir 1990 et 1996 comme dates respectives de début et de fin, puis cliquez sur Action. Au bout de quelques instants, Excel apparaît, présentant les valeurs attendues.

Fonctionnement

Dans la mesure où nous travaillons avec Excel, nous commençons par déclarer trois variables : une pour l'application, une pour le classeur Excel et une pour la feuille du classeur que nous allons utiliser. Toutes doivent rester actives pendant l'intégralité de l'exécution du programme, d'où leur déclaration dans la partie (Général) (Déclarations) de la feuille. Voici les lignes destinées à chaque variable :

```
Dim Active_Excel As Excel.Application
Dim Active_Workbook As Excel.Workbook
Dim Active_Worksheet As Excel.Worksheet
```

Nous initialisons [Set] ensuite ces variables dans l'événement Form_Load :

```
Set Active_Excel = CreateObject("Excel.Application")
Set Active_Workbook = Active_Excel.Workbooks.Add
Set Active_Worksheet = Active_Workbook.Worksheets.Add
```

La première ligne ne devrait pas vous poser de problème : nous demandons à VB de créer un nouveau composant `Application` à partir du serveur Excel et de le stocker dans notre variable objet `Active_Excel`. Mais qu'en est-il des deux autres lignes ? Elles semblent assez étranges dans la mesure où, désormais, nous n'employons plus de code VB dur de ce type. En fait, elles correspondent à l'appel de deux méthodes au sein d'Excel. Cela revient tout simplement au même que de déclarer une variable objet pour instancier une classe ; une fois qu'elle est définie, vous pouvez appeler les méthodes et utiliser les propriétés de cet objet en respectant son paramétrage dans la classe originale.

Dans la deuxième ligne, la méthode `Add` de la collection `Workbooks` d'Excel ajoute un nouveau classeur que nous pourrons employer. Le résultat est ensuite affecté à la variable `Active_Workbook`, ce qui permet de saisir la troisième ligne. Cette dernière joue presque le même rôle, à ceci près qu'elle utilise cette fois la collection `Worksheets` d'un classeur pour intégrer une nouvelle feuille dans le tableur.

Ne vous laissez pas impressionner par tout cela. Nous vous l'avons déjà dit, il s'agit uniquement d'éléments Excel, mais ils permettent de bien illustrer les capacités de VB à appeler des méthodes et des propriétés dans des composants ActiveX. Nous allons d'ailleurs y revenir et poursuivre avec eux dans un petit moment.

Dans l'événement `Unload` de la feuille, nous effaçons ensuite les variables objets :

```
Set Active_Worksheet = Nothing
Set Active_Workbook = Nothing
Set Active_Excel = Nothing
```

Rien de neuf, apparemment, et pourtant, en y regardant de plus près... Normalement, ce code devrait suffire pour se débarrasser d'un objet après sa création, libérer la mémoire qu'il occupait et retourner au système tel qu'il était avant l'existence de ce nouvel élément. Cependant, les choses sont un peu différentes avec les composants ActiveX. Les lignes ci-dessus ne font que dissocier les variables objets du composant, qui continue quant à lui d'exister.

> **Vous noterez que nous affectons aux variables objets la valeur `Nothing` dans l'ordre inverse de leur déclaration. Il arrive en effet qu'un ou plusieurs objets dépendent de l'existence d'un autre, indispensable à leur bon fonctionnement (bien que cela doive être évité). En indiquant au serveur les objets devenus inutiles dans l'ordre inverse à celui de leur déclaration, nous évitons ce problème.**

Cela signifie qu'en phase d'exécution, si l'utilisateur arrête le code après avoir cliqué sur le bouton **Action** pour lancer et afficher Excel, le tableur continuera de fonctionner. Pour fermer un composant issu d'une application comme Excel, vous devez vous assurer que vous appelez la méthode appropriée à ce serveur. Dans le tableur, par exemple, appeler la méthode `Quit` permettrait de fermer l'`Application`.

> Sachez néanmoins que ce n'est pas le mode de gestion habituel des composants : généralement, vous souhaitez juste régler votre variable objet sur `Nothing` et laisser le serveur décider lui-même du moment de la fermeture. La préférence justifiée pour cette méthode est très simple à comprendre : que se passerait-il si une autre application devait utiliser un objet issu de la même instance d'Excel que le vôtre ? En quittant le tableur, vous fermeriez également l'objet tiers et l'autre programme. Dans le cas présent, en revanche, nous savons que seul Excel est utilisé ; nous pouvons donc le fermer sans crainte avec la méthode `Quit`.

Nous changeons ensuite la propriété `Visible` de notre objet Application Excel en lui affectant la valeur `True`, de façon que cet objet apparaisse à l'écran de l'utilisateur. L'un des charmes du développement d'objets est de pouvoir cacher à l'utilisateur votre « tricherie » : de nombreux serveurs de composants (tous les serveurs inclus dans Office, à l'exception d'Access, en fait) s'affichent uniquement lorsque vous en faites la demande explicite.

Vous pouvez constater que la technique s'apparente de plus en plus à la gestion d'un contrôle sur une feuille. La seule chose à faire pour qu'Excel apparaisse en phase d'exécution est de régler désormais la propriété `Visible` de l'application sur `True`. Mieux vaut toutefois ne pas modifier la propriété `Visible` du classeur et de la feuille de calcul, car elle aurait pour seul résultat d'afficher ces éléments au sein d'un programme Excel alors non visible.

> Encore une chose... Si vous fixez votre variable objet à la valeur `Nothing` sans avoir rendu Excel visible auparavant, vous ne pourrez plus quitter le tableur au moyen du code, ni même en cliquant simplement dans l'application elle-même. Vous serez en effet obligé d'utiliser le gestionnaire de tâches Windows, afin d'y localiser le programme et de le fermer.

Pour finir, nous ajoutons le code des sous-routines qui placent dans la feuille de calcul Excel les informations extraites de la base de données. La boucle `Mettre_Titres` s'exécute pour chaque année sélectionnée par l'utilisateur et ajoute toutes ces dates en haut de la feuille du tableur. Cette routine est appelée une fois *avant* le début de l'exécution de la boucle au sein du jeu d'enregistrements dans le contrôle Data. Pour afficher les noms des éditeurs et les quantités de livres, nous recourons aux sous-routines `Mettre_Nom` et `Mettre_Valeur`.

`Mettre_Nom` n'est appelée qu'une seule fois par ligne, lorsque le champ `Name` de notre jeu d'enregistrements diffère de l'éditeur auquel correspond le dernier nombre d'ouvrages affiché. `Mettre_Valeur` est la plus simple de toutes, puisqu'une seule ligne de code suffit pour définir une cellule Excel comportant le nombre qui lui est transmis.

Bien sûr, lorsque vous exécutez le programme à ce stade, les informations ne sont pas encore très bien formatées : la première colonne est un peu trop étroite pour faire apparaître en intégralité certains noms d'éditeurs. Nous pourrions ajouter du code pour y remédier sur-le-champ ou laisser le soin à l'utilisateur de le faire manuellement. Mais à supposer que nous options pour la solution du code, comment connaître les méthodes et propriétés disponibles ? En fait, où ai-je obtenu les informations nécessaires sur toutes ces autres méthodes et propriétés du code ?

C'est ici que l'explorateur d'objets intervient.

L'explorateur d'objets

L'explorateur d'objets est un outil très pratique avec lequel vous devriez vous familiariser si vous envisagez d'utiliser des objets ou contrôles d'une autre application. Il présente chaque objet et classe à votre disposition dans le code, ainsi que ses propriétés, méthodes et événements.

Appuyez sur *F2* pour l'ouvrir :

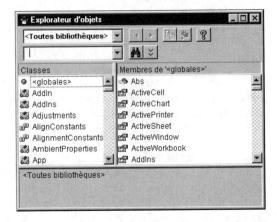

Vous pouvez constater que la fenêtre se compose essentiellement de deux panneaux : celui de gauche présente les noms de l'ensemble des objets et classes de la bibliothèque courante, celui de droite, les propriétés et méthodes relatives à la classe sélectionnée.

Nous avons dit « bibliothèque » ? Regardez dans la partie supérieure de l'explorateur représenté dans notre écran : vous voyez la liste modifiable qui affiche **VB** ? Visual Basic regroupe les objets en fonction de leur source de référence. Dans notre figure, nous recherchons les objets Visual Basic normaux, d'où la mention VB dans la liste. Néanmoins, si vous faites dérouler cette dernière, vous obtiendrez toutes les sources de référence actuellement définies dans votre projet (avec notamment la bibliothèque Excel à laquelle nous nous sommes référés précédemment), à condition que vous n'ayez pas fermé le projet, bien sûr :

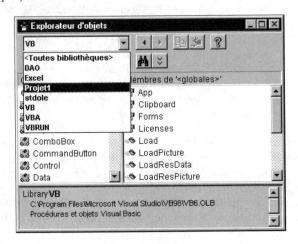

Par défaut, cette liste devrait toujours inclure au moins StdOle, VB, VBA et VBRUN, ainsi que le nom de votre projet, afin que vous puissiez facilement accéder aux définitions de tout objet et classe de votre projet. La sélection par défaut, Toutes bibliothèques, présente une liste alphabétique complète de l'ensemble des objets et classes, sans les classer par catégorie.

En regard de chaque ligne de l'explorateur (qu'il s'agisse du panneau des objets ou de celui des membres) figurent des icônes. Ce sont les mêmes que celles normalement affichées dans l'explorateur de projets : elles permettent d'identifier instantanément si l'élément est une classe, une feuille, une propriété, une méthode ou un événement. Naviguez un peu dans cette fenêtre afin de visualiser ce dont nous parlons.

Dans la bibliothèque VB, par exemple, recherchez l'objet Screen :

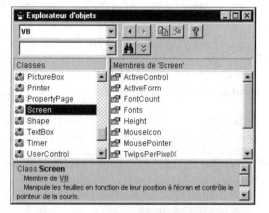

Cet objet ne possède ni méthode ni événement que vous puissiez utiliser ; c'est pourquoi apparaissent dans la partie droite de la fenêtre uniquement des icônes de propriétés, à côté du nom de chaque propriété. Cliquez sur l'objet ListBox et vous obtiendrez un affichage sensiblement différent :

Comme vous le savez, la zone de liste possède des événements comme Click, auxquels elle est en mesure de répondre, des méthodes telles que Clear et AddItem, ainsi qu'une multitude de propriétés. Ce sont précisément ces informations que vous fournit l'explorateur d'objets.

Si vous avez un jour besoin de parcourir la liste des membres d'un objet, voire la syntaxe à appliquer pour l'emploi d'un membre, c'est dans l'explorateur d'objets que vous devrez vous rendre. Prenez-en l'habitude, car il s'agit d'un outil qui peut se révéler extrêmement utile.

Bon, cessons là notre digression et repartons à la découverte du code.

Liaisons et préférences personnelles

Deux procédés permettent d'orienter un objet vers un composant ActiveX dans Visual Basic : celui que vous choisirez dépend de la méthode de liaison retenue. Vous avez dit liaison ? Comme de très nombreux concepts informatiques, ActiveX est associé à un ensemble de termes et de nouveaux mots avec lesquels vous devez vous familiariser ; la **liaison** n'en est qu'un parmi d'autres. Elle correspond simplement à la déclaration d'un objet et à son paramétrage pour en faire un composant ActiveX.

Visual Basic permet d'associer des variables objets à des composants de deux manières : avec une liaison **tardive** ou **précoce**. Ce que nous avons fait précédemment était une liaison tardive. Rappelez-vous :

```
Dim Active_Excel As Object
```

Dans cette ligne, nous indiquons à Visual Basic que nous allons stocker un objet quelconque à cet endroit, mais il est impossible de lui en fournir le type tant que le programme n'est pas lancé.

Cette façon de travailler se révèle parfois particulièrement utile, notamment si vous ne connaissez pas avec certitude la version des applications serveurs installées sur l'ordinateur de destination. Office 97, par exemple, accepte les composants ActiveX ; si nous le voulions, nous pourrions donc employer dans ce cas une liaison précoce. Seulement, les précédentes moutures d'Office ne prennent pas en charge ces éléments et n'offrent qu'une version limitée connue sous le nom d'Automation. Un tel programme ne proposant pas les mêmes objets que les serveurs de composants ActiveX, nous devons créer l'objet lors de l'exécution. Ceci étant, vous bénéficierez généralement d'une plus grande assistance et d'un code plus efficace de la part de VB si vous travaillez exclusivement avec des applications qui acceptent les composants ActiveX, comme Office 97.

Si vous possédez ce dernier, c'est le moment ou jamais de découvrir ce qu'il peut faire pour vous.

Passons à la pratique ! Liaison précoce (uniquement avec Office 97)

1   Créez un projet VB standard et placez un bouton sur la feuille par défaut :

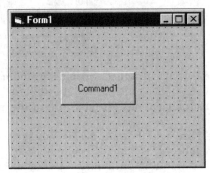

2   Ouvrez la fenêtre de code et tapez ce petit bloc de code dans l'événement `Click` du bouton de commande :

```
Private Sub Command1_Click()

    Dim objExcel As Excel.Application

    Set objExcel = New Excel.Application
    objExcel.Visible = True

    Set objExcel = Nothing

End Sub
```

3   Dans le menu Projet, sélectionnez Références... Dans la boîte de dialogue qui apparaît, assurez-vous que la case en regard de Microsoft Excel 8.0 Object Library est cochée, puis cliquez sur OK.

4   Exécutez le programme.

Fonctionnement

Lors de l'utilisation de serveurs de composants ActiveX, nous pouvons tout à fait déclarer des variables en spécifiant l'application et le composant qui nous intéressent le plus, c'est-à-dire, dans le cas présent, `Excel.Application`. Cette technique présente de nombreux avantages ; parmi les principaux, on peut citer des assistants Visual Basic qui aident à la saisie du code en affichant une liste des propriétés et méthodes applicables à un objet donné.

Après avoir déclaré un objet et spécifié le type de composant souhaité, vous devez encore créer une nouvelle instance de cet objet : c'est le rôle de l'instruction `New` (cf. le code ci-dessus).

Il n'y a rien vraiment d'autre à faire : le reste du code remplit parfaitement son rôle, et l'objet de la liaison précoce fonctionne donc comme vous l'espériez. Comparons maintenant les deux formes de liaisons, afin de connaître les avantages de chacune.

Liaison précoce et liaison tardive

La liaison précoce va de pair avec une assistance éventuelle de Visual Basic, par le biais d'assistants d'aide à la saisie du code ; vous pouvez par ailleurs vous reporter à l'explorateur d'objets pour obtenir une liste complète de l'ensemble des propriétés, méthodes et événements d'un objet. VB est en mesure de repérer des erreurs en mode création qui ne seraient détectées qu'en phase d'exécution avec un composant à liaison tardive. Enfin, la liaison précoce est beaucoup plus rapide que son homologue tardive, car VB connaît exactement vos intentions et peut donc optimiser le code compilé qu'il produit. La liaison tardive est également plus lente que son homologue précoce en cours d'exécution, mais vous avez en revanche la possibilité de choisir les composants à employer lors de cette phase plutôt que d'obliger l'utilisateur à user d'un objet spécifique.

Comme nous l'avons souligné précédemment, la liaison précoce présente le plus d'avantages (eu égard à l'assistance fournie par VB lors de l'écriture du code et à la rapidité d'exécution). N'oubliez toutefois jamais qu'elle ne vaut que pour des composants exportés à partir d'Office 97 ou d'une version ultérieure.

Créer un serveur

Jusqu'à présent, nous avons étudié le monde ActiveX côté client, en voyant comment écrire des programmes qui utilisent ces composants, afin d'étendre leurs capacités au sein de nos applications VB. Mais ce n'est qu'un côté de la médaille. En effet, ces serveurs ActiveX ont forcément une origine.

Si vous utilisez l'édition professionnelle ou entreprise de Visual Basic 6, vous avez toutes les cartes en main pour créer des contrôles ActiveX sur votre ordinateur. Néanmoins, chaque version de VB6 permet d'élaborer un serveur de composants ActiveX, comme Word ou Excel.

Processus : tout est une question de délégation

Avant de nous lancer véritablement dans la création de notre serveur, commençons par un peu de théorie. Vous le savez peut-être, Windows 95, 98 et NT sont des systèmes d'exploitation multitâches, c'est-à-dire, au fond, qu'ils peuvent exécuter plusieurs applications simultanément. En réalité, ils en sont incapables (à moins de posséder plusieurs processeurs), car tous les programmes actifs se partagent le temps de traitement, mais ce sujet ferait l'objet d'un livre à lui seul. En ce qui nous concerne, lorsque nous créons un serveur ActiveX, nous pouvons choisir de fournir à l'utilisateur des objets qui fonctionnent dans le cadre de processus indépendants ou qui, au contraire, s'intègrent à l'application employée par l'utilisateur.

Quelques explications s'imposent. Si vous dirigez une entreprise unipersonnelle, vous assumez nécessairement plusieurs rôles, passant tantôt de celui de secrétaire à celui de directeur ou de comptable. Normalement, vous venez parfaitement à bout de toutes ces tâches, bien que chacune soit totalement unique et suive ses propres règles et exigences ; seulement, comme vous êtes seul, vous devez changer de casquette dès que vous vous lancez dans une nouvelle activité.

En termes ActiveX, accomplir chaque tâche distincte revient à exécuter un composant **in process**. Si vous créez un serveur de ce type (qui deviendra une DLL une fois compilé), tout code qui l'utilise doit être chargé dans celui de votre DLL et l'exécuter, les activités principales de l'application appelante cessant lorsque le composant effectue ses opérations.

Une autre possibilité consiste à recourir à un composant **out of process**. Avec la croissance de votre entreprise, vous embauchez du personnel, que vous pouvez alors solliciter pour l'accomplissement de différentes tâches. Si vous avez recruté des personnes compétentes, il est probable que vous continuerez de vaquer à vos occupations, alors même que vos employés rempliront sans problème le rôle que vous venez de leur attribuer.

En termes ActiveX, de nouveau, cela implique que vous compiliez l'application serveur comme une application exécutable, telle qu'Excel. Tout code employé par votre composant s'exécute alors conjointement à ce programme. À chaque fois qu'il appelle une méthode ou traite une de vos propriétés, il continue de fonctionner, espérant que votre code sera en mesure de répondre à ses besoins pour ses tâches de fond.

Comme dans une société, il y a toutefois le revers de la médaille. Quiconque essaierait de bénéficier d'une décision au sein d'une gigantesque organisation en pleine effervescence aurait beau faire de son mieux, les choses prendraient beaucoup plus de temps qu'elles ne l'auraient fait au sein d'une moins grande unité.

Ce principe vaut également pour ActiveX. Si vous proposez des composants in process à vos utilisateurs, ils les trouveront rapides et pratiques, mais remplacez-les par un composant out of process, et ils se plaindront d'une trop grande lenteur. Une codification efficace permet d'atténuer cette disparité entre les performances de ces deux types de serveurs, mais pas de la supprimer.

Pourquoi s'embêter à choisir... que décider alors ?

Si la rapidité et la qualité des serveurs in process sont à ce point supérieures à celles de leurs homologues, pourquoi s'embêter à prendre une quelconque décision et ne pas se contenter de fournir des serveurs DLL aux utilisateurs ?

En fait, les composants ActiveX ne visent pas tant à vous permettre de répondre aux besoins d'autres développeurs qu'à faire profiter d'autres développeurs et utilisateurs des composants de votre application. Supposons que vous mettiez au point un programme d'analyse boursière sur Internet. Vous pourriez y inclure une classe spéciale de calcul de pourcentage de variation du cours des actions et de stockage dans une base de données.

Votre objectif, ici, est seulement d'écrire une application de prévisions boursières, et non de fournir aux développeurs un moyen pratique de faire ce que vous-même pouvez faire ; il n'est donc pas du tout question de proposer le programme sous forme d'un fichier EXE. Imaginons maintenant que quelqu'un vous appelle et vous dise : « Vous savez... cette application est formidable, mais elle serait encore mieux si elle me permettait d'extraire des informations pour les placer dans ma feuille de calcul ». À ce moment, vous envisagez d'expliquer à cette personne comment employer votre composant out of process pour la gestion de ses actions. Rien ne justifie ici le développement d'une DLL in process, car les utilisateurs souhaitent juste profiter concrètement de la réutilisation que permet l'achat de votre application, qu'ils n'ont pas acquise uniquement pour ses composants.

Il y a bien sûr un autre point important à prendre en compte : presque tout ce qui se rapporte à Internet est lent et lourd. Un composant out of process qui permette de rester en ligne sans intervenir, à attendre des informations pendant que l'application cliente accomplit d'autres tâches, est donc particulièrement appréciable.

> Les serveurs out of process s'exécutant par définition dans leur propre espace de traitement, ils peuvent être considérés comme des programmes exploitables de façon totalement transparente. Accessibles par plusieurs clients à la fois, ils sont en mesure d'activer le partage de données en autorisant la modification et la lecture de variables internes par différentes applications.

Et maintenant, quelle est la marche à suivre ?

Créer un serveur ActiveX est étonnamment simple ; en fait, cela n'est pas vraiment plus compliqué que d'élaborer un programme Visual Basic normal. Dans le chapitre 18, consacré à la création de contrôles ActiveX, vous rencontrerez quelques nouvelles fonctionnalités plutôt appréciables des classes et de VB, susceptibles d'étendre sensiblement le champ d'application de votre travail avec ActiveX. Pour l'instant, néanmoins, n'allons pas trop loin.

Élaborer votre premier serveur

Après avoir choisi le type de serveur que vous allez concevoir (in process ou out of process), vous devez commencer par créer un projet EXE ActiveX ou DLL ActiveX. Sélectionnez simplement <u>N</u>ouveau projet dans le menu <u>F</u>ichier, et cliquez sur le type de projet souhaité dans la boîte de dialogue Nouveau projet qui apparaît :

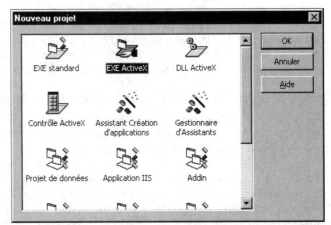

Choisissez dans le cas présent EXE ActiveX, afin de créer une application serveur out of process. Au bout de quelques instants, un nouveau projet vide s'affiche, comme lors de la conception d'un Exe standard. Une différence importante, toutefois, le projet actuel ne comporte aucune feuille :

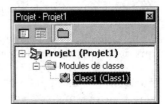

Pas d'affolement. Sachant que vous désirez créer un serveur ActiveX, Visual Basic suppose que vous n'avez pas besoin de feuilles dans votre projet et ne fournit donc dans ce dernier qu'une classe. En phase d'exécution, ce sont les classes de votre EXE ActiveX qui deviennent les composants utilisables par un tiers. Vous avez toujours la possibilité d'ajouter des feuilles au projet, selon la méthode habituelle ; à ce stade, vous pouvez par ailleurs y intégrer de nouvelles feuilles et d'autres modules pour créer ce qui deviendra une application VB normale. En fait, la seule différence est que cette dernière, une fois compilée, comprendra un peu de code supplémentaire pour permettre aux autres programmes de visualiser et d'employer ses objets.

Vous indiquez à Visual Basic les classes que vous désirez présenter comme composants en phase d'exécution avec les propriétés des modules de classe. Prenez connaissance de la fenêtre Propriétés :

La principale propriété, ici, est **Instancing**, qui indique à VB comment d'autres peuvent utiliser la classe comme composant. Les valeurs possibles d'**Instancing** sont les suivantes :

Valeur	Description
Private	Toute tentative d'accès à cette classe en dehors de l'application dans laquelle elle se trouve est impossible.
PublicNotCreatable	Les utilisateurs du composant peuvent employer les objets produits à partir de cette classe, mais n'ont pas la possibilité d'en créer. Une instance de la classe peut être retournée par une fonction mais aucune application n'a la possibilité de créer un objet de la classe en question.
SingleUse	(Impossible dans les DLL ActiveX.) D'autres programmes peuvent créer des objets à partir de cette classe, mais chaque nouvel élément produit démarre une copie personnelle du serveur. Cette option est donc très gourmande en mémoire.
GlobalSingleUse	(Impossible dans les DLL ActiveX.) Identique à SingleUse, à ceci près que les propriétés et méthodes de cette classe sont mises à disposition des utilisateurs du composant comme s'il s'agissait de méthodes et fonctions globales.
MultiUse	Inverse de SingleUse. D'autres applications peuvent créer des objets à partir de cette classe, mais chaque nouvel élément produit sera mis à disposition par l'unique exemplaire actuellement lancé de l'application.
GlobalMultiUse	Identique à MultiUse, mais là encore, les propriétés et méthodes de cette classe sont mises à disposition des utilisateurs du composant comme s'il s'agissait de méthodes et fonctions globales.

Pour élaborer un serveur dans Visual Basic, il suffit vraiment de créer un projet EXE ou DLL ActiveX et de définir la propriété **Instancing** de ses classes et, bien sûr, de le paramétrer pour qu'il accomplisse quelque chose. Donnons maintenant vie à ce serveur.

Passons à la pratique ! Créer un serveur

1 Créez un nouveau projet en choisissant **EXE ActiveX** dans la boîte de dialogue **Nouveau projet**.

2 Réglez la propriété **Instancing** de la classe sur **3 - SingleUse**, et la propriété **Name**, sur CNom.

3 La prochaine étape consiste à écrire du code pour que cette classe soit en mesure de faire quelque chose. Ouvrez sa fenêtre de code et saisissez-y les lignes suivantes :

```
Private m_sNom As String

Property Let Name(ByVal sNom As String)
    m_sNom = sNom
End Property

Public Sub ShowName()
    MsgBox "Bonjour, " & m_sNom
End Sub
```

Tout devrait être clair : nous créons simplement une propriété unique appelée Name et une méthode dans la classe nommée ShowName, qui affiche le contenu de la propriété Name dans un message à l'écran. Cela n'a rien de révolutionnaire, mais c'est un bon début.

4 Il faut maintenant définir le nom du projet. Sélectionnez **Propriétés de Project1** dans le menu **Projet** et tapez comme nom ServeurTest :

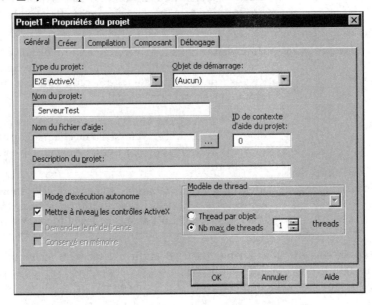

5   Il ne reste plus, désormais, qu'à compiler l'application en sélectionnant <u>C</u>réer ServeurTest1.exe dans le menu <u>F</u>ichier. Une fois le nom du nouveau fichier EXE choisi, le disque s'active et, si vous avez saisi tout le code correctement, votre nouveau serveur ActiveX est créé sur le disque dur.

6   Voilà, nous avons le serveur. En l'état, il n'a cependant rien d'exceptionnel puisqu'il ne fait absolument rien. Nous devons donc produire une petite application rapide pour l'employer.

Enregistrez les fichiers du projet de votre serveur avant de poursuivre. Démarrez ensuite un projet Exe standard et placez quelques contrôles sur la feuille, de façon à obtenir le résultat suivant :

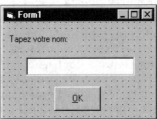

7   Intitulez la zone de texte txtNom et le bouton de commande cmdOK, puis ajoutez le code ci-dessous à l'événement Click de ce bouton de commande :

```
Private Sub cmdOK_Click()

    ' À ce stade, l'utilisateur a entré son nom ; nous pouvons donc
    ' le transmettre à notre serveur distant
    Dim MonServeur As Object

    Set MonServeur = CreateObject("ServeurTest1.CNom")

    MonServeur.Name = txtNom
    MonServeur.ShowName

    Set MonServeur = Nothing

End Sub
```

Comme dans les précédents exemples, où nous avons créé des objets de composants, la première étape consiste à déclarer la variable objet. Notre univers de travail devient ensuite le composant, et nous pouvons commencer à en manipuler les propriétés et méthodes aussi simplement que si elles se trouvaient dans notre propre code source.

8   Essayez d'exécuter le programme pour le voir à l'œuvre : saisissez votre nom et cliquez sur le bouton OK ; au bout de quelques instants, le composant externe affiche votre nom dans un message.

Il n'y a vraiment rien d'autre à faire à ce stade. Néanmoins, lorsque nous aborderons les contrôles ActiveX, vous découvrirez de nombreuses autres fonctionnalités ActiveX.

Le contrôle conteneur OLE

Le contrôle conteneur OLE est la dernière pièce du puzzle ActiveX/OLE.

Ce petit outil multifonction permet de placer des objets liés ou incorporés dans vos applications, en mode création ou en phase d'exécution.

> Dans le cas d'une liaison, seule une référence au lieu de stockage du fichier de données est placée dans le fichier parent. Dans le cas d'une incorporation, en revanche, ce sont les véritables données que l'on stocke au sein du fichier parent. Il est beaucoup plus simple d'illustrer ce qui différencie ces deux concepts que de les expliquer (ce que nous allons faire tout de suite).

La liaison et l'incorporation permettent de fournir une partie de ce qui apparaît à l'écran de notre application à un autre programme, dans un but quelconque. Si nous lions ou incorporons un document Word dans un contrôle conteneur OLE au sein de notre application, par exemple, l'utilisateur peut cliquer sur ce contrôle pour démarrer Word et éditer le fichier à partir de notre programme. A priori compliqué, cela ne l'est en fait pas du tout (vous le constaterez dans quelques instants). Vous n'avez que trois propriétés à définir, qui sont de surcroît traitées par des boîtes de dialogue communes à la fois en mode création et en phase d'exécution. Voyons cela sans tarder.

Passons à la pratique ! Créer un objet lié en mode création

1 Nous allons établir un lien vers un fichier Word. Commencez donc par lancer ce traitement de texte (ou WordPad, le cas échéant) et créez un document. Saisissez-y un petit texte (peu importe sa teneur), puis enregistrez le fichier sous Exemple.doc et fermez-le. Voici un écran de notre session Word avec le document sauvegardé :

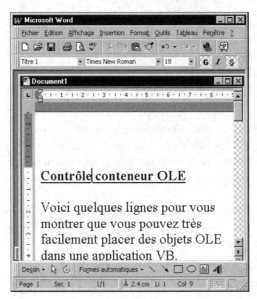

2   Revenez dans Visual Basic et créez une nouvelle application **Exe standard**, puis ajoutez un contrôle conteneur OLE sur la feuille. Au bout de quelques instants, l'une des boîtes de dialogue communes OLE apparaît :

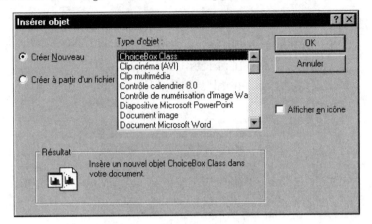

3   Cochez la case **Créer à partir d'un fichier** ; la boîte de dialogue change de présentation pour afficher le chemin d'accès à VB :

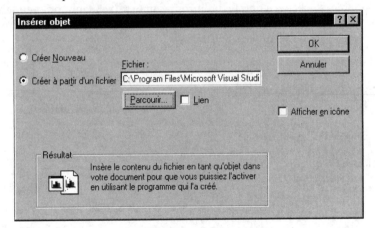

4   Cliquez sur le bouton **Parcourir** et recherchez le fichier Word que vous venez de créer. Sélectionnez-le, puis cliquez sur le bouton **Insérer**, afin de retourner à la boîte de dialogue précédente. Cochez la case **Lien**, puis cliquez sur le bouton **OK**.

5   À ce moment, vous vous retrouvez dans Visual Basic en mode création, et le fichier est normalement affiché sur la feuille. Vous devrez peut-être redimensionner cette dernière et le contrôle conteneur OLE, afin que l'ensemble du texte soit visible :

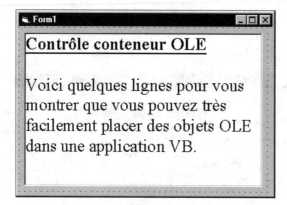

6   Exécutez l'application, puis double-cliquez sur le contrôle conteneur OLE. Windows démarre le programme associé aux fichiers DOC (Word ou WordPad, le plus souvent), qui affiche le document créé précédemment.

Fonctionnement

L'objet créé étant lié, le contrôle conteneur contient seulement un pointeur vers le fichier qui renferme les données. Par conséquent, lorsque l'utilisateur double-clique sur l'objet OLE, l'application originale s'exécute comme un programme totalement indépendant. C'est elle qui gérera toutes les modifications apportées au fichier, quelle que soit l'application où elles ont été entrées, et qui enregistrera le document.

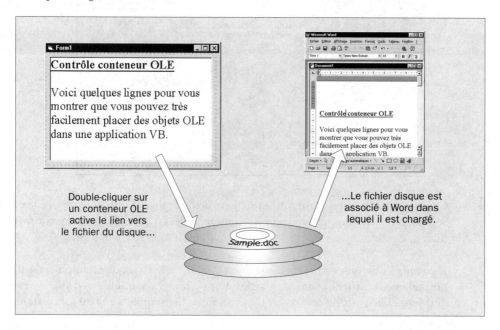

À partir du moment où Word (ou WordPad) est lancé, vous pouvez changer le document à votre convenance. Néanmoins, pour que ces modifications soient répercutées dans le contrôle conteneur OLE, vous devez d'abord demander au traitement de texte qu'il enregistre le fichier sur le disque. Le contrôle conteneur OLE repérera automatiquement que le document a subi des changements et en mettra son image à jour.

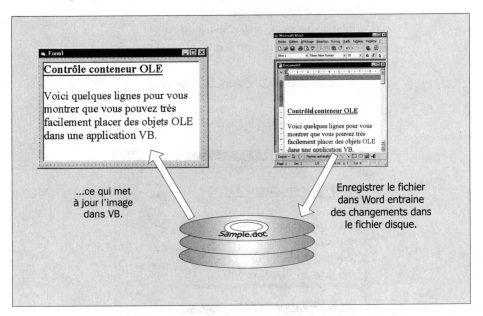

...ce qui met à jour l'image dans VB.

Enregistrer le fichier dans Word entraine des changements dans le fichier disque.

Passons à la pratique ! Créer un objet incorporé en mode création

Les objets incorporés ne fonctionnent pas du tout comme leurs homologues liés. C'est ce que nous allons voir dès maintenant.

1 Créez un nouveau projet dans Visual Basic et, là encore, dessinez un contrôle conteneur OLE sur la feuille par défaut. Comme précédemment, lorsque la boîte de dialogue commune apparaît, sélectionnez **Créer à partir d'un fichier** et localisez Exemple.doc. Cette fois, cependant, ne cochez pas la case **Lien** avant de cliquer sur **OK**.

2 Cette fois, l'objet est incorporé et non lié dans le contrôle conteneur, c'est-à-dire qu'il y est copié en intégralité. C'est donc désormais à votre application VB qu'il incombe de gérer les données, d'enregistrer tout changement apporté par l'utilisateur et de charger ces modifications lors de la prochaine exécution du programme. Nous aborderons cet aspect du contrôle conteneur un peu plus tard ; pour l'instant, contentons-nous de lancer l'application :

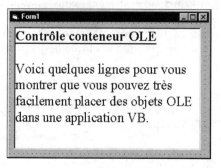

3 Cette fois, lorsque vous double-cliquez sur le contrôle conteneur pour activer l'objet, une opération d'édition a lieu au sein de votre application VB :

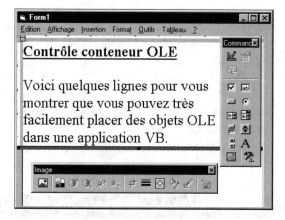

Fonctionnement

Lors de la conception d'un objet incorporé en mode création, VB charge une image du fichier dans son propre espace mémoire. Il s'agit d'un « instantané » des données à un moment donné.

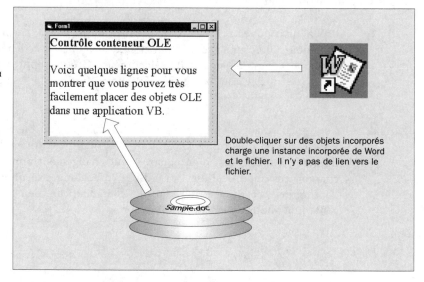

Double-cliquer sur des objets incorporés charge une instance incorporée de Word et le fichier. Il n'y a pas de lien vers le fichier.

Quand VB est exécuté, il crée au sein de lui-même un objet de la classe Word, qu'il utilise ensuite pour éditer le fichier choisi. Cette opération est fondamentalement différente de la liaison, qui est une sorte de détournement amélioré.

Utiliser les propriétés du contrôle conteneur

Au lieu d'utiliser les boîtes de dialogue communes du contrôle conteneur OLE pour définir un contrôle commun, vous pouvez recourir à la méthode « dure » et employer les propriétés du contrôle OLE :

Propriété	Description
Class	Définit ou retourne le nom de la classe d'un objet. Cette propriété détermine l'application qui a créé et gère les données affichées.
SourceDoc	Document source à partir duquel vous voulez produire un objet OLE.
SourceItem	Permet de sélectionner une partie, seulement, du document source devenu objet lié ; est inutilisable pour les objets incorporés.

Créons un nouvel objet, afin de voir ces propriétés à l'œuvre.

Passons à la pratique ! Utiliser les propriétés du contrôle conteneur

1 Créez un nouveau projet. Dessinez de nouveau un contrôle conteneur sur la feuille, mais annulez cette fois la boîte de dialogue OLE lorsqu'elle apparaît. Cliquez sur le contrôle pour le sélectionner et appuyez sur *F4* pour ouvrir sa fenêtre Propriétés.

2 Dans cette fenêtre, recherchez la propriété Class ; celle-ci définit l'application utilisée pour créer et ensuite gérer les données que vous envisagez de lier ou d'incorporer. Cliquez sur les ellipses à droite de la propriété, afin d'afficher une liste des serveurs de documents connus :

3   Localisez l'entrée WordPad, en bas de la liste : Wordpad.Document.1. Elle indique que vous ouvrez un fichier WordPad et que la commande à envoyer par le contrôle conteneur à l'application est 1. Pour l'instant, sélectionnez juste l'entrée WordPad et cliquez sur OK.

4   Recherchez maintenant la propriété SourceDoc. Elle permet d'indiquer précisément au conteneur le document que nous envisageons d'utiliser en cliquant sur les ellipses à droite de la propriété, en vue d'afficher la boîte de dialogue OLE standard. Sélectionnez ensuite votre fichier Exemple.doc avec Parcourir. Nous voulons ici incorporer l'objet ; par conséquent, ne cochez pas la case Lien.

5   Exécutez finalement le programme et double-cliquez sur le contrôle conteneur OLE :

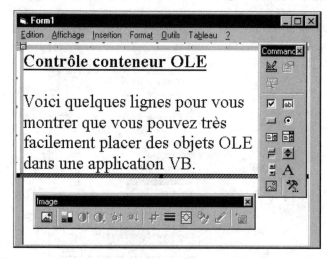

> Dans cet exemple, nous définissons les propriétés avec la fenêtre du même nom, mais nous pourrions tout à fait recourir au code en cours d'exécution. Cela se révèle notamment utile pour modifier ce que vous liez ou incorporez en phase d'exécution (en réponse à une action de l'utilisateur, par exemple).

Nous n'avons pas défini la dernière propriété : SourceItem. Elle permet de spécifier une partie du fichier à employer comme objet OLE, en recourant pour cela à toute notation acceptée par l'application source. Supposons que nous venions de lier une feuille de calcul Excel ; il est possible d'affecter à la propriété SourceItem une valeur du type R1C1:R12C100, afin de sélectionner simplement une plage de cellules de cette feuille. Si vous possédez ce tableur, vous pouvez essayer : suivez la même méthode que pour lier une feuille Excel, mais spécifiez cette fois une plage particulière dans la propriété SourceItem.

La propriété qui désigne la future application incorporée est appelée une classe. Visual Basic déclare une variable objet de ce type pour accéder à toutes les méthodes et propriétés de l'application Word.

Créer un objet au moyen du presse-papiers

Vous pouvez également créer des objets liés ou incorporés en mode création en utilisant les données du presse-papiers. De nombreuses applications OLE, par exemple, permettent de couper ou copier des informations vers le presse-papiers, puis de produire un objet OLE grâce à l'option Collage spécial d'un autre programme, comme Visual Basic.

Passons à la pratique ! Créer un objet au moyen du presse-papiers

1   Ouvrez le fichier Exemple.doc et faites glisser le pointeur de la souris sur le texte à sélectionner dans le document. Choisissez ensuite Copier dans le menu Edition. Désormais, le presse-papiers contient un document qui peut être collé dans un contrôle conteneur OLE.

2   De retour dans Visual Basic, démarrez un nouveau projet et dessinez un contrôle conteneur OLE sur la feuille par défaut. Annulez la boîte de dialogue commune OLE qui apparaît, car nous n'avons pas besoin d'y coller des données. Cliquez du bouton droit sur le contrôle conteneur, afin d'afficher un menu popup :

3   Vous remarquerez que l'option Collage spécial... est activée. Sélectionnez-la pour ouvrir la boîte de dialogue OLE pour le collage :

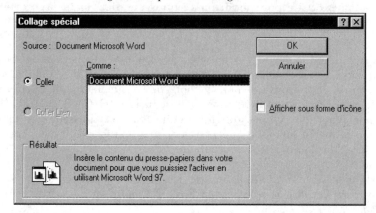

4   L'objet OLE contient un lien vers l'application source : la boîte de dialogue connaît donc le nom de ce programme, ainsi que celui du fichier du document source. Cliquez sur le bouton OK, afin de coller les données dans le contrôle conteneur :

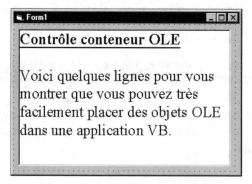

Dans un moment, nous verrons comment utiliser le presse-papiers pour coller des objets dans le contrôle conteneur à partir du code.

Lier et incorporer un objet en phase d'exécution

Bien sûr, la liaison et l'incorporation d'objets en mode création ne sont que l'un des aspects d'OLE. Ce qui fait réellement la force de ce dernier est en réalité la possibilité d'effectuer la même chose en phase d'exécution et, plus encore, de lier et d'incorporer des données sans avoir à se soucier du format de l'application serveur.

Les méthodes `CreateLink` et `CreateEmbed` permettent respectivement de lier et d'incorporer un objet lors de l'exécution. Toutes deux s'appuient sur des contrôles conteneurs OLE.

Leur syntaxe est simple :

```
ConteneurOLE.CreateLink <Nom du fichier>
ConteneurOLE.CreateEmbed <Nom du fichier>
```

Vous aurez également besoin d'une autre propriété : OLETypeAllowed. Avant de pouvoir placer un objet dans un contrôle conteneur en phase d'exécution, vous devez indiquer à Visual Basic le devenir de cet élément (s'il s'agira d'un objet lié ou incorporé, ou si VB doit simplement autoriser les deux types). Pourquoi ? À moins que vous ne codifiiez votre application différemment, l'utilisateur ne verra pas la boîte de dialogue OLE standard que nous pouvons employer dans VB en mode création. Par conséquent, vous devez répercuter dans le code tout le travail qui s'effectuerait manuellement avec cette boîte.

Les valeurs possibles de la propriété OLETypeAllowed sont les suivantes :

Valeur/Constante	Description
vbOLELinked	Indique à VB que le contrôle conteneur n'accueillera que des objets liés.
VbOLEEmbedded	Indique à VB que le contrôle conteneur n'accueillera que des objets incorporés.
VbOLEEither	Indique à VB que le contrôle conteneur accueillera l'un ou l'autre type d'objet.

L'emploi de ces propriétés et des méthodes CreateLink ou CreateEmbed dans le code est vraiment très simple.

Passons à la pratique ! Lier ou incorporer un objet en phase d'exécution

1   Démarrez un nouveau projet standard dans VB et placez sur la feuille un contrôle conteneur, deux boutons de commande et une boîte de dialogue commune, afin d'obtenir un écran semblable au nôtre. Cliquez sur **Annuler** lorsque la boîte de dialogue OLE commune apparaît : nous insérerons l'objet par l'intermédiaire du code.

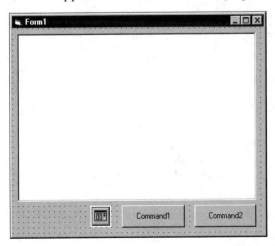

N'oubliez pas que vous devrez peut-être utiliser l'option Composants du menu Projet pour accéder à certains de ces contrôles.

2 Appelez les boutons de commande `cmdLier` et `cmdIncorporer`, la boîte de dialogue commune `dlgOuvrir` et gardez `OLE1` pour le contrôle conteneur.

3 Ajoutez du code aux boutons de commande, afin d'animer un peu le projet. Double-cliquez sur le bouton **Lier** pour ouvrir sa fenêtre de code. Modifiez l'événement `cmdLier_Click` comme suit :

```
Private Sub cmdLier_Click()

    With OLE1
        .Class = ""
        .SourceDoc = ""
        .SourceItem = ""

        dlgOuvrir.ShowOpen

        If dlgOuvrir.Filename <> "" Then
            .OLETypeAllowed = vbOLELinked
            .CreateLink dlgOuvrir.Filename
        End If
    End With

End Sub
```

4 Le code du bouton **Incorporer** est très proche. Saisissez-le dans l'événement `cmdIncorporer_Click` :

```
Private Sub cmdIncorporer_Click()

    With OLE1
        .Class = ""
        .SourceDoc = ""
        .SourceItem = ""

        dlgOuvrir.ShowOpen

        If dlgOuvrir.Filename <> "" Then
            .OLETypeAllowed = vbOLEEmbedded
            .CreateEmbed dlgOuvrir.Filename
        End If
    End With

End Sub
```

5 Si vous exécutez le programme, les boutons fonctionnent. Vous pouvez cliquer sur l'un d'entre eux pour afficher une boîte de dialogue commune et y sélectionner un document dont vous voulez faire un objet lié ou incorporé :

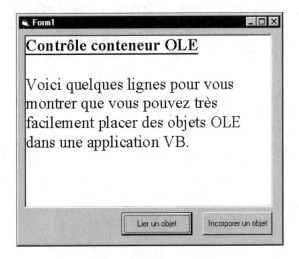

Fonctionnement

Le code lui-même est un peu plus prolixe que ne serait probablement l'équivalent dans le monde réel ; nous l'avons écrit sous cette forme essentiellement pour illustrer les concepts. Étudions-le pas à pas pour en comprendre le fonctionnement.

Pour les deux boutons, les trois premières lignes de code au sein du bloc With redéfinissent le conteneur OLE, effaçant les propriétés Class, SourceDoc et SourceItem, en vue d'accueillir de nouvelles données :

```
With OLE1
      .Class = ""
      .SourceDoc = ""
      .SourceItem = ""
```

Ceci fait, il est possible d'afficher la boîte de dialogue d'ouverture du fichier en appelant la méthode ShowOpen de la boîte de dialogue commune :

```
dlgOuvrir.ShowOpen
```

Nous devons ensuite vérifier que l'utilisateur a bien sélectionné un fichier avant de définir la propriété OLETypeAllowed. Nous appelons finalement la méthode CreateLink ou CreateEmbed :

```
      If dlgOuvrir.Filename <> "" Then
          .OLETypeAllowed = vbOLELinked
          .CreateLink dlgOuvrir.Filename
      End If
```

Pour arriver au même résultat, vous pouvez recourir à un procédé un peu plus simple qui consiste à régler la propriété OLETypeAllowed sur 2—**Either** en mode création.

Charger et sauvegarder des données incorporées

Précédemment, nous vous avons signalé que l'application VB était chargée de conserver l'intégrité des données d'un objet incorporé, assumant notamment leur chargement et leur enregistrement sur le disque.

Heureusement, rien n'est jamais aussi compliqué que le croient les développeurs. VB propose deux fantastiques méthodes intégrées qui s'occupent de tout à votre place : `SaveToFile` et `ReadFromFile`. Prenons le code suivant :

```
Sub SaveOLEControl()

    Dim nNuméroFichier As Integer

    nNuméroFichier=FreeFile
    Open "Test.OLE" For Binary As #nNuméroFichier
    Ole1.SaveToFile nNuméroFichier
    Close #nNuméroFichier

End Sub
```

Il sauvegarde le contenu d'un contrôle conteneur OLE dans un fichier appelé `Test.OLE`. Mais comment s'y prend-il ?

Nous utilisons d'abord la fonction `FreeFile` pour retourner le prochain numéro de fichier disponible, puis ouvrons sur le disque le document dans lequel seront enregistrées les données :

```
Open "Test.OLE" For Binary As #nNuméroFichier
```

Comme nous sauvegardons des données OLE qui pourraient tout à fait être un joyeux mélange d'informations binaires, textuelles et numériques, il faut indiquer à VB, lors de l'ouverture du fichier, que ce dernier contiendra des données `Binary`. Cette ligne ouvre un document appelé `Test.OLE` sous la forme d'un fichier binaire et signale à VB qu'à partir de ce point, nous ferons référence à ce document en utilisant son numéro, contenu dans la variable `nNuméroFichier`.

Une fois le fichier ouvert, nous pouvons y enregistrer les données, grâce à la méthode `SaveToFile` :

```
Ole1.SaveToFile nNuméroFichier
```

La syntaxe est très simple. La méthode `SaveToFile` s'appuyant sur un contrôle conteneur OLE, elle doit être précédée du nom de ce contrôle. Dans cet exemple, nous avons choisi comme appellation `Ole1`. La seule chose qui reste à faire est de spécifier le numéro du fichier ouvert vers lequel vous désirez effectuer l'enregistrement ; c'est le rôle de `nNuméroFichier`.

En tout dernier lieu, le programme ferme le fichier :

```
Close #nNuméroFichier
```

Le chargement de données dans un contrôle conteneur OLE n'a rien de compliqué non plus ; le code est d'ailleurs presque le même :

```
Sub LoadOLEControl()

    Dim nNuméroFichier As Integer
    nNuméroFichier=FreeFile
    Open "Test.OLE" For Binary As #nNuméroFichier
    Ole1.ReadFromFile nNuméroFichier
    Close #nNuméroFichier

End Sub
```

À la différence près (évidente) du nom de la sous-routine, le seul autre nouvel élément est l'emploi de la méthode ReadFromFile à la place de la méthode SaveToFile. Le reste du code suit le même modèle que dans l'exemple précédent : repérage du numéro de fichier, ouverture du document, exécution de l'opération et fermeture du fichier. Simple comme bonjour !

Lier et incorporer un objet avec le presse-papiers

L'objet presse-papiers lui-même n'a pas de méthodes spécifiques pour savoir si les données qu'il contient sont (ou peuvent devenir) un objet OLE. Le contrôle conteneur OLE, en revanche, nous permet d'obtenir ces informations sur les données du presse-papiers, grâce à sa propriété PasteOK.

Cette dernière retourne respectivement True ou False selon que les données du presse-papiers peuvent ou non être collées dans le contrôle conteneur OLE. Dans le premier cas, il est alors possible d'appeler la méthode Paste pour le contrôle, afin d'extraire les informations du presse-papiers.

Une autre procédure, beaucoup plus professionnelle, consiste à faire apparaître la boîte de dialogue **Collage Spécial** utilisée par de très nombreuses applications, dont Visual Basic. Vous y accéderez en appelant la méthode PasteSpecialDlg.

Avant de voir les détails pratiques de l'utilisation du presse-papiers avec OLE, un peu de théorie s'impose sur la programmation. L'option **Collage spécial** se trouve généralement dans le menu **Edition** du programme concerné. Il est néanmoins courant de ne l'activer que si le presse-papiers contient un objet à coller.

Le problème des programmeurs débutants est de décider où placer le code pour activer et désactiver cette commande. Certains ont essayé d'employer des boucles qui vérifiaient le contenu du presse-papiers aux moments où l'ordinateur avait une activité réduite ; d'autres ont écrit un code fondé sur une minuterie qui contrôlait le presse-papiers toutes les n millisecondes ou un code basé sur une DLL complexe qui déchargeait totalement VB. Comme bien d'autres tentatives, aucune de ces solutions n'était véritablement la bonne.

N'oubliez jamais, en effet, qu'ici, vous faites de la programmation dans un système de développement événementiel : l'essentiel du code s'exécute en réponse à des événements déclenchés par l'utilisateur ou par le système. Lorsque vous décidez d'employer un tel code, essayez de déterminer l'événement naturel qui lui correspondrait le mieux. Dans notre exemple, il s'agirait de recourir à l'événement Click de l'option de menu **Edition**. Pour faire dérouler un menu, l'utilisateur doit cliquer sur son titre. En plaçant du code dans l'événement Click de cet objet, nous pouvons activer et désactiver des commandes de menus uniquement lorsqu'elles sont sur le point d'apparaître à l'écran. Il s'agit de loin de l'approche la plus habile, qui témoigne d'une pratique judicieuse de la programmation : ne jamais compliquer son code à l'excès.

Passons à la pratique ! Coller un objet OLE

1   Démarrez un nouveau projet dans Visual Basic et placez un contrôle conteneur OLE sur la feuille, comme précédemment ; ne prenez pas la peine d'y lier ou incorporer des documents, car nous allons le faire à partir du presse-papiers dans quelques instants. Ajoutez également un menu **Edition** à la feuille appelée mnuEdition, avec dedans une seule commande, **Collage spécial**, appelée mnuECollageSpécial :

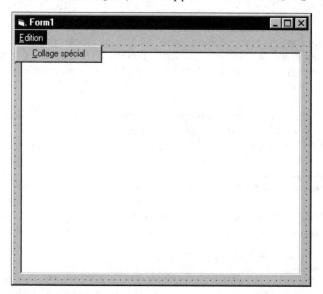

2   Ouvrez la fenêtre de code et saisissez du code pour gérer ces deux objets de menu :

```
Private Sub mnuEdition_Click()

    mnuECollageSpécial.Enabled = OLE1.PasteOK
```

```
End Sub

Private Sub mnuECollageSpécial_Click()

    OLE1. PasteSpecialDlg

End Sub
```

3   C'est tout ! Exécutez l'application, afin de découvrir l'élément <u>C</u>ollage spécial, qui s'active uniquement lorsque le presse-papiers contient quelque chose à coller et permet également de coller ces données dans le conteneur sur la feuille.

Qu'en dites-vous ? À l'exception de celles qui marquent le début et la fin des procédures événementielles, il n'y a que deux lignes de code véritables dans l'application. Là encore, Visual Basic brise les idées reçues : utiliser OLE n'est pas la mer à boire. Au contraire, il n'y a vraiment rien de très compliqué.

Fonctionnement

La première unité de code importante est l'événement `Click` du titre de menu <u>É</u>dition. Lorsque vous cliquez sur ce dernier, et avant même que le reste du menu s'affiche, le code copie la valeur de la propriété `PasteOK` dans la propriété `Enabled` de la commande <u>C</u>ollage spécial. Par conséquent, si `PasteOK` retourne `True` (indiquant ainsi que les données du presse-papiers peuvent être collées dans le contrôle conteneur), la propriété `Enabled` de la commande <u>C</u>ollage spécial est réglée sur `True`. Lorsqu'il est impossible de coller le contenu du presse-papiers, la commande est désactivée et ne peut donc pas être sélectionnée par l'utilisateur ; il n'est par conséquent plus nécessaire de contrôler le presse-papiers dans le code `mnuCollageSpécial_Click`. Cette procédure événement se contente d'exécuter la méthode `PasteSpecialDlg`, qui affiche la boîte de dialogue <u>C</u>ollage spécial représentée ci-dessous :

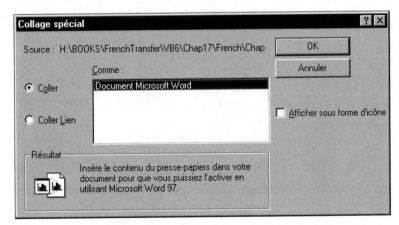

Vous souvenez-vous du chapitre 1 ? Nous vous avions dit, alors, que la programmation VB consistait essentiellement à fournir à l'utilisateur les outils nécessaires à l'exécution de son travail et à le laisser faire, ensuite. En voici une excellente illustration.

La boîte de dialogue présente la classe de l'objet à l'utilisateur (un document Microsoft Word dans le cas présent), qui peut choisir de lier ou d'incorporer les données dans le contrôle conteneur. Vous n'avez pas à vous soucier du collage véritable des informations du presse-papiers dans le contrôle, pas plus, d'ailleurs, que du paramétrage des propriétés du contrôle et de l'affichage des données à l'écran.

Vous aurez remarqué que VB peut rendre simples des tâches a priori complexes. De nombreux programmeurs C et Pascal ont fui OLE comme la peste dans leurs applications, juste parce qu'il y voyaient un véritable casse-tête. Comportez-vous comme un programmeur VB, et vous pourrez, quant à vous, emprunter toutes les voies de la programmation, bénéficier au maximum des atouts d'OLE et annoncer fièrement « Lier et incorporer... no problem ! ».

Résumé

Visual Basic tire en grande partie sa popularité de sa capacité à créer et utiliser des composants. Chaque contrôle ActiveX employé repose sur OLE et le COM (Composant Object Model) sous-jacent. Les composants fournis par Microsoft Office sont également fondés sur OLE. Dans ce chapitre, nous avons présenté OLE et ActiveX un peu plus en détail. Nous avons plus précisément abordé les points suivants :

❑ Similarités et différences entre DDE, OLE et ActiveX

❑ Utilisation de quelques composants ActiveX intégrés à Microsoft Office

❑ Concepts in process, out of process, liaison précoce et liaison tardive

❑ Création d'un composant de code ActiveX très simple avec Visual Basic 6

❑ Emploi du contrôle conteneur OLE pour accueillir des documents ActiveX

Dans le chapitre suivant, nous reparlerons de la création de composants avec Visual Basic 6, lorsque nous traiterons de celle de contrôles ActiveX.

Que diriez-vous d'essayer ?

1   Quelle est la différence entre les composants in process et out of process ? En quoi l'un de ces types est-il préférable à l'autre ?

2   Une DLL ActiveX n'autorise pas certaines propriétés d'une classe. Lesquelles ?

3   Créez un serveur de composants out of process ActiveX (EXE) avec deux propriétés et deux méthodes. Faites en sorte qu'il affiche le nom et l'âge de l'utilisateur qui l'a appelé.

4   Créez un projet Exe standard qui accède aux propriétés et méthodes du serveur ActiveX conçu dans l'exercice 3. Le projet devra comporter une feuille, un bouton de commande, deux zones de texte et deux étiquettes. Lorsque l'utilisateur clique sur le bouton, appelez le serveur ActiveX et faites en sorte qu'il affiche le nom et l'âge de cette personne.

5   Quelle est la différence entre les objets OLE incorporés et liés ? L'un de ces types est-il préférable à l'autre ? Quels sont les avantages et inconvénients de chacun ?

Créer vos propres contrôles

Jusqu'à présent dans ce manuel, nous nous sommes contentés d'utiliser les contrôles disponibles dans la boîte à outils de Visual Basic pour construire nos projets. Cependant, l'une des innovations les plus importantes introduites dans VB5 était la possibilité de créer vos propres contrôles ActiveX. Cette possibilité est poussée plus loin dans VB6.

La capacité de créer des contrôles vous permet de produire des contrôles personnalisés dont la réactivité est bien supérieure à celle des contrôles ordinaires de Visual Basic. Mais les avantages ne s'arrêtent pas là. De plus en plus d'applications, et semble-t-il plus particulièrement celles de Microsoft, sont compatibles avec des contrôles ActiveX. Vous pouvez ainsi partager le fruit de votre dur labeur en le plaçant au sein d'un contrôle ActiveX réutilisable par le grand public ! N'est-ce pas merveilleux ? Vous pouvez aussi donner un peu plus de cachet à vos pages Web en y incorporant des contrôles ActiveX. Et tant que vous y êtes, pourquoi ne pas entrer sur le marché des contrôles ActiveX en vendant les vôtres...

Dans ce chapitre, nous aborderons les points suivants :

- ❑ La création d'un contrôle ActiveX complet
- ❑ La construction d'un contrôle avec l'aide de l'Assistant Contrôle ActiveX
- ❑ La modification de l'icône apparaissant dans la boîte à outils
- ❑ L'introduction du nouveau contrôle dans la boîte à outils

> Bien entendu, dans un seul chapitre, je ne pourrai jamais vous offrir qu'une introduction à la création de contrôles personnalisés. Si toutefois vous désirez poursuivre votre apprentissage, référez-vous à mon prochain ouvrage « Beginning Objects with Visual Basic » (également publié chez Wrox Press), pour une étude plus détaillée et pléthore d'exemples.

Mais, sans plus attendre, que le spectacle commence !

Un contrôle de sélection de couleurs

Vous devriez maintenant être familiarisé avec la boîte de dialogue commune de sélection de couleurs. Imaginons que vous souhaitiez disposer d'un bouton sur lequel l'utilisateur puisse cliquer pour appeler cette boîte de dialogue. Facile, non ? Imaginons maintenant que vous développiez une application et que vous souhaitiez placer ce bouton sur de nombreuses feuilles différentes. Toujours assez facile, mais ne serait-ce pas plus pratique d'avoir un bouton d'appel prêt à l'emploi que vous pourriez placer sur chaque feuille comme s'il s'agissait d'un contrôle ordinaire ? Voyons un peu.

Passons à la pratique ! Un contrôle Bouton de sélection de couleurs

1   Commencez un nouveau projet en Visual Basic, mais cette fois, au lieu de choisir un projet **Exe standard**, choisissez l'option ActiveX Control.

A première vue, un projet de contrôle ActiveX a l'air assez similaire à un projet standard. Mais si vous y regardez de plus près, vous remarquerez que la fenêtre de projet vous indique que nous travaillons avec un contrôle plutôt qu'avec un projet ordinaire :

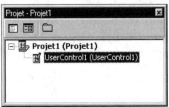

2   Cliquez sur **UserControl1** dans la fenêtre du projet afin d'appeler la fenêtre **Propriétés** pour y changer la propriété **Name** et rebaptiser votre contrôle **BoutonDeCouleur** :

Placez maintenant un bouton de commande et le contrôle Boîte de dialogue commune sur votre feuille. Modifiez la légende du bouton de commande en **Choisissez une couleur** :

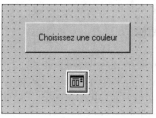

4   Appelez la fenêtre de code et tapez-y la ligne suivante dans la section (Général) (Déclarations) :

```
Event Click()
```

Entrez-y ensuite le code suivant :

```
Private Sub Command1_Click()
  CommonDialog1.ShowColor
  RaiseEvent Click
End Sub

Public Property Get Color() As Long
  Color = CommonDialog1.Color
End Property

Private Sub UserControl_Resize()
  Command1.Move 0, 0, ScaleWidth, ScaleHeight
End Sub
```

Notre contrôle est, à ce stade, prêt à l'emploi. Tester un contrôle est néanmoins un peu plus compliqué que ce que nous avons fait pour des projets standard. Il faut tout d'abord le placer dans un autre projet.

5   Commençons par compiler notre contrôle. Enregistrez ce projet. VB vous demandera d'abord de sauvegarder le contrôle comme un fichier `.ctl`. Enregistrez-le sous le nom de `BoutonDeCouleur.ctl`, puis enregistrez le projet sous le nom `BoutonDeCouleur.vbp`. Enfin, choisissez **Créer BoutonDeCouleur.ocx** dans le menu **F**ichier pour compiler votre contrôle.

6   N'oubliez pas de fermer ensuite la fenêtre de création (et non pas uniquement la fenêtre de code) de ce contrôle en cliquant sur le bouton Fermer de la barre de menu. Visual Basic ne nous permet pas d'utiliser notre contrôle tant que sa fenêtre de création est ouverte.

7   Sélectionnez **A**jouter un projet dans le menu **F**ichier et créez un projet **Exe standard**. Ouvrez la fenêtre de projet. Il y a maintenant deux projets affichés :

Nous venons d'ajouter un second projet à l'environnement Visual Basic dans lequel nous avons construit notre projet de contrôle. Projet1 est notre contrôle et Projet2 est le nouveau projet que nous venons de créer.

8 Si vous ouvrez votre boîte à outils, vous vous apercevrez qu'elle contient maintenant une icône pour notre tout nouveau contrôle de sélection de couleurs. Placez-en un sur votre feuille comme s'il s'agissait d'un contrôle ordinaire :

9 Appelez maintenant la fenêtre de code et saisissez-y le code suivant :

```
Private Sub BoutonDeCouleur1_Click()
  BackColor = BoutonDeCouleur1.Color
End Sub
```

10 Enfin, exécutez votre programme et cliquez sur votre bouton. La boîte de dialogue commune désormais familière apparaît, vous permettant de choisir une couleur. Choisissez-en une et cliquez sur OK. La couleur d'arrière-plan de votre feuille est remplacée par la couleur que vous venez de choisir :

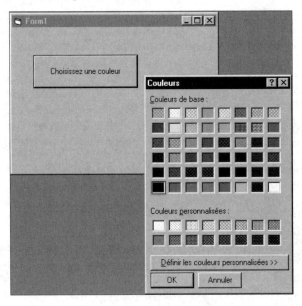

Félicitez-vous, vous venez de créer votre premier contrôle !

Et tout ça sans trop de code. En fait, même le code que nous avons utilisé est semblable à celui que nous avons déjà employé dans cet ouvrage. C'est le principe même des contrôles ActiveX : la création de contrôles est censée être aussi simple que la programmation ordinaire.

Analysons ce code pour voir ce qu'il effectue exactement.

Fonctionnement : obtenir les bonnes dimensions

Observons tout d'abord le code destiné à dimensionner votre contrôle :

```
Private Sub UserControl_Resize()
  Command1.Move 0, 0, ScaleWidth, ScaleHeight
End Sub
```

Ceci devrait désormais vous sembler assez simple. Lorsqu'un contrôle est redimensionné, un événement `Resize` se produit. Vous pouvez ajouter du code pour que votre contrôle réagisse à cet événement et c'est exactement ce que nous avons fait ici. Vous pouvez utiliser la commande `Move` sur la plupart des contrôles afin de les déplacer et de les redimensionner. Dans notre exemple, nous avons utilisé `Command1.Move` pour placer notre contrôle aux coordonnées 0, 0 et ajuster sa taille et sa hauteur à celles de notre contrôle personnalisé. Tout ce que nous avons fait, c'est de redimensionner notre bouton de commande afin qu'il remplisse notre contrôle et ce, quelle que soit la taille de ce dernier.

A première vue, cela peut paraître déroutant : les contrôles ne se dimensionnent-ils pas automatiquement ? Eh bien, en fait, oui, mais seulement parce que les programmeurs qui les ont créés les ont programmés de la sorte. Et comme nous avons créé ce contrôle nous-même, c'est à nous qu'incombe la tâche de faire en sorte qu'il ait la bonne taille !

> Tout le processus de création de contrôles implique que vous changiez votre façon de penser. Il faut que vous cessiez d'être un *utilisateur* de contrôles et que vous en deveniez un *créateur*. Vous vous apercevrez bien vite que les contrôles ne sont pas bons à grand-chose à moins que le programmeur n'y ait mis du sien.

Fonctionnement : obtenir la bonne couleur

Dans notre projet test, nous avions une ligne de code établissant la couleur de la feuille :

```
BackColor = BoutonDeCouleur1.Color
```

Mais d'où venait cette propriété `Color` ? En fait, si vous jetez un coup d'œil au code que vous avez tapé dans ce contrôle, vous trouverez la séquence suivante :

```
Public Property Get Color() As Long
  Color = CommonDialog1.Color
End Property
```

C'est ce code qui donne une propriété `Color` à notre contrôle. Comme vous le voyez, il se contente de passer la propriété `Color` du contrôle Boîte de dialogue commune. On ne peut plus simple.

Fonctionnement : Gérer les clics

La majorité des contrôles possède bien entendu des événements afin que les programmes qui les utilisent puissent réagir à ce qui se passe. Dans notre programme test, nous avons utilisé l'événement `Click` de notre contrôle BoutonDeCouleur :

```
Private Sub BoutonDeCouleur1_Click()
   BackColor = BoutonDeCouleur1.Color
End Sub
```

Et, tout comme pour la propriété `Color`, cet événement `Click` n'est là que parce que vous avez saisi le bon code :

```
Event Click()

Private Sub Command1_Click()
   CommonDialog1.ShowColor
   RaiseEvent Click
End Sub
```

Les choses se compliquent un peu maintenant. Avez-vous remarqué les commandes `Event` et `RaiseEvent` de votre code ?

La commande `Event` indique à Visual Basic que ce contrôle pourrait amorcer un événement. Dans ce cas-ci, nous lui avons indiqué que notre contrôle pourrait provoquer un événement `Click`. C'est assez semblable à une déclaration de variables au début d'un programme, sauf qu'ici, nous déclarons un événement. Toutefois, déclarer un événement ne signifie pas qu'il va se produire, simplement qu'il pourrait se produire. Il faut que vous appeliez cet événement avec une autre commande pour qu'il se produise.

`RaiseEvent` est, vous l'aurez deviné, la commande qui amorce véritablement notre événement `Click`. Comme vous pouvez le voir, nous avons fait en sorte que notre événement `Click` se produise dans l'événement `Click` du bouton de commande. C'est parce que nous souhaitons donner l'impression à notre programme test que, lorsque l'utilisateur clique sur notre bouton, c'est sur le contrôle BoutonDeCouleur qu'il a cliqué.

Toutefois, nous voulons présenter la boîte de dialogue de sélection de couleurs à notre utilisateur avant de déclencher l'événement `Click`. C'est pour cela que nous plaçons la commande `RaiseEvent` après la commande `CommonDialog1.ShowColor`. De cette façon, l'événement `Click` du BoutonDeCouleur n'est amorcé qu'après que l'utilisateur a vu la boîte de dialogue de sélection de couleurs et cliqué sur le bouton OK.

Notre contrôle BoutonDeCouleur est on ne peut plus simple. Créer des contrôles plus complexes peut représenter beaucoup plus de travail. Fort heureusement, Microsoft nous facilite la tâche en mettant à notre disposition, mais oui, quoi d'autre, un assistant ! Nous allons un peu plus loin, créer un contrôle complet en utilisant l'Assistant Interface de contrôles ActiveX.

Une liste modifiable améliorée

Microsoft nous permet de travailler avec des listes d'information de plusieurs façons, par exemple en utilisant le contrôle Liste modifiable. Ce contrôle ne prend pas beaucoup de place à l'écran jusqu'à ce que l'utilisateur l'ouvre pour y choisir une option dans la liste.

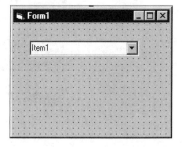

Malheureusement, cette liste modifiable cesse d'être pratique pour l'utilisateur lorsque la liste de données devient très longue, car l'utilisateur ne peut voir qu'une seule partie de la liste à la fois (il doit faire défiler cette liste vers le haut ou vers le bas pour en voir le reste). Imaginons que nous ayons une liste modifiable contenant plus d'un millier d'options. Mettez-vous à la place du pauvre utilisateur ayant à faire défiler tout ça ou à passer en revue toute cette liste avec sa souris avant de trouver ce qu'il cherche. Si vous placez la propriété Sorted sur True, votre utilisateur peut taper la première lettre d'un mot et aller directement à la première occurrence de cette lettre. Vous pourriez néanmoins avoir des centaines de mots commençant par cette lettre et ce n'est dès lors pas la meilleure solution.

Certains programmes résolvent ce problème en employant une version de ce contrôle permettant aux utilisateurs de taper les quelques premiers caractères d'un mot, ce qui fait ainsi défiler la liste jusqu'au premier mot adéquat. Ce type de fonctionnalité vous permet de présenter des centaines, voire des milliers d'entrées à votre utilisateur sous forme d'une liste simple mais efficace.

Et, comme VB6 nous permet non seulement de créer des contrôles à partir de rien mais aussi d'améliorer certains des contrôles qu'il nous propose, nous allons pouvoir créer notre propre nouvelle version améliorée d'un contrôle Liste modifiable.

Ce processus comprend pas mal d'étapes, soyez donc patient. Une fois que nous aurons terminé, nous disposerons là d'un contrôle très utile.

Passons à la pratique ! Préparer le contrôle

1   Créez un nouveau projet, en vous assurant qu'il soit du type Contrôle ActiveX.

2   Dans le menu <u>P</u>rojet, choisissez **Propriétés de Project1...** et rebaptisez votre projet WContrôleListeModif. Tant que vous y êtes, écrivez dans la description du projet Contrôle Liste modifiable. Cette description apparaîtra dans la liste des **Composants** et dans l'explorateur d'objets, vous offrant ainsi une description plus compréhensible de votre contrôle.

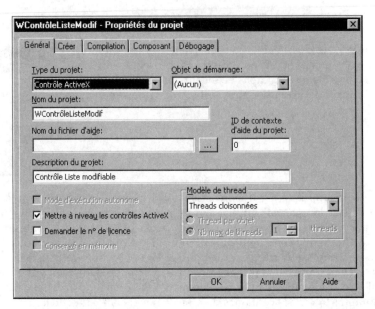

3 Cliquez sur **OK** pour fermer cette boîte de dialogue. Sélectionnez ensuite `UserControl1` et rebaptisez-le `WListeModifiable` en en modifiant la propriété **Name**. C'est le nom que verront et utiliseront les programmeurs qui veulent se servir de notre contrôle dans leurs projets :

4 Ajoutez maintenant un contrôle Liste modifiable ordinaire à votre contrôle personnalisé `WListeModifiable` :

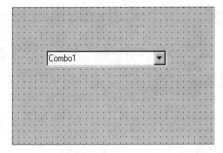

Ne vous préoccupez pas de l'endroit où votre contrôle apparaît dans la fenêtre de création, car nous allons le repositionner et le redimensionner grâce à du code. Nous voulons que ce contrôle réagisse aux actions du programmeur de la même façon qu'un contrôle Liste modifiable ordinaire ; nous allons donc devoir écrire du code à cet effet.

5   Appelez ce contrôle Liste modifiable `cboListeMod`. Rappelez-vous que cette liste modifiable se trouve *à l'intérieur* de notre contrôle. Comme nous définissons l'interface de programmation de notre contrôle, le contrôle faisant partie de notre liste modifiable ne sera pas directement accessible par un programmeur à moins que nous ne l'y autorisions. Les programmeurs ne verront que `WListeModifiable`, le nom de notre contrôle.

A ce stade, vous pouvez, si vous le souhaitez, compiler et tester votre contrôle. Utilisez la méthode que nous avons employée précédemment pour tester notre contrôle de choix de couleurs. Vous vous apercevrez très vite que notre contrôle est loin d'être terminé. En fait, il est quasiment impossible de lui faire faire quoi que ce soit d'utile. Continuons donc.

L'Assistant Interface de contrôles ActiveX

Maintenant que nous avons établi les bases de notre contrôle, nous pouvons utiliser l'Assistant Interface de contrôles ActiveX. Cet Assistant ne fera pas tout le travail pour nous, mais il construira au moins le squelette de notre interface, ce qui sera bien plus simple et rapide que d'avoir à le faire manuellement. Mais avant tout, il nous faut ajouter cet Assistant à Visual Basic.

Passons à la pratique ! Ajouter l'Assistant au menu

1   Cet Assistant n'est pas disponible par défaut. Avant de pouvoir l'utiliser, il faut informer Visual Basic de sa présence. Dans le menu Compléments, choisissez Gestionnaire de Compléments puis l'option Assistant Interface de contrôles ActiveX VB6. Cliquez sur la case à cocher Charger/Décharger dans le coin inférieur droit de la boîte de dialogue représentée dans l'écran ci-dessous. Le mot Chargé devrait alors apparaître dans la colonne Comportement, juste à côté de Assistant Interface de contrôles ActiveX VB6. Cliquez ensuite sur OK.

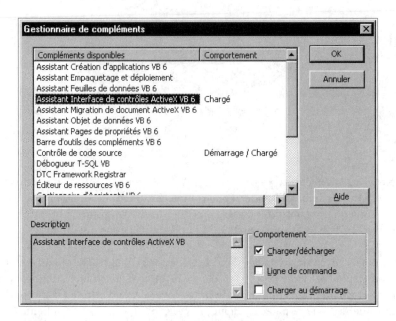

Il vous faudra répéter cette opération chaque fois que vous ouvrez Visual Basic, à moins que vous ne cochiez également la case **Charger au démarrage**. Cet Assistant apparaîtra alors chaque fois dans le menu.

2 L'Assistant Interface de contrôles ActiveX devrait maintenant apparaître dans le menu Compléments.

A quoi sert l'Assistant Interface de contrôles ActiveX ?

Comme nous l'avons vu précédemment dans notre exemple BoutonDeCouleur, normalement, vous n'avez pas à donner manuellement chaque propriété, méthode et événement du contrôle que vous créez. Placer une liste modifiable ou un bouton dans un contrôle n'aurait aucun intérêt si nous ne permettions pas au programmeur d'interagir avec celui-ci. La tâche essentielle de l'Assistant est d'ajouter automatiquement le code de chaque propriété et méthode. Ses actions ne sont pas toutes parfaites, mais il vous épargne pas mal de travail. Vous pouvez l'utiliser pour ajouter ou supprimer des propriétés, méthodes ou événements standard du contrôle. Il vous permet aussi de personnaliser votre contrôle et d'y ajouter vos propres propriétés, méthodes et événements.

Nous allons mettre tout ça en pratique dans notre exemple. Nous allons en effet prendre un contrôle Liste modifiable standard, supprimer certaines de ses propriétés et méthodes, y ajouter quelques nouvelles propriétés et méthodes standard et enfin définir une toute nouvelle propriété que nous appellerons LimiterALaListe. Rassurez-vous, avec l'Assistant, c'est beaucoup plus simple que ça n'en a l'air.

Passons à la pratique ! Utiliser l'Assistant pour ajouter des méthodes et des propriétés

1   Allez dans le menu Compléments et choisissez Assistant Interface de contrôles ActiveX. Le premier écran de l'Assistant est juste un écran d'introduction présentant les possibilités offertes. Lisez-le, puis cliquez sur Suivant pour continuer.

2   Les choses sérieuses commencent dès l'étape suivante. L'Assistant a déjà fait un nombre de suppositions quant à l'interface de notre contrôle :

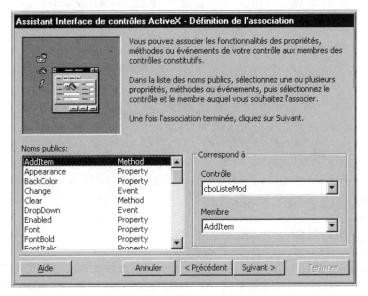

A gauche, l'Assistant énumère toutes les propriétés, méthodes et événements disponibles de notre contrôle ActiveX et de tout sous-contrôle que nous y avons ajouté. Dans ce cas-ci, il a ajouté tous les éléments de l'interface de notre sous-contrôle Liste modifiable.

La liste de droite comprend les noms de toutes les propriétés, méthodes et événements que l'Assistant inclura dans le contrôle final. Au départ, l'Assistant établit une liste par défaut de tous les éléments typiques pour la plupart des contrôles. C'est la liste qu'il nous faut modifier en supprimant les éléments que nous ne voulons pas et en ajoutant ceux dont nous avons besoin.

3   Commençons par enlever les éléments de la liste de droite dont nous n'aurons pas besoin. La liste par défaut de l'Assistant contient des éléments d'interface qui ne sont pas appropriés à notre contrôle. Plus particulièrement les éléments qui ne font pas normalement partie d'un contrôle dont la propriété Style est mise à 0 (ôtons-les donc tout de suite) :

675

BackStyle	BorderStyle	Click	DblClick
MouseDown	MouseMove	MouseUp	

Pour ôter un élément de la liste, cliquez sur cet élément dans la liste de droite, puis sur le bouton <.

4 Une fois débarrassé de ces éléments, nous pouvons ajouter des éléments supplémentaires de la liste de gauche. Nous devons particulièrement ajouter ceux qui font traditionnellement partie d'un contrôle Liste modifiable, de sorte que notre contrôle ait une interface aussi semblable que possible à celle d'une Liste modifiable standard.

AddItem	Appearance	Change	Clear
DropDown	FontBold	FontItalic	FontName
FontSize	FontStrikethru	FontUnderline	hWnd
ItemData	List	ListCount	ListIndex
Locked	MouseIcon	MousePointer	NewIndex
RemoveItem	SelLength	SelStart	SelText
Sorted	Style	Text	ToolTipText
TopIndex	WhatsThisHelpID		

Pour ajouter un élément à cette liste, cliquez sur l'élément désiré dans la liste de gauche, puis sur le bouton >. Ajoutez tous les éléments dont je viens de vous donner la liste.

A ce stade, nous avons toutes les propriétés, méthodes et événements normaux nécessaires à notre contrôle.

5 Cliquez maintenant sur S<u>u</u>ivant afin de passer à l'écran suivant de l'Assistant. Celui-ci nous permet d'entrer de nouvelles propriétés :

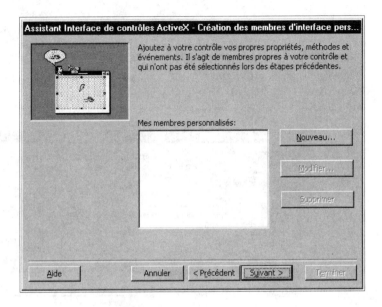

Une liste modifiable ordinaire dont la propriété Style est à 0, permet à l'utilisateur d'y entrer tout ce qu'il veut. Nous voulons que notre contrôle accepte également des entrées d'utilisateur, mais nous voulons que ces dernières soient limitées à celles présentes dans la liste. Pour ce faire, nous ajouterons une propriété LimiterALaListe à notre contrôle. C'est une nouvelle propriété et donc, elle n'était pas dans la liste de gauche. Il faut que nous l'ajoutions nous-même.

6 Cliquez sur le bouton **Nouveau...** et saisissez le nom de notre propriété, LimiterALaListe, dans le champ approprié. Cliquez ensuite sur **OK** :

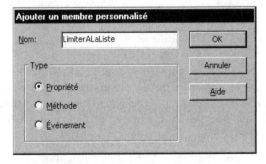

Pour ajouter des méthodes ou des événements, utilisez la même technique et assurez-vous que vous avez choisi les bons boutons d'option. Dans notre exemple, nous nous contenterons toutefois de cette nouvelle **Propriété**.

7   Cliquez maintenant sur S<u>u</u>ivant pour continuer. L'écran suivant nous permet d'*associer* nos propriétés, méthodes et événements à notre contrôle ou ses sous-contrôles. Cette association indique à l'Assistant que chaque propriété, méthode ou événement doit automatiquement être géré par une autre propriété, méthode ou événement appartenant directement à notre contrôle ou notre sous-contrôle Liste modifiable.

Nous associerons la totalité de l'interface de notre contrôle à `cboListeMod` à l'exception de la propriété `LimiterALaListe`, à laquelle nous reviendrons plus tard. Comme `cboListeMod` ne possède pas de propriété `LimiterALaListe` équivalente, nous ne pouvons pas l'associer à ce sous-contrôle.

8   Puisque nous voulons associer la totalité de notre interface à notre contrôle Liste modifiable, nous pouvons utiliser un raccourci. Mettez en surbrillance tous les éléments de la liste de gauche, sauf la propriété LimiterALaListe, avec votre souris ou en utilisant le clavier. Cliquez ensuite sur la liste modifiable **Contrôle** à droite et choisissez `cboListeMod`. L'Assistant associera alors automatiquement tous ces éléments aux propriétés, méthodes et événements de `cboListeMod` puisqu'ils ont tous les mêmes noms.

Si vous cliquez maintenant sur `AddItem` dans la liste **Noms publics**, vous vous apercevrez que l'Assistant l'a associé à la méthode `AddItem` de `cboListeMod`. En utilisant les flèches de votre clavier, vous pouvez passer en revue toute la liste et vous verrez que tous ses éléments ont été associés aux éléments du même nom de `cboListeMod` :

La méthode `AddItem` *de notre contrôle...*

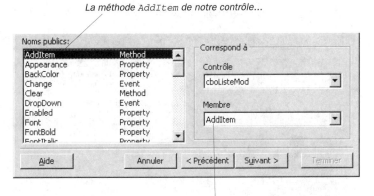

...est associée à la méthode AddItem de `cboListe`

*Cette technique est particulièrement utile pour identifier les éléments de l'interface appartenant à un sous-contrôle donné. Après cette association globale, vous pouvez passer individuellement en revue les éléments de la liste **Noms publics**. Si certains élément n'ont pas d'équivalent dans votre sous-contrôle, ils apparaîtront comme associés au contrôle "(**Aucun**)" et le champ Membre sera vide.*

9   Cliquez sur S**u**ivant. L'Assistant a besoin de plus d'informations sur les éléments qui ne sont pas associés (dans ce cas-ci, la propriété `LimiterALaListe`). Il souhaite en particulier connaître le type de données de cette propriété, sa valeur par défaut et si elle est en lecture-écriture, en lecture seule ou en écriture seule, ou si elle sera inaccessible en mode création comme en phase d'exécution.

Nous pouvons également fournir une description de notre propriété qui pourra alors être utilisée dans les nombreuses fenêtres d'aide et de navigation de Visual Basic.
Définissez les attributs comme dans l'écran ci-contre :

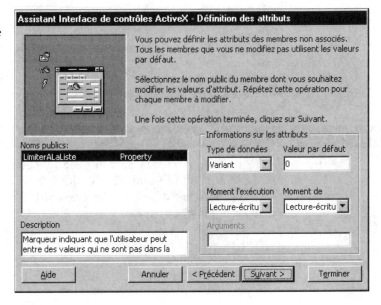

10   Cliquez sur Suivant pour appeler le dernier écran de l'Assistant :

Cliquez sur le bouton **Te**rminer et l'Assistant générera tout le code nécessaire à la gestion de l'interface de notre contrôle, puis l'insérera dans la fenêtre de code.

Vous pouvez, si vous le souhaitez, lire un récapitulatif des actions à mener une fois que vous aurez quitté l'Assistant. Nous passerons ces actions en revue dans le reste du chapitre.

L'Assistant nous facilite la tâche mais nous laisse néanmoins pas mal de travail à faire. Je vous guiderai pas à pas au travers des actions à effectuer sans vous donner trop d'explications afin de rendre notre contrôle rapidement fonctionnel. Je reviendrai ensuite sur mes pas pour vous expliquer certaines des actions que nous avons effectuées. Bonne promenade !

Passons à la pratique ! Ranger après le passage de l'Assistant

1   Ouvrez la fenêtre de code de votre contrôle et vous verrez qu'elle contient déjà du code généré par l'Assistant. Ce dernier a créé du code afin que chaque propriété, méthode et événement de l'interface de notre contrôle soit délégué automatiquement au sous-contrôle cboListeMod pour y être traité :

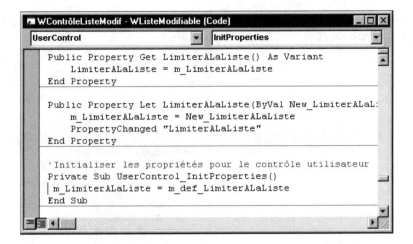

2 Dans le sous-programme `ReadProperties` de `UserControl`, supprimez les lignes de code en surbrillance suivantes (elles se trouvent à peu près au milieu du sous-programme) :

```
'À FAIRE: Le membre que vous avez associé contient un tableau de données.
'   Vous devez fournir le code de persistance du tableau.
'   Une ligne prototype vous est proposée ci-dessous:
cboListeMod.ItemData(Index) = PropBag.ReadProperty("ItemData" & Index, 0)
'À FAIRE: Le membre que vous avez associé contient un tableau de données.
'   Vous devez fournir le code de persistance du tableau.
'   Une ligne prototype vous est proposée ci-dessous:
cboListeMod.List(Index) = PropBag.ReadProperty("List" & Index, "")
```

3 Supprimez maintenant les lignes de code en surbrillance du sous-programme `WriteProperties` de `UserControl` :

```
'À FAIRE: Le membre que vous avez associé contient un tableau de données.
'   Vous devez fournir le code de persistance du tableau.
'   Une ligne prototype vous est proposée ci-dessous:
Call PropBag.WriteProperty("ItemData" & Index, cboListeMod.ItemData(Index),0)
'À FAIRE: Le membre que vous avez associé contient un tableau de données.
'   Vous devez fournir le code de persistance du tableau.
'   Une ligne prototype vous est proposée ci-dessous:
Call PropBag.WriteProperty("List" & Index, cboListeMod.List(Index), "")
```

4 Dans la section **Général**, modifiez la commande `Property Let` (assurez-vous que ce soit `Property Let` et non pas `Property Get`) de la propriété `ListIndex` afin qu'elle ait cet aspect :

```
Public Property Let ListIndex(ByVal New_ListIndex As Integer)
If Ambient.UserMode = False Then Err.Raise 382
  cboListeMod.ListIndex() = New_ListIndex
End Property
```

681

5   Maintenant, effectuez les mêmes modifications pour les sous-programmes `Property Let` que celles effectuées dans le point 4 :

FontBold	FontItalic	FontName	FontSize	FontStrikethru
FontUnderline	SelLength	SelStart	SelText	TopIndex

6   Modifiez le sous-programme `UserControl_ReadProperties` en n'en supprimant que les lignes de code mises en surbrillance ci-dessous :

```
cboListeMod.BackColor = PropBag.ReadProperty("BackColor", &H80000005)
cboListeMod.ForeColor = PropBag.ReadProperty("ForeColor", &H80000008)
cboListeMod.Enabled = PropBag.ReadProperty("Enabled", True)
Set cboListeMod.Font = PropBag.ReadProperty("Font", Ambient.Font)
cboListeMod.Appearance = PropBag.ReadProperty("Appearance", 1)
cboListeMod.FontBold = PropBag.ReadProperty("FontBold", 0)
cboListeMod.FontItalic = PropBag.ReadProperty("FontItalic", 0)
cboListeMod.FontName = PropBag.ReadProperty("FontName", "")
cboListeMod.FontSize = PropBag.ReadProperty("FontSize", 0)
cboListeMod.FontStrikethru = PropBag.ReadProperty("FontStrikethru", 0)
cboListeMod.FontUnderline = PropBag.ReadProperty("FontUnderline", 0)
cboListeMod.ListIndex = PropBag.ReadProperty("ListIndex", 0)
cboListeMod.Locked = PropBag.ReadProperty("Locked", False)
Set MouseIcon = PropBag.ReadProperty("MouseIcon", Nothing)
cboListeMod.MousePointer = PropBag.ReadProperty("MousePointer", 0)
cboListeMod.SelLength = PropBag.ReadProperty("SelLength", 0)
cboListeMod.SelStart = PropBag.ReadProperty("SelStart", 0)
cboListeMod.SelText = PropBag.ReadProperty("SelText", "")
cboListeMod.Text = PropBag.ReadProperty("Text", "Combo1")
cboListeMod.ToolTipText = PropBag.ReadProperty("ToolTipText", "")
cboListeMod.TopIndex = PropBag.ReadProperty("TopIndex", 0)
cboListeMod.WhatsThisHelpID = PropBag.ReadProperty("WhatsThisHelpID", 0)
m_LimiterALaListe = PropBag.ReadProperty("LimiterALaListe", m_def_LimiterALaListe)
```

7   Faites de même pour le sous-programme `UserControl_WriteProperties` :

```
Call PropBag.WriteProperty("BackColor", cboListeMod.BackColor, &H80000005)
Call PropBag.WriteProperty("ForeColor", cboListeMod.ForeColor, &H80000008)
Call PropBag.WriteProperty("Enabled", cboListeMod.Enabled, True)
Call PropBag.WriteProperty("Font", cboListeMod.Font, Ambient.Font)
Call PropBag.WriteProperty("Appearance", cboListeMod.Appearance, 1)
Call PropBag.WriteProperty("FontBold", cboListeMod.FontBold, 0)
Call PropBag.WriteProperty("FontItalic", cboListeMod.FontItalic, 0)
Call PropBag.WriteProperty("FontName", cboListeMod.FontName, "")
Call PropBag.WriteProperty("FontSize", cboListeMod.FontSize, 0)
Call PropBag.WriteProperty("FontStrikethru", cboListeMod.FontStrikethru, 0)
Call PropBag.WriteProperty("FontUnderline", cboListeMod.FontUnderline, 0)
Call PropBag.WriteProperty("ListIndex", cboListeMod.ListIndex, 0)
Call PropBag.WriteProperty("Locked", cboListeMod.Locked, False)
Call PropBag.WriteProperty("MouseIcon", MouseIcon, Nothing)
Call PropBag.WriteProperty("MousePointer", cboListeMod.MousePointer, 0)
Call PropBag.WriteProperty("SelLength", cboListeMod.SelLength, 0)
Call PropBag.WriteProperty("SelStart", cboListeMod.SelStart, 0)
```

```
Call PropBag.WriteProperty("SelText", cboListeMod.SelText, "")
Call PropBag.WriteProperty("Text", cboListeMod.Text, "Combo1")
Call PropBag.WriteProperty("ToolTipText", cboListeMod.ToolTipText, "")
Call PropBag.WriteProperty("TopIndex", cboListeMod.TopIndex, 0)
Call PropBag.WriteProperty("WhatsThisHelpID", cboListeMod.WhatsThisHelpID, 0)
Call PropBag.WriteProperty("LimiterALaListe", m_LimiterALaListe,m_def_LimiterALaListe)
```

8 Enfin, enregistrez votre projet. Vous avez accompli pas mal de travail et notre contrôle est maintenant presque prêt à être testé : vous ne voudriez pas perdre tout ce que vous venez de faire à cause d'une coupure d'électricité !

Passons à la pratique ! Ajouter votre propre code

Maintenant que nous avons trié le code que l'Assistant avait eu la gentillesse d'écrire pour nous, nous pouvons ajouter notre propre code de réactivité du contrôle.

1 Afin que notre contrôle se redimensionne comme une liste modifiable ordinaire, ajoutez la séquence de code suivante au sous-programme de l'événement UserControl_Resize :

```
Private Sub UserControl_Resize()
  If Height <> cboListeMod.Height Then Height = cboListeMod.Height
  cboListeMod.Move 0, 0, ScaleWidth
End Sub
```

Ce code s'assurera que la hauteur de notre contrôle est la même que celle de notre sous-contrôle Liste modifiable (rappelez-vous qu'un contrôle Liste modifiable a une hauteur figée que vous ne pouvez pas modifier). Ce code fera également en sorte que le contrôle Liste modifiable ait la même largeur que notre contrôle utilisateur. Au yeux d'un programmeur, notre contrôle fonctionnera exactement comme une liste modifiable ordinaire.

2 Ajoutez les lignes de code suivantes à la section (Général) (Déclarations) de notre contrôle :

```
'True si ChercheElém s'exécute
Private bTrouver As Boolean

'Position actuelle du curseur dans le texte
Private lPos As Long

'Valeur d'index du dernier élément sélectionné
Private lIndex As Long
```

3 Il nous faut maintenant ajouter le sous-programme qui mettra en rapport ce que l'utilisateur tape avec le contenu de notre liste. Saisissez l'ensemble du code suivant :

```
Private Sub ChercheElém()
  Dim lIdx As Long
  Dim sText As String
  Dim lLen As Long
  Dim bTrouvé As Boolean

  bTrouver = True
  lPos = cboListeMod.SelStart
  sText = cboListeMod.Text
  lLen = Len(sText)
  bTrouvé = False

  For lIdx = 0 To cboListeMod.ListCount
    If StrComp(sText, Left$(cboListeMod.List(lIdx), lLen), vbTextCompare) = 0 Then
      cboListeMod.ListIndex = lIdx
      bTrouvé = True
      Exit For
    End If
  Next lIdx

  If m_LimiterALaListe And Not bTrouvé Then
    cboListeMod.ListIndex = lIndex
      If lIndex = -1 Then cboListeMod.Text = ""
    cboListeMod.SelStart = lPos - 1
  Else
    cboListeMod.SelStart = lPos
    lIndex = cboListeMod.ListIndex
  End If
  cboListeMod.SelLength = Len(cboListeMod.Text)
  bTrouver = False

End Sub
```

4 Allez maintenant à l'événement `Change` de `cboListeMod`. Cet événement sera amorcé chaque fois que l'utilisateur appuie sur une touche, et c'est donc l'endroit idéal où mettre le code. L'Assistant y a déjà placé la commande `RaiseEvent` ; ajoutez le reste du code :

```
Private Sub cboListeMod_Change()
  If bTrouver Then Exit Sub
  If Len(cboListeMod.Text) = 0 Then
    lPos = 0
    lIndex = -1
  Else
    ChercheElém
  End If
  RaiseEvent Change
End Sub
```

5 Dans l'événement `Initialize` de notre contrôle, affectez la valeur -1 à la variable de niveau module `lIndex` pour indiquer qu'aucun élément de la liste n'a été choisi.

```
Private Sub UserControl_Initialize()
  lIndex = -1
End Sub
```

> `UserControl_Initialize` est le premier événement à être déclenché pour un contrôle. Il indique que le programme client a créé une occurrence de notre contrôle et qu'il peut continuer à l'utiliser. C'est l'endroit idéal pour initialiser des variables internes et préparer le contrôle.

6 Il ne nous reste plus qu'à nous assurer que la touche *RetourArrière* fonctionnera correctement dans notre contrôle. Allez à l'événement `KeyPress` de `cboListeMod` et ajoutez la séquence de code suivante à la ligne insérée par l'Assistant :

```
Private Sub cboListeMod_KeyPress(KeyAscii As Integer)
  If KeyAscii = 8 Then
    bTrouver = True
    cboListeMod.SelText = ""
    bTrouver = False
  End If
  RaiseEvent KeyPress(KeyAscii)
End Sub
```

Et voilà, c'est tout ! Effectuons un bref récapitulatif de tout ce que nous avons fait jusqu'à présent. Nous avons :

- ❏ Créé un projet de contrôle ActiveX
- ❏ Défini les bases de notre projet
- ❏ Utilisé l'Assistant Interface de contrôles ActiveX
- ❏ Remis tout en ordre derrière l'Assistant
- ❏ Ajouté du code pour véritablement personnaliser notre contrôle

Et pour améliorer la finition de notre contrôle, il nous reste à en définir le fichier bitmap de la boîte à outils afin qu'il soit facilement identifiable par d'autres programmeurs. Comme nous l'avons vu précédemment pour notre contrôle de sélection de couleurs, Visual Basic nous offre une icône par défaut. Mais tout créateur de contrôle qui se respecte ne sera satisfait que s'il utilise une icône unique et différente des autres !

Changer cette icône est assez simple : il n'y a qu'à régler une propriété dans la fenêtre de propriétés du contrôle.

Passons à la pratique ! Définir le fichier bitmap de la boîte à outils

1 Appelez la fenêtre des propriétés du contrôle WListeModifiable et choisissez la propriété `ToolboxBitmap`.

2 Double-cliquez sur cette propriété pour appeler une fenêtre de dialogue standard d'ouverture de fichier et sélectionnez-y le bitmap de votre choix.

> Vous pouvez choisir n'importe quel bitmap, pour autant que sa taille lui permette d'entrer dans la boîte à outils. La taille d'un bitmap affiché dans la boîte à outils est de 16x15 pixels. Si vous choisissez un bitmap d'une autre taille, il sera automatiquement réduit pour correspondre à ces dimensions. Vous devriez trouver un grand nombre de bitmaps fournis par Windows un peu partout sur votre disque dur. Jetez un coup d'œil dans le fichier `Program Files\Microsoft Visual Studio\Common\Graphics` **ou votre répertoire** `Windows` **ordinaire.**

3   Enregistrez votre projet, puis compilez-le en choisissant Créer WContrôleListeModif.ocx dans le menu Fichier. Enfin, fermez la fenêtre de création et vous verrez votre bitmap apparaître dans la boîte à outils. Votre contrôle est maintenant prêt à être testé.

Tester le contrôle

WListeModifiable n'est pas plus compliqué à tester que notre contrôle de sélection de couleurs au début de ce chapitre. Toutefois, ce contrôle est un peu plus sophistiqué et les tests que nous effectuerons seront donc un peu plus poussés.

Passons à la pratique ! Tester le contrôle WListeModifiable

1   Choisissez Ajouter un projet dans le menu Fichier et ajoutez un projet Exe standard.

2   Ajoutez un contrôle Liste modifiable ordinaire à votre feuille pour que nous puissions le comparer à notre nouveau contrôle. Effacez le contenu de sa propriété Text et ajoutez cette étiquette :

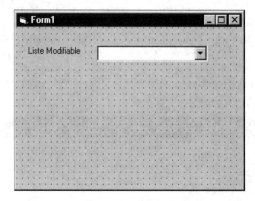

3   Ajoutez maintenant deux de nos propres contrôles WListeModifiable de la boîte à outils. Videz également leur propriété Text et ajoutez quelques étiquettes :

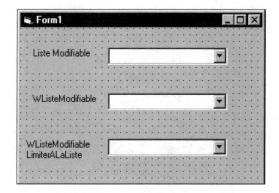

Par défaut, nos deux nouveaux contrôles devraient s'appeler respectivement
WListeModifiable1 et WListeModifiable2. Ces noms leur sont attribués
automatiquement et sont dérivés de la propriété Name de notre contrôle.

4   Fixez maintenant la propriété LimiterALaListe de WListeModifiable2 sur
True. Ceci nous permettra de vérifier si oui ou non notre contrôle empêche
l'utilisateur d'entrer des valeurs qui ne sont pas dans notre liste.

5   Maintenant que notre feuille est prête, il ne nous reste plus qu'à associer du code à
nos trois contrôles. Afin d'obtenir un jeu de données de taille décente, tout en nous
épargnant trop de frappe, nous allons générer pour chaque contrôle quelques
centaines de chaînes au hasard en saisissant le code suivant dans l'événement
Form_Load :

```
Private Sub Form_Load()
  Dim Index As Long
  Dim LenIndex As Long
  Dim lLen As Long
  Dim sText As String

  For Index = 1 To 300
    lLen = Rnd * 10 + 1
    sText = ""
    For LenIndex = 1 To lLen
      sText = sText & Chr$(Rnd * 25 + 65)
    Next LenIndex
    Combo1.AddItem sText
    WListeModifiable1.AddItem sText
    WListeModifiable2.AddItem sText
  Next Index
End Sub
```

6   Enregistrez votre projet sous le nom Projet1.vbp et l'ensemble sous le nom
Projet1.vbg. En choisissant **Ouvrir un projet** dans le menu **Fichier**, n'ouvrez que
Projet1.vbp et exécutez le programme (sinon, vous exécuteriez votre contrôle sans
la feuille).

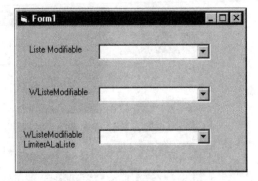

7 Tout d'abord, n'entrez qu'un seul caractère dans chaque contrôle. Tapez la lettre "A" :

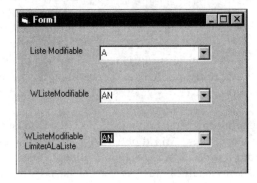

Comme vous pouvez le constater, rien de particulier ne se passe dans la Liste ordinaire, mais nos deux nouveaux contrôles ont trouvé une correspondance et l'ont affichée. C'est pour cela que nous pouvons voir AN dans les contrôles WListeModifiable de cet écran.

8 Entrez maintenant quatre "X" dans chaque contrôle. Bien entendu, comme les éléments de la liste sont créés au hasard, votre résultat risque d'être quelque peu différent du mien (qui a dit que les ordinateurs ne pouvaient pas produire des nombres au hasard ?) :

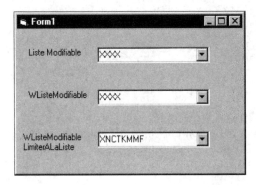

Notez que le dernier contrôle a limité notre entrée aux éléments de la liste tandis que les deux autres nous laissent entrer une valeur sans correspondance.

Et voilà. Vous venez de créer un contrôle que vous pouvez utiliser dans vos programmes aussi facilement que tout autre contrôle.

Explication du code

Comme promis, je vais maintenant revenir sur ce que nous avons fait pour créer notre contrôle WListeModifiable. Je suis rapidement passé sur plusieurs étapes post-Assistant Interface de contrôles ActiveX pour vous montrer comment l'ensemble du processus fonctionne. Ces étapes sont très importantes et certaines d'entre elles sont plutôt compliquées. Cela vaut donc la peine de nous y arrêter plus en détail.

Si vous appelez la fenêtre de code de notre contrôle, vous verrez qu'elle contient pas mal de choses. Et tout cela est le résultat des réponses que vous avez apportées aux questions de l'Assistant.

Je ne vous expliquerai pas le code ligne par ligne, mais je vous en indiquerai les sections principales et vous décrirai ce qui s'y passe.

Les contrôles ont des propriétés standard

Tous les contrôles que nous avons utilisés jusqu'à présent dans ce manuel possédaient des propriétés. Nous avons par exemple utilisé la propriété BackColor pour modifier la couleur d'une zone d'image. Les propriétés permettent aux contrôles de communiquer avec les programmes. Il faut donc que vous attribuiez des propriétés à vos propres contrôles.

L'Assistant crée le code nécessaire à chaque propriété que nous souhaitons attribuer à notre contrôle (visible dans la section (Général) (Déclarations). Voici par exemple ce qu'il a écrit pour la propriété ForeColor :

```
'ATTENTION! NE SUPPRIMEZ PAS OU NE MODIFIEZ PAS LES LIGNES COMMENTÉES SUIVANTES!
'MappingInfo=cboListeMod,cboListeMod,-1,ForeColor
Public Property Get ForeColor() As OLE_COLOR
  ForeColor = cboListeMod.ForeColor
End Property

Public Property Let ForeColor(ByVal New_ForeColor As OLE_COLOR)
  cboListeMod.ForeColor() = New_ForeColor
  PropertyChanged "ForeColor"
End Property
```

Remarquez que cette propriété est en fait définie et empruntée au contrôle cboListeMod. Toutes les propriétés de notre contrôle sont en fait gérées par le contrôle cboListeMod, à l'exception de la propriété LimiterALaListe, dont nous reparlerons plus tard.

Remarquez également que le sous-programme `Property Let` appelle la méthode `PropertyChanged`. Cette méthode est importante, car elle indique à Visual Basic que la valeur de la propriété a changé afin qu'il puisse mettre à jour des fenêtres telles que la fenêtre de propriétés.

La propriété LimiterALaListe

La propriété `LimiterALaListe` est une propriété personnalisée qui n'appartient pas à un contrôle Liste modifiable ordinaire. Notre contrôle `cboListeMod` ne peut dès lors pas la gérer et notre code sera donc quelque peu différent.

L'Assistant crée une constante locale pour contenir la valeur par défaut de notre propriété et déclare une variable de module pour y contenir la valeur actuelle :

```
'Valeurs de propriétés par défaut:
Const m_def_LimiterALaListe = 0
'Variables de propriétés:
Dim m_LimiterALaListe As Boolean
```

L'Assistant écrit le code de la procédure `UserControl_InitProperties` afin d'affecter à notre propriété personnalisée la valeur par défaut définie plus haut comme valeur initiale.

```
'Initialise les propriétés de l'objet UserControl
Private Sub UserControl_InitProperties()
  m_LimiterALaListe = m_def_LimiterALaListe
End Sub
```

> La différence entre `InitProperties` et `Initialize` peut prêter à confusion. Dans le cas de notre BoutonDeCouleur, nous avions utilisé `Initialize` pour définir une variable de module à utiliser plus tard. C'est une excellente utilisation de ce point d'entrée. On utilise `InitProperties` pour définir les valeurs initiales des propriétés d'un contrôle, ce que nous avons fait ici pour la propriété `LimiterALaListe`.

Le code qui gère véritablement cette propriété se contente de maintenir la variable de module concernée. C'est à nous de faire en sorte que cette variable effectue quelque chose d'utile. Nous nous en assurons avec le sous-programme `ChercheElém` :

```
Public Property Get LimiterALaListe() As Boolean
  LimiterALaListe = m_LimiterALaListe
End Property

Public Property Let LimiterALaListe(ByVal New_LimiterALaListe As Boolean)
  m_LimiterALaListe = New_LimiterALaListe
  PropertyChanged "LimiterALaListe"
End Property
```

Les contrôles ont des méthodes !

Tout comme pour les propriétés, toutes les méthodes sont définies pour déléguer tous les appels aux méthodes de notre contrôle directement à cboListeMod en appelant sa méthode du même nom. Voici par exemple ce qui se passe dans le cas de la méthode Refresh :

```
'ATTENTION! NE SUPPRIMEZ PAS ET NE MODIFIEZ PAS LES LIGNES COMMENTÉES SUIVANTES!
'MappingInfo=cboListeMod,cboListeMod,-1,Refresh
Public Sub Refresh()
   cboListeMod.Refresh
End Sub
```

Les contrôles ont des événements !

Comme vous l'avez vu tout au long de ce manuel, Visual Basic et Windows sont des environnements événementiels. Vous avez eu recours à des événements comme Click pour insérer dans vos programmes un code qui déclenchera une certaine action lorsque l'utilisateur clique sur un objet particulier.

Lorsque vous créez un contrôle, vous devez également lui attribuer des événements sinon il sera incapable de réagir à des événements. L'Assistant utilise le mot clé Event pour déclarer les événements qui feront partie de notre contrôle :

```
'Déclarations d'événements:
Event KeyDown(KeyCode As Integer, Shift As Integer) 'MappingInfo=cboListeMod,cboListeMod,-
1,KeyDown
Event KeyPress(KeyAscii As Integer) 'MappingInfo=cboListeMod,cboListeMod,-1,KeyPress
Event KeyUp(KeyCode As Integer, Shift As Integer) 'MappingInfo=cboListeMod,cboListeMod,-
1,KeyUp
Event Change() 'MappingInfo=cboListeMod,cboListeMod,-1,Change
Event DropDown() 'MappingInfo=cboListeMod,cboListeMod,-1,DropDown
```

Pour faire en sorte que ces événements se produisent véritablement, l'Assistant insère un code qui s'assure que les événements appelés par cboListeMod sont renvoyés par notre contrôle pour être utilisés par le programmeur. Cela se fait en utilisant la méthode RaiseEvent comme démontré ci-dessous :

```
Private Sub cboListeMod_DropDown()
    RaiseEvent DropDown
End Sub
```

Enregistrer des propriétés de création

Lorsque vous utilisez un contrôle, vous définissez certaines propriétés en mode création. Si vous enregistrez votre projet et que vous y revenez plus tard, vous vous attendez tout naturellement à ce que ces propriétés aient les mêmes valeurs que celles que vous leur aviez attribuées.

L'Assistant crée deux sous-programmes pour gérer cette fonctionnalité :

```
UserControl_ReadProperties
UserControl_WriteProperties
```

Ces sous-programmes utilisent deux nouvelles commandes : `ReadProperty` et `WriteProperty`. `ReadProperty` est une fonction qui renvoie la valeur d'une propriété. Le premier paramètre que vous lui envoyez est le nom de la propriété que vous désirez, tandis que le second est une valeur par défaut au cas où cette propriété n'aurait pas de valeur stockée. `WriteProperty` enregistre la valeur d'une propriété. Il vous suffit de lui fournir le nom de la propriété, la valeur à sauvegarder et une valeur par défaut.

Mais pourquoi avez-vous besoin d'une valeur par défaut pour écrire une valeur ? Pour économiser de la place. Si la valeur de votre propriété correspond à la valeur par défaut, Visual Basic ne l'enregistrera pas. Pour que cela fonctionne, il faut bien sûr que vous utilisiez les mêmes valeurs par défaut dans l'instruction `ReadProperty` de cette propriété.

Ces sous-programmes sont en fait des méthodes d'un objet incorporé appelé `PropertyBag`. L'objet `PropertyBag` est un "sac" (bag) de propriétés que Visual Basic peut stocker pour votre contrôle jusqu'à ce qu'elles soient requises. Elles sont en fait stockées dans le fichier FRX associé à la feuille dans laquelle vos contrôles sont utilisés.

Voici un exemple d'implémentation de ces points d'entrée :

```
'Charge les valeurs de la propriété à partir de la réserve
Private Sub UserControl_ReadProperties(PropBag As PropertyBag)

  cboListeMod.ForeColor = PropBag.ReadProperty("ForeColor", &H80000008)
  cboListeMod.Enabled = PropBag.ReadProperty("Enabled", True)
  Set Font = PropBag.ReadProperty("Font", Ambient.Font)
  m_LimiterALaListe = PropBag.ReadProperty("LimiterALaListe", m_def_LimiterALaListe)
End Sub

'Écrit les valeurs de la propriété dans la réserve
Private Sub UserControl_WriteProperties(PropBag As PropertyBag)

  Call PropBag.WriteProperty("ForeColor", cboListeMod.ForeColor, &H80000008)
  Call PropBag.WriteProperty("Enabled", cboListeMod.Enabled, True)
  Call PropBag.WriteProperty("Font", Font, Ambient.Font)
  Call PropBag.WriteProperty("LimiterALaListe", m_LimiterALaListe, m_def_LimiterALaListe)
End Sub
```

Les propriétés inaccessibles en mode création

Lorsque nous avons associé nos propriétés au sous-contrôle `cboListeMod`, nous avons inclus un lot de propriétés disponibles en phase d'exécution mais qui ne sont pas censées être accessibles en mode création. Malheureusement, l'Assistant ne produit pas un code de gestion satisfaisant pour ces propriétés. Pis encore : il n'y a pas de façon aisée de savoir quelles propriétés sont ainsi affectées. Il faut comparer manuellement les propriétés de notre contrôle avec celle d'un contrôle Liste modifiable ordinaire pour pouvoir identifier les propriétés à modifier.

Nous avons résolu ce problème dans notre contrôle en ajoutant la ligne de code suivante à un certain nombre de sous-programmes `Property Let` :

```
If Ambient.UserMode = False Then Err.Raise 382
```

> L'erreur 382 correspond à "Affectation non gérée au moment de l'exécution". C'est la valeur qu'utilise l'Assistant si vous créez une propriété personnalisée avec son aide et que vous lui indiquez qu'elle n'est pas disponible en mode création.

En fait, Visual Basic tente d'affecter une valeur à chaque propriété. S'il obtient une erreur 382, il déduit que cette propriété n'était pas conçue pour utilisation en mode création et ne l'affiche dès lors pas dans la fenêtre des propriétés de ce contrôle.

Comment pouvons-nous donc savoir si nous sommes en mode création ? C'est dans ce genre de situation que la valeur `Ambient.UserMode` s'avère bien pratique. Cette valeur sera `True` lorsque le contrôle s'exécute dans un programme et `False` lorsque le contrôle est utilisé en mode création.

L'objet `Ambient` est un objet prêt à l'emploi que vos contrôles peuvent utiliser. C'est un objet conteneur qui regroupe vos contrôles. Il consiste généralement en une feuille, mais ce pourrait être une zone d'image ou tout autre contrôle capable d'agir en tant qu'objet conteneur. L'objet `Ambient` possède un certain nombre de propriétés qui informent votre contrôle de l'état de l'objet conteneur qui utilise le contrôle. Je traite plus longuement de l'objet `Ambient` dans mon ouvrage « Beginning Objects », publié chez Wrox Press.

Les tableaux de propriétés

L'Assistant ne possède pas suffisamment d'informations pour gérer les propriétés qui sont en fait des tableaux de propriétés. Dans notre exemple, il s'agit des propriétés `ItemData` et `List`.

Un tableau de propriétés est une propriété qui fonctionne comme un tableau. La propriété `List` du contrôle Liste modifiable en est un très bon exemple. Pour travailler avec cette propriété, vous auriez à écrire du code de ce type :

```
MsgBox Combo1.List(0)
```

Pour utiliser la propriété `List`, vous lui donnez une valeur d'index tout comme vous le feriez pour un tableau ordinaire. Ce genre de propriété est appelé tableau de propriétés.

Le code de la propriété même est généré sans problème, mais les sous-programmes `UserControl_ReadProperties` et `UserControl_WriteProperties` sont incomplets. Au lieu de les compléter, l'Assistant place des commentaires À FAIRE dans ces sous-programmes.

Vous trouverez ci-dessous le code du sous-programme `UserControl_ReadProperties` :

```
'À FAIRE: Le membre que vous avez associé contient un tableau de données.
'    Vous devez fournir le code de persistance du tableau.
'    Une ligne prototype vous est proposée ci-dessous:
```

```
    cboListeMod.ItemData(Index) = PropBag.ReadProperty("ItemData" & Index, 0)
'À FAIRE: Le membre que vous avez associé contient un tableau de données.
'    Vous devez fournir le code de persistance du tableau.
'    Une ligne prototype vous est proposée ci-dessous:
    cboListeMod.List(Index) = PropBag.ReadProperty("List" & Index, "")
```

Comme vous pouvez le constater, des commentaires À FAIRE précèdent les séquences ItemData et List, vous donnant des instructions sur la façon de lire les valeurs de ces propriétés.

Dans notre exemple, nous n'avons pas à nous en soucier. Aucune de ces deux propriétés ne peut être modifiée en mode création. Nous n'aurons donc pas à les enregistrer ni à les restaurer dans ces sous-programmes. Nous avons également ôté la séquence de code suivante du sous-programme UserControl_WriteProperties :

```
'À FAIRE: Le membre que vous avez associé contient un tableau de données.
'    Vous devez fournir le code de persistance du tableau.
'    Une ligne prototype vous est proposée ci-dessous:
    Call PropBag.WriteProperty("ItemData" & Index, cboListeMod.ItemData(Index), 0)
'À FAIRE: Le membre que vous avez associé contient un tableau de données.
'    Vous devez fournir le code de persistance du tableau.
'    Une ligne prototype vous est proposée ci-dessous:
    Call PropBag.WriteProperty("List" & Index, cboListeMod.List(Index), "")
```

Résumé

Dans ce chapitre, nous avons appris à créer des contrôles aussi simples à utiliser que ceux fournis par Visual Basic. Nous avons également découvert comment modifier le comportement d'un contrôle préexistant pour l'adapter à nos besoins. Nous avons abordé les points suivants :

❑ La création d'un contrôle simple

❑ L'ajout de l'Assistant Interface de contrôles ActiveX au menu de Visual Basic

❑ L'utilisation de l'Assistant Interface de contrôles ActiveX pour créer des contrôles

❑ Le test de notre contrôle personnalisé afin de s'assurer qu'il fonctionne de façon nominale

Je vous souhaite beaucoup de succès dans la création de vos contrôles ActiveX. Ils vous permettront d'accéder à une nouvelle dimension de la programmation.

Que diriez-vous d'essayer ?

1 Combien de types de contrôles ActiveX différents pouvez-vous créer ?

2 Concevez un prototype de contrôle ActiveX (ne le créez pas, mais testez-en le code dans un Exe standard) avec un bouton de commande et une minuterie qui permettra à l'utilisateur de faire retentir une sonnerie pendant une durée spécifiée, à des intervalles prédéterminés. Dans une certaine mesure, la durée comme l'intervalle devront être des propriétés configurables.

3 Commencez la procédure de création du contrôle ActiveX qui imite une sonnerie. Ajoutez du code afin de lui affecter les propriétés nécessaires pour spécifier l'intervalle (secondes entres les sonneries) et la durée (en secondes) de la sonnerie.

4 Ajoutez le code nécessaire au contrôle pour que le développeur puisse le redimensionner.

5 Testez enfin le contrôle Sonnerie au moyen d'un projet Exe standard. Placez-le sur une feuille, définissez ses propriétés (dans l'événement Form_Load) et exécutez le programme.

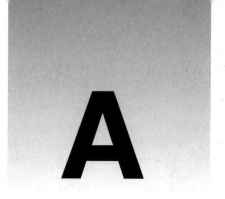

Et maintenant ?

A présent, vous devriez avoir une bonne idée de la manière de créer une application Visual Basic. Bien joué ! Vous revenez de loin et vous méritez d'être félicité. Mais votre apprentissage ne se termine pas là. Comme beaucoup de programmeurs et de développeurs le savent déjà, savoir utiliser un environnement de développement ne représente qu'un petit pas dans le long chemin qui mène à l'acquisition du titre vénéré de Gourou de la Programmation.

A ce stade, voici donc ce que vous devez savoir :

- ❑ De quels outils ai-je besoin pour utiliser au mieux la puissance de VB dans mes applications ?
- ❑ Qu'en est-il des autres versions de Visual Basic : vont-elles m'aider ?
- ❑ Où puis-je trouver de l'aide ?
- ❑ Quels autres ouvrages dois-je lire après celui-ci ?

Cette annexe répondra à toutes ces questions et même plus.

Tout ce qu'il faut savoir sur la famille Visual Basic

Si vous avez suivi ce manuel du début jusqu'à la fin, vous devriez à présent maîtriser les bases de l'édition Initiation de Visual Basic 6. Mais cette grande famille est composée de quatre éditions. La bonne nouvelle, c'est que ce que vous avez acquis peut être adapté et utilisé aisément dans n'importe laquelle des trois autres versions que vous choisirez en fonction de la tâche que vous voudrez accomplir.

L'édition VBA

Nous connaissons tous le but de Microsoft : équiper chaque maison et chaque entreprise d'un ordinateur muni de logiciels Microsoft. Et parmi ses nombreux sous-objectifs, l'un d'entre eux semble être d'équiper chaque ordinateur d'une version de Visual Basic.

VBA a été créé dans ce but. Microsoft pense à tout ce qui touche notre utilisation des ordinateurs et va même jusqu'à fournir un langage de programmation commun à chaque application de bureau. Et c'est là que VBA entre en action.

VBA est maintenant livré avec chaque application de la famille Microsoft Office, ce qui donne aux utilisateurs un moyen standard de contrôler toutes les applications (Excel, Access, Word, Powerpoint) ainsi que les objets ActiveX que ces applications peuvent exporter.

VBA est surtout le langage principal de VB6. Autrement dit, VB6 est un descendant direct et plus puissant de VBA. Ce dernier comprend toutes les caractéristiques dont vous avez besoin pour utiliser efficacement ActiveX, ce qui est idéal puisque toutes les applications d'Office sont compatibles avec ActiveX.

Mais alors, à qui s'adresse VBA ? À tous ceux qui veulent insuffler un peu plus de vie dans la suite Office, ainsi qu'aux développeurs qui doivent fournir des applications natives pour tous les composants Office.

Par exemple, si l'on vous a confié la tâche de produire un système complet de commandes en utilisant Excel pour la partie financière, Access pour la partie base de données et Word pour la partie documentation et rédaction, VBA est le produit qu'il vous faut. Beaucoup d'autres fournisseurs de logiciels utilisent d'ailleurs VBA comme langage de programmation pour leurs propres produits. Votre connaissance de Visual Basic vous aidera à créer des programmes pour un nombre toujours croissant de produits.

L'édition Professionnelle

A l'époque maudite de VB3, l'édition Professionnelle était la seule qu'un programmeur pouvait utiliser lorsqu'il cherchait une version plus puissante de Visual Basic. Avec l'avènement de l'édition Entreprise, la version Pro est vraiment devenue une étape intermédiaire. Mais cela ne signifie pas qu'elle a perdu les avantages qu'elle présentait par rapport à VB3. Cela signifie simplement qu'elle ne comprend aucune des fonctionnalités de l'édition Entreprise qui est incroyablement puissante.

Au cas où vous ne l'auriez pas deviné, ADO représente le futur des bases de données (au moins jusqu'à la prochaine trouvaille). En plus de la brève introduction que je vous donne dans ce manuel, l'édition Professionnelle étend les fonctionnalités que nous avons vues pour que vous puissiez maîtriser les contrôles de bases de données directement grâce au code. Cela signifie que vous pouvez créer des applications de base de données qui se débrouilleront avec ce contrôle Data, qui est, on peut l'avouer, quelque peu maladroit. Les applications de base de données vont donc plus vite et en prenant le contrôle direct, vous, développeur, pouvez prendre encore plus de mesures pour assurer la protection des données que vous traitez.

Également lié au développement des bases de données dans VB6, on trouve le concepteur Data Report, un progiciel qui n'est pas inclus dans l'édition Initiation. Cet utilitaire très pratique est un contrôle ActiveX qui facilite grandement la création d'états pour les applications de bases de données tout en vous permettant de dessiner l'état à l'écran à peu près de la même manière dont vous dessineriez des composants sur une feuille Visual Basic. Le résultat est un fichier enregistré de l'état que vous demandez simplement au contrôle de charger au moment de l'exécution afin de l'imprimer.

L'édition Professionnelle vous permet également de créer du code entièrement compilé pour améliorer les performances de votre application. Elle fournit une aide supplémentaire au programmeur par l'intermédiaire d'assistants qui vous aident à construire des contrôles personnalisés ; l'Assistant d'installation a été également amélioré pour supporter la distribution de vos applications via l'Internet.

Afin de suivre les changements rapides dus au Web, l'édition Professionnelle introduit plusieurs fonctionnalités Internet, comme des applications DHTML (Dynamic HTML), pour que vous puissiez introduire VB dans le monde des pages Web et de l'environnement en-ligne. Vous vous souvenez ce que nous avons appris sur les classes et les objets ? Eh bien, dans l'édition Professionnelle, il existe maintenant des classes Web qui vous aident à écrire des applications orientées objet liées au Web.

L'édition Professionnelle présente non seulement l'avantage de disposer de tous les manuels Visual Basic sur CD-Rom, mais elle est également dotée de beaucoup plus de contrôles, de composants et de bibliothèques d'objets que l'édition Initiation, ce qui vous donne accès aux systèmes de communication en série de Windows. Ceci constitue un moyen puissant de traiter des fichiers multimédia et beaucoup d'autres contrôles plus petits, plus précis, y compris ceux qui vous permettent d'utiliser l'Internet à partir de votre application.

Généralement, si vous devez créer des systèmes de base de données mono-utilisateurs et puissants ou vous projeter de toute urgence dans le monde terrible des communications (ou mieux encore écrire une application de base de données puissante et mono-utilisateurs qui communique de temps en temps !), vous devez envisager d'utiliser l'édition Professionnelle. Ceux d'entre vous qui doivent faire quelque chose de plus puissant, peut-être une application client-serveur distribuée, multi-utilisateurs, devraient se pencher sur l'édition Entreprise.

L'édition Entreprise

Mère de tous les Visual Basic, l'édition Entreprise est un outil de développement d'application client-serveur incroyablement puissant.

En plus de tout ce qui existe dans les éditions Initiation et Professionnelle, l'édition Entreprise comprend également toute une kyrielle de nouvelles applications, dont un gestionnaire Automation pour contrôler les connexions aux objets ActiveX, un gestionnaire de composants pour gérer tous vos nouveaux contrôles et vos objets ActiveX, différentes bases de données client-serveur, des outils de gestion de connexion, un système de contrôle de version multi-développeur appelé Visual Source Safe, un éditeur de ressources et bien d'autres choses encore.

Si vous travaillez dans une équipe de développeurs VB et que vous devez créer des applications de bases de données connectées et suprêmement puissantes, alors allez chercher votre patron et exigez qu'il achète cette version extraordinaire de Visual Basic.

La famille Visual Studio 97

Mais bien sûr, la crème de toutes les éditions, c'est la Suite Visual Tools, particulièrement si vous faites partie d'une équipe qui doit concevoir un produit complet. Et même si VB est parfait dans la plupart des cas, vous aurez tout de même parfois besoin du support et de la puissance d'autres outils.

699

La Suite Visual Tools, toujours de Microsoft, répond à ce besoin en vous fournissant des exemplaires complets de Visual Basic 6, Visual C++ version 6, Visual FoxPro, Internet Explorer, Frontpage, Visual Java et toute une kyrielle d'informations et de documentation technique sur CD-Rom que vous ne pourriez normalement pas obtenir sans un abonnement coûteux à Microsoft.

En utilisant tout cela, vous devriez pouvoir créer presque n'importe quelle sorte d'application, y compris des solutions complètes Internet et des DLL de support pour des applications bureautiques grâce à toute la puissance dont vous disposerez avec Visual C++.

Peaufiner votre application

En développement, il arrive toujours un moment où, quel que soit l'amour que vous portiez à votre nouveau bébé, vous êtes impatient qu'il quitte le domicile familial... Mais cela implique encore un peu plus de travail et inévitablement une bonne suite de programmes de sauvegarde.

Le premier os sur lequel vous allez tomber sera l'Aide. Tous les utilisateurs s'attendent à voir leurs applications Windows accompagnées d'une aide en-ligne complète, mais pour cela, il vous faut des outils. Actuellement, on utilise HTML pour les fichiers d'aide, plutôt que les standards d'aide Windows quelque peu ennuyeux. N'oubliez pas que Visual Basic est équipé des outils nécessaires pour vous permettre de lire et d'afficher des pages HTML/Web. Vous avez donc deux choix :

❑ Le premier est Frontpage 98, un autre outil WYSIWYG, mais destiné cette fois à produire des pages Web et aussi utile pour produire de la documentation HTML pour votre application.

❑ Le second choix, toujours en termes de facilité d'utilisation et de puissance pure, est le Communicateur de Netscape. Procurez-vous la version 4 (ou supérieure) et vous pourrez l'utiliser pour faire ces pages Web en moins de temps qu'il n'en faut pour le dire.

OK : maintenant que vous avez votre application et vos fichiers d'aide, soit au standard de l'aide Windows, soit en HTML, votre prochaine étape est de sortir votre application et de la mettre entre les mains de vos utilisateurs.

Sauf si vous commercialisez un produit ou si vous avez des exigences spécifiques sur la manière dont vos utilisateurs doivent installer votre application, l'Assistant d'installation fourni avec Visual Basic devrait faire l'affaire. Mais si vous commercialisez votre logiciel ou si vous voulez que vos utilisateurs puissent choisir d'installer seulement certains éléments de votre application, vous devrez opter pour une autre solution.

Au moment où j'écris cet ouvrage, je vous conseille d'utiliser InstallShield, qui est en train de devenir le standard *de facto* des installateurs commerciaux. Ils vous permet de préciser différentes configurations d'installation pour vos utilisateurs (Typique, Personnalisée, Portable, etc.), d'installer un seul fichier d'installation à télécharger de l'Internet ou encore de personnaliser l'installation à partir d'un CD-Rom. Cet outil est en fait si merveilleux qu'il est à présent utilisé par toutes les grosses légumes de l'informatique, y compris Microsoft, Netscape et d'autres encore dont vous avez probablement entendu parler.

Si vous voulez plus d'informations ou si vous voulez télécharger une copie d'essai, alors allez voir ce site : `http://www.installshield.com`.

Trouver de l'aide

Et voilà d'importantes nouvelles. Des milliers de personnes de par le monde meurent d'envie de vous aider à résoudre votre dernier dilemme en matière de code, et gratuitement en plus ! N'ayez jamais peur de demander de l'aide, même si le problème vous semble trivial.

Le cyberespace constitue bien entendu le meilleur endroit pour commencer lorsque vous avez besoin d'aide. Il existe plusieurs newsgroups sur l'Internet, vers lesquels vous pouvez vous tourner. Ne négligez pas les pages personnelles mises au point par des développeurs professionnels VB, dans lesquelles vous pouvez trouver toutes sortes de trucs et de tuyaux. Le site le plus évident est bien sûr celui de Microsoft à `www.microsoft.com`. Il regorge d'informations techniques destinées aux développeurs VB, ainsi que de listes de diffusion et des kyrielles de produits téléchargeables.

En France et dans les pays francophones, vous pouvez aller visiter le site de Microsoft France `www.microsoft.com/france` et plus particulièrement `www.microsoft.com/france/vbasic/`. Vous pouvez également prendre part aux discussions de l'Association francophone des utilisateurs de Visual Basic (AFUVB) sur `http://www.fwntug.org/vb/` ou du groupe Visual Basic de Montréal sur `http://www.gvbm.org/`. Allez aussi jeter un œil sur un site joliment intitulé « Le petit monde de VB » à l'adresse `http://www.citeweb.net/vbasic/`.

En Grande-Bretagne, vous pouvez adhérer au Visual Basic User Group (VBUG) qui tient régulièrement des réunions locales ainsi qu'une conférence annuelle. Elle fournit également à ses membres un magazine bimensuel qui donne quelques trucs très pratiques. VBUG est également en-ligne, donc vous n'avez pas besoin d'être en Grande-Bretagne pour les contacter ! Allez sur leur site : `www.vbug.co.uk`.

Aux États-Unis, procurez-vous un exemplaire de "The Visual Basic Programmers Journal", une excellente publication issue des réunions de groupes d'utilisateurs et de quatre conférences annuelles de qualité et de réputation exceptionnelles.

Il existe également des centaines et des centaines de sites consacrés à la programmation Visual Basic. Si vous vous sentez la force d'explorer, tentez juste une recherche en-ligne avec comme critère de recherche `Visual Basic` ou juste `VB`. Vous trouverez plus de sites que vous ne pourrez en visiter !

Et enfin, sur votre table de nuit...

Et comme vous allez évoluer vers des notions nettement plus complexes (bases de données client-serveur, multimédia, communications etc.), vous devrez lire beaucoup plus d'ouvrages pour obtenir les résultats désirés.

Gardez un œil sur les prochaines publications de Wrox Press : de nombreux manuels en rapport avec Visual Basic 6 seront prochainement en librairie. En route pour votre carrière Visual Basic !

B
Solutions

Les pages suivantes proposent des solutions aux exercices qui figurent à la fin de chaque chapitre. Ne vous inquiétez pas si vous parvenez au même résultat en adoptant une méthode différente : chaque problème comporte généralement plusieurs solutions. Prenez toutefois le temps de lire les réponses fournies dans cette annexe, car vous y trouverez souvent des astuces appréciables, que vous pourrez mettre à profit dans l'écriture de votre code.

Chapitre 1 - Bienvenue dans Visual Basic 6

1   Si vous préférez travailler en mode SDI, vous pouvez activer l'option correspondante dans l'onglet Etendues de la boîte de dialogue Options (pour l'ouvrir, sélectionnez Options dans le menu Outils).

2   Dans la section Touches globales de l'aide, vous trouvez les combinaisons clavier suivantes.

Appuyez sur	Pour
F1	Ouvrir l'aide
F5	Exécuter une application
F8	Exécuter le code ligne par ligne
Maj+F5	Redémarrer une application à zéro après une interruption
Maj+F8	Exécuter des instructions ligne par ligne, sans accéder aux appels de procédure
Maj+F10	Afficher un menu raccourci

Le tableau continue sur la page suivante

Appuyez sur	Pour
Ctrl+Pause	Arrêter l'exécution d'une application Visual Basic
Ctrl+Tab	Basculer entre des fenêtres
Ctrl+C	Copier la sélection
Ctrl+G	Afficher la fenêtre Exécution
Ctrl+X	Couper la sélection
Ctrl+V	Coller la sélection
Ctrl+Z	Annuler la dernière édition
Alt+F4	Fermer la fenêtre active, voire, si toutes les fenêtres sont fermées, quitter Visual Basic
Alt+F5	Exécuter le code de gestion d'erreurs ou retourner l'erreur à la procédure appelante
Alt+F6	Basculer entre les deux dernières fenêtres actives.
Alt+F8	Accéder au gestionnaire d'erreurs ou retourner l'erreur à la procédure appelante

3 La feuille s'affiche pratiquement de la même manière que la fenêtre de code ; là aussi, diverses possibilités s'offrent à vous. Vous pouvez :

- ❏ cliquer sur **Objet** dans le menu **Affichage** ;
- ❏ sélectionner la feuille dans la fenêtre de l'**Explorateur de projets** et appuyer sur le bouton **Afficher l'objet** ;
- ❏ cliquer du bouton droit sur la feuille dans la fenêtre de l'Explorateur de projets et choisir **Afficher l'objet** dans le menu popup qui apparaît ;
- ❏ double-cliquer sur la feuille dans la fenêtre de l'**Explorateur de projets** ;
- ❏ appuyer sur *Maj+F7* si la feuille est sélectionnée dans la fenêtre de l'Explorateur de projets.

4 Changer les unités **Hauteur** et **Largeur** de la grille affecte la « densité » de la structure quadrillée sur la feuille par défaut en mode création. Cette structure est là pour faciliter l'alignement des contrôles en mode création. Augmenter ces nombres accroît la distance entre les points de la grille.

5 Par défaut, les unités Hauteur et Largeur de la grille sont toutes deux de 120. Les faire passer à 300 augmente la distance entre les points. Ces deux unités sont indépendantes du projet : elles sont chargées pour chaque nouveau projet Visual Basic.

Chapitre 2 - À l'intérieur d'un programme Visual Basic

1 La fenêtre Propriétés d'une feuille propose 51 propriétés. Celle qui permet de masquer une feuille s'appelle Visible.

2 Voici le code à saisir pour cacher le bouton de commande lors du chargement de la feuille :

```
Private Sub Form_Load()

    Command1.Visible = False

End Sub
```

3 Pour compiler votre programme, ouvrez le menu Fichier, puis sélectionnez Créer projet1.exe et compilez votre application. Passez ensuite dans la fenêtre de l'Explorateur Windows et exécutez le projet en double-cliquant sur le fichier exe.

4 Si vous cochez la case Incrémentation automatique, le numéro Révision du programme est automatiquement incrémenté de 1 à chaque compilation de cette application. Les nombres Principal, Secondaire et Révision correspondent en fait à des propriétés d'un objet système appelé objet « APP » ; l'utilisateur peut les consulter en phase d'exécution. Dans mes projets, je les affiche généralement dans la barre de titre de la première feuille. Je m'assure ainsi que les utilisateurs exécutent la bonne version de mon programme.

5 Réglez la propriété StartUpPosition de la feuille sur 0 - Manual. Dans la fenêtre de présentation des feuilles (sélectionnez Fenêtre Présentation des feuilles dans le menu Affichage si elle n'est pas ouverte), vous pouvez ensuite déplacer la position de démarrage de la feuille à l'endroit où vous le souhaitez.

Chapitre 3 - Les contrôles

1 Voici le code à saisir pour modifier la légende du bouton de commande lorsque vous cliquez sur ce dernier :

```
Private Sub Command1_Click()

    Command1.Caption = "ON"

End Sub
```

2   Le code suivant permet de déplacer le bouton de commande de 100 twips vers la gauche et affiche ses coordonnées courantes sur la feuille :

```
Private Sub Command1_Click()

    Command1.Left = Command1.Left - 100
    Form1.Print Command1.Left, Command1.Top

End Sub
```

Comme vous pouvez le constater, à partir du moment où le bouton de commande se trouve à l'extérieur de la feuille, sa coordonnée gauche prend une valeur négative.

3   Tapez le code ci-dessous pour centrer le bouton de commande sur la feuille (vous remarquerez que nous avons choisi une division de type Integer) :

```
Private Sub Command1_Click()

    Command1.Left = (Form1.Width - Command1.Width) \ 2
    Command1.Top = (Form1.Height - Command1.Height) \ 2

End Sub
```

Nous pourrions recourir à la place à la méthode Move du bouton de commande. En général, mieux vaut employer une méthode que définir une propriété.

```
Private Sub Command1_Click()

    Command1.Move (Form1.Width - Command1.Width) \ 2, (Form1.Height -
        ⤷ Command1.Height) \ 2

End Sub
```

Lorsque vous renommez le bouton, le code de l'événement Click passe dans la partie (Général) (Déclarations) de Form1.

4   Placez ce code dans l'événement Click de Command1. Utilisez ensuite la touche d'accès rapide en tapant *Alt+T* pour le déclencher.

```
Private Sub Command1_Click()
    MsgBox "Vous avez cliqué sur le bouton Thomas"
End Sub
```

Voici le code du deuxième bouton de commande :

```
Private Sub Command2_Click()
    MsgBox "Vous avez cliqué sur le bouton Thierry"
End Sub
```

La question posée était assez vicieuse, dans la mesure où aucun message ne s'affiche : appuyer sur *Alt+T* n'entraîne jamais de véritable clic sur un bouton, mais fait simplement passer le focus de l'un à l'autre.

5 Text1 reçoit le focus en phase d'exécution (ce qui se traduit par la présence du point d'insertion dans cette zone de texte), mais vous pouvez modifier cet état de fait de plusieurs manières. En mode création, il est possible de régler la propriété TabIndex de Text2 sur 0 ; vous êtes ainsi certain que Text2 obtiendra le focus en phase d'exécution lors du lancement du programme. Vous pourriez également ajouter le code suivant à l'événement Form_Load de Form1 :

```
Private Sub Form_Load()
    Form1.Show
    Text2.SetFocus
End Sub
```

Vous remarquerez que nous avons dû afficher Form1 avant de pouvoir donner le focus à l'un de ses objets. Si vous essayez d'affecter le focus à un objet non visible, en effet, vous provoquez une erreur lors de l'exécution.

Chapitre 4 - Écrire du code

1 Commençons par nous assurer que la zone de texte reçoit bien le focus en phase d'exécution. Avant d'utiliser la méthode SetFocus, nous devons afficher la feuille, car il est impossible de donner le focus à un contrôle non visible :

```
Private Sub Form_Load()
    Form1.Show
    Text1.SetFocus
End Sub
```

Ce code contrôle le texte entré comme mot de passe dans la zone de texte :

```
Private Sub Command1_Click()
    If Text1.Text = "Michel" Then
        MsgBox "Félicitations, le mot de passe est correct"
    End If
End Sub
```

Cette solution présente un inconvénient : le mot de passe est sensible à la casse. Plusieurs moyens permettent d'en tenir compte. Vous pouvez placer l'instruction `Option Compare Text` dans la partie **(Général) (Déclarations)** de la feuille ; vous obtenez alors une comparaison des textes *insensible à la casse*. Il est aussi possible de modifier la structure `If` dans la procédure événementielle `Click` de la manière suivante :

```
Private Sub Command1_Click()
    If UCASE$(Text1.Text) = "MICHEL" Then
        MsgBox "Félicitations, le mot de passe est correct"
    End If
End Sub
```

2   Le code modifié de la procédure événementielle `Click` du bouton `Command1` se présente ainsi :

```
Private Sub Command1_Click()
    If UCase$(Text1.Text) = "MICHEL" Then
        MsgBox "Félicitations, le mot de passe est correct"
    Else
        MsgBox "Désolé, le mot de passe est incorrect"
        Text1.Text = ""
        Text1.SetFocus
    End If
End Sub
```

Vous remarquerez que nous avons perfectionné un peu le programme en vidant la zone de texte et en lui redonnant le focus en cas de mot de passe incorrect.

3   Comme nous le suggérons dans la question, vérifiez le caractère entré dans la zone de texte avec l'événement `Text1_KeyPress`. L'événement `KeyPress` se produit dès qu'une touche du clavier est appuyée et retourne une valeur entière (`KeyAscii`) correspondant au caractère ASCII de la touche enfoncée. Cette procédure événementielle convient parfaitement à la validation de combinaisons clavier et est à mon avis plus simple à utiliser que les événements `KeyUp` ou `KeyDown` qui, outre les caractères ASCII, identifient également les touches de fonction et de déplacement.

Je vous propose de régler la propriété **MaxLength** de la zone de texte sur **1**, afin de n'autoriser l'utilisateur qu'à entrer un seul caractère. Dans la propriété relative à la police de la zone de texte, nous avons également choisi une taille plus grande que la valeur 8 par défaut.

La fonction `CHR` permet de comparer la valeur numérique `KeyAscii` à un caractère. Vous noterez qu'après chaque combinaison clavier, nous vidons la zone de texte, puis lui donnons le focus. Nous recourons finalement à la fonction `UCASE`, afin d'effectuer une vérification *insensible à la casse*.

```
Private Sub Text1_KeyPress(KeyAscii As Integer)
    Select Case UCase(Chr(KeyAscii))

    Case "A", "E", "I", "O", "U"
        Label1.Caption = "Il s'agit d'une voyelle"
        Text1.Text = ""
        Text1.SetFocus
    End Select
End Sub
```

4   Très proche de l'exercice « Que diriez-vous d'essayer ? » 4-3, à ceci près que cette fois, nous recherchons également les consonnes. Nous utilisons les fonctionnalités offertes par la plage de valeurs Case en vue de faciliter la détection des consonnes.

```
Private Sub Text1_KeyPress(KeyAscii As Integer)
    Select Case UCase(Chr(KeyAscii))

    Case "A", "E", "I", "O", "U"
        Label1.Caption = "Il s'agit d'une voyelle"

    Case "B" To "D", "F" To "H", "J" To "N", "P" To "T", "V" To "Z"
        Label2.Caption = "Il s'agit d'une consonne"
    End Select

    Text1.Text = ""
    Text1.SetFocus
End Sub
```

5   Nous plaçons ici du code dans la procédure événementielle Load de la feuille, afin de générer la table de multiplication. Nous aurions pu afficher cette dernière dans la feuille au moyen de la méthode Print de celle-ci, mais les résultats n'auraient pas pu figurer en intégralité à l'écran. C'est pourquoi nous avons opté pour une zone de texte. Réglez-en la propriété **MultiLine** sur **True** et la propriété **ScrollBar**, sur **2 - Vertical**, sans quoi vous obtiendrez un véritable galimatias.

```
Private Sub Form_Load()

    Dim x As Integer
    Dim y As Integer

    Text1.Text = ""

    For x = 1 To 12
        For y = 1 To 12

            Text1.Text = Text1.Text & x & " x " & y & "=" & x * y & vbCrLf

        Next y
    Next x

End Sub
```

vbCrLf est une constante intrinsèque de Visual Basic qui lui indique de passer à la ligne suivante (comme lorsque vous appuyez sur *Entrée*).

709

Chapitre 5 - Manipuler des données

1   En utilisant la fonction WeekDay (jour de semaine) de Visual Basic et en lui transmettant la variable système Now comme argument, nous pouvons empêcher l'accès au système pendant les week-ends. VbSunday (dimanche) et vbSaturday (samedi) sont des constantes intrinsèques de VB. Il est possible de changer la date système de votre PC pour tester ce code, mais n'oubliez pas ensuite de rétablir la vérité !

```
Private Sub Command1_Click()
    Dim monjourouvré
    monjourouvré = WeekDay(Now)

    If monjourouvré = vbSunday Or monjourouvré = vbSaturday Then
        MsgBox "Désolé, l'accès au système est refusé le week-end !"
        End
    End If

    If UCase$(Text1.Text) = "MICHEL" Then
        MsgBox "Félicitations, le mot de passe est correct"
    Else
        MsgBox "Désolé, le mot de passe est incorrect"
        Text1.Text = ""
        Text1.SetFocus
    End If
End Sub
```

2   Voici un bloc de code intéressant. Nous avons d'abord mis en œuvre une boucle For…Next pour évoluer au sein des caractères de la zone de texte. En fait, nous affectons immédiatement la propriété Text de la zone de texte à une variable ; il s'avère en effet plus efficace de travailler avec des variables, notamment au sein d'une boucle, qu'avec la valeur de la propriété d'un objet.

Une fois la propriété Text stockée dans une variable String, nous utilisons une boucle For…Next pour nous déplacer dans la variable, caractère par caractère. Vous vous interrogez probablement sur la manière de connaître les paramètres de début et d'arrêt de la boucle. Le premier correspond simplement au caractère initial de la chaîne. Le second est un peu plus compliqué, bien qu'il s'agisse véritablement du dernier caractère de la chaîne ; il se détermine grâce à la fonction Visual Basic Len, qui retourne la longueur de la chaîne.

Passons maintenant aux choses sérieuses. Nous souhaitons employer la fonction UCase pour mettre en majuscule un caractère sur deux de la chaîne. Étant donné qu'il n'existe aucune fonction « un sur deux », nous devons user de malice. C'est ici que l'opérateur Mod intervient. Il se comporte comme pour une division, à ceci près que le reste est retourné comme résultat et non comme réponse véritable. L'opération Mod peut vous permettre de savoir si un nombre est divisible par un autre, auquel cas le résultat est 0 (c'est-à-dire qu'il n'y a pas de reste).

Nous devons par ailleurs garder un suivi du caractère avec lequel nous travaillons au sein de la chaîne, d'où intCompte. À chaque traitement du corps de la boucle, en effet, intCompte est incrémenté de 1 (il en va de même lorsque nous utilisons l'opérateur Mod pour déterminer si nous pouvons mettre le caractère en majuscule). Si le résultat de l'opération Mod (stocké dans la variable intReste) est 1, nous transformons le caractère en capitale ; sinon, nous le laissons tel quel.

Quoi qu'il en soit, nous ajoutons le caractère à la chaîne strNouveau ; plus précisément, nous le concaténons au contenu courant de strNouveau. Je vous rappelle, nous avons employé l'opérateur Mod dans une boucle For…Next pour déterminer si notre compteur était pair ou impair. Dans le second cas, nous mettons le caractère de la chaîne en majuscule ; dans le premier, nous recourons à la fonction LCase pour le mettre en minuscule.

Un petit mot encore sur l'emploi judicieux de la fonction Mid$. Dans ce chapitre, nous avons codé « en dur » l'argument de la valeur de la position de départ pour cette fonction Mid$. Ici, nous allons beaucoup plus loin en utilisant la valeur de intCompte pour spécifier le caractère que nous souhaitons étudier au sein de la chaîne. Sympathique, non ? D'autant que cela vous donne un aperçu des capacités impressionnantes des variables Visual Basic et du traitement des boucles.

```
Private Sub Command1_Click()
    Dim strAncien As String
    Dim strNouveau As String
    Dim intLongueur As Integer
    Dim intCompte As Integer
    Dim intReste As Integer

    strAncien = Text1.Text
    intLongueur = Len(strAncien)

    For intCompte = 1 To intLongueur
      intReste = intCompte Mod 2
      If intReste = 1 Then
          strNouveau = strNouveau & UCase$(Mid$(strAncien, intCompte, 1))
      Else
          strNouveau = strNouveau & Lcase$(Mid$(strAncien, intCompte, 1))
            ↳End If
    Next intCompte

    Text1.Text = strNouveau
End Sub
```

3   Cette question est assez fréquemment posée : comment savoir si une zone de texte ne contient « rien » ? Nous touchons ici du doigt la philosophie : qu'est-ce que le « rien » ?

Pour une zone de texte, les deux moyens les plus sûrs de déterminer si elle est vide sont les suivants. Le premier consiste à comparer la propriété Text de la zone de texte à la chaîne considérée comme vide ou nulle :

```
Private Sub Command1_Click()
    If Text1.Text = "" Then
        MsgBox "Text1 est vide"
    End If
End Sub
```

Le second est d'employer la fonction Len de Visual Basic pour savoir si la longueur de la chaîne dans la zone de texte est égale à 0.

```
Private Sub Command1_Click()
    If Len(Text1.Text) = 0 Then
        MsgBox "Text1 est vide"
    End If
End Sub
```

Mieux vaut éviter d'utiliser les fonctions Visual Basic IsNull et IsEmpty avec une zone de texte. Toutes deux sont en effet destinées à être employées avec des types de données Variant, or la propriété Text d'une zone de texte est un type de données String. La valeur Null est en outre une valeur spéciale dans VB qui ne peut jamais être générée ni créée par un utilisateur.

4 Vous trouverez peut-être qu'il s'agit d'un curieux projet de travail. Nous commençons par placer deux boutons de commande sur Form1. Le premier, Command1, affichera un message avec la valeur d'une variable appelée intX, que nous déclarons dans la partie (Général) (Déclarations) de Form1 avec le mot clé Private (nous pourrions utiliser Dim, mais Microsoft recommande plutôt Private dans la partie (Général) (Déclarations) d'une feuille ou d'un module standard). Le second, Command2, servira à faire apparaître Form2, grâce à la méthode Show de la feuille.

Nous ajoutons ensuite une deuxième feuille au projet, appelée Form2 (sélectionnez **Ajouter une feuille** dans le menu **Projet**), sur laquelle nous dessinons un seul bouton de commande : Command3 (attention ! vous devez changer l'intitulé par défaut, Command1, afin d'éviter toute confusion).

Sur Form2, nous plaçons le code dans la procédure événementielle Click de Command3, qui vise à afficher un message avec la valeur de intX. Toutefois, vous vous apercevrez que nous obtenons un message d'erreur indiquant que la variable n'a pas été définie ; la raison en est que les variables déclarées au moyen d'une instruction Private dans Form1 sont locales à cette feuille. En l'état, rien ne peut donc nous permettre d'afficher cette valeur dans Form2.

Voici le code de la configuration initiale :

Dans la partie (Général) (Déclarations) de Form1, nous tapons ce qui suit :

```
Option Explicit

    Private intX As Integer
```

```
Private Sub Command1_Click()
    IntX = 22
    MsgBox "La valeur de intX est " & intX
End Sub

Private Sub Command2_Click()
    Form2.Show
End Sub
```

Voici le code de la procédure événementielle Click de Command3 :

```
Private Sub Command3_Click()
    MsgBox "La valeur de intX est " & intX
End Sub
```

Si vous exécutez le projet tel quel, vous verrez que vous pouvez afficher la valeur de intX en cliquant sur Command1 de Form1. Cliquer sur Command2 fait apparaître Form2, mais cliquer sur Command3 dans Form2 entraîne un message d'erreur indiquant que la variable n'a pas été définie.

Pour que intX puisse s'afficher dans Form2, nous devons changer sa déclaration dans la partie (Général) (Déclarations) de Form1, en remplaçant Private par Public. Mais ce n'est pas tout. Il faut également modifier la façon dont nous référons à intX à partir du bouton de commande sur Form2.

Voici donc le code revu pour la partie (Général) (Déclarations) de Form1 :

```
Option Explicit

    Public intX As Integer
```

et celui du bouton Command3 dans Form2 :

```
Private Sub Command3_Click()
    MsgBox Form1.intX
End Sub
```

Vous noterez que nous avons préfixé le nom de la feuille à la variable publique extraite de Form1, et c'est là toute l'astuce.

Si nous avions déclaré cette variable dans la partie (Général) (Déclarations) d'un module standard comme Public, nous pourrions y faire référence à partir d'un endroit quelconque du projet, sans avoir besoin de recourir au préfixe.

5 Dans cet exercice, Mid$ et Right$ fonctionnent toutes deux correctement, mais nous avons volontairement corsé les choses en employant Mid$.

713

Right$ est ici l'outil idéal, mais Mid$ conviendra également parfaitement. Mid$ nécessitant deux arguments (position de départ au sein de la chaîne source à extraire et nombre de caractères à extraire), le code correspondant est un peu plus compliqué que pour Right$. Nous devons d'abord déterminer la longueur de la chaîne à extraire (c'est-à-dire, ici, 1), puis transmettre cette valeur à la fonction Mid$, ainsi que sa position de départ. Si nous souhaitions extraire les deux derniers caractères de la zone de texte, le code serait nettement plus complexe.

```
Private Sub Command1_Click()
    Dim intLen As Integer
    Dim strDernierCar As String

    intLen = Len(Text1.Text)

    If intLen > 0 Then
        strDernierCar = Mid$(Text1.Text, intLen, 1)
        MsgBox "Le dernier caractère de la zone de texte est " & strDernierCar
    End If
End Sub
```

La fonction Right$ est vraiment idéale pour cette tâche, puisqu'elle a juste besoin de connaître le nombre de caractères à extraire à partir de l'extrémité droite de la chaîne. Rien de plus simple dans le cas présent : il s'agit de 1 !

```
Private Sub Command2_Click()
    Dim intLen As Integer
    Dim strDernierCar As String

    intLen = Len(Text1.Text)

    If intLen > 0 Then
        strDernierCar = Right$(Text1.Text, 1)
        MsgBox "Le dernier caractère de la zone de texte est " & strDernierCar
    End If
End Sub
```

Chapitre 6 - Exploiter des données

1 Nous pouvons profiter du fait que les lettres capitales de l'alphabet ont une valeur ASCII comprise entre 65 et 93. Pour rendre notre projet encore plus intéressant, définissons cette plage de lettres comme Constant dans la partie (Général) (Déclarations) de la feuille. Par ailleurs, comme nous avons besoin de faire référence au tableau à partir de plusieurs procédures, nous devons le déclarer comme un tableau de niveau module dans la partie (Général) (Déclarations) de la feuille :

```
Private Const PREMIER_CARACTERE As Integer = 65
Private Const DERNIER_CARACTERE As Integer = 90
Private m_strArray(PREMIER_CARACTERE To DERNIER_CARACTERE) As String
```

Nos deux constantes étant déclarées, ainsi que le tableau de niveau module, nous pouvons placer le code suivant dans l'événement Load de la feuille, afin de charger le tableau. La constante améliore considérablement la lisibilité du code. Vous remarquerez l'emploi de la fonction Chr$ pour convertir le code numérique ASCII en caractère.

```
Private Sub Form_Load()

    Dim intCompte As Integer

    For intCompte = PREMIER_CARACTERE To DERNIER_CARACTERE
        m_strArray(intCompte) = Chr$(intCompte)
    Next intCompte

End Sub
```

Voici finalement le code que nous plaçons dans la procédure événementielle Click du bouton de commande, en vue d'afficher les éléments du tableau :

```
Private Sub Command1_Click()

Dim intCompte As Integer

    For intCompte = PREMIER_CARACTERE To DERNIER_CARACTERE
        Form1.Print m_strArray(intCompte)
    Next intCompte

End Sub
```

2   La fonction Array permet de charger les éléments d'un tableau facilement et rapidement. Attention ! elle vaut uniquement dans le cas d'un tableau à une seule dimension, et la variable Array doit être déclarée comme une Variant non-Array. Intéressons-nous d'abord à la déclaration de cette variable Array. Là encore, nous exécutons cette étape dans la partie (Général) (Déclarations) de la feuille, car nous y référerons à partir de plusieurs procédures.

```
    Private m_varArray As Variant
```

Voici le code pour charger le tableau. Vous remarquerez que nous employons à cette fin la fonction Array :

```
Private Sub Form_Load()

    m_varArray = Array("Dimanche", "Lundi", "Mardi", "Mercredi",
     ↳ "Jeudi", "Vendredi", "Samedi")

End Sub
```

Une fois que les éléments du tableau sont chargés, ce problème est similaire au précédent. Vous devez en effet saisir le code ci-dessous dans la procédure événementielle `Click` du bouton de commande, en vue d'afficher ces éléments. Contrairement à l'exercice précédent, cependant, nous employons cette fois les fonctions `LBound` et `UBound` pour déterminer les éléments supérieur et inférieur du tableau :

```
Private Sub Command1_Click()

    Dim intCompte As Integer

    For intCompte = LBound(m_varArray) To UBound(m_varArray)
        Form1.Print m_varArray(intCompte)
    Next intCompte

End Sub
```

3   Voici le code qui permet de déterminer si la zone de texte est vide. Nous employons un message pour afficher les résultats. Lorsque l'utilisateur clique sur `Command1`, nous sommes informés que `Text1.Text` est égal à « ». Notez au passage que la propriété `Text` d'une zone de texte est un type de données String. Il faut donc éviter toute fonction conçue spécialement pour des données de type Variant (comme `IsEmpty`).

```
Private Sub Command1_Click()

    If Text1.Text = "" Then
        MsgBox "Text1 est "& Chr(34) & Chr(34)
    End If
End Sub
```

Le code ci-dessous permet de contrôler la valeur d'une variable Variant déclarée. De nouveau, nous affichons les résultats dans un message. Lorsque l'utilisateur clique sur `Command2`, nous sommes informés que la valeur de la variable Variant est *à la fois* « Empty » (vide) et « ».

```
Private Sub Command2_Click()

    Dim varX As Variant

    If IsNull(varX) Then
        MsgBox "varX est nulle"
    End If

    If IsEmpty(varX) Then
        MsgBox "varX est vide"
    End If

    If varX = "" Then
        MsgBox "varX est "& chr(34) & chr(34)
    End If
End Sub
```

716

Voici le code qui vérifie la valeur d'une variable Integer déclarée. Là encore, nous faisons apparaître les résultats dans un message. Lorsque l'utilisateur clique sur Command3, nous sommes informés que la variable Integer a la valeur « 0 ». Cela vous surprend ? (si nous avions recherché une valeur « », une erreur se serait produite en phase d'exécution).

```
Private Sub Command3_Click()

    Dim intX As Integer

    If IsNull(intX) Then
        MsgBox "intX est nulle"
    End If

    If IsEmpty(intX) Then
        MsgBox "intX est vide"
    End If

    If intx = 0 Then
        MsgBox "intX est 0"
    End If

End Sub
```

Le code ci-dessous, enfin, permet de contrôler la valeur d'une variable String déclarée. De nouveau, nous recourons à un message pour afficher les résultats. Lorsque l'utilisateur clique sur Command4, nous sommes informés que la valeur de la variable String est « ».

```
Private Sub Command4_Click()

    Dim charX As String

    If IsNull(charX) Then
        MsgBox "charX est nulle"
    End If

    If IsEmpty(charX) Then
        MsgBox "charX est vide"
    End If

    If charX = "" Then
        MsgBox "charX est "& chr(34) & chr(34)
    End If

End Sub
```

En bref, donc : une fois déclarée, une variable Variant est automatiquement initialisée avec la valeur spéciale « Empty », une Integer, avec 0, et une String, avec « ».

4 Pour garder un suivi du nombre de fois où l'utilisateur clique sur un bouton, l'essentiel est de déclarer une variable de niveau module ou de type Static. Pour que vous vous familiarisiez avec cette dernière, nous retiendrons cette solution. Voici donc le code à saisir. À l'occasion, n'oubliez pas qu'une variable Static conserve sa valeur jusqu'à la fermeture du programme :

```
Private Sub Command1_Click()

    Static intX As Integer
    intx = intX + 1
    MsgBox "Vous avez cliqué sur ce bouton " & intX & " fois"

End Sub
```

5 Nous commençons par faire la déclaration ci-dessous de udtPersonne dans la partie (Général) (Déclarations) de la feuille. Comme nous nous référerons à notre instance de ce type à partir de plusieurs procédures, nous devons également la déclarer dans la partie (Général) (Déclarations) de la feuille :

```
Option Explicit

    Private Type udtPersonne
        Prénom As String
        Nom As String
        Adresse As String
        Ville As String
        CodePostal As String * 5
        Email As String
    End Type

    Private m_maPersonne As udtPersonne
```

Après avoir déclaré le type défini par l'utilisateur, vous pouvez créer des variables fondées dessus comme vous le feriez avec tout autre type de variable, tel que Integer ou String. Vous remarquerez que nous déclarons le CodePostal comme une chaîne d'une longueur fixe de 5 caractères.

Voici le code de l'événement Click du premier bouton de commande, dans lequel nous initialisons la valeur de chaque élément du type défini par l'utilisateur :

```
Private Sub Command1_Click()

    m_maPersonne.Prénom = "Alain"
    m_maPersonne.Nom = "Sympant"
    m_maPersonne.Adresse = "22 rue Haute"
    m_maPersonne.Ville = "Caen"
    m_maPersonne.CodePostal = "14000"
    m_maPersonne.Email = "asympant@wanadoo.fr"

End Sub
```

718

Nous aurions pu employer le raccourci `With...End With` pour affecter des valeurs aux éléments du type défini par l'utilisateur, mais nous avons préféré illustrer clairement le fonctionnement de la procédure.

Voici le code qui permet d'afficher les éléments du type défini par l'utilisateur sur la feuille. Nous recourons cette fois à la structure `With...End With` :

```
Private Sub Command2_Click()

    With m_maPersonne
        Form1.Print .Prénom
        Form1.Print .Nom
        Form1.Print .Adresse
        Form1.Print .Ville
        Form1.Print .CodePostal
        Form1.Print .Email
    End With

End Sub
```

Chapitre 7 - Utiliser les contrôles Liste

1 Cette question ne semble pas particulièrement difficile, a priori, mais vous seriez surpris de voir le nombre de gens qui tentent d'élaborer leurs zones de liste de cette manière et s'étonnent ensuite de la fermeture de la propriété List à chaque fois qu'ils appuient sur *Entrée*. Le défi, ici, consiste à ajouter plusieurs entrées à cette propriété sans fermer la liste. L'astuce est simple. Il suffit d'appuyer non pas sur *Entrée*, mais sur *Ctrl+Entrée* !

2 Une boucle `For...Next` permet de charger rapidement les lettres majuscules de l'alphabet dans une zone de liste. `Chr` est une fonction de Visual Basic qui retourne le caractère associé à un code ASCII spécifique. Si vous consultez l'aide en ligne au sujet d'ASCII, vous verrez que la plage des capitales commence par le code ASCII 65 (lettre A) et se termine par 90 (lettre Z).

```
Private Sub Form_Load()
    Dim x As Integer
    For x = 65 To 90
        List1.AddItem Chr(x)
    Next x
End Sub
```

3 Oui, la liste modifiable possède une propriété IntegralHeight, dont la valeur par défaut est d'ailleurs True, tout comme celle d'une zone de liste.

4 Voici un problème intéressant… et une solution éventuelle :

```
Private Sub Combo1_KeyPress(KeyAscii As Integer)

    If KeyAscii = 13 Then
        If Combo1.ListIndex = -1 And Combo1.Text <> "" Then
            Combo1.AddItem Combo1.Text
        End If
    End If

End Sub
```

Lorsqu'un utilisateur souhaite adopter un tel comportement, je lui demande de saisir quelque chose dans la liste modifiable et d'appuyer sur *Entrée*. Cela déclenche l'événement `KeyPress` de la liste et nous permet de savoir que l'utilisateur a effectivement appuyé sur *Entrée*. Nous ne sommes pas quittes, toutefois, car il est toujours possible que la valeur saisie en question dans la liste modifiable corresponde à l'un des éléments existant de la liste. Dans une telle situation, néanmoins, la valeur de la propriété `ListIndex` correspond à la position de l'élément dans la liste. -1 indique que rien n'a été sélectionné dans la liste. Par ailleurs, si la propriété `Text` de la liste modifiable n'est pas vide, nous savons que l'utilisateur a saisi quelque chose dans cette liste. Il y a alors de nombreuses possibilités. Certains programmeurs affichent une feuille popup particulière qui invite l'utilisateur à donner plus d'informations sur l'élément qu'il souhaite entrer dans la partie liste de la liste modifiable (il pourrait s'agir d'un nom de client, par exemple, qui nécessiterait la création d'un enregistrement client dans une base de données). Dans le cas présent, toutefois, ne compliquons pas les choses et contentons-nous d'ajouter l'élément à la liste.

5 Dans une liste modifiable, l'événement `Change` se produit lorsque le texte de la zone de texte de la liste modifiable change, à condition, toutefois, que la propriété **Style** soit réglée sur **0** (liste modifiable déroulante sans saisie : **Dropdown**) ou **1** (liste modifiable simple : **Simple**). L'événement `Click` est généré quand un utilisateur sélectionne un élément de la liste modifiable en appuyant sur une touche de direction ou en cliquant avec le bouton de la souris.

Chapitre 8 - Créer vos objets

1 Créez un nouveau projet Visual Basic et sélectionnez **P**rojet, puis **A**jouter un module de **c**lasse. Créez une nouvelle classe appelée `clsFeuDeCirculation`.

2 Les sept propriétés se créent en ajoutant les variables Private suivantes dans la partie (**Général**) (**Déclarations**) de notre module de classe :

```
Option Explicit

    'variable(s) locale(s) pour accueillir la ou les valeur(s) de la propriété
    Private mvarLaLargeur As Integer     'copie locale
    Private mvarLaHauteur As Integer      'copie locale
    Private mvarX As Integer     'copie locale
```

```
Private mvarY As Integer        'copie locale
Private mvarFeuRouge As Boolean        'copie locale
Private mvarFeuOrange As Boolean        'copie locale
Private mvarFeuVert As Boolean          'copie locale
```

Les procédures extérieures à la classe pourront lire et écrire ces propriétés. Nous devons créer à cette fin une sous-routine `Property Let` et `Property Get` pour chaque propriété. Prenons l'exemple de `FeuVert` :

```
Public Property Let FeuVert (ByVal vData As Boolean)
'utilisé pour l'affectation d'une valeur à la propriété, à gauche de celle-ci.
'Syntaxe : X.FeuVert = 5
    mvarFeuVert = vData
End Property

Public Property Get FeuVert() As Boolean
'utilisé pour l'extraction de la valeur d'une propriété, à droite de celle-ci.
'Syntaxe : Debug.Print X. FeuVert
    FeuVert = mvarFeuVert
End Property
```

Vous devriez être en mesure de définir de la même façon les autres propriétés.

Une petite mise en garde, toutefois. Nous avons inclus des propriétés pour les feux rouge, vert et orange, au cas où le fonctionnement des feux de circulation tel que nous le connaissons aujourd'hui serait amené à changer. En les rendant publiques, nous allons peut-être au-devant d'autres problèmes. Par conséquent, vous souhaiterez peut-être supprimer les instructions `Property Let`, qui créent en effet une propriété en lecture seule de la classe. Certaines méthodes permettront de changer la couleur des feux.

Pour les mettre en place, nous devons simplement saisir le code d'une routine `Public` qui accepte un `Object` appelé `Schéma` comme argument. Voici le code de la méthode `DessinerFeu` :

```
Public Sub DessinerFeu(Schéma As Object)

End Sub
```

La méthode `Allumé` est légèrement différente, puisqu'elle accepte deux arguments : un objet et un entier :

```
Public Sub Allumé(Schéma As Object, Interval As Integer)

End Sub
```

3   En vue d'établir des valeurs par défaut pour les propriétés `LaHauteur` et `LaLargeur` lorsque la classe est instanciée, nous profitons de l'occurrence de l'événement `Class_Initialize` :

```
Private Sub Class_Initialize()

    mvarLaHauteur = 500
    mvarLaLargeur = 500

End Sub
```

Voici le code de la méthode DessinerFeu. Nous utilisons la méthode Line pour dessiner le feu de circulation, en lui transmettant l'objet. Les cordonnées et dimensions du feu s'obtiennent à partir des propriétés X, Y, LaHauteur et LaLargeur de la classe.

```
Public Sub DessinerFeu(Schéma As Object)

    Schéma.Line (mvarX, mvarY)-(mvarX + mvarLaLargeur, mvarY +
        ↳ mvarLaHauteur), vbRed, BF

    Schéma.Line (mvarX, mvarY + (1 * mvarLaHauteur))-(mvarX +
        ↳ mvarLaLargeur, mvarY + (1 * mvarLaHauteur) + mvarLaHauteur),
        ↳ vbYellow, BF

    Schéma.Line (mvarX, mvarY + (2 * mvarLaHauteur))-(mvarX +
        ↳ mvarLaLargeur, mvarY + (2 * mvarLaHauteur) + mvarLaHauteur),
        ↳ vbGreen, BF

End Sub
```

Dans la méthode EffacerFeu, nous recourons de nouveau à la méthode Line pour « effacer » le feu de circulation, en lui affectant la même couleur qu'à l'arrière-plan du schéma.

```
Public Sub EffacerFeu(Schéma As Object)

    Schéma.Line (mvarX, mvarY)-(mvarX + mvarLaLargeur, mvarY +
        ↳ mvarLaHauteur), Schéma.BackColor, BF

    Schéma.Line (mvarX, mvarY + (1 * mvarLaHauteur))-(mvarX +
        ↳ mvarLaLargeur, mvarY + (1 * mvarLaHauteur) + mvarLaHauteur),
        ↳ Schéma.BackColor, BF

    Schéma.Line (mvarX, mvarY + (2 * mvarLaHauteur))-(mvarX +
        ↳ mvarLaLargeur, mvarY + (2 * mvarLaHauteur) + mvarLaHauteur),
        ↳ Schéma.BackColor, BF

End Sub
```

La méthode FeuOK « allume » la partie verte du feu de circulation et « éteint » les lumières rouge et orange.

```
Public Sub FeuOK(Schéma As Object)

    Schéma.Line (mvarX, mvarY)-(mvarX + mvarLaLargeur, mvarY +
        ↳ mvarLaHauteur), Schéma.BackColor, BF
```

```
    Schéma.Line (mvarX, mvarY + (1 * mvarLaHauteur))-(mvarX +
        ↳ mvarLaLargeur, mvarY + (1 * mvarLaHauteur) + mvarLaHauteur),
        ↳ Schéma.BackColor, BF

    Schéma.Line (mvarX, mvarY + (2 * mvarLaHauteur))-(mvarX +
        ↳ mvarLaLargeur, mvarY + (2 * mvarLaHauteur) + mvarLaHauteur),
        ↳ vbGreen, BF

End Sub
```

De la même manière, la méthode `FeuStop` « allume » la lumière rouge et « éteint » les verte et orange :

```
Public Sub FeuStop(Schéma As Object)

    Schéma.Line (mvarX, mvarY)-(mvarX + mvarLaLargeur, mvarY +
        vmvarLaHauteur), vbRed, BF

    Schéma.Line (mvarX, mvarY + (1 * mvarLaHauteur))-(mvarX +
        ↳ mvarLaLargeur, mvarY + (1 * mvarLaHauteur) + mvarLaHauteur),
        ↳ Schéma.BackColor, BF

    Schéma.Line (mvarX, mvarY + (2 * mvarLaHauteur))-(mvarX +
        ↳ mvarLaLargeur, mvarY + (2 * mvarLaHauteur) + mvarLaHauteur),
        ↳ Schéma.BackColor, BF

End Sub
```

Enfin, la méthode `FeuPrudence` « allume » la lumière orange et « éteint » les rouge et verte :

```
Public Sub FeuPrudence(Schéma As Object)

    Schéma.Line (mvarX, mvarY)-(mvarX + mvarLaLargeur, mvarY +
        ↳ mvarLaHauteur), Schéma.BackColor, BF

    Schéma.Line (mvarX, mvarY + (1 * mvarLaHauteur))-(mvarX +
        ↳ mvarLaLargeur, mvarY + (1 * mvarLaHauteur) + mvarLaHauteur),
        ↳ vbYellow, BF

    Schéma.Line (mvarX, mvarY + (2 * mvarLaHauteur))-(mvarX +
        ↳ mvarLaLargeur, mvarY + (2 * mvarLaHauteur) + mvarLaHauteur),
        ↳ Schéma.BackColor, BF

End Sub
```

4 Nous commençons par créer un groupe de contrôles de cinq boutons de commande sur la feuille, afin d'obtenir un code un peu plus simple. Nous affectons au premier bouton (Index 0) la légende **Créer un feu**, au deuxième (Index 1), **OK**, au troisième (Index 2), **Stop**, au quatrième (Index 3), **Prudence**, et au cinquième (Index 4), **Détruire le feu**. Nous déclarons ensuite une nouvelle instance de la classe `clsFeuDeCirculation` dans la partie (Général) (Déclarations) de la feuille :

```
Option Explicit

Public RuePrincipale As New clsFeuDeCirculation
```

Une fois `RuePrincipale` instanciée, l'événement `Class_Initialize` définit des valeurs par défaut pour les propriétés `LaHauteur` et `LaLargeur`.

Dans la procédure événementielle `Click` du groupe de contrôles de boutons de commande, nous saisissons le code d'une instruction `Select Case`, qui appelle la méthode appropriée de la classe d'après la propriété `Index` du bouton sur lequel a cliqué l'utilisateur. Lorsqu'il s'agit de **Créer un feu**, nous appelons la méthode `DessinerFeu` de la classe et lui transmettons un seul argument : le mot clé `Me`.

```
Private Sub Command1_Click(Index As Integer)

Select Case Index
    Case 0
        RuePrincipale.DessinerFeu Me
    Case 1
        RuePrincipale.FeuOK Me
    Case 2
        RuePrincipale.FeuStop Me
    Case 3
        RuePrincipale.FeuPrudence Me
    Case 4
        RuePrincipale.EffacerFeu Me
End Select

End Sub
```

5   Et maintenant, la touche finale du projet ! Nous devons permettre à la classe de se comporter comme un vrai feu de circulation, c'est-à-dire de passer successivement du vert au orange, puis au rouge, de façon cyclique. Pour obtenir un tel résultat, nous plaçons une minuterie sur la feuille ; nous réglons sa propriété **Enabled** sur **False** et sa propriété **Interval**, sur **1** (nous définissons ainsi un cycle rapide, mais vous pouvez augmenter cet intervalle si vous le souhaitez). Nous plaçons ensuite un autre bouton de commande sur la feuille, que nous intégrons au groupe de contrôles existant. Lorsque l'utilisateur clique sur ce bouton, il règle la propriété `Enabled` du contrôle Timer sur `True`, déclenchant ainsi la procédure événementielle `Timer` de la minuterie. Ajoutez cette ligne dans l'instruction `Select Case` de la procédure événementielle `Click` du bouton de commande :

```
    Case 5
    Timer1.Enabled = True
```

Voici le code de l'événement `Timer` de la minuterie :

```
Private Sub Timer1_Timer()

    Static intTimer As Integer
```

```
    intTimer = intTimer + 1

    If intTimer > 60 Then
        intTimer = 1
    End If

    RuePrincipale.Allumé Me, intTimer

End Sub
```

Dès que l'utilisateur clique sur le nouveau bouton de commande, le contrôle Timer devient Enabled, et l'événement Timer est déclenché. La valeur de intTimer évolue alors de façon cyclique, de 1 à 60 ; elle est transmise à la méthode Allumé de la classe qui, selon cette valeur, passe par les couleurs verte, orange et rouge du feu de circulation.

Voici le code à ajouter à la méthode Allumé :

```
Public Sub Allumé(Schéma As Object, Interval As Integer)

Select Case Interval
    Case 1 To 25
        FeuOK Schéma
    Case 26 To 30
        FeuPrudence Schéma
    Case 31 To 60
        FeuStop Schéma
End Select

End Sub
```

Pour arrêter le défilement, vous devez intégrer un autre membre au groupe de contrôles de boutons de commande et ajouter le code suivant à l'événement Click, afin de désactiver la minuterie :

```
    Case 6
        Timer1.Enabled = False
```

Chapitre 9 – Débogage et conception

1   Voici le code de la procédure événementielle Click de Command1. Nous utilisons ici DoEvents, sans lequel la légende de l'étiquette ne serait mise à jour qu'à la fin de la procédure :

```
Private Sub Command1_Click()

    Dim intCompte As Integer
```

```
    For intCompte = 1 To 1000
        Label1.Caption = "La valeur de intCompte est " & intCompte
        DoEvents
    Next intCompte

End Sub
```

Le code de la procédure événementielle `Click` de `Command2` est très proche :

```
Private Sub Command2_Click()

    Dim intCompte As Integer

    For intCompte = 1000 To 1 Step -1
        Label2.Caption = "La valeur de intCompte est " & intCompte
        DoEvents
    Next intCompte

End Sub
```

2   Plusieurs méthodes permettent d'ajouter une expression espionne. L'une d'elles consiste à sélectionner intCompte dans la fenêtre de code et à cliquer du bouton droit de la souris pour choisir Ajouter un espion, ou à passer par Débogage | Ajouter un espion dans le menu principal Visual Basic. Dans les deux cas, cela affiche une boîte avec l'expression sélectionnée (c'est-à-dire, ici, intCompte). Gardez Expression espionne comme Type d'espion. Cliquez sur OK, afin de faire apparaître la fenêtre Espions. Exécutez le programme, cliquez sur Command1 et arrêtez vite l'application momentanément. Vous devriez visualiser la valeur de intCompte. N'oubliez pas qu'en réglant le Type d'espion sur Expression espionne, vous ne pouvez consulter de valeur dans la fenêtre Espions qu'en cas de pause du programme.

3   Nous spécifions cette fois un espion pour la variable du compteur intCompte dans la procédure événementielle `Click` de `Command2`. Nous souhaitons également que l'exécution de l'application soit suspendue lorsque la valeur de intCompte est égale à 383. Comme précédemment, mettez la variable intCompte en surbrillance dans la fenêtre de code, puis ouvrez la fenêtre Ajouter un espion en choisissant la technique désirée. Modifiez l'expression dans la boîte, de façon à y faire figurer intCompte = 383. Spécifiez comme type d'espion Arrêt si la valeur est vraie. Cela stoppera momentanément le programme lorsque la valeur de intCompte sera égale à 383. Exécutez l'application, cliquez sur Command2, et le programme s'arrêtera quand intCompte atteindra 383.

4   Une seule ligne de code, l'instruction `Debug.Print`, suffit pour visualiser la valeur d'une variable évoluant lors de l'exécution d'un programme. Sachez néanmoins que si nous compilons l'application en un exécutable sans retirer cette ligne auparavant, Visual Basic ignore l'instruction `Debug`. Vous remarquerez que la fenêtre Débogage apparaît et fait défiler des lignes, dont le nombre est toutefois limité. Voyez si vous pouvez trouver votre bonheur.

```
Private Sub Command1_Click()

    Dim intCompte As Integer

    For intCompte = 1 To 1000
       Label1.Caption = " La valeur de intCompte est " & intCompte
       DoEvents
       Debug.Print intCompte
    Next intCompte

End Sub
```

5   Au début du développement d'un programme, il est parfois utile de placer une zone de texte sur la feuille, afin d'y afficher les valeurs d'une variable ou propriété quelconque. Si vous réglez la propriété MultiLine de cette zone de texte sur True et la propriété ScrollBars sur Vertical, vous obtenez une zone de texte « défilable ». Le code suivant permet de faire apparaître les valeurs de intCompte dans une telle zone.

```
Private Sub Command2_Click()

    Dim intCompte As Integer

    For intCompte = 1 To 1000
       Label1.Caption = "La valeur de intCompte est " & intCompte
       DoEvents
       Text1.Text = Text1.Text & intCompte & vbCrLf
    Next intCompte
End Sub
```

Ici, nous nous contentons en fait de concaténer la valeur intCompte, un retour chariot et un saut de ligne (grâce à la constante intrinsèque Visual Basic vbCrLF) à la valeur courante de la propriété Text de la zone de texte, ce qui crée une liste de valeurs susceptible de défiler.

Chapitre 10 - Travailler avec les menus

1   J'ai répertorié 79 touches de raccourci disponibles : *Ctrl+A* à *Ctrl+Z*, *F1* à *F12*, *Ctrl+F1* à *Ctrl+F12*, *Maj+F1* à *Maj+F12*, *Maj+Ctrl+F1* à *Maj+Ctrl+F12*, ainsi que *Ctrl+Ins*, *Maj+Ins*, *Suppr*, *Maj+Suppr* et *Alt+Retour arrière*.

2   Lorsque vous essayez de quitter le créateur de menus, vous obtenez un message d'erreur : Touche de raccourci déjà affectée.

3   Nous créons ici une feuille avec un élément de menu de niveau supérieur appelé mnuTop et un élément de sous-menu nommé mnuTopTest, avec une propriété Index de 0, ce qui indique à Visual Basic qu'il fait partie d'un groupe de contrôles intitulé mnuTopTest.

Nous concevons ensuite un bouton de commande qui, lorsque l'utilisateur clique dessus, génère un nouveau membre dans le groupe de contrôles, règle la valeur de cet élément sur True et change la légende du menu pour lui affecter sa valeur Index. Afin de connaître la prochaine propriété Index à attribuer, nous déclarons dans la partie **(Général) (Déclarations)** de la feuille une variable Integer privée, appelée intCompte.

```
Private intCompte As Integer
```

Voici le code de l'événement Click du bouton de commande :

```
Private Sub Command1_Click()

    intCompte = intCompte + 1

    Load mnuTopTest(intCompte)
    mnuTopTest(intCompte).Checked = True
    mnuTopTest(intCompte).Caption = intCompte

End Sub
```

4   Cette variable de niveau feuille fait des merveilles. Elle permet en effet de connaître la propriété Index du dernier élément de menu de la liste et est de surcroît facile à retirer. Vous l'aurez remarqué, nous nous assurons que nous ne déchargeons pas l'élément de menu créé en mode création.

```
Private Sub Command2_Click()

    If intCompte = 0 Then
        MsgBox "Impossible de décharger l'élément de menu créé en mode
            ↳ de création"
        Exit Sub
    Else
        Unload mnuTopTest(intCompte)
        intCompte = intCompte - 1
    End If

End Sub
```

5   Dans la conception d'un menu popup, l'essentiel est de commencer par créer une structure de menu selon la méthode normale, puis de rendre invisibles les éléments à afficher dans le menu popup. Il faut alors placer le code dans l'événement MouseUp ou MouseDown, afin de détecter tout clic du bouton droit (Button = 2) de la part de l'utilisateur. Lorsqu'une telle action se produit, nous appelons la méthode PopupMenu, avec le nom du menu à afficher. Voici le code de l'événement MouseDown dans le cas du menu employé à la dernière question :

```
Private Sub Form_MouseDown(Button As Integer, Shift As Integer, ↳X As Single, Y As Single)

    If Button = 2 Then
```

```
        PopupMenu mnuTop
    End If

End Sub
```

Chapitre 11 - Les boîtes de dialogue

1   Voici, pour vous rafraîchir la mémoire, la liste des constantes `MsgBox` :

VbOKOnly	0	bouton OK seul (par défaut)
VbOKCancel	1	boutons OK et Annuler
VbAbortRetryIgnore	2	boutons Abandonner, Réessayer et Ignorer
VbYesNoCancel	3	boutons Oui, Non et Annuler
VbYesNo	4	boutons Oui et Non
VbRetryCancel	5	boutons Réessayer et Annuler
VbCritical	16	message critique
VbQuestion	32	avertissement avec demande de confirmation
VbExclamation	48	message d'avertissement
VbInformation	64	message d'information

Nous insérons ici le code dans l'événement `Form_Load` de la feuille. Il s'agit d'une simple boucle imbriquée. Les boucles extérieure et intérieure contrôlent respectivement les boutons et le symbole affichés. En les combinant, nous déterminons l'argument Style pour la fonction `MsgBox`. N'oubliez pas : `MsgBox` étant en effet une fonction, elle retourne une valeur stockée dans la variable Réponse, qui nous indique le bouton sur lequel l'utilisateur a cliqué. Voici le code à saisir :

```
Private Sub Form_Load()

    Dim Msg As String
    Dim Réponse as Variant
    Dim Style as Integer
    Dim ValeurDuBouton as Integer
    Dim Symbole As Integer

    Msg = "Exercice 10-1"

    For ValeurDuBouton = 0 To 5 Step 1
       For Symbole = 0 To 64 Step 16
          Style = ValeurDuBouton + Symbole
          Réponse = MsgBox("La valeur du bouton est " & ValeurDuBouton & "+" &
          ↳ Symbole, Style)
       Next Symbole
    Next ValeurDuBouton

End Sub
```

2   Nous utilisons la fonction `InputBox` dans la procédure événementielle `Form_Load`. Vous remarquerez que nous spécifions un titre pour la boîte de saisie (Inputbox), le message à afficher et une valeur par défaut. Les paramètres x et y indiquent que la boîte de saisie devra être positionnée dans le coin supérieur gauche de l'écran.

```
Private Sub Form_Load()

    Dim Message As Variant
    Dim Titre As Variant
    Dim Défaut As Variant
    Dim Réponse As Variant

    Message = "Bonjour ! Souhaiteriez-vous prendre un café ou un thé ?"
    Titre = "Exercice 10-2"
    Défaut = "Café"
    Réponse = InputBox(Message, Titre, Défaut, 0, 0)

End Sub
```

Les boîtes de saisie permettent d'obtenir facilement et rapidement des informations de la part de l'utilisateur, mais de nombreux programmeurs Visual Basic les évitent. Pourquoi ? En fait, vous ne pouvez obtenir qu'une réponse par boîte. Par conséquent, au cas où vous souhaiteriez demander à l'utilisateur s'il désire un toast ou un croissant, vous devriez ajouter une deuxième instruction `InputBox`.

Par ailleurs, il est impossible de limiter le nombre de caractères entrés dans une telle boîte. Aujourd'hui, nous servons uniquement du thé et du café, mais rien n'empêche l'utilisateur de saisir « jus d'orange ». C'est uniquement lorsqu'il aura tapé sa demande dans la boîte de saisie et appuyé sur la touche *Entrée* que nous connaîtrons son choix.

3   Là encore, nous insérons du code dans l'événement `Form_Load` de la feuille. Nous modifions le paramètre `Valeur` de la fonction `MsgBox` en y ajoutant `4096` (cette valeur correspond à la création d'une boîte modale système). Si vous exécutez le projet, il affichera de nouveau 30 styles de boîtes de message différents, mais qui seront cette fois tous modaux.

Avec une boîte modale système, l'utilisateur ne peut que cliquer sur l'un des boutons proposés. Tout accès à d'autres parties de l'application lui est par ailleurs impossible.

```
Private Sub Form_Load()

    Dim Msg As String
    Dim Réponse as Variant
    Dim Style as Integer
    Dim ValeurDuBouton as Integer
    Dim Symbole as Integer
    Dim Extra As Integer
```

```
        Msg = "Exercice 10-3"
        Extra = 4096
        For ValeurDuBouton = 0 To 5 Step 1
            For Symbole = 0 To 64 Step 16
                Style = ValeurDuBouton + Symbole + Extra
                Réponse = MsgBox("La valeur du bouton est " & ValeurDuBouton & "+" &
                    ↳ Symbole, Style)
            Next Symbole
        Next ValeurDuBouton

End Sub
```

4   Nous saisissons ici le code pour l'affichage de la boîte de dialogue commune des couleurs dans l'événement `Click` du bouton de commande. Une fois que l'utilisateur a fait son choix, nous affectons à la propriété `BackColor` de la feuille la valeur qui correspond à sa sélection (vous la trouverez dans la propriété `Color` de la boîte de dialogue de commandes).

```
Private Sub Command1_Click()

    CommonDialog1.ShowColor
    Form1.BackColor = CommonDialog1.Color

End Sub
```

À votre avis, n'y a-t-il rien de bizarre dans ce code ? Que se passerait-il si l'utilisateur cliquait sur le bouton **Annuler** ? Essayez… et vous verrez que la feuille devient entièrement noire ! Il serait donc judicieux d'envisager l'ajout d'une fonction de gestion d'erreurs.

5   Cette question est très proche de la précédente. Nous employons cette fois la boîte de dialogue commune pour changer la taille des caractères de la légende affichée dans notre étiquette. En réglant la propriété **AutoSize** de cette étiquette sur **True**, nous sommes sûrs qu'elle sera redimensionnée en fonction de chaque taille de police, ou presque, choisie par l'utilisateur. Néanmoins, étant donné le nombre important de propriétés à manipuler et l'existence de l'objet Font, changer la police s'avère parfois beaucoup plus compliqué que modifier les couleurs. Dans le code ci-dessous, nous utilisons la construction `With...End With` pour changer les propriétés de l'objet Font. Nous définissons également la propriété `Flags` du contrôle Boîtes de dialogue communes de telle sorte qu'elle désigne les polices d'écran. En ajoutant 256 à cette valeur, nous permettons à l'utilisateur de choisir également une couleur. Vous noterez enfin que Color n'est pas une propriété de l'objet Font et que la teinte de l'étiquette doit donc être spécifiée en dehors de la structure `With...End With`.

```
Private Sub Command1_Click()

    CommonDialog1.Flags = cdlCFScreenFonts + 256
    CommonDialog1.ShowFont
```

```
    With Label1.Font
        .Name = CommonDialog1.FontName
        .Bold = CommonDialog1.FontBold
        .Italic = CommonDialog1.FontItalic
        .Size = CommonDialog1.FontSize
        .Strikethrough = CommonDialog1.FontStrikethru
        .Underline = CommonDialog1.FontUnderline
    End With

    Label1.ForeColor = CommonDialog1.Color

End Sub
```

Chapitre 12 - Les graphiques

1   Ce n'est pas particulièrement difficile, mais il s'agit d'un bon défi aux artistes en herbe. Les contrôles Line et Shape sont formidables pour tracer des formes de toutes sortes, et un emploi des traits judicieux peut améliorer sensiblement votre interface graphique utilisateur. Pour la structure de notre jeu de morpion, nous devons dessiner deux traits verticaux et deux horizontaux. Faites plusieurs essais, jusqu'à trouver le bon positionnement (celui-ci dépend de la configuration de votre machine ; il n'y a pas de disposition juste ou fausse). N'oubliez pas de recourir à la propriété **BorderWidth** pour ajuster l'épaisseur de ces lignes. En vue du prochain exercice, notez également les coordonnées X et Y de vos traits.

2   Au lieu d'utiliser le contrôle Line comme dans le dernier exercice, nous employons ici la méthode Line, afin de dessiner dynamiquement les traits de la structure de notre jeu de morpion. N'oubliez pas que nous avons besoin de deux lignes verticales et de deux horizontales. Avant d'appeler la méthode Line, nous réglons les hauteur et largeur de notre feuille comme il se doit pour notre jeu. Au bout de quelques essais, vous devriez finalement trouver un paramétrage adéquat de DrawWidth, propriété du contrôle Line qui détermine l'épaisseur du trait.

Nous transmettons à la méthode Line deux paires de coordonnées x et y, qui désignent respectivement les points de départ et d'arrivée de notre ligne. Nous répétons cette méthode quatre fois, afin de dessiner le cadre de notre jeu. Pour un tracé immédiat, nous plaçons le code ci-dessous dans l'événement Form_Load de la feuille. Par ailleurs, afin que ces traits soient visibles, nous recourons à la méthode Show de la feuille.

```
Private Sub Form_Click()

    Form1.Show

    Form1.Height = 4635
    Form1.Width = 6840
    DrawWidth = 8
```

```
    Form1.Line (2265, 420)-(2265, 3360) 'Dessine la ligne verticale 1
    Form1.Line (4465, 420)-(4465, 3360) 'Dessine la ligne verticale 2

    Form1.Line (500, 1300)-(6000, 1300) 'Dessine la ligne horizontale 1
    Form1.Line (500, 2400)-(6000, 2400) 'Dessine la ligne horizontale 2

End Sub
```

3 Le code nécessaire au tracé de la structure du jeu de morpion reste le même que dans l'exercice 11-2. Cette fois, néanmoins, nous voulons aboutir à la présentation d'un jeu en cours. Nous plaçons pour cela une minuterie sur la feuille et tapons le code dans la procédure événementielle Timer à l'origine des « mouvements ». Avec une propriété **Interval** de **1000** (1 seconde), le jeu évolue très vite. Si vous le souhaitez, vous pouvez ralentir un peu la cadence en augmentant la propriété **Interval**. Il est important de ne pas activer la minuterie tant que la structure du morpion n'est pas dessinée. Par conséquent, en mode création, nous désactivons le contrôle **Timer** et ne l'activons qu'une fois le tracé terminé.

```
Private Sub Form_Click()

    Form1.Show

    Form1.Height = 4635
    Form1.Width = 6840
    DrawWidth = 8

    Form1.Line (2265, 420)-(2265, 3360) 'Dessine la ligne verticale 1
    Form1.Line (4465, 420)-(4465, 3360) 'Dessine la ligne verticale 2

    Form1.Line (500, 1300)-(6000, 1300) 'Dessine la ligne horizontale 1
    Form1.Line (500, 2400)-(6000, 2400) 'Dessine la ligne horizontale 2

    Timer1.Interval = 1000
    Timer1.Enabled = True

End Sub
```

Nous plaçons ensuite le code ci-dessous dans la procédure événementielle Timer de la minuterie. Il existe certes d'autres techniques plus sophistiquée de tracés pour les X et les O du morpion, mais quoi qu'il en soit, le principal est que le jeu fonctionne !

```
Sub Timer1_Timer()

    Static intCompte as Integer

    intCompte = intCompte + 1
    Select Case intCompte

    Case 1:
        Form1.Line (1000, 600)-(1600, 1000), vbBlue
        Form1.Line (1000, 1000)-(1600, 600), vbBlue
```

```
Case 2:
    Form1.Circle (5300, 3000), 200, vbRed

Case 3:
    Form1.Line (1000, 2800)-(1600, 3200), vbBlue
    Form1.Line (1000, 3200)-(1600, 2800), vbBlue

Case 4:
    Form1.Circle (1300, 1900), 200, vbRed

Case 5:
    Form1.Line (5000, 600)-(5600, 1000), vbBlue
    Form1.Line (5000, 1000)-(5600, 600), vbBlue

Case 6:
    Form1.Circle (3300, 1900), 200, vbRed

Case 7:
    Form1.Line (3000, 600)-(3600, 1000), vbBlue
    Form1.Line (3000, 1000)-(3600, 600), vbBlue

Case 8:
    Form1.Line (800, 800)-(6000, 800), vbYellow

Case 9:
    Timer1.Enabled = False

End Select
End Sub
```

La partie la plus importante de ce code est sans conteste la définition de la variable appelée `intCompte` en tant que variable Static. Cela permet de garder un suivi du dernier mouvement effectué. Si nous avions choisi une autre classe de variable, le même mouvement aurait été répété indéfiniment. Je pense qu'un tel jeu lasserait vite le spectateur !

Bien sûr, tous les déplacements sont prédéterminés. Chaque case représente un intervalle d'une seconde, ce qui se répercute directement sur l'aspect du jeu en cours.

4   Après ce dur labeur, soufflons un peu et prenons l'exemple d'une pizzeria. Le code ci-après permet de dessiner et de calculer l'aire de pizzas de 1000 et 1400 twips de diamètre. Mais au fait, saviez-vous qu'une pizza de 1400 twips de diamètre a une surface pratiquement deux fois plus grande qu'une de 1000 twips de diamètre ? Étonnant, non ?

Revenons au code. Plaçons-le dans l'événement `Click` de la feuille. Sur cette dernière, nous pouvons dessiner deux cercles côte à côte grâce à la méthode `Circle`, qui accepte des coordonnées x et y pour le point de départ, un rayon et, éventuellement, une couleur. Connaissant le diamètre des deux pizzas, nous pouvons en calculer le rayon (qui en est, faut-il le rappeler, la moitié). L'aire du disque se calcule selon la formule (souvenez-vous de Pythagore) 22/7 multiplié par le rayon au carré. Nous l'affichons ensuite dans la légende d'une étiquette, dont vous devez régler la propriété AutoSize sur True.

734

```
Private Sub Form_Click()

    Dim Rayon1 as Integer, Rayon2 As Integer
    Dim Area1 as Long, Area2 As Long

    Form1.Show

    Form1.Height = 5000
    Form1.Width = 7000

    Rayon1 = 1000 / 2
    Rayon2 = 1400 / 2

    Form1.Circle (1200, 1600), Rayon1, vbRed
    Form1.Circle (4400, 1600), Rayon2, vbBlue

    Area1 = (22 / 7) * (Rayon1 ^ 2)
    Area2 = (22 / 7) * (Rayon2 ^ 2)

    Label1.Top = 3360
    Label1.Left = 470
    Label1.Caption = "Le cercle 1 mesure " & Format(Area1, "###,###,###,###") & "
        ↳ twips carrés"

    Label2.Top = 3360
    Label2.Left = 3780
    Label2.Caption = "Le cercle 2 mesure " & Format(Area2, "###,###,###,###") & "
        ↳ twips carrés"

End Sub
```

5   Quel mauvais joueur ! Tout ce que nous avons fait ici est d'ajouter un bouton de commande à la feuille. Lorsque vous cliquez dessus, le code ci-après est exécuté, ce qui efface le jeu. Les deux éléments clés sont ici la fonction Random (Rnd) et l'emploi de la méthode Line pour tracer à l'écran des traits d'une longueur et d'une couleur aléatoires. Nous fixons des limites au « dessin » grâce à ScaleHeight et ScaleWidth de la feuille et, pour faire simple, nous recourons à la fonction QBColor en vue de fournir la couleur à la méthode Line.

```
Private Sub Command1_Click()

    Dim De_X as Long
    Dim A_X as Long
    Dim De_Y as Long
    Dim A_Y as Long
    Dim nIndex as Integer
    Dim intCouleur as Long

    Randomize

    For nIndex = 1 To 2000
        De_X = Int(Rnd(1) * Form1.ScaleWidth)
        A_X = Int(Rnd(1) * Form1.ScaleWidth)
        De_Y = Int(Rnd(1) * Form1.ScaleHeight)
        A_Y = Int(Rnd(1) * Form1.ScaleHeight)
```

```
        intCouleur = Int(Rnd(1) * 16)
        Form1.Line (De_X, De_Y)-(A_X, A_Y), QBColor(intCouleur)
    Next nIndex
End Sub
```

Chapitre 13 - Utiliser les contrôles de bases de données

1   Il s'agit juste d'élaborer la base de données et d'y ajouter les informations. Vous pouvez télécharger cette base du site Web de Wrox, si vous le souhaitez.

2   Pour cela, démarrez un nouveau projet et ajoutez un contrôle Data ADO sur la feuille nouvellement créée. N'oubliez pas : ce contrôle ne figure peut-être pas par défaut dans la boîte à outils, auquel cas vous devrez le sélectionner dans la boîte de dialogue **Composants** (à laquelle vous accédez grâce à la combinaison *Ctrl+T*).

Vous devez ensuite relier ce contrôle à la source de données. Dans la fenêtre Propriétés, sélectionnez la propriété **Custom** et appuyez sur le bouton de création, afin d'ouvrir la boîte de dialogue Pages de propriétés. Sélectionnez l'option **Utiliser une chaîne de connexion** et cliquez sur le bouton **Créer…**, afin d'afficher la boîte de dialogue concernant les propriétés des connexions de données. Choisissez **Microsoft Jet 3.51 OLE DB Provider** et cliquez sur le bouton **Suivant >>**. Vous accédez ainsi à l'onglet **Connexion**, où vous pouvez entrer le chemin d'accès complet à la base de données `Pizza.mdb` ou recourir au bouton de recherche (avec trois points de suspension) pour localiser ce fichier. Cliquez finalement sur **OK**, afin de fermer la boîte de dialogue.

La source de données étant définie, vous devez spécifier la table dont seront extraites les informations. Dans la fenêtre Propriétés, localisez **RecordSource** et cliquez sur le bouton de création. La page **RecordSource** apparaît. Sélectionnez **adCmdTable** comme **Command Type** et **Transaction** comme **Table Name**. Cliquez sur **OK** pour fermer cette boîte de dialogue.

Vous disposez désormais des données ; il faut donc placer des contrôles sur la feuille. Dessinez cinq zones de texte et associez-leur des étiquettes, comme dans la écran suivante :

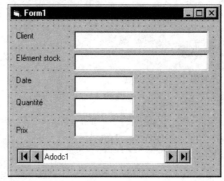

Pour chacune de ces zones, vous devez faire pointer la propriété DataSource vers Adodc1, et DataField, vers le champ approprié.

3 Vous devez ici changer trois paramètres, à commencer par RecordSource du contrôle Data. Cliquez sur le bouton de création ; dans la boîte de dialogue qui apparaît, sélectionnez adCmdText pour Command Type et entrez le code suivant comme instruction SQL :

```
SELECT Client.Client, Stock.Description,
     Transaction.TransactionDate, Transaction.Quantité,
     Transaction.Prix
     FROM Stock INNER JOIN
     (Client INNER JOIN Transaction ON Client.ClientID =
     Transaction.ClientID)
     ON Stock.StockID = Transaction.StockID
     ORDER BY Transaction.TransactionDate;
```

Fermez cette boîte de dialogue en cliquant sur le bouton OK.

Vous devez maintenant régler la propriété DataField sur Client et Description pour les étiquettes Client et Stock.

N'oubliez pas de sauvegarder ce projet, car nous y reviendrons par la suite.

4 Pour cet exercice, il est possible de dessiner un contrôle DataGrid sur la feuille. Vous pouvez retirer de cette dernière les contrôles existants ou les y laisser, si vous le souhaitez, et tracer alors simplement la grille au-dessus. N'oubliez pas, cependant, que nous réutiliserons ce projet dans l'exercice du prochain chapitre. Rappelez-vous également que DataGrid ne figure peut-être pas par défaut dans votre boîte à outils ; il suffit alors de l'ajouter en sélectionnant Microsoft Data Grid Control 6.0 (OLEDB).

Réglez la propriété DataSource de la grille sur Adodc1.

C'est tout !

Chapitre 14 - Programmer l'accès à une base de données

1 Pour la première partie de cette question, la seule chose que vous ayez à faire est de régler la propriété Visible du contrôle Data ADO sur False.

Ajoutez une variable membre pour le jeu d'enregistrements et définissez-la dans la procédure événementielle Form_Load :

```
Private m_recTrans As ADODB.Recordset

Private Sub Form_Load()
```

```
    Set m_recTrans = Adodc1.Recordset

End Sub
```

Intégrez ensuite les constantes d'erreur dans la partie supérieure du code, au-dessus de la déclaration de la variable membre :

```
Private Const UPDATE_CANCELLED  As Long = -2147217842
Private Const ERRORS_OCCURRED  As Long = -2147217887
```

Ajoutez quatre boutons de commande en bas de la feuille, dont vous définirez les propriétés **Caption** et **Name** comme suit :

Caption	Name
&Premier	cmdPremier
&Précédent	cmdPrécédent
&Suivant	cmdSuivant
&Dernier	cmdDernier

Vous devez par ailleurs saisir du code pour ces boutons. Double-cliquez simplement sur le bouton de commande concerné pour accéder à la procédure événementielle, puis tapez le code suivant :

```
Private Sub cmdPremier_Click()

    DéplacEnreg adRsnMoveFirst

End Sub

Private Sub cmdDernier_Click()

    DéplacEnreg adRsnMoveLast

End Sub

Private Sub cmdSuivant_Click()

    DéplacEnreg adRsnMoveNext

End Sub

Private Sub cmdPrécédent_Click()

DéplacEnreg adRsnMovePrevious

End Sub
```

Ajoutez le code pour `DéplacEnreg` :

```
Private Sub DéplacEnreg(intDirection As Integer)

    On Error GoTo DéplacEnreg_Err

    Select Case intDirection

    Case adRsnMoveFirst
        m_recTrans.MoveFirst

    Case adRsnMovePrevious
        m_recTrans.MovePrevious

        If m_recTrans.BOF Then
            m_recTrans.MoveNext
        End If

    Case adRsnMoveNext
        m_recTrans.MoveNext

        If m_recTrans.EOF Then
            m_recTrans.MovePrevious
        End If

    Case adRsnMoveLast
        m_recTrans.MoveLast

    End Select

DéplacEnreg_Exit:
    Exit Sub

DéplacEnreg_Err:
    Select Case Err.Number

        Case UPDATE_CANCELLED, ERRORS_OCCURRED
          ' sans effet

        Case Else
          Err.Raise Err.Number, Err.Source, Err.Description

    End Select

    Resume DéplacEnreg_Exit

End Sub
```

2   Dans cet exercice, vous devez ajouter deux contrôles Data ADO supplémentaires. Placez-les n'importe où sur la feuille et réglez leur propriété **Visible** sur **False**. Vous pouvez établir la liaison avec une base de données de la même manière que précédemment, en sélectionnant la propriété **Custom** et en cliquant sur le bouton de création. Lorsque la page des propriétés apparaît, activez l'option **Utiliser une chaîne de connexion**, puis cliquez sur le bouton **Créer...**. Sélectionnez le fournisseur d'accès, puis, dans la page suivante, la base de données Pizza.

739

Réglez les propriétés de ces deux contrôles Data comme suit :

Nom	RecordSource
datClient·	Client
datStock	Stock

Retirez maintenant les deux zones de texte concernant le client et le stock, puis remplacez-les par des listes modifiables, dont vous définirez les propriétés ainsi :

Première liste modifiable :

Propriété	Valeur
Name	DbcClient
DataSource	Adodc1
RowSource	datClient
BoundColumn	Client
DataField	Client
ListField	Client

Seconde :

Propriété	Valeur
Name	dbcStock
DataSource	Adodc1
RowSource	datStock
BoundColumn	Description
DataField	Description
ListField	Description

3 Ajoutez une étiquette, une zone de texte et un bouton de commande. L'étiquette devra mentionner **Date de recherche**, la zone de texte s'intituler `txtAnnéeDeRecherche`, et le bouton de commande, `cmdRechercher`. Définissez pour ce dernier une légende (**Caption**) appropriée.

Saisissez ce code dans l'événement Click du bouton **Rechercher** :

```
Private Sub cmdRechercherSuivant_Click()

    m_recTrans.Find "TransactionDate = #" & txtAnnéeDeRecherche & "#", 1

End Sub
```

N'oubliez pas que dans le code, les dates doivent figurer entre des signes « dièse ».

Chapitre 15 – Les variables objets

1   Grâce aux variables objets, vous pouvez :

❑ créer de nouveaux contrôles en phase d'exécution

❑ copier des contrôles, afin de produire de nouvelles instances de contrôles existants

❑ créer plusieurs exemplaires d'une seule feuille qui comportent tous des noms, des contrôles et un code identiques, mais qui contiennent et gèrent chacun des données différentes

2   Nous commençons par placer un contrôle d'étiquette sur la feuille et en régler la propriété **Index** sur **0**. Nous saisissons ensuite le code suivant dans son événement Click :

```
Private Sub Label1_Click (Index As Integer)

    Static sProchaineOpération As String
    Dim nIndex As Integer

    For nIndex = 1 To 5

    If sProchaineOpération = "UNLOAD" Then
       Unload Label1(nIndex)
    Else
       Load Label1(nIndex)
       With Label1(nIndex)
          .Visible = True
          .TOP = Label1(nIndex - 1).TOP + Label1(nIndex - 1).Height
          .Caption = "Voici l'étiquette " & nIndex
       End With
    End If

    Next nIndex

    If sProchaineOpération = "UNLOAD" Then
        sProchaineOpération = "LOAD"
```

```
        Else
            sProchaineOpération = "UNLOAD"
        End If

End Sub
```

3   Nous déclarons d'abord cette fonction (appelée `TopEst`) dans la partie (**Général**) (**Déclarations**) de la feuille. Elle accepte un seul argument de type `Object` et retourne une valeur `Long`, définie par l'affectation d'une valeur au nom de la fonction (`TopEst`). En déclarant `monObjet` comme type `Object` au lieu d'un type plus précis, tel que `Control`, nous permettons à cette fonction de recevoir une référence de tout type d'objet (une feuille, par exemple) et pas seulement un contrôle.

```
Function TopEst(monObjet As Object) as Long

    TopEst = monObjet.Top

End Function
```

Nous plaçons ensuite deux contrôles sur la feuille : un bouton de commande et une zone de texte. Nous saisissons les codes ci-dessous dans les procédures événements `Click` de la feuille, du bouton de commande et de la zone de texte. Dès que vous cliquez sur l'un de ces trois éléments, leur propriété `Top` respective s'affiche sur la feuille :

```
Private Sub Command1_Click()

    Dim nRésultat As Long

    nRésultat = TopEst(Command1)
    Form1.Print "La propriété Top de l'objet désigné est " & nRésultat

End Sub

Private Sub Form_Click()

    Dim nRésultat As Long

    nRésultat = TopEst(Me)
    Form1.Print "La propriété Top de l'objet désigné est " & nRésultat

End Sub

Private Sub Text1_Click()

    Dim nRésultat As Long

    nRésultat = TopEst(Text1)
    Form1.Print "La propriété Top de l'objet désigné est " & nRésultat

End Sub
```

4 Si vous déclarez explicitement une variable objet de type Label et que vous essayez ensuite d'affecter une valeur à une propriété qui n'existe pas pour un contrôle étiquette, Visual Basic génère une erreur de compilation. Étudiez bien le code ci-dessous. Il provoquera une telle erreur, car le contrôle étiquette ne possède pas de propriété Text.

```
Private Sub Form_Click()

    Dim monObjet As Label
    Set monObjet = Label1

    monObjet.Text = "Durand"

End Sub
```

5 Supposons cette fois que vous déclariez une variable objet de type Control, que vous établissiez une référence à un contrôle étiquette et que vous tentiez ensuite d'affecter une valeur à une propriété qui n'existe pas pour le contrôle étiquette. Dans ce cas, vous provoquez une erreur non pas lors de la compilation mais lors de l'exécution. Utiliser la déclaration d'une variable objet générique présente donc un risque évident, en contrepartie cela permet d'aller beaucoup plus loin que dans la déclaration explicite d'une variable objet. Observez bien le code ci-après, par exemple. Bien que le contrôle Label ne possède pas de propriété Text, la compilation s'effectuera sans problème. Ce n'est qu'au moment où la ligne de code erronée sera exécutée, en effet, que nous détecterons le problème.

```
Private Sub Form_Click()

    Dim monObjet As Control
    Set monObjet = Label1

    monObjet.Text = "Durand"

End Sub
```

Chapitre 16 - Utiliser les DLL et l'API Windows

1 Avant de pouvoir utiliser l'API Windows dans votre programme, vous devez d'abord déclarer la procédure ou fonction correspondante dans la partie (Général) (Déclarations) d'un module de feuille ou de classe, ou un module standard. La méthode n'est pas très différente de l'écriture de votre propre procédure ou fonction, mais dans le cas présent, il faut employer l'instruction DECLARE pour indiquer à Visual Basic que cette fonction ou procédure lui est extérieure.

2   Cela n'a généralement pas beaucoup d'importance si vous copiez-collez les déclarations API depuis la visionneuse API. Il est toutefois possible que vous appeliez une procédure ou une fonction dans une DLL en recourant à la documentation d'un fournisseur autre que Microsoft. Dans ce cas, veillez bien à passer toutes les variables String par valeurs. N'oubliez pas que C++ et Visual Basic traitent les chaînes de caractères différemment ; la plupart des fonctions et procédures DLL étant écrites en C++, vous risquez donc de provoquer un « plantage » ou une erreur système si vous passez une variable String par référence. Un petit rappel : lorsque vous passez une valeur par référence (au sein de Visual Basic ou non, d'ailleurs), vous transmettez en fait une adresse à une variable et non la véritable valeur de la variable. Si la fonction ou procédure de la DLL interprète cette adresse comme des données, cela pourrait poser quelques problèmes...

3   La fonction est `GetDriveType`.

4   Il est pratiquement impossible de trouver la réponse à cette question sans le truc que je vais vous donner sans tarder. Vous pouvez certes parcourir scrupuleusement la zone **Constantes** de la visionneuse API. Au bout de plusieurs minutes d'une recherche vaine, cependant, j'ai décidé d'utiliser un ancien éditeur de textes élémentaire pour consulter le fichier `WIN32API.TXT`, situé dans le sous-répertoire `WINAPI` du dossier Visual Basic 6. J'ai ensuite recherché les types de lecteurs et trouvé ces constantes. Bien sûr, un manuel ou un livre sur l'API Windows se révélerait ici très pratique.

Voici les valeurs qui seront retournées par `GetDriveType`. Vous pouvez en trouver la liste dans la partie **Constantes** de la visionneuse de texte API.

2	DRIVE_REMOVABLE
3	DRIVE_FIXED
4	DRIVE_REMOTE
5	DRIVE_CDROM
6	DRIVE_RAMDISK

5   Voici la déclaration de la fonction telle qu'elle figure dans la visionneuse de texte API. Nous la plaçons dans la partie (Général) (Déclarations) de la feuille. Vous remarquerez que cette fonction attend un seul argument de type String, appelé nDrive, et qu'elle retournera une valeur de type Long.

```
Private Declare Function GetDriveType Lib "kernel32" Alias "GetDriveTypeA" (ByVal nDrive As String) As Long
```

Nous avons placé le code ci-après dans la procédure événementielle Click du bouton de commande. Nous recourons ici à une boîte de saisie, pour inviter l'utilisateur à entrer la lettre du lecteur souhaité. Le véritable problème que vous puissiez rencontrer est l'emploi de la fonction : son argument requiert non seulement la lettre du lecteur, mais également deux points et un antislash, or la plupart des gens croient que la lettre du lecteur suffit. Mais, étant donné la pléthore d'appels API disponibles, où donc obtenir ce type d'information ? En vous reportant à un livre sur l'API Windows, vous trouveriez bien sûr toutes les réponses fiables sur les formats, la transmission d'arguments et les valeurs retournées. Vous pouvez aussi consulter l'ouvrage *Professional Visual Basic Windows API programming* paru chez Wrox Press.

```
Private Sub Command1_Click()

    Dim lngRésultat As Long
    Dim strDrive As String

    strDrive= UCase(InputBox("Entrez une lettre de lecteur"))
    lngRésultat = GetDriveType(strDrive & ":\")

    Select Case lngRésultat
        Case 2
            Msgbox "La lettre " & strDrive & " désigne un lecteur amovible"
        Case 3
            Msgbox "La lettre " & strDrive & " désigne un lecteur fixe"
        Case 4
            Msgbox "La lettre " & strDrive & " désigne un lecteur réseau"
        Case 5
            Msgbox "La lettre " & strDrive & " désigne un CD-ROM"
        Case 6
            Msgbox "La lettre " & strDrive & " désigne un RAM DISK"
        Case Else
            Msgbox "Il n'existe aucun lecteur correspondant à cette lettre sur
                ↳ ce système"
    End Select

End Sub
```

Chapitre 17 - Visual Basic et les composants

1 Un serveur de composants in process est un serveur dont la compilation produit une DLL. Tout programme qui utilise un tel serveur doit charger le code à partir de la DLL. Un composant out of process, en revanche, est compilé sous la forme d'une application exécutable, comme Excel. Tout code qui emploie ses composants s'exécute conjointement au programme. Les serveurs de composants in process tendent à fonctionner plus rapidement que leurs homologues out of process.

2 Il est impossible d'employer SingleUse et GlobalSingleUse dans des DLL ActiveX.

3   Nous ouvrons ici un nouveau projet EXE ActiveX. Nous créons ensuite deux propriétés et méthodes (`ShowNom` and `ShowAge`) en saisissant le code suivant dans le module de classe.

```
Option Explicit

Private m_sNom As String
Private m_intAge As String

Property Let Nom(ByVal sNom As String)
    m_sNom = sNom
End Property

Property Let Age(ByVal intAge As String)
    m_intAge = intAge
End Property

Public Sub ShowNom()
    MsgBox "Votre nom est " & m_sNom
End Sub

Public Sub ShowAge()
    MsgBox "Vous ne paraissez pas avoir " & m_intAge & " ans"
End Sub
```

Nous changeons ensuite le nom de la classe en cnAge, enregistrons le projet sous `TestServer2` et le compilons sous l'appellation `TestServer2.exe`.

4   Une fois notre serveur ActiveX out of process créé, nommé, sauvegardé et compilé en un exécutable, nous devons produire un projet Exe standard pour y accéder. Ce projet comporte deux zones de texte (appelées `txtNom` et `txtAge`), deux étiquettes et un bouton de commande. Voici le code de l'événement `Click` du bouton de commande :

```
Private Sub Command1_Click()

    Dim Monserveur As Object

    Set Monserveur = CreateObject("TestServer2.cnAge")

    Monserveur.Nom = txtNom
    Monserveur.Age = txtAge
    Monserveur.ShowNom
    Monserveur.ShowAge

End Sub
```

Prenez le soin de vous référer (**Reference**) au `TestServer2.exe` que nous venons de créer, puis exécutez le programme. Après que vous avez saisi vos nom et âge dans les deux zones de texte, notre serveur out of process démarre et affiche un message contenant ces deux informations.

5   La liaison est très proche de l'emploi de l'instruction `Shell` pour exécuter une application. Lors d'une liaison, en effet, le contrôle conteneur renferme seulement un pointeur vers le fichier où sont stockées les données. Quand l'utilisateur double-clique sur l'objet OLE, le programme associé s'exécute comme s'il était totalement indépendant. Il assure la gestion de toutes les modifications apportées au fichier, ainsi que l'enregistrement de ce dernier.

Lorsque vous créez un objet incorporé en mode création, Visual Basic charge une image du fichier dans son propre espace mémoire. Au moment de son exécution, il crée au sein de lui-même un objet de la classe OLE et recourt aux méthodes et propriétés du programme associé pour éditer le fichier OLE. Cette fois, c'est par conséquent Visual Basic qui prend en charge la gestion des informations et l'enregistrement des modifications apportées par l'utilisateur.

Chapitre 18 - Créer vos propres contrôles

1   Vous pouvez concevoir trois « types » de contrôles ActiveX. Les premiers se dessinent ex nihilo : sans conteste les plus complexes, ils requièrent l'écriture d'un code qui détermine le mode et l'emplacement de création du contrôle. Les deuxièmes sont issus d'un contrôle unique, comme l'exemple du bouton de commande dans le corps du chapitre. Les troisièmes, enfin, résultent d'un groupe de contrôles.

2   Avant de créer un contrôle ActiveX, il est toujours judicieux d'écrire un code du même type dans un Exe standard et de le tester. C'est pourquoi nous démarrons un projet Exe standard et plaçons un bouton de commande et une minuterie sur une feuille. Nous pouvons ensuite déclarer les variables Public ci-dessous dans la partie **(Général) (Déclarations)** de la feuille :

```
Public datCommencer As Date
Public lngDurée As Long
```

Nous réglons la propriété **Enabled** du contrôle Timer sur **False** et laissons la propriété `Interval` sur sa valeur par défaut : **0**. Nous pouvons alors saisir le code suivant dans l'événement `Timer` de la minuterie :

```
Private Sub Timer1_Timer()

    Beep
    DoEvents
    If DateDiff("s", datCommencer, Now) >= lngDurée Then
        Timer1.Enabled = False
    End If

End Sub
```

Voici le code de l'événement Click du bouton de commande :

```
Private Sub Command1_Click()

    datCommencer = Now
    Timer1.Enabled = True
    Timer1.Interval = 1000
    lngDurée = 10

End Sub
```

Comme vous pouvez le constater, lorsque l'utilisateur clique sur le bouton de commande, nous activons la minuterie de ce dernier et réglons sa propriété Interval pour l'intervalle existant entre les sonneries. La durée (Duration) correspond au temps pendant lequel vous souhaitez que dure la sonnerie. Dès que l'événement Timer repère que la durée désirée est supérieure ou égale à l'instant courant moins l'instant de départ en secondes, il règle la propriété Enabled de la minuterie sur False. Il n'est alors nullement nécessaire d'autoriser le paramétrage de la durée ou de l'intervalle en phase d'exécution ; lorsque nous concevrons notre contrôle à la prochaine étape, en effet, ces deux valeurs seront déterminées d'après les définitions des propriétés par le créateur qui utilise notre contrôle.

3 Passons maintenant au contrôle ActiveX. Nous démarrons un nouveau projet et choisissons **Contrôle ActiveX**. Nous changeons ensuite le nom du contrôle utilisateur en BoutonSonnerie. À ce stade, nous devons placer sur la feuille une minuterie et un bouton de commande, auquel nous affectons la légende **Sonnerie**. Comme nous l'avons fait lors du test de ce contrôle, nous réglons la propriété **Enabled** du contrôle Timer sur **False** et laissons sa propriété **Interval** sur **0**. Là encore, nous devons déclarer plusieurs variables dans la partie (**Général**) (**Déclarations**) du module. Cette fois, cependant, il faut inclure des variables Private qui seront définies par les procédures Property Let déclenchées une fois les propriétés du contrôle paramétrées.

```
Public datCommencer As Date
Private mvarDuration As Long       'copie locale
Private mvarInterval As Integer    'copie locale
```

Voici les procédures Property Let et Property Get des propriétés Interval et Duration. Vous remarquerez que la définition de la propriété Interval de la minuterie concorde avec celle du contrôle utilisateur.

```
Public Property Get Duration() As Integer

    Duration = mvarDuration

End Property
```

```
Public Property Let Duration(vdata As Integer)

    mvarDuration = vdata

End Property

Public Property Get Interval() As Integer

    Interval = mvarInterval

End Property

Public Property Let Interval(vdata As Integer)

  mvarInterval = vdata
  Timer1.interval = vdata

End Property
```

Comme dans notre test, nous devons maintenant placer ce code dans l'événement Timer de la minuterie. Il y a néanmoins une légère différence : désormais, nous comparons l'instant de départ à la variable Private mvarDuration définie par la procédure Property Let.

```
Private Sub Timer1_Timer()

  Beep
  DoEvents
  If DateDiff("s", datCommencer, Now) >= mvarDuration Then
      MsgBox "Toute sonnerie va cesser, désormais..."
       Timer1.Enabled = False
  End If

End Sub
```

Voici le code de la procédure événementielle Click du bouton de commande. Il inclut l'appel à RaiseEvent.

```
Private Sub Command1_Click()

    datCommencer = Now
    Timer1.Enabled = True
    RaiseEvent Click

End Sub
```

Enfin, nous devons signaler à Visual Basic les événements auxquels devra répondre notre contrôle utilisateur. Dans le cas présent, il ne réagira qu'à un seul : l'événement Click. Faisons tout de suite ce qui s'impose en plaçant ce code dans la partie (Général) (Déclarations) du module.

```
    Event Click()
```

4   Nous y sommes presque ! Rappelez-vous que le contrôle utilisateur a deux manifestations. La première sera exploitée par le concepteur d'un programme Visual Basic, de la même manière que nous travaillons actuellement avec le bouton de commande et la minuterie. La seconde correspond à son comportement en phase d'exécution. L'événement `Resize` du contrôle utilisateur est un comportement propre au mode création, qui permet au contrôle d'être redimensionné lorsqu'un concepteur le place sur une feuille. Nous devons saisir du code dans cet événement, afin de rendre notre contrôle utilisateur plus « sympathique ». Voici ce code :

```
Private Sub UserControl_Resize()
    Command1.Move 0, 0, ScaleWidth, ScaleHeight
End Sub
```

Ces lignes garantissent que le bouton de commande aura toujours la même taille que le contrôle utilisateur sur lequel il viendra se superposer.

5   Cette fois, nous avons enfin une chance de voir le contrôle à l'œuvre. Sauvegardez le projet sous `BoutonSonnerie.vbp`, puis choisissez **F**ichier | **C**réer **BoutonSonnerie.ocx** dans le menu principal Visual Basic, afin de compiler le contrôle.

Fermez la fenêtre de création pour le nouveau contrôle, puis sélectionnez l'option **F**ichier | **A**jouter un projet et un projet standard.

Le contrôle Sonnerie devrait désormais figurer dans la boîte à outils. Ajoutez-le à la feuille, puis placez le code suivant dans l'événement `Form_Load` :

```
Private Sub Form_Load()

Bellbutton1.Interval = 1000     'La sonnerie retentit toutes les secondes
Bellbutton1.duration = 5        'La sonnerie retentit pendant 5 secondes

End Sub
```

Pour finir, désignez le projet Exe standard comme **Projet de démarrage** et exécutez le programme. La sonnerie retentira toutes les secondes pendant 5 secondes.

Index